W9-CBM-711

Энн
БРОНТЕ

Энн
БРОНТЕ

Незнакомка из Уайлдфелл-Холла

Астрель
Полиграфиздат
МОСКВА

УДК 821.111
ББК 84 (4Вел)
Б88

Перевод с английского И.Г. Гуровой

Бронте, Э.

Б88 Незнакомка из Уайлдфелл-Холла : [роман]/ Энн Бронте; пер. с англ. И.Г. Гуровой. – М.: АСТ: Астрель: Полиграфиздат, 2010.– 446, [2] с.

(С.: КнВВ-2) Компьютерный дизайн Э.Э. Кунтыш
ISBN 978-5-17-065875-6 (ООО «Изд-во АСТ»)
ISBN 978-5-271-28175-4 (ООО «Изд-во Астрель»)
ISBN 978-5-4215-0939-4 (ООО «Полиграфиздат»)

(С.: Зарубежная классика) Компьютерный дизайн Ю.М. Мардановой
ISBN 978-5-17-065872-5 (ООО «Изд-во АСТ»)
ISBN 978-5-271-28176-1 (ООО «Изд-во Астрель»)
ISBN 978-5-4215-0940-0 (ООО «Полиграфиздат»)

Перед вами – «Незнакомка из Уайлдфелл-Холла». Необычная, причудливая и бесконечно изящная книга, сочетающая в себе черты романа любовного и эпистолярного, мистического – и почти детективного...

УДК 821.111
ББК 84 (4Вел)

Дж. Холфорду, эсквайру.

Дорогой Холфорд!

Когда мы виделись в последний раз, я с величайшим интересом слушал твой рассказ о наиболее примечательных событиях твоей юности, о днях, предшествовавших нашему знакомству. Потом ты пожелал, в свою очередь, услышать мою повесть, но я в ту минуту не хотел предаваться воспоминаниям и уклонился под не слишком убедительным предлогом, будто ничего примечательного в моей молодости не произошло. Однако мои неуклюжие извинения ты не принял, и, хотя тотчас переменил разговор, заметить, как глубоко ты обижен, было нетрудно — на твое лицо словно легло темное облако, которое не рассеялось даже при нашем прощании, а возможно, омрачает и доселе. Ведь все твои письма с тех пор отличает меланхоличная и суховатая сдержанность, которая больно бы меня ранила, подтверди моя совесть, что я ее заслужил.

Не стыдно ли тебе, старина — в твоем-то возрасте, после стольких лет горячей дружбы, когда я уже дал тебе столько доказательств своей искренности, своего доверия и нисколько не принимал к сердцу твою молчаливость и некоторую замкнутость? А в них-то, видимо, и вся суть. По природе ты не склонен открывать душу другим, и с твоей точки зрения, разумеется, в тот достопамятный день ты во имя дружбы совершил истинный подвиг (уже, вероятно, поклявшись, больше никогда ничего подобного себе не позволять), а потому был вправе ожидать, что за столь великую милость я тотчас без малейших колебаний отплачу тебе такой же исповедью.

Впрочем, я взялся за перо не для того, чтобы упрекать тебя, оправдываться или просить прощения за прошлые обиды, но для того, чтобы искупить их, если ты позволишь.

За окном моросит докучливый дождь, семейство мое уехало в гости, а я сижу один в библиотеке, перебираю пожелтелые письма и некоторые другие старые бумаги, вспоминаю былые дни — и чувствую, что теперь совершенно готов развлечь тебя повествованием о давних переменах. Сняв поджарившиеся стопы свои с каминной решетки, я придвинул кресло к письменному столу и, докончив эти строки, обращенные к моему суровому старому другу, намерен кратко — нет-нет, не кратко, но с величайшей полнотой! — ознакомить его со всеми подробностями самого важного события в моей жизни (то есть до моего знакомства с Джеком Холфордом). А после этого обвиняй меня в неблагодарности и недружеской скрытности, если у тебя достанет духа!

Я знаю, ты любишь длинные истории и не менее моей покойной бабушки придирчив к точности самых пустячных обстоятельств и любых мелочей, а потому не жди пощады: я буду соизмерять размеры этой повести лишь с собственным терпением и досугом.

Среди упомянутых мною бумаг покоится старый выцветший мой дневник, который послужит тебе ручательством, что, воспроизводя давние происшествия, я полагаюсь не только на свою память, какой бы цепкой она ни была, и ничуть не намерен злоупотреблять твоим доверием к моей добросовестности. Итак, я сразу же приступаю к первой главе, ибо глав этих будет еще много.

Глава I
НЕЖДАННАЯ НОВОСТЬ

Ты должен вернуться со мной к осенним дням 1827 года.

Мой отец, как тебе известно, был владельцем фермы в ...шире и, хотя по рождению джентльмен, посвятил себя земледелию. Покорствуя его настойчивому желанию, я стал его преемником на этом поприще, хотя и не слишком охотно, ибо честолюбие призывало меня к более высоким свершениям, а самоуверенность нашептывала, что, не прислушиваясь к его голосу, я зарываю свой талант в землю и прячу свой светильник под спудом. Матушка тоже всячески убеждала меня, что я способен подняться очень высоко. Однако отец, свято веривший, что честолюбие — наиболее прямой путь к гибели, а перемены ни к чему хорошему не приводят, не желал ничего слушать о том, как я мог бы сделать более счастливым свой жребий или жребий других смертных. Все это вздор, говорил он и с последним вздохом заклинал меня следовать по доброму старому обычаю его путем, как он следовал путем своего отца, не ставить себе целей выше, чем честно прожить жизнь, не косясь ни вправо, ни влево, и оставить родовую землю моим детям по меньшей мере в том же цветущем состоянии, в каком он передает ее мне.

«Ну что же! — решил я. — Честный и трудолюбивый земледелец принадлежит к наиболее полезным членам общества, и я, употребив свои таланты на содержание моей фермы в образцовом порядке и общее улучшение способов ведения сельского хозяйства, тем самым принесу пользу не только моим чадам и домочадцам, но в какой-то степени и всему человечеству, а следовательно, не растрачу жизнь попусту!»

Примерно такими мыслями я утешался, возвращаясь домой с поля в очень пасмурный, холодный и сырой вечер на исходе октября. Однако теплые отблески огня, игравшие на стеклах окна нашей гостиной, ободрили и устыдили меня куда больше всех философских выводов и решений, к каким я понуждал себя. Не забудь, ведь я тогда был очень молод — и в свои двадцать пять лет еще далеко не обрел нынешнего моего умения владеть собой, пусть оно и теперь не так уж велико.

Однако, прежде чем вступить в приют блаженства, я должен был сменить облепленные глиной сапоги на чистые башмаки, сюртук из грубого сукна на более презентабельный и вообще привести себя в благопристойный вид — матушка, несмотря на всю свою доброту, кое в чем была неумолимо строга.

Поднимаясь к себе в спальню, я столкнулся на лестнице с бойкой миловидной девятнадцатилетней девушкой, в меру пухленькой, круглолицей, с румяными щеками, пышными глянцевыми локонами и веселыми карими глазками. Мне незачем объяснять тебе, что то была моя сестрица Роза. Я знаю, что она и теперь, став почтенной матроной, сохраняет приятность облика, а в твоих глазах, полагаю, остается такой же прелестной, как в счастливые дни, когда ты впервые узрел ее. Но в ту минуту я пребывал в полном неведении, что несколько лет спустя она отдаст свою руку и сердце пока еще совершенно мне незнакомому человеку, хотя ему и суждено стать мне другом даже более близким, чем она сама и чем невоспитанный семнадцатилетний увалень, чуть не сбивший меня с ног, когда я спускался, и покаранный звонким подзатыльником, который, впрочем, не нанес ни малейшего ущерба его мыслительным способностям, ибо мозг его защищала не только особо толстая черепная кость, но еще и шапка коротких рыжих кудрей — впрочем, матушка предпочитала называть их золотисто-каштановыми.

Эта почтенная дама сидела в гостиной у камина в своем кресле и вязала — обычное ее занятие, когда она отдыхала от других хлопот. Ожидая нас, она собственноручно выгребла золу из камина и растопила его. Служанка как раз внесла поднос с чайником, а Роза достала сахарницу и чайницу из темного дубового шкафчика, который блестел в уютном свете камина, точно был сделан из полированного черного дерева.

— А, вот и они оба! — воскликнула матушка, оборачиваясь к нам, но ее гибкие пальцы и сверкающие спицы ни на миг не прервали свое движение. — Закройте-ка дверь и присаживайтесь к огню. Уж наверное вы голодны как волки. Но пока Роза заварит чай, расскажите мне, чем вы сегодня занимались. Я люблю знать про своих детей все.

— Ну, я объезжал серого жеребчика — он очень норовистый, отдавал распоряжения, как распахать стерню — у работника без меня недостало ума самому сообразить, что надо сделать, и намечал, где следует выкопать канавы, чтобы осушить заболоченный луг.

— Узнаю своего трудолюбивого сына! Фергес, а ты что поделывал?

— Барсука травил.

И он во всех подробностях поведал о перипетиях этого благородного развлечения, воздав должное и барсуку и собакам. Матушка делала вид, будто слушает его с глубочайшим интересом, и смотрела на его оживленную физиономию с материнской гордостью, хотя, на мой взгляд, особых причин для гордости тут не было.

— Пора бы тебе взяться за ум, Фергес, — заметил я, едва он на секунду умолк, переводя дух.

— А что ты прикажешь мне делать? — возразил он. — Маменька не позволяет мне стать моряком и в армию тоже не пускает. А ни на что другое я не согласен, и раз так, буду бить баклуши и допекать вас, пока вы на что угодно не согласитесь, лишь бы от меня избавиться.

Наша родительница нежно погладила крутые завитки его волос. Он заворчал на нее и надулся, но тут Роза в третий раз позвала нас к столу, и мы наконец ее услышали.

— Пейте чай, — заявила она, — а я тем временем расскажу, что сегодня делала я. Ходила в гости к Уилсонам, и, Гилберт, какая жалость, что ты не пошел со мной! Там ведь была Элиза Миллуорд.

— Ну и что?

— Да ничего. Я больше ни словечка про нее не скажу — вот тебе! Только она такая миленькая, такая веселая, когда в хорошем настроении, и, по-моему, она просто...

— Т-с, деточка! Твой брат ни о чем таком и не думает! — прошептала матушка, предостерегающе подняв палец.

— Я просто хотела рассказать вам новость, которую услышала у Уилсонов, — продолжала Роза. — Ни за что не догадаетесь! Помните, месяц назад поговаривали, что Уайлдфелл-Холл кому-то сдают? Так что же вы думаете? Там уже неделю как живут, а никто ничего не знал!

— Не может быть! — воскликнула матушка.

— Чушь какая! — фыркнул Фергес.

— А вот и нет! Там поселилась дама, и, говорят, одинокая!

— Как же так, милочка? Дом ведь совсем развалился.

— Ну, для нее обновили две-три комнаты, и она живет совсем одна, только со старухой служанкой.

— Какая жалость! Служанка! А я-то уж подумал, не ведьма ли она! — пожаловался Фергес, густо намазывая маслом толстый ломоть хлеба.

— Фергес, какой вздор ты выдумываешь! Но, мама, это ведь очень странно, правда?

— Еще бы! Я просто поверить не могу.

— Нет уж, пожалуйста, поверь! Джейн Уилсон была у нее сама. Миссис Уилсон взяла ее с собой и отправилась туда с визитом — она ведь едва услышала, что там кто-то поселился, просто места себе не находила, так ей хотелось все разнюхать и разузнать. Зовут ее миссис Грэхем, и она носит траур — но не глубокий, не вдовий, а сама еще молодая — лет двадцати шести, не больше, но ужасно, ужасно сдержанная! Они по-всякому старались выведать, кто она такая и откуда приехала. Миссис Уилсон, уж конечно, дала волю своей назойливости и сыпала самыми неделикатными вопросами, а мисс Уилсон пускала в ход всякие обходные маневры, но им так и не удалось удовлетворить своего любопытства. Они не добились от нее ни единого ответа, ни единой оговорки, даже ни единого словечка, которые бросили бы хоть малейший свет на ее прошлую историю, нынешнее положение или круг знакомых. К тому же держалась она с ними очень нелюбезно и «прощайте» сказала куда с большим удовольствием, чем «здравствуйте»! Но Элиза Миллуорд объявила, что ее папенька намерен вскоре побывать у нее и предложить ей пастырские советы, которые, как он опасается, должны оказаться далеко не лишними: ведь она, хотя приехала в самом начале недели, в воскресенье в церкви не была. И она — то есть Элиза — упросит его взять ее с собой и, разумеется, уж что-нибудь от нее да узнает! Ты же знаешь, Гилберт, она всегда добивается того, чего хочет. Мама, и мы тоже должны нанести ей визит! Это ведь только вежливо будет.

— Ну конечно, милочка! Бедняжечка! Как ей, должно быть, одиноко!

— Ах, прошу вас, поторопитесь! И непременно-непременно расскажите мне, сколько сахару она кладет в чай, какие чепчики и передники носит, и все-все! Я просто не понимаю, как я буду жить, пока не узнаю! — с глубочайшей серьезностью произнес Фергес.

Но если он намеревался блеснуть остроумием, то потерпел горькую неудачу, потому что никто даже не улыбнулся. Впрочем, его это ничуть не охладило: не успел он набить рот хлебом с маслом и поднести к губам чашку, как с такой живостью представил себе столь комичное положение, что вынужден был, давясь, вскочить из-за стола и выбежать в сад, откуда тотчас донеслись мучительные всхлипывания и кашель.

Я же молча утолял голод ветчиной, жареным хлебом и чаем, а моя матушка и сестрица продолжали обсуждать вероятную — или невероятную — историю таинственной незнакомки. Однако должен признаться, что злоключение моего братца послужило мне хорошим предупреждением, и раза два я ставил чашку на стол, даже не пригубив ее содержимое, из опасения уронить свое достоинство, предавшись, как и он, неудержимому веселью.

На следующий же день матушка и Роза поспешили навестить прекрасную отшельницу, но вернулись, ничего не узнав, хотя, по словам матушки, она ничуть не жалела, что побывала в Уайлдфелл-Холле: ведь если не для них с Розой, так для миссис Грэхем их визит оказался не без пользы — она льстит себя мыслью, что дала той немало полезных советов, и только надеется, что они не пропадут втуне. Миссис Грэхем, хотя больше отмалчивается, а о себе, видимо, очень высокого мнения, тем не менее как будто доступна доводам рассудка. Но только, право, непонятно, где бедняжка жила раньше и о чем думала — настолько невежественна она во многих отношениях, причем даже не стыдится своего невежества!

— В каких же это, мама? — спросил я.

— Да во всех домашних делах и кулинарных тонкостях, которые любая хорошая хозяйка должна знать назубок, пусть даже у нее для всего есть прислуга. Я сумела вывести ее из кое-каких заблуждений, а также сообщила очень хорошие рецепты разных блюд. Правда, она их совершенно не оценила и только просила меня не затрудняться, мол, жизнь она ведет такую простую и скромную, что они ей вряд ли когда-нибудь пригодятся. «Что вы, моя дорогая! — ответила я. — Это необходимо знать каждой уважающей себя женщине. К тому же если вы сейчас и одиноки, так будет не всегда. Вы ведь были замужем и, вероятно, нет, даже непременно, снова вступите в брак!» Тут она напустила на себя высокомерие и ответила: «Нет, сударыня, вы заблуждаетесь. Этого никогда не будет!» Но я ей ответила, что о таких вещах мне лучше судить.

— Наверное, какая-нибудь романтичная молодая вдовушка, — заметил я. — Поселилась здесь, чтобы провести остаток дней в строгом уединении, неутешно оплакивая незабвенного усопшего. Но долго это не продлится.

— И я так думаю, — вставила Роза. — Только особой неутешительности в ней и сейчас незаметно. И она очень хорошенькая, если не сказать красавица. Ты обязательно должен ее увидеть, Гилберт! Уж конечно, ты найдешь ее красоту идеальной, хотя вряд ли решишься утверждать, что между ней и Элизой Миллуорд есть хоть какое-то сходство.

— Что же, я без труда могу вообразить лица куда более красивые, чем лицо Элизы, — но не более очаровательные. Согласен, что у нее нет права считаться безупречно красивой, но, с другой стороны, более совершенные черты лица лишь сделали бы ее менее интересной.

— То есть ты предпочитаешь ее недостатки совершенству других?

— Вот именно, не при маме будь сказано.

— Ах, милый Гилберт, ну какой вздор ты говоришь! Я же знаю, ты не серьезно. Об этом ведь и речи быть не может! — воскликнула матушка и торопливо вышла из комнаты, сославшись на какие-то домашние дела, а на самом деле для того, чтобы не слушать возражений, которые уже были готовы сорваться у меня с языка.

Роза затем принялась сообщать мне еще массу всяких подробностей, касавшихся миссис Грэхем. Ее внешность, манеры, туалет и даже меблировка ее гостиной были описаны с живостью и наглядностью, без которых я вполне мог бы обойтись. Впрочем, слушал я настолько невнимательно, что не сумел бы повторить ни единой фразы из этого описания, даже если бы хотел.

Это было в пятницу, а утром в воскресенье все гадали, пошли ли прекрасной незнакомке на пользу нравоучения священника и увидим ли мы ее в церкви. Признаюсь, я с некоторым интересом посмотрел на семейную скамью былых обитателей Уайлдфелл-Холла, поблекшая алая обивка и подушки которой не чистились и не обновлялись уже многие и многие годы, как и угрюмые гербы над ней в мрачных венках из порыжелых траурных лент.

И там я увидел высокую изящную даму в черном. Лицо ее было повернуто ко мне, и что-то в нем заставило меня взглянуть на нее еще раз. Его обрамляли длинные иссиня-черные локоны — прическа в те дни довольно необычная, но всегда прелестная и удивительно ей шедшая. Матовая бледность придавала ему особую нежность. Я не рассмотрел ее глаз, так как они были устремлены на страницу молитвенника, но увидел лишь длинные черные ресницы, опушавшие опущенные веки. Тонко очерченные брови казались выразительными, высокий лоб и орлиный нос были безупречны, как и остальные ее черты. Только щеки выглядели чуть впалыми, а красивые губы сжимались слишком строго, свидетельствуя, как мне подумалось, о характере, не отличающемся ни особой мягкостью, ни приветливостью, и я сказал себе: «Нет, прекрасная дама, любоваться вами издали — жребий более завидный, чем делить с вами кров!»

В это мгновение она подняла глаза, и наши взгляды встретились. Я не счел нужным отвести свой, и ее вновь обратился на молитвенник, но с выражением тихого презрения, которое почему-то меня больно задело. «А! Видно, она сочла меня дерзким мальчишкой, — подумал я. — Ну что же, придется ей скоро переменить свое мнение, если мне этого захочется!»

Тут я вдруг почувствовал, насколько подобные мысли неуместны в церкви, да и мое поведение оставляло желать лучшего. Однако, прежде чем сосредоточиться на службе, я обвел взглядом церковь, проверяя, не следит ли кто-нибудь за мной. Я мог бы не беспокоиться! Лишь некоторые устремляли глаза на молитвенники, остальные же не спускали их с незнакомки в черном — в том числе моя добрая матушка, сестрица Роза, миссис Уилсон с дочерью и даже Элиза Миллуорд, которая очень осторожно косилась на предмет общего внимания. Затем она поглядела на меня, кокетливо смутилась, порозовела и чинно уставилась в молитвенник, пытаясь придать лицу благочестивое выражение.

Тут я вновь согрешил, о чем мне тотчас напомнил локоть моего неугомонного братца, довольно болезненно стукнувший меня о ребра. Достойное отмщение за подобную дерзость могло его настичь только за стенами церкви, и пока я ограничился тем, что наступил ему на ногу.

А теперь, Холфорд, перед тем, как закончить это письмо, мне следует в двух словах рассказать тебе про Элизу Миллуорд. Она была младшей дочерью приходского священника, обворожительной малюткой, к которой я питал большую слабость — о чем она прекрасно знала, хотя я не только прямо с ней не объяснялся, но, пожалуй, и не собирался этого делать, так как матушка, утверждавшая, что на двадцать миль вокруг нет ни единой достойной меня невесты, не потерпела бы, чтобы я женился на фитюльке, у которой, не говоря уж о прочих многочисленных недостатках, за душой нет и двадцати фунтов! Элиза была миниатюрна, но очень хорошо сложена. Личико почти такое же круглое, как у моей сестры, с румянцем не таким ярким и здоровым, зато более нежным, носик чуть вздернут, черты довольно неправильные. Пожалуй, ты не счел бы ее даже хорошенькой и все же признал бы очаровательной! А ее глаза! Нет, я о них не забыл — ведь в них-то и заключался главный секрет ее обаяния: миндалевидные, темно-карие, почти черные, они постоянно меняли свое выражение, но в нем всегда было что-то либо почти... я чуть было не написал «дьявольски» лукавое, либо неотразимо обворожительное, а часто и то и другое. Голос приятный, детский, походка легкая и бесшумная, как у кошки, хотя манера держаться больше напоминала прелестного шаловливого котенка, который то весело проказничает, то чинно свертывается клубочком.

Ее сестра Мэри была на несколько лет ее старше, на несколько дюймов выше и более плотного, крупного сложения. Эта некрасивая, тихая, разумная девушка преданно ухаживала за их матерью на протяжении ее последней долгой и тяжелой болезни, а с тех пор и по день, с которого начинается мой рассказ, вела дом, как покорная и безропотная семейная рабыня. Отец с благодарностью полагался на нее, все окрестные собаки, кошки, ребятишки и бедняки любили ее и радовались ей, остальные же обитатели наших мест смотрели на нее сверху вниз или вовсе не замечали.

Сам преподобный Майкл Миллуорд был высоким дородным пожилым джентльменом, затенял черной широкополой шляпой крупное квадратное лицо с грубыми чертами, ходил с толстой тростью и облекал все еще сильные ноги в короткие панталоны и гетры (последние в торжественных случаях заменялись черными шелковыми чулками). Он обладал твердокаменными принципами, закоснелыми предрассудками и правильными привычками, не терпел ни малейшего несогласия как с догматами своей веры, так и с собственными взглядами в твердом убеждении, что его мнения всегда сама истина, те же, кто смеет их оспаривать, либо прискорбно невежественны, либо упрямо закрывают глаза на правду.

В детстве я испытывал к нему почтительное благоговение, которое преодолел лишь совсем недавно. Он бывал отечески добр с теми, кто вел себя чинно, но самым суровым образом наказывал наши детские проступки и шалости. К тому же, когда он заходил к нашим родителям, мы должны были стоять перед ним по струнке и отвечать на вопросы из катехизиса, или читать наизусть «Хлопотунья-пчелка малая» и другие благочестивые нравоучительные стишки, или же — самое страшное — назвать текст его последней проповеди и главные ее положения, которые мы никогда не запоминали. Порой преподобный джентльмен пенял моей матушке за склонность баловать сыновей, ссылаясь на старика Илия, Давида и Авессалома, что ее особенно задевало. Как ни почитала она его самого и все его наставления, однажды у нее при мне вырвалось невольное восклицание: «Ну почему у него нет собственного сына! Тогда бы он меньше допекал советами других людей и знал бы, каково это держать в узде двух мальчишек!»

Он похвально заботился о своем телесном здоровье, рано ложился, рано вставал, непременно гулял перед завтраком, одевался тепло, опасался сырости, ни разу не приступал к чтению проповеди, не проглотив сырое яйцо, хотя обладал отличными легкими и могучим голосом, весьма взыскательно относился к тому, что ел и пил, но воздержанностью отнюдь не отличался и, как во всем другом, считал собственные вкусы полезными для всех. Так, презирая чай, который именовал грязной водицей, он предпочитал ему напитки из солода, любил яичницу с грудинкой, ветчину, говядину и другую столь же тяжелую еду, с которой его желудок отлично справлялся. Такую же диету он настойчиво рекомендовал и тем, кто еще не окреп после тяжкого недуга или страдал расстройством пищеварения. Если же его предписания не приносили обещанной пользы, страдальцам объявлялось, что они плохо их выполняли, а когда они жаловались на дурные последствия, то слышали в ответ, что все это их фантазия.

Коротко коснусь еще двоих упомянутых мною особ и завершу это длинное письмо. Я имею в виду миссис Уилсон и ее дочь. Первая была вдовой зажиточного фермера, завзятой сплетницей, склонной к ханжеству, чей характер не заслуживает дальнейшего описания. У нее было двое сыновей — Роберт, фермер с грубыми привычками, и Ричард, тихий, способный юноша, изучавший с помощью священника древние языки, чтобы затем поступить в университет и получить духовный сан.

Их сестра Джейн была наделена недурными способностями и большим честолюбием. Она настояла на том, чтобы ее отдали в пансион, и первой в семье получила настоящее образование. Полировка пошла ей на пользу, ее манеры отличались утонченностью, произношение утратило всякий намек на простонародность, а в светских талантах с ней не могли потягаться даже дочери священника. К тому же она слыла красавицей, хотя я никогда не принадлежал к числу ее поклонников. Ей было лет двадцать шесть — высокая, очень стройная, с волосами ни каштановыми, ни русыми, а бесспорно огненно-рыжими. Цвет лица ослепительно свежий, голова маленькая, шея лебединая, подбородок округлый, но небольшой, глаза светло-карие, быстрые и проницательные, однако лишенные поэтичности и даже чувства. Недостатка в женихах она не знала, но все они принадлежали к ее собственному сословию, а потому получали презрительный отказ — лишь джентльмен мог бы угодить ее изысканному вкусу, и притом богатый, на меньшее ее неуемное честолюбие не соглашалось. Как раз в то время за ней начал довольно настойчиво ухаживать некий джентльмен, и она, как шептались кумушки, возымела самые серьезные намерения касательно его сердца, фамилии и состояния. Это был мистер Лоренс, молодой помещик, чьей семье принадлежал Уайлдфелл-Холл, который лет двадцать назад они покинули, сменив на более современный и обширный дом в соседнем приходе.

А теперь, Холфорд, я на время прощаюсь с тобой. Это первый взнос в счет моего долга. Если такая монета тебе подходит, извести меня, и я буду посылать тебе остальные по мере написания. Если же ты предпочтешь остаться моим кредитором и не отягощать свой кошелек такими тяжелыми медяками, извести меня и об этом, и я, извинив твой дурной вкус, с удовольствием оставлю их себе.

Неизменно твой

Гилберт Маркхем.

Глава II

ВСТРЕЧА

С большой радостью, мой самый дорогой друг, я убедился, что облако твоей досады уплыло прочь, ты вновь сияешь мне, как прежде, и желаешь узнать продолжение моей истории. Так получи же его без дальнейших проволочек!

По-моему, я остановился на воскресенье — последнем в октябре 1827 года. Во вторник после него я с собакой и ружьем отправился на поиск той дичи, которую мог бы найти в пределах Линден-Кара, но не нашел. Тогда я решил обратить свое оружие против ястребов и хищных ворон, чей разбой, по моему убеждению, и лишил меня более желанных трофеев. А потому я покинул приветливые лесные долины, хлебные поля и обширные луга ради крутых склонов Уайлдфелла — самого высокого и дикого холма в нашем краю. Я поднимался все выше, а живые изгороди и деревья становились все более низкими и чахлыми. Затем первые сменились стенками, сложенными из нетесаных камней, от вторых же кое-где остались лишь лиственницы да ели и одинокие кусты терновника. Твердая каменистая земля не годилась под посевы и служила пастбищем для скота и овец. Слой тощей почвы был очень тонок, и из травянистых кочек торчали серые камни, под стенками ютились голубика и вереск, наследие первозданной дикости, а во многих местах траву заглушали осока и амброзия... Но ведь земля эта принадлежала не мне!

Почти у самой вершины в двух милях от Линден-Кара стоял Уайлдфелл-Холл — старинный господский дом елизаветинских времен, построенный из серого камня, весьма благородный и живописный на вид, но внутри, без сомнения, холодный и темный. Узкие окна с частыми переплетами в толще стен, разъеденные временем вентиляционные отверстия, безлюдие вокруг, открытость всем ветрам и непогодам, от которых его не могли защитить посаженные с этой целью ели, давно изуродованные бурями, столь же мрачные и угрюмые, как само здание, — все это делало его малопригодным для обитания. Позади него виднелись два-три чахлых луга и бурая от вереска вершина, а перед ним (обнесенный каменной оградой с чугунными воротами между каменными столбами, которые увенчивались шарами из серого гранита, такими же, какие украшали парапет и башенки) располагался сад, где некогда взращивались цветы и травы, достаточно нетребовательные к почве и закаленные против капризов погоды, а также деревья и кусты, наиболее покорно принимающие под жесткими ножницами садовника те формы, какие решала придать им его фантазия. Теперь же, на долгие годы предоставленный самому себе, брошенный без ухода на жертву заморозкам и засухе, ливням и бурям, заросший бурьяном, сад являл собой странное зрелище. Окаймлявшая главную аллею живая изгородь из бирючины на две трети засохла, а оставшаяся треть нелепо разрослась, куст, некогда подстриженный в виде лебедя, утратил шею и половину туловища, пирамиды лавров в центре сада, гигантский воин по одну сторону ворот и лев, охранявший другую, буйно выбросили новые ветки и приобрели совсем уж фантастический вид, подобие которому нельзя было найти ни на земле, ни на небе, а если на то пошло, то и в воде. Однако моему юному воображению все они представлялись сказочными чудищами вполне в духе тех жутких легенд и преданий, которыми пичкала нас наша старая няня, повествуя о былых обитателях покинутого дома и о привидениях, которые там являются.

К тому времени, когда я вышел к Уайлдфелл-Холлу, мне удалось подстрелить ястреба и двух ворон, но я уже оставил мысли о дальнейшей охоте и неторопливо направился к старинной усадьбе поглядеть, насколько она изменилась после появления там новой обитательницы. Разумеется, я не мог подойти к воротам и заглянуть внутрь, но остановился у садовой ограды. Насколько я мог судить, все осталось прежним, если не считать обновленной крыши и стекол, вставленных в разбитые окна одного из флигелей, над трубами которого вился дымок.

Пока я стоял там, опираясь на ружье, и предавался прихотливым фантазиям, в которых былые ассоциации и молодая отшельница, поселившаяся теперь в этих старинных стенах, играли главную роль, до моего слуха донеслись шорох и какие-то поскребывания. Взглянув в ту сторону, я увидел, как за верхний край ограды ухватилась маленькая ручонка, к ней присоединилась другая, над серым камнем появился белый лобик, обрамленный каштановыми кудрями, а затем пара синих глазенок и беленькая переносица.

Глазенки меня не заметили, но радостно уставились на Санчо, моего сеттера, черно-белого красавца, который кружил по склону, пригибая морду к земле. Над стеной возникло детское личико, и детский голосок окликнул «собачку». Добродушный пес остановился, поднял морду и дружески вильнул хвостом, однако не проявил никакого желания свести более близкое знакомство. Ребенок — мальчик лет пяти — взобрался на верх ограды и продолжал звать собачку, но, убедившись в тщетности своих окликов, видимо, решил последовать примеру Магомета и самому пойти к горе, раз уж она не пожелала пойти к нему. Но едва он перевесился через ограду, как его платьице зацепила одна из корявых веток, которые раскинула над ней старая вишня. Малыш попытался высвободиться и сорвался со стены, однако не упал на землю, а повис в воздухе, болтая ножонками и испуская громкие вопли. Но я уже бросил ружье и подхватил бедняжку на руки, утер ему глаза краем платьица, сказал, что бояться нечего, и подозвал Санчо, чтобы совсем его утешить.

Он как раз обнял сеттера за шею и улыбнулся сквозь слезы, когда громко стукнула калитка, послышался шелест женских юбок и ко мне подбежала миссис Грэхем — шея ее не была укрыта даже шарфом, черные волосы развевались на ветру.

— Отдайте мне ребенка! — сказала она тихо, почти шепотом, но яростно, и вырвала мальчика из моих рук, словно оберегая от страшной заразы, а потом, сжимая его в объятиях, устремила на меня огромные, сверкающие, темные глаза — бледная, задыхающаяся от страшного волнения.

— Я ничего дурного мальчику не сделал, сударыня, — сказал я, не зная, удивляться ли мне или сердиться. — Он перелез через ограду, но, к счастью, я успел подхватить его, когда он зацепился вон за тот сук, и предотвратил возможную беду.

— Прошу у вас прощения, сэр, — пробормотала она, внезапно успокаиваясь, словно рассеялся туман, омрачивший ее рассудок. Бледные ее щеки чуть порозовели. — Но мы с вами не знакомы, и я подумала...

Она умолкла, поцеловала мальчика и нежно обвила рукой его шею.

— Подумали, что я вознамерился похитить вашего сына?

Она смущенно засмеялась, поглаживая его кудряшки.

— Мне ведь в голову не пришло, что он способен перелезть через ограду... Я имею удовольствие говорить с мистером Маркхемом, не правда ли? — внезапно спросила она.

Я поклонился и не удержался от вопроса, как она догадалась о моем имени.

— Ваша сестра несколько дней назад приезжала сюда с вашей матушкой.

— Неужели мы так похожи? — воскликнул я с удивлением и отнюдь не столь польщенно, как, возможно, следовало бы.

— Пожалуй, цвет ваших волос и еще глаза... — ответила она, с некоторым сомнением взглянув на мое лицо. — И помоему, в воскресенье я видела вас в церкви.

Я улыбнулся. Эта улыбка, а может быть, разбуженные ею воспоминания чем-то раздражили миссис Грэхем. Во всяком случае, она вновь приняла тот гордый, холодный вид, который задел меня в церкви — выражение неизмеримого презрения, которое так гармонировало с ее чертами, что казалось естественным для них, пока не исчезало, — и тем более меня злило, что я не мог счесть его притворным.

— Прощайте, мистер Маркхем, — сказала она и ушла с мальчиком в сад, не удостоив меня больше ни единым словом или взглядом.

Я задержался для того, чтобы подобрать с земли ружье и пороховницу да объяснить дорогу какому-то заблудившемуся на холме прохожему, а затем отправился в дом при церкви, чтобы утешить оскорбленное самолюбие и развлечься в обществе Элизы Миллуорд.

Как обычно, она сидела за пяльцами, вышивая шелком (увлечение берлинской шерстью еще не началось), а ее сестра с кошкой на коленях штопала в углу чулки — перед ней их лежала целая груда.

— Мэри! Мэри! Да убери же! — вскрикнула Элиза, увидев меня в дверях.

— И не подумаю, — последовал невозмутимый ответ, а мое присутствие сделало дальнейший спор невозможным.

— Вы так неудачно пришли, мистер Маркхем, — продолжала Элиза с одним из своих лукаво-поддразнивающих взглядов. — Папа только-только отправился куда-то по приходским делам и вернется не раньше чем через час.

— Ничего, на несколько минут я смирюсь и с обществом его дочерей, если на то будет их соизволение, — ответил я, придвигая стул к камину и усаживаясь без приглашения.

— Ну, если вы сумеете нас развлечь, мы возражать не станем.

— Э-э, нет! Без всяких условий! Ведь я пришел не развлекать, но развлечься! — ответил я.

Но тем не менее счел себя обязанным быть приятным собеседником и, видимо, преуспел в своем намерении, так как мисс Элиза пришла в отличнейшее расположение духа. Довольные друг другом, мы весело болтали о всяких пустяках. Это был почти тет-а-тет, так как мисс Миллуорд хранила молчание, лишь изредка его прерывая, чтобы поправить какое-нибудь чересчур уж легкомысленное утверждение своей сестрицы, и один раз попросила ее поднять клубок, закатившийся под стол. Однако, естественно, поднял его я.

— Спасибо, мистер Маркхем, — сказала Мэри, беря клубок. — Я бы и сама за ним встала, но не хочется будить кошечку.

— Мэри, душка, это тебя в глазах мистера Маркхема не оправдывает! — заметила Элиза. — Полагаю, он, как и все джентльмены, терпеть не может кошек, как и старых дев. Правда, мистер Маркхем?

— Мне кажется, наш суровый пол недолюбливает кошечек и птичек потому, что прекрасные девицы и дамы изливают на них слишком уж много нежности.

— Но ведь они такая прелесть! — В порыве неуемного восторга она вдруг накинулась с поцелуями на любимицу сестры.

— Да перестань же, Элиза! — сердито сказала та и нетерпеливо оттолкнула шалунью.

Но мне пора было уходить. Я вдруг спохватился, что, того и гляди, опоздаю к чаю, а матушка отличалась редкой пунктуальностью.

Моя прелестная собеседница попрощалась со мной весьма неохотно. Я нежно пожал ей ручку, а она одарила меня самой ласковой своей улыбкой и чарующим взором. Я шел домой очень счастливый: мое сердце полнилось самодовольством, а любовь к Элизе так даже переливалась через его край.

Глава III

СПОР

Два дня спустя нам нанесла визит миссис Грэхем — вопреки предсказаниям Розы, не сомневавшейся в том, что таинственная обитательница Уайлдфелл-Холла не считает для себя обязательными правила вежливости. В этом убеждении мою сестрицу поддерживали Уилсоны, которые то и дело вспоминали, что их визит, как и визит Миллуордов, остался пока без ответа. Однако теперь причина такой неучтивости объяснилась, хотя Роза и не совсем ей поверила. Миссис Грэхем привела с собой сына, а когда матушка выразила удивление, что малыш совершил такую длинную прогулку по Линден-Кара, сказала:

— Да, для него это очень большое расстояние, но иначе мне вовсе пришлось бы отказаться от визита к вам. Ведь я никогда не оставляю его одного. И, миссис Маркхем, прошу вас, когда вы увидетесь с миссис Уилсон и Миллуордами, передайте им мои извинения. Боюсь, я должна буду лишить себя удовольствия побывать у них, пока Артур немного не подрастет.

— Но у вас же есть служанка! — заметила Роза. — Разве нельзя оставить его с ней?

— У нее много других забот. Кроме того, она слишком стара, чтобы успевать за ним, а он очень подвижный ребенок, и было бы жестоко принуждать его сидеть возле старухи.

— Но ведь вы оставили его, чтобы побывать в церкви?

— Да, один раз. Но ни для чего другого я бы с ним не рассталась. И, думаю, в будущем я должна буду брать его с собой в церковь либо сама оставаться дома.

— Неужели он такой шалун? — спросила матушка с негодованием.

— Вовсе нет, — с печальной улыбкой ответила миссис Грэхем, поглаживая кудрявую головку сына, который сидел на скамеечке у ее ног. — Но он мое единственное сокровище, и у него, кроме меня, нет никого. Поэтому нам не хочется расставаться.

— Извините, дорогая моя, это я называю слепым обожанием, — объявила моя прямодушная родительница. — Постарайтесь подавлять такую глупую любовь, и не просто, чтобы не выглядеть смешной, а чтобы спасти сына от гибели.

— Гибели, миссис Маркхем?

— Да. Баловство портит ребенка. Даже и в таком нежном возрасте ему не следует все время держаться за материнскую юбку. Ему должно быть стыдно!

— Миссис Маркхем, прошу вас, не говорите такие вещи — во всяком случае, при нем! Надеюсь, мой сын никогда не будет стыдиться любить свою мать! — произнесла миссис Грэхем с такой страстностью, что мы все были поражены. Матушка попыталась успокоить ее, объяснить, что она не так ее поняла, но наша гостья предпочла резко переменить разговор.

«Как я и думал! — сказал я себе. — Характерец у нее не из кротких, каким прелестным ни кажется ее бледное лицо и гордый лоб, на который раздумья и страдания как будто равно наложили печать!»

Все это время я сидел у столика в противоположном углу, притворяясь, будто погружен в чтение «Журнала для фермеров», который держал в руке, когда доложили о нашей посетительнице. Не желая выглядеть дамским угодником, я ограничился поклоном и остался на прежнем месте.

Однако вскоре я услышал приближающиеся робкие шажки. Малыш Артур не устоял перед соблазном — ведь Санчо, мой пес, лежал у моих ног! Положив журнал, я увидел, что мальчик остановился ярдах в двух от меня, грустно устремив синие глаза на собаку, — удерживала его не боязнь, а стеснительность. Но стоило мне ласково ему кивнуть, как он решился подойти ко мне. «Застенчивый ребенок, но не капризный», — решил я.

Минуту спустя малыш уже стоял на ковре на коленях и обнимал Санчо за шею. А еще минуту спустя водворился на колени ко мне и с большим интересом рассматривал рисунки лошадей, коров и свиней всевозможных пород, а также планы образцовых ферм, заполнявшие страницы моего журнала. Иногда я косился на его мать, стараясь угадать, как она отнесется к этой новой дружбе, и вскоре заметил по ее тревожному взгляду, что ей почему-то не нравится развлечение, которое нашел ее сын.

— Артур! — позвала она наконец. — Поди сюда. Ты мешаешь мистеру Маркхему. Он хочет читать.

— Вовсе нет, сударыня, разрешите ему остаться здесь. Мне это не менее интересно, чем ему, — попросил я, но она взглядом и жестом все-таки подозвала его к себе.

— Ну-у, мамочка! — возразил мальчик. — Позволь, я еще посмотрю картинки. А потом я тебе все про них расскажу!

— В понедельник пятого ноября мы думаем устроить небольшой вечер, — сказала матушка, — и я надеюсь, миссис Грэхем, вы не откажетесь быть нашей гостьей. И, пожалуйста, приводите своего сынка, мы найдем для него какие-нибудь интересные занятия... А вы тогда сможете сами извиниться перед Уилсонами и Миллуордами. Я полагаю, они все придут.

— Благодарю вас, но я не бываю на званых вечерах.

— Что вы! Какой же это званый вечер! Соберемся почти по-семейному — кроме нас будут только Миллуорды и Уилсоны, а с ними вы уже знакомы, да еще мистер Лоренс, ваш домохозяин, а уж с ним вам просто надо познакомиться.

— Мы немножко знакомы... Но все-таки вы должны меня извинить. Вечера теперь сырые и темные, и я побаиваюсь за Артура — здоровье у него не такое уж крепкое. Нам придется подождать, пока дни не станут длиннее, а вечера теплее.

Роза, повинуясь кивку матушки, достала из шкафчика графин вина, рюмки и кекс и предложила это угощение нашим гостям. Кекса они поели, но от вина миссис Грэхем отказалась наотрез, несмотря на все радушные настояния. Артур смотрел на рубиновый нектар с каким-то ужасом и чуть не расплакался, когда матушка заметила, что пригубить-то винцо он должен!

— Успокойся, Артур, — сказала его мать. — Миссис Мархем просто полагает, что оно будет тебе полезно, потому что ты утомился. Но заставлять тебя она и не думает! И конечно, пить его тебе не следует. Он не выносит даже вида вина, — добавила она. — А от запаха ему становится почти дурно. Дело в том, что прежде, когда он заболевал, я давала ему выпить вместе с лекарством немного вина или разбавленного водой коньяка и сумела внушить ему к ним отвращение!

Мы все засмеялись, но молодая вдова и ее сын не присоединились к нам.

— Что же, миссис Грэхем! — сказала матушка, утирая слезы, которые от смеха выступили на ее ясных голубых глазах. — Вы меня, признаться, удивили. Право, я полагала, что вы благоразумнее. Что за неженку вы из него растите! Только представьте, каким он станет, если вы и дальше...

— О нет, я считаю, что выбрала верный путь, — с невозмутимой серьезностью перебила ее миссис Грэхем. — Таким способом я надеюсь спасти его хотя бы от одного из самых омерзительных пороков. И была бы рада найти способ возбудить в нем такую же ненависть ко всем прочим.

— Но так вы никогда не пробудите в нем ни единой добродетели, миссис Грэхем, — заметил я. — Ведь в чем их суть? В умении и желании противиться соблазну? Или в неведении соблазна? Кто силен? Тот, кто преодолевает препятствия и совершает что-либо полезное благодаря усилиям и ценой усталости? Или тот, кто посиживает весь день в кресле, вставая только, чтобы помешать в камине и перекусить? Если вы хотите, чтобы ваш сын прошел по жизни с достоинством, не старайтесь убирать камни у него из-под ног, но научите не спотыкаться о них, не водите его за руку, а дайте ему привыкнуть ходить одному.

— Я буду водить его за руку, мистер Маркхем, пока он не станет настолько сильным, чтобы обходиться без меня. И уберу с его дороги столько камней, сколько сумею, а остальных научу избегать — или не спотыкаться о них, как вы выразились. Ведь сколько бы я ни убирала камней, их останется вполне достаточно, чтобы ловкость, решимость и осторожность нашли для себя применение. Очень легко рассуждать об испытании добродетели и благородном сопротивлении соблазнам, но покажите мне на пятьдесят... на пятьсот мужчин, уступивших искушению, хотя бы одного, у кого достало добродетельности ему воспротивиться. Так почему же я должна утешаться мыслью, что мой сын явится исключением из тысячи и тысяч, вместо того, чтобы приготовиться к худшему, к тому, что он окажется таким же, как его... как все прочие люди, если я заранее не приму решительных мер?

— Хорошего же вы мнения о всех нас! — воскликнул я.

— О вас мне ничего не известно, и говорю я только о тех, кого знаю, и когда я вижу, как весь род мужской — за немногими исключениями — бредет по жизненному пути, спотыкаясь, падая в каждую яму, ломая ноги о каждый камень, неужели у меня нет права сделать все, что в моих силах, чтобы его путь был более ровным и безопасным?

— О, безусловно. Но для этого надо сделать так, чтобы он был сильнее соблазнов, а не прятать их от него.

— Одно не мешает другому, мистер Маркхем. Бог свидетель, у него будет достаточно искушений и изнутри и извне после того, как я постараюсь сделать для него пороки столь же малопривлекательными, как омерзительна их природа. То, что свет зовет пороком, самой мне никогда не представлялось заманчивым, но я знавала иные искушения и испытания, которые во многих случаях требовали больше осмотрительности и твердости, чтобы им противостоять, чем мне удавалось найти в себе. И я убеждена, что в том же самом могли бы признаться почти все те, кто привык размышлять о себе и стремится властвовать над своими дурными склонностями.

— Да-да! — согласилась матушка, которая не поняла и половины. — Но нам не следует судить о мальчиках по себе. И, моя дорогая миссис Грэхем, позвольте предостеречь вас против ошибки — роковой ошибки, поверьте мне! Ни в коем случае не берите на себя его воспитание и образование! Оттого что в чем-то вы разбираетесь очень хорошо и сами образованны, вас может прельстить мысль, будто такая задача вам по силам. Но это не так, и если вы не отступите от своего намерения, поверьте мне, вам придется горько раскаяться, когда будет уже поздно.

— Видимо, мой долг — отдать его в школу, чтобы он научился презирать власть и любовь своей матери! — заметила наша гостья с довольно горькой улыбкой.

— Да что вы! Но если какая-нибудь мать хочет, чтобы сын ее презирал, то пусть она держит его дома, балует и не жалеет себя, лишь бы исполнять его капризы.

— Я совершенно с вами согласна, миссис Маркхем. Но подобная преступная слабость противна и моим принципам, и моему поведению!

— Так вы же обращаетесь с ним как с девочкой, вы изнежите его, сделаете из него маменького сыночка. Да-да, миссис Грэхем, так оно и будет, хотите вы того или нет! Но я попрошу мистера Миллуорда побеседовать с вами об этом. Он сумеет лучше меня растолковать вам, к каким это приведет последствиям. Яснее ясного. И даст совет, что вам делать и как. Уж он-то вас в одну минуту убедит.

— К чему затруднять мистера Миллуорда! — ответила миссис Грэхем, поглядывая на меня (вероятно, я

не сдержал улыбки, слушая, как матушка п[illegible]
чтенного священника). — Мне кажется, мистер [illegible]
полагает, что умением убеждать он по меньшей мере [illegible]
тупает преподобному джентльмену. И готова вам сказать, что
уж если я его не послушала, то останусь Фомой Неверным, кто бы меня ни уговаривал. Скажите, мистер Маркхем, вы — тот, кто утверждает, что мальчика следует не ограждать от зла, но посылать сражаться с ним в одиночестве и без помощи, не учить его избегать ловушек жизни, но смело бросаться в них или перешагивать через них, как уж там у него получится, не уклоняться от опасностей, но искать их и питать свою добродетель соблазнами, так скажите же...

— Простите меня, миссис Грэхем, но вы слишком торопитесь! Я ведь пока не говорил, что мальчика следует толкать в ловушки жизни или учить его искать соблазны ради того, чтобы, преодолевая их, закалять свою добродетель. Я только утверждаю, что лучше укрепить силы юного героя, чем пытаться ослабить и разоружить его врага; что, взращивая дубок в теплице, преданно ухаживая за ним днем и ночью, защищая его от малейшего дуновения ветерка, вы не можете надеяться, что он станет таким же крепким и могучим, как дуб, выросший на горном склоне, открытом буйству всех стихий, и изведавший даже бури.

— Предположим. Но пустили бы вы в ход те же доводы, если бы речь шла о девочке?

— Разумеется, нет.

— О да, вот ее, вы считаете, нужно холить и нежить, как оранжерейный цветок, учить цепляться за других ради защиты и поддержки и всячески оберегать от каких бы то ни было понятий о зле! Но не будете ли вы так любезны и не объясните ли мне, почему вы проводите такое различие? Или, по-вашему, ей природная добродетель несвойственна.

— Конечно, ничего подобного я не считаю!

— Однако, с одной стороны, вы утверждаете, что добродетель пробуждают только соблазны, а с другой — считаете, что все меры хороши, лишь бы женщина как можно меньше подвергалась соблазнам и ничего не ведала ни о пороке, ни обо всем, к нему относящемся. Таким образом, по вашему мнению, женщина от природы настолько порочна или слабоумна, что попросту не способна противостоять соблазну, и остается чистой и невинной только до тех пор, пока ее держат в неведении и под строгой опекой, но стоит лишь показать ей путь греха, как она, лишенная по своей натуре подлинной добродетели, тут же стремится по нему, и чем больше будет ее осведомленность, чем шире свобода, тем ниже она падет. Сильный же пол наделен естественной склонностью к добродетели, высоким благородством, которое только укрепляется благодаря опасностям и испытаниям...

— Упаси меня Бог от таких мыслей! — вскричал я.

— В таком случае вы полагаете, что оба пола равно слабы и склонны ошибаться, однако малейшее соприкосновение с пороком, малейшая тень тут же навеки погубят женщину, тогда как характер мужчины только укрепится и обогатится — кое-какое практическое знакомство со вкусом запретного плода является достойным и необходимым завершением его воспитания. Подобное обогащение для него будет (прибегая к банальному сравнению) тем же, чем для дуба налетевшая на него буря, которая, хотя и сорвет с него часть листьев и обломает мелкие веточки, лишь укрепит его корни, закалит фибры ствола и могучих ветвей. Вы полагаете, что нам следует поощрять наших сыновей познавать все на собственном опыте, а нашим дочерям возбраняется извлекать пользу даже из чужого опыта. Я же хочу, чтобы и те и другие благодаря чужому опыту и привитым с детства высоким принципам заранее научились отвергать зло и выбирать добро, обходясь без практических доказательств того, чем чреваты уклонения с праведного пути. Нет, я бы не послала бедную девочку в мир не вооруженной против врагов, не ведающей о расставленных ей ловушках, но и не стала бы так охранять и беречь ее, что она, не научившись самоуважению и умению полагаться на себя, потеряла бы способность и охоту самой себя беречь и остерегаться опасностей. А что до моего сына... Если бы я поверила, что он вырастет человеком, как вы выражаетесь, «знающим жизнь» и гордым своим опытом, пусть даже потому, что опыт этот в конце концов отрезвил его и сделал полезным и уважаемым членом общества — если бы я поверила в подобное, то предпочла бы, чтобы он умер завтра же! В тысячу раз предпочла бы! — докончила она страстно и, крепко прижав сына к сердцу, поцеловала его с неизъяснимой нежностью. (Мальчик уже давно оторвался от журнала и стоял возле матери, заглядывая ей в лицо и в безмолвном недоумении слушая ее непонятные слова.)

— Вы, прекрасные дамы, всегда стараетесь оставить за собой последнее слово! — сказал я, когда миссис Грэхем встала и начала прощаться с матушкой.

— Ах, вам никто не мешает оставить последнее слово за собой, — возразила она. — Только я, к сожалению, не могу повременить, чтобы вас выслушать.

— Вот-вот! Выслушиваете ровно столько, сколько вам угодно, а остальное предоставляете собеседнику говорить на ветер.

— Если вам необходимо сказать еще что-нибудь на эту тему, — ответила миссис Грэхем, пожимая руку Розы, — то привезите вашу сестру ко мне в какой-нибудь ясный день, и я выслушаю с самым лестным для вас терпением все, что вы ни пожелаете сказать. Вашу нотацию я предпочту пастырским поучениям почтенного мистера Миллуорда, так как ответить вам, что я осталась при прежнем своем мнении, мне много легче. А что будет именно так, у меня сомнений нет, кто бы из вас не удостоил меня своими логическими аргументами.

— О, конечно, — парировал я, твердо решив платить ей ее же монетой. — Ведь женщина, соглашаясь выслушать доводы, опровергающие ее убеждения, всегда заранее готова отвергнуть их, затворив свой внутренний слух и не признавая никакой, даже самой железной логики.

— Прощайте, мистер Маркхем, — сказала моя прекрасная противница с пренебрежительной улыбкой на губах и, не удостоив меня больше ни словом, лишь слегка наклонила голову и уже направилась к двери, но ее сын с детской непосредственностью остановил ее и воскликнул:

— Мама, но ты же не пожала руки мистеру Маркхему!

Она со смехом обернулась и протянула мне руку, которую я сжал довольно зло, так как меня раздражало это ее предубеждение против меня, которым ознаменовались самые первые минуты нашего знакомства. Ничего не зная о моем характере и принципах, она, хотя я как будто не дал ей для этого ни малейшего повода, словно пользовалась каждым удобным случаем, чтобы подчеркнуть, что я придерживаюсь о себе куда более высокого мнения, чем имею на то право. Бесспорно, я был обидчив, иначе меня это так не задело бы, а к тому же, пожалуй, и несколько избалован матушкой, сестрой и некоторыми знакомыми барышнями. Но самовлюбленным хлыщом я никогда не был — и тут тебе меня не переубедить, как бы ты ни возражал!

Глава IV
ЗВАНЫЙ ВЕЧЕР

Вечер, который мы устроили пятого ноября, прошел очень мило, хотя миссис Грэхем и отказалась украсить его своим присутствием. Пожалуй, если бы она все-таки пришла, мы чувствовали бы себя не так свободно и стеснялись бы своей дружеской веселости.

Матушка, как обычно, была хлебосольна, неугомонна, словоохотлива и грешила избытком желания угодить своим гостям — принуждала есть и пить то, чего они терпеть не могли, других насильно усаживала поближе к пылающему огню и развлекала беседой, когда они предпочли бы помолчать. Впрочем, они все были в праздничном настроении и сносили ее заботы с большим добродушием.

Мистер Миллуорд величественно ронял непререкаемые истины, педантично шутил, рассказывал скучнейшие анекдоты и пускался в риторические рассуждения в поучение и назидание как всему обществу в целом, так и наиболее внимательным из своих слушателей, в частности — полной восхищения миссис Маркхем, учтивому мистеру Лоренсу, чинной Мэри Миллуорд, тихому Ричарду Уилсону и невозмутимому Роберту.

Миссис Уилсон блистала, как никогда, сдабривая потоки свежих новостей и старых сплетен банальными вопросами и замечаниями, а также постоянно повторяя одно и то же, видимо не желая давать ни мгновения отдыха своим неугомонным органам речи. Она принесла с собой вязание, и, казалось, ее язык побился об заклад с ее пальцами, что превзойдет их быстротой и непрерывностью движения.

Ее дочь Джейн была, разумеется, светской и элегантной, остроумной и обворожительной в полную меру своих сил, стремясь затмить всю женскую часть общества и очаровать всю мужскую, а мистера Лоренса окончательно пленить и покорить. Я был не в состоянии определить, какие тончайшие уловки она изобретала для этой цели, но, на мой взгляд, напускная аристократическая высокомерность и неприятная самоуверенность совершенно ее портили, а Роза, когда мы остались одни, растолковала мне смысл ее кокетливых взоров, ужимок, намеков столь проницательно и с такой досадой, что я равно подивился фальшивости этой барышни и наблюдательности моей сестрицы и даже спросил себя, уж не видит ли она в мисс Уилсон соперницу. Но успокойся, Холфорд: ничего подобного у нее и в мыслях не было.

Ричард Уилсон, младший брат Джейн, устроился в укромном уголке — не потому, что был в дурном расположении духа, но по застенчивости стараясь оставаться незамеченным, при этом внимательно слушая и наблюдая. И хотя он чувствовал себя несколько не в своей тарелке, вероятно, вечер он на свой лад провел бы приятно, если бы только матушка оставила его в покое. Но из самых добрых намерений она допекала его заботами — непрерывно потчевала то тем, то этим, полагая, в заблуждении, будто он смущается сам что-нибудь взять, и вынуждала выкрикивать через всю комнату коротенькие «да» и «нет» в ответ на бесчисленные вопросы, с помощью которых тщетно пыталась втянуть его в разговор.

Роза сообщила мне, что он почтил нас своим обществом только из-за настояний своей сестрицы. Та обязательно хотела показать мистеру Лоренсу, что у нее есть второй брат, куда более похожий на джентльмена, чем Роберт, которого она, наоборот, всячески старалась оставить дома, но он твердо заявил, что не видит причин, почему бы не скоротать вечерок с Маркхемом, старухой (матушка тогда была еще далеко не старуха), красоткой мисс Розой и его преподобием — что он неровня им, что ли? И был, разумеется, совершенно прав. И он болтал с матушкой и Розой о всяких пустяках, беседовал со священником о сельскохозяйственных работах и рассуждал о политике с нами обоими.

Мэри Миллуорд предпочитала хранить молчание, но меньше страдала от беспощадной матушкиной доброты, так как умела отвечать коротко и отказываться резко, а потому подозревалась не столько в робости, сколько в угрюмости. Во всяком случае, остальные не получали удовольствия от ее присутствия, как и она от их общества. Элиза шепнула мне, что Мэри пришла только по настоянию их отца: он вдруг объявил, что она слишком занята домашними обязанностями и пренебрегает невинными развлечениями и радостями, приличествующими ее возрасту и полу. Впрочем, насколько я мог судить, Мэри не так уж и скучала — несколько раз она смеялась шуткам и обменивалась улыбками с теми среди нас, кто пользовался ее расположением. Потом я заметил, что она старается перехватить взгляд Ричарда Уилсона, сидевшего напротив нее. Конечно, он занимался с ее отцом, и они должны были привыкнуть друг к другу, а обоюдная замкнутость могла их даже сблизить.

Моя Элиза была обворожительна свыше всяких описаний, кокетлива без жеманства и словно бы искала только моего внимания. Как бы она ни поддразнивала меня и ни посмеивалась надо мной, ее сияющее личико и прерывистое дыхание выдавали, как ей приятно, что я сижу или стою рядом с ней, нашептываю ей на ушко всякий вздор или пожимаю ее пальчики во время танцев. Но мне лучше не продолжать: если я расхвастаюсь теперь, тем больше мне придется краснеть потом.

Продолжу рассказ о прочих членах нашей небольшой компании. Роза, как всегда, держалась естественно и безыскусственно веселилась. Фергес вел себя вызывающе и глупо, но дерзости и нелепые выходки только смешили остальных, хотя и не поднимали его в их глазах. И наконец (себя я опускаю), мистер Лоренс был мил и обходителен со всеми, любезен со священником и женской половиной нашего общества — особенно с хозяйкой дома, ее дочерью и мисс Уилсон... Слепец! У него не хватало хорошего вкуса предпочесть этой последней Элизу Миллуорд! Между ним и мной существовало нечто вроде приятельских отношений. Отшельник по натуре, он редко покидал уединенное поместье, где родился и где после смерти отца вел одинокое существование, и не имел ни случая, ни желания заводить новые знакомства. А из старых наиболее приятен ему (судя по его поведению) был я. Мне он, скорее, нравился, но его холодность, застенчивость и замкнутость мешали проникнуться к нему истинно теплым чувством. Прямота и откровенность в других его привлекали, если были свободны от вульгарности и назойливости, но сам он не мог ими похвастать. Молчание, которое он хранил о собственных делах и заботах, вызывало досаду и могло даже оскорбить, но я извинял такую скрытность в убеждении, что питают ее не высокомерие и не отсутствие доверия к друзьям, но болезненная застенчивость и чувствительность, которые он сознавал, но преодолеть был не в состоянии. Сердце его напоминало нежный цветок, который развертывает лепестки навстречу солнечным лучам, но тут же поникает и закрывается, если его коснутся неосторожные пальцы или даже самый легкий ветерок. В целом наша близость ограничивалась определенной взаимной симпатией и далеко не походила на глубокую и прочную дружбу вроде той, которая позже связала нас, Холфорд. Тебя, несмотря на некоторую твою придирчивость, я уподобил бы старому привычному сюртуку из превосходной ткани, просторному, удобно облегающему фигуру, нигде ее не стесняя, который можно надевать по любому случаю и в любую погоду, не боясь его испортить. Мистер же Лоренс походил на новый фрак, отлично и элегантно сшитый, но столь тесный в плечах, что страшно пошевелить рукой — как бы не лопнули швы, и столь отглаженный и безупречный, что и думать нельзя попасть в нем под дождь, пусть даже на несколько секунд.

Едва гости собрались, как матушка заговорила про миссис Грэхем — выразила сожаление, что она не могла принять нашего приглашения, и объяснила Миллуордам и Уилсонам, по какой причине ей не удалось отдать им визиты, — но она надеется, что они извинят ей невольную неучтивость, и всегда будет рада вновь увидеть их у себя.

— Но она какая-то странная, мистер Лоренс, — продолжала матушка. — Просто ничего понять нельзя. Впрочем, вы, наверное, можете нам про нее кое-что рассказать. Ведь она как-никак ваша жилица и к тому же сказала, что вы немного знакомы.

Все глаза обратились на мистера Лоренса, и мне показалось, что этот вопрос смутил его больше, чем того заслуживал.

— Я, миссис Маркхем? — воскликнул он. — Вы ошибаетесь, я не... то есть я, разумеется, видел миссис Грэхем, но рассказать не могу ничего.

Он тут же повернулся к Розе и попросил ее развлечь общество романсом или сыграть что-нибудь.

— Нет, — ответила она. — Об этом попросите мисс Уилсон. Она и поет и играет несравненно лучше нас всех.

Мисс Уилсон начала отнекиваться.

— Да споет она, споет! — вмешался Фергес. — Если вы, мистер Лоренс, возьметесь переворачивать ноты.

— С большим удовольствием. Мисс Уилсон, вы окажете мне такую честь?

Она изогнула лебединую шею, улыбнулась и позволила ему подвести себя к инструменту. А затем принялась играть и петь со всем блеском, на какой была способна. Он же, терпеливо опираясь на спинку ее стула, переворачивал лист за листом нотные тетради и менял их по ее просьбе. Быть может, он получал от ее игры и пения не меньшее удовольствие, чем она сама, но не скажу, чтобы мне они так уж нравились, хотя ее манера исполнения была по-своему и очень недурна — умелая, выразительная... и без малейшего чувства.

Однако с миссис Грэхем мы еще не покончили.

— От вина я откажусь, миссис Маркхем, — сказал мистер Миллуорд, когда подали вино. — Лучше налейте мне вашего домашнего эля. Я его предпочитаю всем другим напиткам.

Весьма польщенная таким комплиментом, матушка дернула сонетку, и вскоре перед достойным пастырем уже стоял фарфоровый кувшин нашего лучшего эля, тонким ценителем которого он был.

— Вот питье так питье! — вскричал он, ловко наклоняя кувшин так, что струя лилась точно в стакан и весело пенилась. На стол при этом не пролилось ни капли. Затем стакан был поднят к свече, священник полюбовался его содержимым, осушил одним огромным глотком, одобрительно причмокнул, перевел дух и снова его наполнил под одобрительным взором моей матушки.

— Нет, с ним ничто не сравнится, миссис Маркхем! — сказал он. — Я так всюду и говорю: с вашим домашним элем ничто не сравнится!

— На здоровье, сэр! Я ведь варкой всегда сама распоряжаюсь. И как сыр варят, и как масло сбивают, тоже приглядываю. Если уж что делать, так как следует, вот что я вам скажу.

— Вы совершенно правы, миссис Маркхем. Совершенно правы.

— Но, мистер Миллуорд, ведь ничего дурного нет в том, чтобы иной раз выпить винца или даже чего-нибудь покрепче, правда? — спросила матушка, подавая стопку джина с водой миссис Уилсон, которая пожаловалась, что вино тяжело ложится ей на желудок. (Ее сын Роберт, перехватив бутылку, налил себе чистого джина.)

— Ну, разумеется, — ответил оракул, величественно кивнув. — Все это блага и дары Провидения, только не надо ими злоупотреблять.

— А вот миссис Грэхем так не думает. Вы бы послушали, что она нам тут наговорила! Я ее тогда же предупредила, что посоветуюсь с вами.

И матушка незамедлительно познакомила общество с заблуждениями упомянутой дамы касательно употребления спиртных напитков, заключив свое повествование вопросом:

— Ведь, по-вашему, это неверно, ведь так?

— Неверно? — повторил священник с особой торжественностью. — Преступно, вот что это! Преступно. Она же не только тиранит мальчика, но презирает дарованные нам блага и учит его попирать их ногами!

Он вошел во вкус и принялся подробно растолковывать всю опасность и кощунственность подобных взглядов. Матушка внимала ему с глубочайшим благоговением, и даже миссис Уилсон снизошла до того, что дала отдохнуть своему языку, и слушала молча, мирно прихлебывая джин. Мистер Лоренс, положив локти на стол, поигрывал недопитой рюмкой и чему-то улыбался.

— Но согласитесь, мистер Миллуорд, — сказал он, когда преподобный джентльмен прервал наконец свою проповедь, чтобы перевести дух, — что в тех случаях, когда в ребенке заложена склонность к неумеренности, например, по вине его родителей и дедов, некоторые меры предосторожности могут оказаться нелишними? (Следует объяснить, что, по слухам, отец Лоренса сократил свой жизненный срок неумеренным пристрастием к крепким напиткам.)

— Возможно, возможно, но умеренность — это одно, сэр, а полное воздержание — совсем другое!

— Но я слышал, что есть люди, неспособные вовремя остановиться. Если полное воздержание — и зло, хотя многие в этом сомневаются, то злоупотребление — еще большее зло, этого отрицать нельзя. Некоторые родители строго-настрого запрещают своим детям даже пригубливать спиртные напитки. Но родительская власть не беспредельна, дети склонны тянуться к запретному плоду. А в подобном случае у ребенка не может не пробудиться сильного желания попробовать то, что другие так хвалят и любят, то, что для него находится под запретом, и при первом же удобном случае он это желание удовлетворит, последствия же такого нарушения могут быть чрезвычайно серьезны. Я не считаю себя судьей в подобных вопросах, но мне кажется, что план миссис Грэхем, о котором вы рассказали, миссис Маркхем, обладает немалыми достоинствами, несмотря на всю его странность. Ведь мальчик сразу же избавляется от соблазна. Его не мучает тайное любопытство, не снедает нетерпеливое желание попробовать соблазнительные напитки — ведь он уже хорошо с ними знаком и успел проникнуться к ним отвращением, нисколько не пострадав от вредных их свойств.

— И это хорошо, сэр? Разве я не доказал вам, насколько дурно, насколько противно Писанию и разуму учить ребенка смотреть с презрением и отвращением на дары Провидения, вместо того чтобы пользоваться ими в меру?

— Возможно, сэр, вы считаете опий даром Провидения, — возразил с улыбкой мистер Лоренс, — но, согласитесь, вряд ли многим следует употреблять его, даже в умеренности. Однако, — добавил он, — мне не хотелось бы, чтобы вы приняли мое уподобление слишком буквально, а потому я допью свою рюмку.

— И выпьете еще одну, мистер Лоренс? — сказала матушка, подталкивая к нему бутылку.

Но он мягко отказался, чуть-чуть отодвинулся от стола, откинулся на спинку, обернулся ко мне (мы с Элизой Миллуорд сидели на диване позади него) и небрежно спросил, знаком ли я с миссис Грэхем.

— Я видел ее два раза.

— И что вы о ней думаете?

— Не скажу, что она мне очень понравилась. Она красива, а вернее сказать, обладает благородной и интересной внешностью, но далеко не любезна, склонна, как мне кажется, к нетерпимости и, раз составив какое-то мнение, будет отстаивать его любой ценой вопреки очевидности, насильственно приводя все в согласие со своими предубеждениями. Нет, на мой вкус в ней слишком много ожесточенности, умничанья и едкости.

Он промолчал, отвел глаза и закусил нижнюю губу, а через минуту-другую встал и направился к мисс Уилсон, которая, полагаю, влекла его к себе столь же сильно, как я отталкивал. В то время я не придал его словам ни малейшего значения, но впоследствии вспомнил их вместе с множеством таких же пустяков, когда... Но не буду забегать вперед.

Вечер мы заключили танцами — наш достойный пастырь не счел, что подобное развлечение в его присутствии неуместно, хотя мы даже наняли деревенского скрипача. Однако Мэри Миллуорд не пожелала к нам присоединиться, как и Ричард Уилсон, хотя матушка всячески его уламывала и даже обещала сама быть его дамой.

Впрочем, мы прекрасно обходились без них. После кадрили начались контрдансы, время летело незаметно, и был уже довольно поздний час, когда я крикнул скрипачу, чтобы он заиграл вальс. Но прежде чем я успел закружить Элизу в этом восхитительном танце, а Лоренс с Джейн Уилсон и Фергес с Розой — последовать нашему примеру, мистер Миллуорд остановил нас:

— Нет-нет, этого я не допущу! Да уже пора и по домам.

— Ну, папочка! — жалобно сказала Элиза.

— Время позднее, девочка, нам пора! Помни, умеренность и послушание во всем. Ведь сказано: «Кротость ваша да будет известна всем человекам!»

В отмщение я последовал за Элизой в тускло освещенную прихожую и, делая вид, будто помогаю ей накинуть шаль, боюсь, сорвал быстрый поцелуй за спиной ее родителя, пока он укутывал шею и подбородок толстым шарфом. Но, увы! Обернувшись, я узрел перед собой матушку. И, едва наши гости удалились, был подвергнут суровому выговору, который угасил мою веселость и испортил все удовольствие от вечера.

— Мой дорогой Гилберт! — сказала она. — Зачем ты так себя ведешь? Ты ведь знаешь, как близко к сердцу я принимаю твое благо, как я люблю и ценю тебя превыше всего в мире, как надеюсь увидеть тебя преуспевающим, счастливо устроенным в жизни и каким горем для меня будет, если ты женишься на этой девчонке, да и на любой другой в здешних местах. Что ты в ней видишь, я просто понять не могу! Нет, я не только о том, что у нее нет за душой ни гроша. Ни красоты, ни благоразумия, ни добрых душевных качеств — ну, словом, ничего хорошего. Если бы ты знал себе цену, как знаю я, ты и думать о ней не стал бы. Подожди немножко, и сам увидишь! Если будешь и дальше слеп к тому, какова она на самом деле, то придется тебе всю жизнь раскаиваться, когда откроешь глаза и увидишь, сколько вокруг куда более достойных девиц. Помяни мое слово!

— Ах, мама, ну довольно же! Терпеть не могу нотаций. Жениться я пока не собираюсь, ты же знаешь. Но неужели мне и поразвлечься нельзя?

— Можно, милый мой мальчик, конечно, можно. Но только по-другому. А так вести себя нельзя. Будь она хорошей девушкой, ты ее оскорбил бы. Но она-то — хитрая дрянь, уж поверь мне, и ты опомниться не успеешь, как угодишь в ловушку. А если ты все-таки женишься на ней, Гилберт, то разобьешь мое сердце, так ты и знай!

— Да не плачь же, мама, — сказал я, потому что у нее из глаз уже покатились слезы. — Дай-ка я тебя поцелую и сотру тот поцелуйчик. Не брани Элизу и успокойся. Обещаю тебе, что я никогда... То есть что я хорошенько подумаю, прежде чем решиться на то, чего ты серьезно не одобряешь.

С этими словами я зажег мою свечу и отправился к себе в сильном унынии.

Глава V

МАСТЕРСКАЯ

Только под конец ноября я все-таки сдался на просьбу Розы и согласился отправиться с ней в Уайлдфелл-Холл. К нашему удивлению, первое, что мы увидели, когда нас ввели в комнату, был мольберт, возле которого стоял стол, заваленный свернутыми в трубку холстами, пузырьками с лаком, кистями, красками и еще всякой всячиной. Лежала там и палитра. К стене были прислонены незаконченные наброски и несколько завершенных картин — почти только пейзажи, некоторые с фигурами.

— Я должна извиниться, что принимаю вас у себя в мастерской, — сказала миссис Грэхем. — Но в гостиной камин не затоплен, а сегодня холодно, и нам было бы там неуютно.

Освободив два стула от холстов, она пригласила нас сесть, а сама вернулась на свое место у мольберта и во время разговора иногда поворачивалась к нему и даже делала мазок-другой, словно была не в силах совсем отвлечься от новой картины и сосредоточить внимание на гостях. Это был вид Уайлдфелл-Холла на заре с нижнего луга — его темная громада четко вырисовывалась на фоне серебристо-голубого неба с двумя-тремя алыми полосками у горизонта. Верность натуре не оставляла желать лучшего, и написана картина была с большим вкусом.

— Как вижу, вам трудно оторваться от вашей работы, миссис Грэхем, — сказал я. — Умоляю вас, продолжайте, иначе мы окажемся в положении непрошеных и назойливых посетителей!

— Нет-нет! — ответила она, бросая кисть на стол, словно внезапно вспомнив о требованиях вежливости. — Мой дом не так уж часто осаждают визитеры, чтобы я не нашла нескольких минут для тех, кто потрудился навестить меня.

— Но ведь картина совсем окончена, — сказал я, подходя к мольберту и старательно скрывая, какой восторг и удивление она у меня вызвала. — По-моему, вам осталось только кое-где подправить передний план. Но почему вы надписали ее «Фернли-Мэнор, Кэмберленд», а не «Уайлдфелл-Холл, ...шир»? — спросил я, прочитав надпись мелкими буквами в уголке холста, и тут же почувствовал, что допустил непростительную дерзость: миссис Грэхем покраснела, замялась и после паузы ответила с какой-то вызывающей откровенностью:

— Потому что у меня есть друзья... вернее, знакомые, от которых я предпочла бы скрыть, где живу теперь, а так как картина может попасться им на глаза и они могут узнать мою манеру, хотя инициалами она помечена неверными, то на всякий случай я дала ей и неверное название, чтобы сбить их со следа, если они попробуют отыскать меня с ее помощью.

— А, так себе вы ее не оставите? — спросил я, только чтобы переменить тему.

— Нет. Я не могу заниматься живописью только для развлечения.

— Мама посылает все свои картины в Лондон, — сказал Артур, — а там их кто-то продает и присылает нам денежки.

Я начал рассматривать другие полотна: прелестный вид Линден-Хоупа с вершины холма, Уайлдфелл-Холл, залитый солнечным светом в тихий летний день. И простенький, но производящий большое впечатление набросок: ребенок на осеннем лугу грустно наклоняет голову к увядшему букетику полевых цветов под тусклым, пасмурным небом, а вдали темнеет гряда низких холмов.

— Как видите, выбор сюжетов не очень богат, — сказала прекрасная художница. — Я уже написала старый дом при лунном свете, и, наверное, придется вернуться к нему в снежный зимний день, а потом и в пасмурный вечер. Ведь здесь попросту больше нечего писать. Мне говорили, что где-то неподалеку есть чудесный вид на море. Это верно? И на достаточно близком расстоянии, чтобы туда можно было добраться пешком?

— Да, если вы готовы пройти четыре мили или около того. То есть туда и обратно почти восемь, да к тому же по тяжелой дороге.

— Но где она?

Я принялся как мог подробнее объяснять, в каком направлении, через какие луга, какими тропами и тропками можно выйти на дорогу к морю, где свернуть вправо, а где влево, но миссис Грэхем перебила меня:

— Ах, не надо! Повремените. Я ведь успею забыть все ваши объяснения до того, как сумею ими воспользоваться. Отправиться туда я думаю весной, и вот тогда, быть может, снова задам вам этот вопрос. Но впереди еще зима и... — Внезапно она с испуганным восклицанием вскочила со стула, поспешно извинилась и выбежала из комнаты, плотно притворив за собой дверь.

Любопытствуя узнать, что ее так напугало, я поглядел в окно — несколько секунд назад она обратила на него небрежный взгляд, — но успел разглядеть только фалды сюртука, тотчас исчезнувшие за густым остролистом, заслонявшим крыльцо.

— Это мамин друг, — сказал Артур.

Мы с Розой переглянулись.

— Я совершенно ее не понимаю, — шепнула Роза.

Мальчик поглядел на нее с недоумением, и она начала болтать с ним о всяких пустяках, а я от нечего делать продолжал рассматривать картины. В темном углу я обнаружил не замеченное мною раньше полотно, изображавшее маленького ребенка, который сидел на траве, держа охапку цветов. Большие синие глаза, сияющие сквозь завесу упавших на лоб каштановых кудрей, были настолько похожи на глаза маленького джентльмена, развлекающего мою сестрицу, что это мог быть только портрет Артура в самом нежном возрасте.

Я поднял его, чтобы рассмотреть на свету, и увидел, что за ним стоит еще одно полотно, повернутое к стене. Я позволил себе и его повернуть к свету. Это оказался портрет красивого джентльмена в самом расцвете молодости, довольно недурно выполненный. Однако если он и принадлежал той же кисти, что и остальные, то писался задолго до них, так как в изображении второстепенных деталей проглядывала старательность и ему не хватало чистоты колорита и свободы исполнения, которые так поразили и пленили меня в них. Тем не менее разглядывал я его с большим интересом. В чертах лица, в их выражении было что-то своеобразное, указывающее на верность оригиналу. Ярко-синие глаза смотрели на зрителей с веселым лукавством — так и чудилось, что они вот-вот подмигнут, губы, пожалуй, чуть-чуть чувственно-пухлые, готовы были сложиться в беззаботную улыбку, розовые щеки обрамлялись пышными рыжеватыми бакенбардами, каштановые волосы ниспадали на лоб крутыми завитками, но слишком низко, словно оригинал портрета гордился своей красотой много больше, чем умом. На что, возможно, у него были веские причины, хотя он и не производил впечатление глупца.

Я разглядывал портрет не более двух минут, как в комнату вернулась ее прекрасная хозяйка.

— По поводу картин, — сказала она, извиняясь за то, что так неожиданно нас покинула. — Он подождет.

— Боюсь, я позволил себе некоторую дерзость, — сказал я, — решившись посмотреть картину, которую художник повернул к стене. Но нельзя ли спросить...

— О да, сэр, это дерзость, и неизвинительная, а потому не задавайте никаких вопросов, так как ответа на них вы не получите, — перебила она, стараясь улыбкой смягчить свой упрек. Но блеск в ее глазах и краска на щеках показывали, что она рассердилась не на шутку.

— Я хотел только спросить, вы ли его написали, — сказал я обиженно, протягивая ей портрет.

Она выхватила его у меня, быстро поставила на прежнее место лицом к стене, загородила портретом Артура и со смехом повернулась ко мне.

Но меня разбирала досада, и, отойдя к окну, я уставился на унылый сад, а когда они с Розой поговорили минуты две-три, объявил моей сестрице, что нам пора, ласково пожал руку Артуру, холодно поклонился его матери и направился к двери. Однако миссис Грэхем, попрощавшись с Розой, протянула мне руку и сказала ласковым тоном с милой улыбкой:

— Да пройдет ваш гнев до захода солнца, мистер Маркхем! Мне очень жаль, что моя резкость вас обидела.

Когда дама просит извинения, сердиться на нее невозможно, и мы расстались добрыми друзьями — на этот раз я пожал ей руку сердечно, а не злобно.

Глава VI

ДАЛЬНЕЙШИЙ ХОД СОБЫТИЙ

После этого я четыре месяца не переступал порога миссис Грэхем, как и она — моего. Однако женская часть нашего общества не переставала о ней судачить, и наше знакомство, хотя и медленно, все же продолжало развиваться. Что до разговоров, я почти их не слушал (то есть когда они касались прекрасной отшельницы), и все полученные из них сведения свелись к тому, что в одно ясное морозное утро она осмелилась пройтись с сыном до церковного дома, но, к сожалению, не застала никого, кроме мисс Миллуорд. Тем не менее она оставалась там довольно долго, — видимо, у них нашлось, о чем побеседовать, и расстались они со взаимным желанием увидеться снова. Впрочем, Мэри любила детей, а нежные маменьки всегда питают слабость к тем, кто восхищается их бесценными чадами.

Однако иногда я видел ее сам — и не только в церкви, но и на холмах, когда она шла с сыном куда-то или же просто в погожие дни прогуливалась по вересковым пустошам и бурым лугам в окрестностях Уайлдфелл-Холла с книгой в руке, а мальчик резвился вокруг нее. И всякий раз, шел ли я пешком, ехал ли верхом, занимался ли делами фермы, я обычно умудрялся нагнать ее или попасться ей навстречу, потому что мне нравилось смотреть на нее и разговаривать с ней и очень нравилось болтать с ее маленьким спутником, который, перестав меня дичиться, оказался очень приветливым, умненьким и забавным малышом, так что скоро мы стали закадычными друзьями — а уж к большому удовольствию маменьки или не слишком большому, сказать не могу. Вначале мне казалось, что она была бы рада вылить ушат холодной воды на завязывающуюся нашу дружбу, так сказать, угасить веселый огонек прежде, чем он успеет разгореться, но в конце концов, несмотря на предубеждение против меня, удостоверившись, что я безобиден, исполнен наилучших намерений, а Артур извлекает из знакомства со мной и моим сеттером много радости, она сменила гнев на милость и даже приветствовала мое появление улыбкой. Артур же весело окликал меня, едва завидев, и бросался ко мне навстречу, обгоняя маменьку шагов на сто. Если я был верхом, то подхватывал его в седло и катал рысью, а то и галопом. Если же я шел пешком, но где-нибудь рядом паслась рабочая лошадь, он отправлялся дальше легкой трусцой, а его маменька обязательно шла рядом — не столько из страха, как бы он не упал, сколько опасаясь, что в ее отсутствие я могу заразить его детский ум какими-нибудь неуместными понятиями. Больше всего она любила, когда он бегал наперегонки с Санчо, а я держался рядом с ней — боюсь, не потому, что ей так уж нравилось мое общество (хотя порой я льстил себя такой мыслью), но потому, что у Артура не было товарищей среди сверстников, и ему редко доводилось бегать и играть на свежем воздухе, как это ни полезно для укрепления детского здоровья. Быть может, радовало ее и то, что, находясь рядом с ней, я не мог причинить мальчику какой-либо вред, прямой или косвенный, намеренно или нечаянно, — доброго же мнения была она обо мне!

Тем не менее, мне кажется, разговоры со мной все-таки были ей приятны. Как-то в ясный февральский день, когда мы минут двадцать прогуливались по вереску, она словно забыла обычную сухую сдержанность, и между нами завязалась оживленная беседа, причем миссис Грэхем говорила с таким воодушевлением, замечания ее были такими меткими и глубокими (к счастью, в обсуждающемся вопросе наши взгляды совпадали), а выглядела она такой красивой, что я возвращался домой совсем очарованный, и вдруг поймал себя на мысли, что, пожалуй, было бы куда приятнее идти рука об руку по жизни с подобной женщиной, чем с Элизой Миллуорд, и тут же, фигурально выражаясь, сгорел от стыда из-за такого моего непостоянства.

Войдя в гостиную, я застал там Розу в обществе Элизы, и неожиданность эта не вызвала у меня положенного восторга. Мы довольно долго болтали, но Элиза вдруг представилась мне пустенькой и даже скучноватой в сравнении с миссис Грэхем — с ее зрелым умом и загадочным характером. Увы, вот оно человеческое постоянство!

«Впрочем, — рассуждал я про себя, — жениться на Элизе я не могу, раз моя мать настолько против нашего брака, и, следовательно, не должен вводить девушку в заблуждение относительно моих намерений. И если нынешнее мое настроение не рассеется, мне легче будет вырваться из ее шелковых, но крепких силков. Миссис Грэхем, возможно, столь же неприемлема для матушки, но ведь даже врачи, когда иного средства нет, выбирают меньшее зло, чтобы избавить больного от большего. Ведь не влюблюсь же я всерьез во вдовушку, как и она в меня. Об этом и речи нет. Но если ее общество мне приятно, то почему я должен себе в нем отказывать? Если же звезда ее красоты затмит блеск звезды Элизы, тем лучше. Но навряд ли, навряд ли!»

После этого я чуть не каждый погожий день старался оказаться вблизи Уайлдфелл-Холла примерно в тот час, когда моя знакомая обычно выходила из своей уединенной обители. Однако я так часто оказывался обманутым в своих ожиданиях, так капризно выбирала она время прогулок и места их, так мимолетны были наши встречи, что меня все больше начинало преследовать подозрение, уж не прилагает ли она столько же стараний избегать моего общества, сколько я — ища его. Но мысль эта была столь неприятной, что я старался отогнать ее при первой же возможности.

Однажды в тихий ясный мартовский день, наблюдая за выравниванием луга и починкой изгороди в долине, я увидел у ручья миссис Грэхем с альбомом. Она сосредоточенно рисовала, а Артур строил плотины и дамбы поперек каменистого русла, благо тут было совсем мелко. Работа мне надоела, и не мог же я упустить столь редкий случай, а потому, забыв и про луг, и про изгородь, поспешил к ним, но Санчо, разумеется, меня опередил — увидев своего юного приятеля, пес молнией понесся вперед и прыгнул на мальчика с таким восторгом, что опрокинул его почти на середину ручья. К счастью, выступающие между струйками камни уберегли его от воды, а поверхность их была такой гладкой, что он совсем не ушибся, и нежданное злоключение его только развеселило.

Миссис Грэхем изучала особенности разных деревьев, которые стояли еще по-зимнему обнаженные, и тщательно срисовывала сложные узоры их ветвей резкими, но изящными штрихами. Она молчала, а я как завороженный следил за ее карандашом, за тонкими красивыми пальцами художницы. Но вскоре движения их утратили четкость, стали неуверенными, карандаш чуть дрожал, ошибался, а затем и вовсе замер, художница же подняла голову от альбома и со смехом сказала мне, что мой надзор дурно сказывается на наброске.

— Тогда я поболтаю с Артуром, пока вы не кончите, — сказал я.

— Мистер Маркхем, а вы меня не покатаете, если мама позволит? — попросил мальчик.

— Но ведь я пришел пешком, милый.

— А вон же на лугу лошадь! — И он указал на крепкую черную кобылу, которая тащила каток.

— Нет, нет, Артур, это слишком далеко! — возразила его мать.

Однако я обещал вернуть его целым и невредимым, прокатив по лугу разок-другой, и, поглядев на его молящее личико, она улыбнулась и кивнула. Впервые мне было дозволено увести Артура от нее хотя бы на полширины луга.

Восседая на могучей спине, как на троне, мальчик медленно двигался вверх и вниз по склону, сияя безмолвной, но безграничной радостью. Однако работа скоро завершилась. Тем не менее, когда я спешил гордого всадника и вернул матери, она как будто досадовала, что я разлучил их слишком надолго. Во всяком случае, альбом был закрыт, видимо, уже несколько минут назад, а лицо ее выражало плохо скрываемое нетерпение.

Им пора домой, сказала она и хотела уже пожелать мне доброго вечера, но я упрямо пошел проводить их. Пока мы поднимались по склону, она стала гораздо приветливее, и я был совсем счастлив, но едва впереди показался угрюмый старый дом, как миссис Грэхем остановилась и обернулась ко мне, словно полагая, что я дальше не пойду, а договорю начатую фразу и мы простимся. Конечно, так и следовало бы сделать, ибо «холодный тихий вечер» быстро «угасал», солнце уже закатилось и в сером небе блестел лунный серп. Но чувство, похожее на сострадание, приковало меня к месту. Меня угнетала мысль, что она сейчас вернется в это уединенное мрачное жилище. Я еще раз взглянул на дом, сурово хмурившийся выше по склону. Нижние окна одного крыла отливали красноватыми отблесками, остальные были темными, а некоторые зияли черными провалами, лишенные не только стекол, но и рам.

— Разве вы не чувствуете себя одинокой среди этого безлюдия в таком неуютном обиталище? — сказал я после минутного молчания.

— Порой чувствую, — ответила она. — В холодные вечера, когда Артур засыпает и я сижу и слышу, как за стенами воет ветер и стонет в заброшенных комнатах, ни чтение, ни другие занятия не могут отогнать унылые мысли и дурные предчувствия. Но я понимаю, что это лишь минутная слабость, которой стыдно поддаваться. Если Рейчел жизнь здесь даже по душе, то почему я должна роптать? Напротив, мне следует благодарить судьбу за такое убежище, пока его у меня не отняли!

Последние фразы она произносила вполголоса, словно просто думала вслух, забыв на мгновение о моем присутствии. А затем простилась со мной, и мы расстались.

Не успел я пройти и сотни шагов, как увидел, что по разбитой дороге, ведущей через вершину холма, спускается на красивом сером жеребчике мистер Лоренс. Я свернул ему навстречу, так как мы уже довольно давно не виделись.

— Вы ведь, кажется, разговаривали сейчас с миссис Грэхем? — спросил он, когда мы поздоровались.

— Да.

— Хм! Я так и подумал... — Он задумчиво устремил взгляд на гриву жеребчика, словно был очень недоволен ею или чем-то еще.

— Ну, и что тут такого?

— Решительно ничего! — ответил он. — Но только мне казалось, что вы ее недолюбливаете! — добавил он, скривив красивые губы в саркастической улыбке.

— Предположим. Но разве человек не имеет права переменить мнение?

— Разумеется, — ответил он, ловко распутывая пышные пряди конской гривы. И вдруг, повернувшись ко мне, устремил на меня пристальный взгляд застенчивых карих глаз, а потом спросил: — Так, значит, вы его переменили?

— Пожалуй, не совсем. Да, по-моему, мое мнение о ней в целом осталось прежним, но несколько смягчилось.

— А! — Он поглядел вокруг, словно ища, что бы такое сказать, посмотрел на месяц и пробормотал что-то о красоте вечера, но я этого разговора не поддержал, а спросил, спокойно глядя ему прямо в лицо:

— Лоренс, вы влюблены в миссис Грэхем?

Он не только не оскорбился, чего я, по правде сказать, почти ожидал, но после первого секундного удивления, вызванного подобной бесцеремонностью, испустил веселый смешок, словно я сказал что-то необыкновенно забавное.

— Я?! Влюблен в нее? — повторил он. — Откуда вы это взяли?

— Вас что-то слишком интересует развитие моего знакомства с этой дамой и перемена в моем мнении о ней. Вот я и подумал, что вы ревнуете.

— Ревную? Нет! — И он снова засмеялся. — Но мне казалось, что вы подумываете жениться на Элизе Миллуорд.

— И напрасно. Ни на той, ни на другой я жениться не собираюсь!

— В таком случае вам не следует искать их общества.

— А вы думаете о том, чтобы жениться на Джейн Уилсон?

Он покраснел и снова принялся распутывать гриву, однако ответил:

— Нет.

— В таком случае вам не следует искать ее общества.

«Это она ищет моего!» — Но он ничего подобного не сказал и почти полминуты хранил смущенное молчание, а затем опять попытался переменить разговор, в чем я, сжалившись над ним, его поддержал: еще одно слово на прежнюю тему уподобилось бы соломинке, сломавшей спину верблюду.

К чаю я опоздал, но матушка заботливо оставила чайник и жареный хлеб греться у каминной решетки и, лишь слегка меня побранив, поверила моим объяснениям. Когда же я пожаловался на вкус перестоявшего чая, вылила его в полоскательницу, а Розе велела поставить воду кипятиться и заварить свежего, что и было исполнено довольно-таки сердито и сопровождалось всякими интересными замечаниями.

— Ну-ну! Опоздай я хоть на полчаса, так обошлась бы вовсе без чая! Даже Фергесу пришлось бы пить, что осталось, и помнить, что он и за это должен еще спасибо сказать, негодник эдакий! Но тебе мы не знаем как и угодить! Вот так всегда. Если на обед есть что-нибудь вкусненькое, мама качает головой и подмигивает, чтобы я ни в коем случае не взяла себе и самого маленького кусочка. А стоит мне все-таки протянуть руку, как она шепчет: «Не жадничай так, Роза. Надо, чтобы Гилберту и на ужин осталось!» А в гостиной что? «Роза, побыстрее переоденься. Надо до их возвращения все прибрать и хорошенько растопить камин. Гилберт любит, чтобы огонь пылал ярко!» А на кухне? «Испеки пирог побольше, Роза. Мальчики наверное сильно проголодаются! Да не клади столько перца! Не то они не возьмут второй порции!» Или: «Роза, пудинг замешай без специй, Гилберт их не любит», или: «Изюма для кекса не жалей! Фергес очень любит изюм!» А стоит мне сказать, что я-то изюма не люблю, и мне тут же объявят, как нехорошо думать только о себе. «Знаешь, Роза, занимаясь хозяйством, следует думать только о двух вещах: делать все наилучшим образом, во-первых, и угождать отцам, мужьям, братьям и сыновьям, во-вторых. А женщины обойдутся и так!»

— Очень здравое правило, — заметила матушка. — Вот спроси у Гилберта!

— Во всяком случае, очень для нас удобное, — ответил я. — Но, мама, если ты действительно хочешь мне угодить, то, пожалуйста, чуть больше считайся с собой и со своими удобствами. Роза, уж конечно, сама о себе прекрасно позаботится, а когда принесет мне очередную жертву или ради меня позабудет о себе, то уж постарается довети до нашего сведения всю безмерность ее подвига. Но из-за тебя я могу легко стать отпетым себялюбцем, равнодушным к нуждам других, потому что меня вечно балуют, все мои желания предвосхищаются или мгновенно исполняются. И ведь я даже понятия не имел бы, сколько для меня делается, если бы Роза время от времени не открывала мне на это глаза. И злоупотреблял бы твоей добротой, как чем-то мне положенным, и вовсе не знал бы, скольким я тебе обязан!

— Нет, Гилберт, этого до конца ты так и не узнаешь, пока не женишься. А вот когда обзаведешься легкомысленной, себялюбивой женой, вроде Элизы Миллуорд, которая будет думать только о своих удобствах и удовольствиях, или же упрямой неумехой, вроде миссис Грэхем, которая будет пренебрегать всеми своими обязанностями ради занятий, для женщины вовсе неуместных, вот тогда, тогда ты почувствуешь и поймешь всю разницу!

— Но мне-то это будет только полезно, мама. Ведь я родился не только для того, чтобы другие упражняли на мне свою доброту и прочие прекрасные качества, правда? А для того, чтобы самому их упражнять. И когда я женюсь, мне будет приятнее заботиться о счастье и удобствах моей жены, чем принимать ее заботы. Я предпочитаю давать, а не получать.

— Все это чепуха, милый. Мальчишеская болтовня. Тебе скоро надоест баловать свою жену, потакать любым ее прихотям, какой бы очаровательной она ни была, и вот тут-то все и решится.

— Что же, мы будем стараться облегчать бремя друг друга.

— Вовсе нет! Ты будешь заниматься своим делом, а она, если окажется достойной тебя, займется своим. Но твое дело — угождать себе, а ее — угождать тебе. Лучшего мужа, чем твой дорогой покойный отец, я уверена, никогда в мире не было, но если бы через полгода после свадьбы ему вдруг вздумалось утруждаться ради меня, я бы удивилась так, словно он взмыл птицей в небеса! Он всегда говорил, что я хорошая жена и помню о своем долге. Как и сам он, упокой Господь его душу. Он любил порядок, всегда наблюдал часы, редко сердился без причины, воздавал должное моим обедам, и не припомню случая, чтобы по его вине хоть какое-то кушанье перестоялось. А больше этого ни одна женщина не может ждать ни от одного мужчины.

Глава VII

ПИКНИК

Вскоре в одно прекрасное солнечное утро, когда ноги еще немного вязли в сырой земле, так как последний снег не успел совсем растаять и кое-где тянулся серыми полосками или белил свежую зеленую травку под изгородями, а из темных листочков уже поднимали головки первоцветы и жаворонок пел в небе о весне, надежде, любви и других небесных радостях, я наслаждался всеми этими прелестями на склоне холма, куда пришел взглянуть, не нужно ли помочь новорожденным ягнятам и их маткам. Как вдруг, обводя взглядом окрестности, увидел, что на холм поднимаются трое — Элиза Миллуорд, Роза и Фергес. Я пошел им навстречу, услышав, что они направляются в Уайлдфелл-Холл, объявил, что готов их проводить туда, и предложил свою руку Элизе, сказав Фергесу, что он теперь может спокойно вернуться домой.

— Прошу прощения! — вскричал мой братец. — Это не я их сопровождаю, а они меня! Вы все насмотрелись на эту загадочную красавицу, и я больше не желаю один оставаться в неведении. Любопытство меня так мучило, что я уговорил Розу сию же минуту пойти со мной в Уайлдфелл-Холл и представить меня ей. А Роза заявила, что без мисс Элизы не пойдет туда. Я сбегал за ней, и всю дорогу мы шли под ручку, как нежные влюбленные, а теперь ты отнял ее у меня и к тому же хочешь, чтобы я остался и без прогулки, и без возможности нанести задуманный визит! Нет уж, лучше ты убирайся на свой луг к своим овцам, деревенщина! Тебе ли втираться в общество благородных девиц и их кавалеров, у которых только и дела, что навещать соседей, заглядывать во все потаенные уголки у них в доме, вынюхивать их секреты да перемывать им косточки, если на наш вкус они еще плохо вымыты. Тебе не понять столь утонченные забавы!

— А нельзя ли вам обоим пойти? — спросила Элиза, пропустив мимо ушей вторую половину его монолога.

— Конечно! Идемте все вместе! — воскликнула Роза. — Чем больше, тем веселее. А веселья нам потребуется немало, чтобы уж совсем не приуныть в этой огромной, темной, мрачной комнате с узенькими окнами и мелкими стеклышками. Разве что она опять примет нас у себя в мастерской!

И мы отправились дальше всей честной компанией. Тощая старуха служанка проводила нас именно в ту комнату, о которой Роза рассказывала мне после их с матушкой визита к миссис Грэхем. Она была достаточно благородных пропорций, но старинные окна пропускали мало света, потолок, стены и каминная полка были все из старого потемневшего дуба. Каминную полку украшала замысловатая, но безвкусная резьба, под стать ей были столы и стулья, а также ветхий книжный шкаф с самыми разными книгами по одну сторону камина и старенькое фортепьяно — по другую.

Хозяйка дома сидела в жестком кресле с высокой спинкой перед круглым столиком, на котором стояли пюпитр и рабочая корзинка, а Артур, опираясь локтем на ее колено, с удивительной беглостью и выразительностью читал ей вслух, придерживая небольшой томик на другом ее колене. Она же, положив ладонь ему на плечо, рассеянно поигрывала длинными кудрями, ниспадавшими на его белую шейку. Это была очаровательная картина, приятно контрастировавшая с окружающей обстановкой, но, разумеется, я успел ее увидеть только в тот краткий миг, когда Рейчел распахнула перед нами дверь. Едва мы вошли, как Артур закрыл книгу, а его мать поднялась нам навстречу.

Мне показалось, что миссис Грэхем не слишком нам обрадовалась: в ее вежливом спокойствии прятался какой-то не поддающийся описанию холод. Впрочем, я почти с ней не разговаривал, а, устроившись у окна, чуть в стороне от остальных, подозвал к себе Артура, и мы втроем с Санчо проводили время очень приятно, пока барышни допекали его мать светской болтовней, а Фергес сидел напротив них, заложив ногу на ногу, засунув руки в карманы и развалившись в кресле. Он то поглядывал на потолок, то вперял глаза в хозяйку дома с бесцеремонностью, вызывавшей у меня неодолимое желание дать ему хорошего пинка и вышвырнуть вон из комнаты, то принимался тихонько насвистывать любимый мотивчик, то вмешивался в разговор, то заполнял паузу каким-нибудь развязным замечанием или вопросом. Вот, например:

— Поражаюсь, миссис Грэхем, с чего вам вздумалось поселиться в этих древних развалинах? Если вам было не по карману арендовать Уайлдфелл-Холл целиком и сделать все необходимые починки, почему вы не сняли уютный домик?

— Может быть, причиной моя гордость, мистер Фергес, — ответила она с улыбкой. — А может быть, эта романтичная старина дорога моему сердцу. К тому же мое старинное жилище имеет множество преимуществ перед уютным домиком. Во-первых, как вы замечаете, комнаты просторны и в них гораздо больше воздуха, во-вторых, свободные помещения, за которые я не плачу, можно использовать как кладовые, не говоря уж о том, что мой сын бегает и играет там в дождливые дни, когда не может выйти погулять. И еще сад, где он резвится в хорошую погоду, а я работаю. Вот взгляните, я уже немного привела его в порядок, — продолжала она, оборачиваясь к окну. — Грядки в том углу, а вон там распустились подснежники и первоцветы, и желтые крокусы уже открывают свои венчики на солнечной лужайке.

— Но все же, как вы способны выносить такое уединение? До ближайших соседей две мили, и никто к вам не заглядывает, даже мимо не проходит? Роза быстро бы с ума спятила на вашем месте. Она умирает с тоски, если ей не удается увидеть в течение дня полдесятка новых платьев и шляпок. Не говоря уж о лицах под их полями. Но у ваших окон можно просидеть до ночи и не увидеть даже старухи с корзиной яиц на продажу.

— Уединенное местоположение, пожалуй, больше всего меня и привлекло. Наблюдать за прохожими мне не нравится, и я люблю тишину и покой.

— О! Так, значит, вам было бы приятнее, если бы мы остались дома и не докучали вам!

— Вовсе нет. Широкие знакомства мне не по душе, но моих друзей я время от времени рада видеть. Никто не способен находить счастье в вечном одиночестве. Поэтому, мистер Фергес, если вы входите в мой дом как друг, добро пожаловать, но если нет, признаюсь откровенно, я предпочла бы обойтись без вашего визита! — И, повернувшись к Розе с Элизой, она продолжала разговор, который он перебил.

— Миссис Грэхем! — не выдержал он пять минут спустя. — По дороге сюда мы вели спор, который вы могли бы сразу разрешить, так как были его предметом. Правду сказать, мы частенько о вас спорим, ведь кое у кого здесь только одно занятие и есть — обсуждать дела ближних. Но мы выросли и распустились на здешних лугах, знаем друг друга с незапамятных времен, обо всем наговорились вдоволь, и нам все это смертельно надоело. Незнакомая особа, оказавшаяся в наших местах, добавляет свежую влагу в пересохшие источники наших развлечений. Так вот, вопрос или вопросы, которые вы можете разрешить, таковы...

— Да замолчи ты! — вскричала Роза, вне себя от злости и стыда.

— И не подумаю. Значит, вам следует разрешить такие недоумения: во-первых, относительно вашего рождения, а также происхождения и места прежнего жительства. Одни утверждают, что вы иностранка, другие — что вы англичанка, третьи соглашаются с ними, но спорят с севера вы или с юга, а четвертые...

— Что же, мистер Фергес, я вам отвечу. Я англичанка и не понимаю, какие могут быть основания сомневаться в этом. Родилась же я в краю, расположенном не на самом севере, но и не на самом юге нашей счастливой страны. Там же я провела большую часть моей жизни. Надеюсь, вы удовлетворены, так как в настоящую минуту я больше не расположена отвечать на вопросы.

— Кроме вот этого...

— Нет-нет, без всяких исключений! — ответила она со смехом и, быстро поднявшись с кресла, отошла в поисках спасения к окну, где сидел я, и заговорила со мной, несомненно, только для того, чтобы избавиться от навязчивости моего братца.

— Мистер Маркхем! — сказала она поспешно, а прерывистое дыхание и краска на щеках выдавали ее волнение. — Вы еще не забыли наш разговор о прекрасном виде на море? Вот теперь я злоупотреблю вашей любезностью и попрошу вас еще раз объяснить мне, как найти дорогу туда. Если эта прекрасная погода не переменится, я, пожалуй, побываю там с альбомом. Остальные сюжеты я все уже истощила, и мне не терпится отправиться туда.

— Ах, Гилберт, ничего не объясняй! — вскричала Роза, когда я было открыл рот, чтобы исполнить просьбу нашей хозяйки. — Мы ее туда проводим! Вы же говорите о... бухте, миссис Грэхем? До нее ведь очень далеко. Даже для вас. А об Артуре и речи быть не может. Но мы давно решили устроить там пикник, и только согласитесь обождать, пока не установится теплая погода, а мы все будем ужасно рады, если вы составите нам компанию!

Бедная миссис Грэхем с расстроенным видом попыталась отказаться, но Роза, то ли из сострадания к ее скучному одиночеству, то ли из желания завязать с ней более тесное знакомство, ничего не желала слушать и находила ответ на каждое возражение. Общество, сказала она, будет самое малочисленное — никого, кроме ближайших друзей, к тому же самый красивый вид открывается с... утесов, но до них целых пять миль.

— Отличная прогулка для джентльменов, — продолжала Роза. — А мы будем то идти пешком, то ехать в коляске. В нашей коляске хватит места и для маленького Артура, и для трех из нас, и для ваших рисовальных принадлежностей, и для провизии.

В конце концов приглашение было принято, и несколько минут спустя, окончательно условившись о времени пикника и о некоторых других частностях, мы попрощались и отправились восвояси.

Однако был еще март, апрель выдался холодный и дождливый, и прошла половина мая, прежде чем мы осмелились привести свой план в исполнение, уже не опасаясь, что удовольствие от красивых видов, приятного общества, морского воздуха, долгой прогулки и веселого пикника будет испорчено холодным ветром, раскисшими дорогами и пасмурным небом. И вот в одно великолепное утро наш небольшой отряд собрался и тронулся в путь. Состоял он из миссис Грэхем и мистера Грэхема, Мэри и Элизы Миллуорд, Джейн и Ричарда Уилсонов, а также Розы, Фергеса и Гилберта Маркхемов.

Мистер Лоренс получил приглашение присоединиться к нам, но по причине, известной только ему одному, не пожелал его принять. Позвал его я, и он сначала осведомился, из кого состоит наша компания. Когда я назвал мисс Уилсон, он, казалось, уже собрался дать согласие, но тут я в своем перечислении дошел до миссис Грэхем, полагая, что это подбавит ему решимости, однако ошибся: у него оказалось какое-то неотложное дело. И, признаюсь, я почему-то обрадовался, хотя не берусь объяснить почему.

До места мы добрались часа в два. Всю дорогу миссис Грэхем прошла пешком, да и Артура лишь редко удавалось усадить в коляску — за эти месяцы он сильно окреп и не желал ехать с незнакомыми людьми, пока те, кого он знает и любит — его мама, Санчо и мистер Маркхем с мисс Миллуорд — весело гуляют — то далеко отстают, то идут напрямик через луга по удобным тропинкам.

У меня остались самые чудесные воспоминания об этой прогулке — по выбеленной солнцем дороге, кое-где затененной деревьями в уборе молодой листвы, между благоухающими живыми изгородями, по майским зеленеющим лугам в коврах душистых цветов. Правда, рядом со мной не было Элизы: она предпочла прокатиться в коляске с подругами, и я мог только пожелать ей столько же удовольствия, сколько получал сам. И даже когда мы пятеро свернули на прямую тропинку, а коляска скрылась из виду за деревьями, я не испытал ни малейшей ненависти к этим последним за то, что они заслонили от меня прелестную шляпку и шаль и разлучили меня с моим счастьем. Честно говоря, я был счастлив идти рядом с миссис Грэхем и ничуть не огорчался, что Элизы Миллуорд с нами нет.

Правда, первое время она самым досадным образом разговаривала только с Мэри Миллуорд и Артуром, который шел между ними. Однако чуть дорога становилась шире, как миссис Грэхем оказывалась между сыном и мной, а Ричард Уилсон занимал позицию рядом с Мэри Миллуорд, Фергес же то уходил вперед, то останавливался, как ему взбредало на ум. Но затем она начала отвечать на мои вопросы и замечания, и вскоре мне удалось совершенно завладеть ее вниманием. Вот тогда-то я почувствовал себя безоблачно счастливым, тем более что мне очень нравилось ее слушать. Когда наши мысли и мнения совпадали, меня восхищали ее тонкий ум, изящный вкус, глубокие чувства, если же мы в чем-то не соглашались, смелость и твердость, с какой она доказывала или защищала свою точку зрения, ее убежденность в своей правоте воспламеняли мое воображение. И даже когда я сердился на какие-нибудь ее язвительные слова, пренебрежительный взгляд или безжалостные упреки по моему адресу, то сердился лишь на себя за то, что не сумел произвести на нее благоприятное впечатление, и загорался желанием представить ей свой характер и склонности в более выгодном свете, а если удастся, то и заслужить ее уважение.

Наконец мы добрались до цели. Долгое время громоздившиеся впереди крутые холмы заслоняли от нас даль, но вот мы поднялись на высокий гребень и внезапно увидели далеко внизу ослепительно синее море! Чуть лиловатое к горизонту, оно не было зеркальным — его покрывали белые барашки, казавшиеся с такого расстояния настолько маленькими, что их нелегко было отличить от чаек, которые кружили над ними, сверкая на солнце белыми крыльями. Море казалось пустынным, лишь в отдалении виднелись два суденышка.

Я взглянул на мою спутницу, желая узнать, какое впечатление произвел на нее дивный вид. Она не произнесла ни слова, но взгляд, устремленный на безбрежную синеву, самая неподвижность ее позы сказали мне, что ожидания ее не обманули. Да, кстати, глаза у нее были чудесные. Не помню, описывал ли я их тебе раньше, но все равно: большие, ясные, полные чувства, они были темными, но не карими, а темно-серыми, почти черными. С моря дул освежающий бриз — ласковый, чистый, целительный. Он играл ее локонами, заставил заалеть губы и вызвал нежный румянец на обычно бледных щеках. Он бодрил и веселил, и я чувствовал, как пьянящая радость разливается по моим жилам, но не осмеливался поддаться ей, чтобы не отвлечь миссис Грэхем от этого завороженного созерцания. Однако та же радость отразилась и на ее лице, наши взгляды встретились, и мы словно обменялись улыбкой ликующего восторга и понимания. Никогда еще она не выглядела такой красивой, никогда еще мое сердце не рвалось к ней с таким пылом. Если бы мы чуть дольше простояли так, я бы уже не мог за себя ручаться. Но к счастью для моего самообладания, а может быть, и для счастливого продолжения этого дня, нас позвали к столу, которым служил большой плоский камень, укрытый от жаркого солнца нависающей скалой и деревьями. Роза, мисс Уилсон и Элиза, приехавшие в коляске несколько раньше нас, успели уставить его всякими яствами.

Миссис Грэхем села в стороне от меня, а моей соседкой оказалась Элиза, которая была со мной мила и ласкова даже более обыкновенного — и, наверное, столь же обворожительна, как всегда, если бы я только был в состоянии заметить это. Впрочем, довольно быстро я вновь подпал под ее обаяние, и, насколько мог судить, наша трапеза на вольном воздухе прошла очень весело и приятно.

Когда она наконец завершилась, Роза, заручившись помощью Фергеса, принялась убирать в корзинки столовые приборы, тарелки и прочее, а миссис Грэхем взяла свой складной стул, карандаши и альбом, попросила мисс Миллуорд не спускать глаз с ее драгоценного сына, а ему строго-настрого велела не отходить от своей временной опекунши и направилась вверх по каменистой тропке к высокой площадке у самого обрыва, откуда вид был даже еще великолепнее. Именно там она расположилась с альбомом, хотя барышни наперебой ее отговаривали — уж очень это страшное место.

Мне почудилось, что без нее веселье разом угасло, хотя она, казалось, не вносила в него никакой лепты. Ни разу не пошутила и даже ни разу не засмеялась. Но ее улыбка питала мою веселость, а одно-единственное меткое слово или тонкое замечание словно обостряли мою наблюдательность и придавали особый интерес тому, что говорили или делали остальные. Даже моя болтовня с Элизой вдохновлялась ее присутствием, хотя я этого и не подозревал. Но стоило ей уйти, как шутливость Элизы перестала меня забавлять и вызывала только томительную скуку. И развлекать ее мне больше не хотелось. Меня неудержимо влекло туда, где в отдалении прекрасная художница совсем одна склонялась над альбомом. И я недолго противился искушению. Стоило моей миниатюрной соседке на минуту повернуться к мисс Уилсон, как я вскочил и ловко ускользнул прочь. Вскоре я уже карабкался по камням и через несколько минут оказался на узком выступе, стеной обрывавшемся к каменной россыпи у воды.

Миссис Грэхем не услышала моих шагов и вздрогнула, как от электрического разряда, когда на открытый лист легла чья-то тень. Она стремительно обернулась. (Любая другая моя знакомая непременно громко взвизгнула бы от неожиданности.)

— А, это вы! Зачем вам понадобилось меня пугать? — сказала она с некоторым раздражением. — Терпеть не могу, когда меня вот так застают врасплох.

— Право, вы несправедливы, — ответил я. — Если бы мне в голову пришло, что я могу вас напугать, то, конечно, я был бы более осторожен...

— Все пустяки. Но почему вы пришли? Или они все идут сюда?

— Нет. Впрочем, на этой площадке всем никак не уместиться.

— И очень хорошо. Я устала от разговоров.

— Ну, тогда я буду молчать. Только сяду и буду смотреть, как вы рисуете.

— Но вы же знаете, как я этого не люблю.

— Хорошо, я удовлетворюсь тем, что буду любоваться этим чудесным видом.

Она ничего не возразила и некоторое время молча склонялась над своим рисунком. Однако я не мог удержаться и часто переводил взгляд с неба и волнующегося моря на изящную белую руку, державшую карандаш, на красивую шею и пышные черные локоны, почти касавшиеся альбома.

«Вот будь у меня карандаш и лист бумаги, — думал я, — а также умение точно запечатлевать в линиях то, что вижу, мой набросок был бы куда прекраснее!»

Хотя о подобном торжестве я мог только мечтать, мне было вполне достаточно тихо сидеть подле нее и молчать.

— Вы еще здесь, мистер Маркхем? — сказала она, наконец оглядываясь. (Я сидел на мшистом камне чуть позади нее.) — Почему вы не вернулись к своим друзьям? Там ведь вам было бы гораздо веселее.

— Потому что мне, как и вам, они надоели. И я успею наглядеться на них завтра и в любой другой день. Но кто знает, когда мне снова выпадет счастливый случай увидеть вас?

— Когда вы уходили, что делал Артур?

— Сидел возле мисс Миллуорд, как вы ему и велели, но все время спрашивал, скоро ли вернется мамочка. Да, кстати, мне вы его не доверили, — добавил я с досадой, — хотя я имею честь быть с вами знакомым много дольше! Но, правда, мисс Миллуорд обладает способностью утешать и забавлять детишек, — продолжал я небрежным тоном. — Благо ничем другим она похвастать не может.

— Мисс Миллуорд обладает многими прекрасными качествами, но такими, каких вам оценить не дано. Вы не скажете Артуру, что я приду через несколько минут?

— В таком случае я с вашего разрешения останусь на эти минуты тут и помогу вам спуститься с крутизны.

— Благодарю вас, но в подобных случаях я предпочитаю обходиться без помощи.

— Так я хотя бы понесу ваш стул и альбом.

В этой милости она мне не отказала, но меня обидело ее нескрываемое желание избавиться от моего общества, и я даже пожалел о своей настойчивости, но затем она смягчила мой гнев, посоветовавшись со мной об одной трудности. К счастью, мое мнение показалось ей уместным, в рисунок тут же было внесено необходимое изменение.

— Мне часто недостает чужого суждения, — сказала она. — Когда мое зрение и мысли слишком долго сосредоточены на каком-то предмете, я перестаю им доверять.

— Это лишь одно из многих зол, которыми чревато одиночество, — заметил я.

— Совершенно справедливо, — отозвалась миссис Грэхем, и воцарилось молчание.

Минуты через две она, однако, прервала его, сказав, что кончила, и закрыла альбом.

Вернувшись к месту пикника, мы нашли там лишь троих его участников — Мэри Миллуорд, Ричарда Уилсона и Артура Грэхема. Более юный джентльмен сладко спал, положив голову на колени барышни, а джентльмен постарше сидел рядом с ней с томиком какого-то латинского автора в руке. Он никуда не ходил без такого спутника, стараясь при всяком удобном случае продолжать занятия. Каждая минута казалась ему потерянной, если не была посвящена учению или не отнималась физической необходимостью поддерживать жизнь в теле. Вот и теперь он не предался наслаждению чистым воздухом и благодетельным солнечным теплом, несравненным пейзажем, баюкающей музыкой волн внизу и ветерка в деревьях, и даже обществом барышни рядом с ним (хотя, бесспорно, не такой уж очаровательной). Нет, он должен был уткнуться в книгу, чтобы всемерно использовать время, пока его желудок переваривал отнюдь не обильный обед, а усталые члены отдыхали после непривычно долгой прогулки.

Впрочем, быть может, он все-таки порой обменивался взглядом или словом со своей соседкой. Во всяком случае, она не только не казалась обиженной, но, когда мы подошли к ним, ее невзрачные черты дышали безмятежной веселостью, и она смотрела на его бледное сосредоточенное лицо с несомненным благоволением.

Возвращение домой оказалось для меня далеко не таким приятным, как предыдущие часы. Ибо теперь в коляске ехала миссис Грэхем, а спутницей моей была Элиза Миллуорд. Она заметила, что меня влечет общество молодой вдовы, и, видимо, почувствовала, что ею я пренебрегаю. Однако свое огорчение она выражала не жгучими упреками, ядовитыми сарказмами или угрюмым оскорбленным молчанием — их я перенес бы спокойно или отшатнулся бы, — но показывала его лишь страдальческой печалью, кроткой грустью, которая ранила меня в самое сердце. Я попытался развеселить ее, и к концу это мне как будто удалось, но совесть начала меня грызть еще сильнее, так как я знал, что рано или поздно порву эти узы и только пробуждаю ложные надежды, оттягивая неизбежный черный день.

Когда коляска приблизилась к Уайлдфелл-Холлу, насколько позволяла дорога, — миссис Грэхем и слушать не пожелала, чтобы ее подвезли до ворот кружным путем по ухабам и рытвинам, — они с сыном сошли, Роза пересела на козлы, и я убедил Элизу занять освободившееся место.

Усадив ее поудобнее, заботливо попросив беречься вечерней прохлады, я с большим облегчением простился с ней и поспешил предложить мои услуги миссис Грэхем в качестве носильщика. Но она уже повесила стул на локоть, альбом взяла в руку и самым решительным образом пожелала мне доброго вечера вместе с остальным обществом. Однако на этот раз она отказалась от моей помощи так мило и подружески, что я почти ее простил.

Глава VIII

ПОДАРОК

Прошло полтора месяца. В конце июня, когда почти весь луг был уже скошен, после дождливой недели выдалось великолепное солнечное утро, и я решил всемерно использовать перемену погоды, чтобы просушить сено. Собрав на лугу всех работников, я в одной рубашке и соломенной шляпе усердно трудился во главе их, подхватывал охапки сырой душистой травы и рассыпал ее в твердом намерении проработать так до самого вечера, с усердием и прилежностью, каких только мог требовать от других, чтобы воодушевить или пристыдить нерадивых своим примером. Но — увы! — моим благим намерениям вскоре был положен конец потому лишь, что на луг прибежал мой брат и вложил мне в руку сию минуту доставленный из Лондона пакет, которого я давно с нетерпением ожидал. Я сорвал с него обертку и увидел изящный томик, содержавший «Мармион» сэра Вальтера Скотта.

— А я знаю, для кого это! — заметил Фергес, наблюдая, как я с гордостью перелистываю золотообрезные страницы. — Для мисс Элизы, э?

В его голосе была такая ехидная многозначительность, что я с удовольствием поставил его на место.

— Ошибаешься, мой милый! — сказал я, поднял сюртук, положил томик в карман, а затем надел его (то есть сюртук). — Ну-ка, лентяй, принеси разочек хоть какую-то пользу! Снимай куртку и повороши за меня сено, пока я не вернусь.

— Пока ты вернешься... А куда это ты идешь, скажи на милость?

— «Куда», тебе знать необязательно. Тебя касается только «когда». А до обеда я так или иначе возвращусь.

— Ого! А я, значит, до обеда надрывайся? Следи, чтобы эти молодцы не бездельничали? Ну-ну! Впрочем, один раз куда ни шло. А ну, ребята, пошевеливайтесь! Теперь вам буду помогать я, и горе тому — или той! — кто хоть на минуту остановится, чтобы оглядеться по сторонам, почесать в затылке или высморкаться. Никаких причин я не приму. Надо работать, работать, работать в поте лица своего...

Ну и так далее.

Оставив Фергеса воодушевлять работников, которые, впрочем, слушали его, посмеиваясь, я вернулся домой, привел себя в порядок и поспешил в Уайлдфелл-Холл с «Мармионом» в кармане, ибо он предназначался для книжного шкафа миссис Грэхем.

«Ах, вы, значит, уже настолько близко познакомились, что начали обмениваться подарками?»

Нет-нет, старина, не совсем так. Это была моя первая попытка, и я с большой тревогой ожидал ее результата.

Со времени пикника в... бухте мы виделись несколько раз, и я обнаружил, что мое общество ей даже приятно — если разговор велся на общие интересные для нас обоих темы. Но стоило мне коснуться области чувств, сказать комплимент или даже позволить себе нежный взгляд, как я не только тут же карался ледяной холодностью, но и в следующий раз она если вовсе не отказывалась меня видеть, то держалась с сухой неприступностью. Однако это меня не слишком обескураживало, так как я объяснял подобные перемены в ней не неприязнью к моей скромной особе, но твердым намерением не вступать во второй брак, то ли из-за горячей любви к покойному мужу, то ли потому, что первого опыта ей оказалось более чем достаточно. Ведь вначале ей словно доставляло удовольствие терзать мое самолюбие и уязвлять мое тщеславие, безжалостно обрывая их ростки, едва они пробивались на свет. Признаюсь, ранило это меня очень глубоко. Но одновременно толкало искать мести. Однако в конце концов убедившись, что я не тот пустоголовый хлыщ, каким ей казался, она теперь прекращала мои робкие поползновения в совсем иной манере — с серьезным, почти печальным неудовольствием, и я скоро научился старательно его избегать.

«Сначала мне надо укрепить мое положение в ее доме, — думал я, — как покровителя и товарища игр ее сына, надежного, благоразумного, прямодушного друга ее самой. И вот, когда я стану ей необходимой опорой, привычным источником развлечений и радостей, скрашивающих одинокую жизнь (а я не сомневался, что это в моей власти), вот тогда мы поглядим, каким будет следующий шаг».

Поэтому мы беседовали о живописи, поэзии и музыке, о богословии, геологии и философии. Раза два я одалживал ей книги, а один раз она отплатила мне той же любезностью. Я попадался ей навстречу во время ее прогулок как мог чаще. Первым предлогом для вторжения в священные пределы ее жилища был толстенький щенок, сын Санчо, от которого Артур пришел в совершенный восторг, что не могло не доставить удовольствия материнскому сердцу. Затем я подарил ему книгу, которую выбирал очень тщательно, зная взыскательность его матери, и сначала тайно показал ей для одобрения. Затем я принес саженец от имени моей сестры, предварительно уговорив Розу сделать ей такой подарок. И каждый раз я справлялся, как продвигается картина, которую она писала по этюду, сделанному на обрыве, и меня допускали в мастерскую, и спрашивали моего мнения, а порой и просили совета. И наконец, я побывал у нее, чтобы вернуть прочитанную книгу. Вот тогда-то, заговорив о стихотворениях сэра Вальтера Скотта, она и упомянула о своем желании прочесть «Мармиона», а я задумал дерзновенный план преподнести ей его в подарок и, едва вернувшись домой, поспешил выписать из Лондона тот самый томик, который сейчас прибыл. Но я все еще нуждался в предлогах, чтобы вторгаться в обитель суровой отшельницы, а потому запасся голубым ошейником из дорогой кожи для щенка. Незамысловатый подарок вызвал куда больше радости и благодарности, чем он того стоил, не говоря уж об эгоистичных замыслах дарителя. Я робко осведомился у миссис Грэхем, нельзя ли мне опять взглянуть на картину, если она еще здесь.

— Разумеется. Пойдемте же! (Я застал их в саду.) Она закончена, вставлена в раму и готова к отправке, но все-таки выскажите свое мнение, и если оно окажется полезным для нее, то во всяком случае будет принято и взвешено.

Картина была поразительно хороша. Пейзаж словно перенесся на холст силой волшебства. Но я выразил свое одобрение коротко и осторожно, боясь ее рассердить. Она, однако, внимательно следила за моим лицом, и, несомненно, восхищение в моих глазах должно было польстить гордости художницы. Но пока я глядел, меня все время мучила мысль о книге — как я осмелюсь ее подарить? Мужество мне изменило, но я не мог уйти, не сделав даже попытки. Ждать подходящей минуты было бесполезно, как и придумывать заранее речь, подходящую для такого случая. Чем проще и безыскуснее удастся мне обставить это, тем будет лучше. А потому я отошел к окну, чтобы собраться с духом, вынул книгу из кармана, повернулся и вложил ее в руку миссис Грэхем, сказав только:

— Вы хотели прочесть «Мармиона», миссис Грэхем, так вот он, если вы будете столь любезны, что согласитесь его принять.

На мгновение она покраснела — быть может, это была краска сочувственного стыда за мою неуклюжесть, — внимательно осмотрела переплет с обеих сторон, затем молча полистала страницы, задумчиво хмурясь, наконец закрыла книгу, перевела взгляд на меня и спокойно спросила, сколько она стоит. Кровь бросилась мне в голову.

— Мне жаль, если я вас обидела, мистер Маркхем, — сказала она, — но если я не заплачу за книгу, принять ее я не смогу.

— Но почему?

— Да потому что... — Она умолкла и опустила взгляд на ковер.

— Так почему же? — повторил я с таким раздражением, что она снова подняла на меня глаза.

— Потому что я не люблю обязываться, если не могу отплатить тем же. Я и так уже в долгу перед вами за доброту к моему сыну. Но за нее вас хотя бы вознаграждает его горячая привязанность к вам, ну и радость, которую вы получаете, балуя его.

— Вздор! — вскричал я.

Она посмотрела на меня удивленно и с каким-то спокойным сожалением, которое, хотела она того или нет, мне показалось упреком.

— Значит, вы не возьмете книгу? — спросил я уже гораздо мягче.

— Возьму с большим удовольствием, если вы разрешите мне заплатить за нее.

Я назвал ей цену и стоимость доставки, стараясь говорить самым спокойным голосом, хотя готов был расплакаться от разочарования и досады.

Она достала кошелек и невозмутимо отсчитала требуемую сумму, но заколебалась и, внимательно глядя на меня, сказала очень ласково:

— Вы чувствуете себя оскорбленным, мистер Маркхем. Ах, если бы вы могли понять, что мне... что я...

— Я все прекрасно понимаю! — перебил я. — Вы думаете, что, приняв от меня этот пустячок, дадите мне повод и в дальнейшем позволять себе... Но вы ошибаетесь. Если только вы будете так любезны и возьмете его, даю вам слово, я не построю на этом никаких ложных надежд и не истолкую вашу снисходительность как разрешение и дальше ею злоупотреблять. А говорить, будто это вас как-то обяжет, — чистейший вздор! Ведь вы прекрасно знаете, что обязан вам буду я, а любезность мне окажете вы!

— Ну, хорошо, ловлю вас на слове, — сказала она с небесной улыбкой и положила мерзкие деньги назад в кошелек. — Но помните!

— Я буду помнить то, что я сказал. Только не карайте меня за дерзость, не отнимайте у меня вашу дружбу вовсе и не требуйте, чтобы я искупил свою вину, держась с этих пор на более почтительном расстоянии, — сказал я, протягивая руку, чтобы попрощаться, потому что боялся остаться дольше, столь велико было мое волнение.

— Ну, хорошо! Пусть все будет, как было, — ответила она, дружески вкладывая свою руку в мою, и я, пожимая ее, лишь с трудом удержался от того, чтобы не прижать ее к своим губам, но это было бы самоубийственным безумием. Я и так уже излишней смелостью и необдуманной торопливостью чуть-чуть не погубил все свои надежды.

Домой я почти бежал, не замечая палящего полуденного солнца, такой огонь сжигал мое сердце и мозг. Я забыл обо всем и обо всех, кроме той, с кем сейчас расстался; сожалел только о ее неприступности, собственной поспешности и неделикатности; страшился только ее суровой решимости и своей неспособности смягчить ее; ни на что не надеялся, кроме... Но довольно! Я не стану докучать тебе рассказом о борении моих надежд и страхов, о моих размышлениях и о клятвах, которые я себе давал.

Глава IX

ТАЙНЫЙ ЯД

Хотя теперь уже не оставалось сомнений, что Элиза Миллуорд вовсе вытеснена из моего сердца, я еще не прекратил посещать дом при церкви, так как не хотел нанести ей явный афронт, полагая, что, помедлив, сумею оберечь ее от печали и горькой досады, а себя — от сплетен. К тому же, прекрати я визиты вовсе, священник, не сомневавшийся, что главной, если не единственной, приманкой для меня были беседы с ним, бесспорно, счел бы себя оскорбленным. Но когда я заглянул туда на другой день после моего разговора с миссис Грэхем, его не оказалось дома — обстоятельство, которое далеко не так меня обрадовало, как в былые времена. Конечно, в гостиной сидела и мисс Миллуорд, но толку от нее ждать не приходилось. Впрочем, я решил, что останусь недолго, а с Элизой буду разговаривать братским, дружеским тоном, на какой наше долгое знакомство давало мне право — я полагал, что он и не обидит, и не поддержит ложные надежды.

У меня было твердое правило ни с кем не говорить о миссис Грэхем — и с Элизой в том числе, но не прошло и трех минут, как она сама упомянула про нее, причем весьма странным образом.

— Ах, мистер Маркхем, — произнесла она почти шепотом с возмущенным видом, — что вы думаете о неслыханных вещах, какие стали известны про миссис Грэхем? Надеюсь, вы сможете успокоить нас, что произошла ошибка.

— О каких вещах?

— Ах, полно! Уж вы-то знаете. — Она хитро улыбнулась и покачала головой.

— Я ничего не знаю. О чем вы говорите, Элиза?

— Меня не спрашивайте! Что могу сказать я? — Она взяла батистовый платочек, который обшивала кружевом, и усердно принялась за работу.

— Что такое, мисс Миллуорд? О чем она говорит? — воззвал я к ее старшей сестре, которая подрубала простыню из грубого полотна.

— Не знаю, — ответила Мэри. — Вероятно, всего лишь глупая сплетня, придуманная от безделья. Я ее слышала на днях, но только от Элизы. Однако если бы даже весь приход хором твердил то же самое, я все равно не поверила бы ни единому слову. Я слишком хорошо знаю миссис Грэхем!

— Вы совершенно правы, мисс Миллуорд. И я не верю — что бы там ни говорилось!

— Что же! — произнесла Элиза с печальным вздохом. — Такое непоколебимое доверие к тем, кого мы любим, большое утешение. При условии, что оно не будет обмануто.

И она обратила на меня взор, полный такой сострадательной нежности, что мое сердце, конечно, растаяло бы, но в ее глазах пряталось что-то, что меня сразу оттолкнуло, и я только удивился, что прежде так ими восхищался. Доброе лицо Мэри, ее небольшие серые глаза вдруг показались мне несравненно более симпатичными! Впрочем, в ту минуту я злился на Элизу за чернящие миссис Грэхем намеки — лживые, как я был убежден, пусть даже Элиза заблуждалась искренне.

Однако больше я на эту тему говорить не стал, как, впрочем, и на какую-либо другую; обнаружив, что мне не удается восстановить душевное равновесие, я вскоре встал и распрощался под предлогом, что мне надо еще побывать на лугу, куда и отправился. В лживости этих таинственных слухов я нисколько не сомневался, но очень не прочь был бы узнать, в чем они заключаются, от кого исходят, на что опираются и как всего успешнее можно было бы положить им конец.

Несколько дней спустя мы устроили званый чай, на который, кроме обычного круга близких знакомых и соседей, пригласили и миссис Грэхем. Сослаться на вечернюю темноту или капризы погоды она не могла и, к большой моей радости, пришла к назначенному часу. Иначе я изнывал бы от скуки. Но едва она вошла в гостиную, как весь дом словно озарился, и хотя я знал, что обязан развлекать других гостей, что особого внимания она мне не окажет и обмениваться мы будем лишь общими фразами, вечер, мнилось мне, обещал быть чудесным.

Мистер Лоренс тоже принял приглашение. Приехал он, когда остальные гости уже собрались. Мне было любопытно посмотреть, как он встретится с миссис Грэхем. Но он обменялся с ней лишь легким поклоном и, поздоровавшись с остальными, сел между матушкой и Розой в порядочном отдалении от молодой вдовы.

— Видали ли вы когда-нибудь столь искусную игру? — шепнула мне Элиза, ближайшая моя соседка. — Ведь они словно бы едва знакомы!

— Да, конечно. Но что из этого?

— Как что? Не притворяйтесь, будто не знаете!

— Чего не знаю? — спросил я столь резко, что она вздрогнула и прошептала:

— Т-с! Не так громко.

— Но объясните же мне, — сказал я, послушно понизив голос, — на что вы намекаете? Терпеть не могу загадки.

— Но, право же, я не могу ручаться за истинность... Нет-нет... Но неужели вы не слышали?

— Я *ничего* не слышал. И ни от кого, кроме вас.

— Значит, вы нарочно оглохли. Ведь кто угодно скажет вам, что... Впрочем, я умолкаю, так как вижу, что только рассержу вас, повторяя...

Она плотно сжала губы и сложила руки на коленях с видом оскорбленной невинности.

— Если бы вы не хотели меня рассердить, то либо не начали бы этого разговора, либо прямо и честно договорили все до конца.

Она отвернулась, достала носовой платочек, отошла к окну и некоторое время стояла лицом к стеклу, словно бы борясь со слезами. Меня мучили недоумение, досада и стыд — но не столько за свою резкость, сколько за ее детскую несдержанность. Однако никто словно не заметил ее выходки, и скоро нас позвали к чаю. В тех краях тогда было принято пить чай в столовой и подавать к нему сытные кушанья, так как обедали мы днем. Я сел рядом с Розой, а стул по другую мою руку оказался свободен.

— Можно мне сесть подле вас? — произнес тихий голосок у моего плеча.

— Если вам угодно, — ответил я, и Элиза грациозно опустилась на пустой стул и прошептала, поглядев на меня с улыбкой, к которой примешивалась грусть:

— Вы так суровы, Гилберт!

Я передал ей чашку с чуть презрительной усмешкой и промолчал, потому что сказать мне было нечего.

— Но чем я вас обидела? — продолжала она еще жалобнее. — Не понимаю.

— Пейте чай, Элиза, и не говорите вздора, — ответил я, передавая ей сахарницу и сливочник.

В эту секунду у другого моего плеча я услышал голос мисс Уилсон, которая пожелала перемениться местом с Розой.

— Не будете ли вы так любезны уступить мне ваш стул, мисс Маркхем? — сказала она. — Мне не хочется сидеть рядом с миссис Грэхем. Раз уж ваша матушка полагает возможным принимать у себя подобных особ, значит, она не станет возражать и против того, чтобы ее дочь беседовала с ними.

Последняя фраза была произнесена, так сказать, в сторону, когда Роза уже обходила стол, но у меня недоставало благовоспитанности пропустить ее мимо ушей.

— Не будете ли вы так любезны, мисс Уилсон, объяснить мне, что вы имеете в виду?

Вопрос этот слегка ее смутил, но только слегка.

— О, мистер Маркхем! — ответила она, мгновенно обретая обычную невозмутимость. — Просто меня несколько удивило, что миссис Маркхем допускает в свой дом такую особу, как миссис Грэхем. Но быть может, ей неизвестно, что репутация этой дамы весьма сомнительна.

— Это неизвестно ни ей, ни мне, а потому я буду весьма вам обязан, если вы меня и дальше просветите.

— И время, и место не подходят для подобных объяснений, но, полагаю, вы вовсе не так неосведомлены, как делаете вид. Ведь вы с ней, должно быть, знакомы не менее близко, чем я.

— Вероятно, даже более, а потому, если вы сообщите, что вам довелось услышать или вообразить в ущерб ей, возможно, я сумею восстановить истину.

— Не могли бы вы сказать в таком случае мне, за кем она была замужем и была ли?

Я онемел от негодования. Ни время, ни место не позволяли ответить так, как я предпочел бы.

— Неужели вы не заметили, — спросила, в свою очередь, Элиза, — как похож этот ее сыночек на...

— На кого же? — осведомилась мисс Уилсон холодно и очень сурово.

Элиза вздрогнула. Робкий намек предназначался только для моих ушей.

— Ах, извините меня! — произнесла она умоляюще. — Быть может, мне только почудилось... да-да, почудилось! — Но она бросила на меня искоса насмешливый взгляд, хотя лицо ее хранило выражение простодушной кротости.

— У меня просить извинения не за что, — объявила ее приятельница. — Но я не вижу тут никого, в ком можно было отыскать сходство с этим ребенком, кроме его матери. И я была бы вам благодарна, мисс Элиза, если бы впредь, услышав какие-нибудь злокозненные выдумки, вы избавили бы меня... то есть, мне кажется, вам не следует их повторять. Позволю себе предположить, что вы подразумевали мистера Лоренса, но разрешите вас заверить, что ваши подозрения по его адресу совершенно напрасны. И если между ним и этой особой существуют какие-то отношения (чего никто не имеет права утверждать!), во всяком случае, он (чего нельзя сказать кое о ком еще) достаточно уважает требования приличий и в порядочном обществе ограничивается лишь самым сдержанным поклоном. Он, несомненно, был удивлен и раздосадован, увидев ее здесь.

— Ату ее, ату! — воскликнул Фергес, сидевший по другую руку Элизы. — И уж постарайтесь не оставить от нее камня на камне!

Мисс Уилсон выпрямилась с леденящим презрением, но промолчала. Элиза собралась было что-то ответить, но я предупредил ее, заметив тоном, которому старался придать полное равнодушие, хотя, без сомнения, он все-таки выдал обуревавшие меня чувства:

— По-моему, эта тема исчерпана. И если мы способны только чернить тех, кто достойнее нас, то не лучше ли помолчать?

— Много лучше! — подхватил Фергес. — Как несомненно считает и наш достопочтенный пастырь. Все это время он с обычным своим красноречием поучал сотрапезников и то и дело с суровым порицанием поглядывал, как вы тут кощунственно перешептывались, а один раз смолк в самом интересном месте своего повествования — или проповеди, судить не берусь, — и прожег тебя, Гилберт, негодующим взором, словно говоря: «Я продолжу свою речь, когда мистер Маркхем кончит флиртовать с соседями!»

О чем еще говорилось за столом, не знаю, как не знаю, откуда у меня взялось терпение досидеть за ним до конца. Помню только, что чашку свою я допил с трудом, а съесть не мог ничего и только переводил взгляд с Артура Грэхема, сидевшего наискосок от меня рядом с матерью, на мистера Лоренса у дальнего конца стола. В первое мгновение я обнаружил несомненное сходство, но, присмотревшись повнимательнее, приписал его игре моего воображения. Правда, обоих отличали тонкость черт и хрупкость сложения, не столь уж обычные у сильного пола, к тому же цвет лица Лоренса был матово-бледным, а нежная кожа Артура казалась почти прозрачной. Но его курносый носишко вряд ли когда-нибудь мог стать прямым и длинным, как у мистера Лоренса, лицо же, хотя и не совсем круглое, с подбородком в ямочках, который отнюдь не грозил стать квадратным, тем не менее не обещало вытянуться в узкий овал. Да и волосы мистера Лоренса никогда не были такого светлого оттенка. Большие же ясные синие глаза мальчугана, несмотря на порой появлявшееся в них слишком серьезное для его возраста выражение, ни в чем не походили на карие глаза, из которых робко выглядывала застенчивая душа, готовая тут же спрятаться от слишком грубого и бесчувственного мира.

Какой же я негодяй, если хотя бы на миг позволил себе питать подобное подозрение! Или я не знаю миссис Грэхем? Разве я не наблюдал за ней, не беседовал с ней столько раз? Разве я не убежден, что умом, чистотой помыслов и возвышенностью души она далеко превосходит своих недоброжелательниц? Что она, короче говоря, самая благородная, самая пленительная из всех известных мне представительниц прекрасного пола, и даже тех, кого создавало мое воображение?

И я мог только повторить за Мэри Миллуорд (столь благоразумной и проницательной), что даже если бы весь приход — да нет, весь мир! — начал бы хором дудеть мне в уши эту гнусную ложь, я бы ему не поверил, ведь я слишком хорошо ее знаю!

Мозг мой был словно охвачен пожаром, а сердце разрывалось от противоречивых чувств. На моих прелестных соседок я смотрел с гадливым отвращением, которое почти не пытался скрыть. Меня начали поддразнивать за рассеянность и нелюбезность, но я оставался равнодушен. Если не считать того, на чем сосредоточились все мои мысли, я хотел лишь одного: чтобы чашки возвращались на поднос и больше его не покидали. Но мистер Миллуорд, чудилось мне, вечно будет растолковывать нам, что не принадлежит к любителям чая, ибо перегружать желудок грязной водицей в ущерб более полезным субстанциям весьма вредно для здоровья, — и все допивать и допивать четвертую свою чашку.

Однако всему приходит конец, и тотчас, встав из-за стола, я без слова извинения покинул гостей — общество их стало мне невыносимо — и поспешил вон из дома охладить пылающую голову предвечерней душистой прохладой, собраться с мыслями... или дать выход душевной буре в уединении сада.

Не желая, чтобы меня увидели из окон, я быстро прошел по тенистой аллейке к скамье, укрытой трельяжем с вьющимися розами и жимолостью, опустился на нее и предался размышлениям о высоких достоинствах хозяйки Уайлдфелл-Холла, о черной клевете.... Однако не прошло и двух минут, как голоса, смех и мелькающие за деревьями фигуры сказали мне, что все общество тоже пожелало подышать свежим воздухом в саду. Я отодвинулся в густую тень трельяжа, уповая, что останусь незамеченным и никто не нарушит моего уединения даже невзначай. Но... проклятие! На дорожке послышались приближающиеся шаги. Ну почему им мало любоваться цветами на еще освещенной солнцем лужайке перед домом, почему они не могут оставить этот темный уголок мне, комарам и мошкаре?

Однако едва я посмотрел в просвет между листьями жимолости, чтобы выяснить, кто эти незваные пришельцы (звук голосов сказал мне, что их по меньшей мере двое), как мое раздражение мгновенно исчезло и совсем иные чувства наполнили мою все еще смятенную душу: ко мне медленно приближалась миссис Грэхем, и с ней был только Артур! Но почему они одни? Неужели яд черной клеветы уже отравил остальных и все отвернулись от нее? Я вдруг вспомнил, как еще до чая миссис Уилсон тихонько придвинулась к матушке и наклонилась к ее уху, словно собираясь сообщить какой-то секрет. Она так покачивала головой, так часто сморщивала и без того морщинистую физиономию, а ее прищуренные глазки поблескивали таким упоенным злорадством, что секрет этот мог быть только гнусной сплетней, а предосторожности, какими она сопровождала свой рассказ, внушили мне мысль, что ее злополучная жертва находится среди наших гостей. Теперь же, вспомнив выражение ужаса и недоверия, с каким ее слушала матушка, я пришел к выводу, что жертвой этой могла быть только миссис Грэхем. Опасаясь, как бы, увидев меня, она не свернула в сторону, я вышел из своего убежища, только когда они почти поравнялись с трельяжем. Но при моем появлении миссис Грэхем все равно остановилась как вкопанная и, казалось, собралась повернуть назад.

— Нет, нет, мистер Маркхем, не беспокойтесь! — сказала она. — Мы пришли сюда, чтобы побыть вдвоем, а не для того, чтобы нарушать ваше уединение.

— Но я же не пустынник, миссис Грэхем, хотя готов признать, что покинул моих гостей весьма неучтиво.

— Я боялась, что вам стало дурно, — произнесла она с искренним сочувствием.

— Так оно и было, но я уже совсем оправился. Пожалуйста, присядьте и скажите мне, как вам нравится эта беседка! — И, подхватив Артура под мышки, я усадил мальчика на середину скамьи, чтобы заставить его мать остаться. И она, признав, что тут действительно приятно уединиться от шумного веселья, опустилась на один край скамьи, а я — на противоположный.

Но ее слова меня испугали. Неужели искать уединения ее заставила их бессердечность?

— Почему никто не пошел с вами? — спросил я.

— Потому что я ушла от них всех, — ответила она с улыбкой. — Мне невыносимо наскучила пустая болтовня. Я, право, ее не выношу и не могу понять, какое удовольствие они в ней находят.

Искренность ее удивления вызвала у меня невольную улыбку.

— Или они видят свой *долг* в том, чтобы не умолкать ни на миг? — продолжала она. — А потому не успевают думать и заполняют паузы совершеннейшим вздором или бесконечными повторениями одного и того же, потому что ничего по-настоящему интересного им в голову не приходит? Или им искренне нравится такое переливание из пустого в порожнее?

— Вполне возможно, — ответил я. — Их умишки не способны воспринимать глубокие идеи и довольствуются пустяками, какими не стал бы питаться более развитый ум. И у них есть только один выбор: если не болтать о том о сем, так погрузиться по уши в сплетни, что они и предпочитают.

— Неужели же все? Не может быть! — вскричала она, удивленная горечью в моем голосе.

— Нет, разумеется. Я готов ручаться, что моей сестре такие низкие вкусы не свойственны. Как и моей матери, если ваши обличения касались и ее.

— Я никого не собиралась обличать, и уж во всяком случае у меня в мыслях не было как-либо задеть вашу почтенную матушку. Мне доводилось знать немало умных и достойных особ, которые умели прекрасно поддерживать разговоры такого рода, если того требовали обстоятельства. Но сама я подобным даром не обладаю. Я старалась быть внимательной слушательницей, пока у меня оставались силы, но когда они иссякли, я ускользнула немного отдохнуть на этой укромной дорожке. Ненавижу пустые разговоры, когда люди не обмениваются ни мыслями, ни впечатлениями, ничего не дают другим и ничего не получают от них.

— Прошу вас, — поспешно сказал я, — если моя словоохотливость когда-нибудь начнет вас утомлять, предупредите меня сразу же, и я обещаю, что не обижусь. В обществе тех, кого я... в обществе моих друзей мне нравится и молчать.

— Я не слишком вам верю, но будь это так, мне больше нечего было бы желать.

— Следовательно, в остальных отношениях я именно такой, каким вы хотели бы меня видеть?

— Нет, я говорила не об этом... Как красивы ветки, когда сквозь них просвечивает солнце! — сказала она, желая переменить тему.

Но она была права: там, где почти горизонтальные лучи заходящего солнца пробивались сквозь густой кустарник, пыльные листья как будто сияли изумительным золотисто-зеленым светом.

— Мне почти жаль, что я художница, — заметила миссис Грэхем.

— Почему? Казалось бы, в такие мгновения вы должны радоваться вашему редкому умению подражать сверкающим и нежным краскам природы.

— О нет! Вместо того чтобы просто наслаждаться ими, подобно прочим людям, я мысленно ищу способа, как передать их на холсте точно такими же. А это заведомо невозможно: одна лишь суета сует и смятение духа.

— Пусть вам и не удается сделать то, к чему вы стремитесь, плоды ваших усилий восхищают других!

— Разумеется, жаловаться не мне. Мало кто получает столько радости от труда ради хлеба насущного... Но сюда идут.

Ей как будто это было неприятно.

— О, просто мистер Лоренс и мисс Уилсон, видимо, решили немного прогуляться, — ответил я. — Нам они не помешают.

Я не понял выражения на ее лице. Но ревности я в нем не подметил. Только вот какое у меня было право что-нибудь подмечать?

— Мисс Уилсон... Какая она? — спросила миссис Грэхем.

— По ее полированным манерам и светским талантам трудно догадаться, что происхождение и положение у нее весьма скромное. Она слывет светской барышней, и некоторые находят ее очень приятной.

— Сегодня мне показалось, что она держится чопорно и даже пренебрежительно.

— Пожалуй, с вами она такой и была. Возможно, у нее есть свои причины питать против вас предубеждение: по-моему, вы ей кажетесь соперницей.

— Я? Не может быть, мистер Маркхем! — воскликнула она с изумлением и досадой.

— Ну, мне про это ничего не известно, — ответил я упрямо, решив, что досадует она на меня.

Тем временем гуляющие почти поравнялись с нами. Наша беседка располагалась в уютном уголке, где тенистая аллейка кончалась, но от нее ответвлялась открытая дорожка, огибавшая сад по дальнему краю. Лицо Джейн Уилсон сказало мне, что она обратила на нас внимание своего спутника, а ее холодная насмешливая улыбка и несколько долетевших до меня слов не оставляли сомнения, как она старается внушить ему, будто наши отношения давно перешли границы простого знакомства. Во всяком случае, он покраснел до корней волос, украдкой покосился на нас, помрачнев, пошел дальше, но словно бы ничего ей не ответил.

Так, значит, правда, что он таит какие-то намерения по отношению к миссис Грэхем! А будь они благородны, откуда бы такая скрытность? О, конечно, *она* ни в чем не повинна, но *он* — гнусный мерзавец!

Пока эти мысли проносились у меня в мозгу, миссис Грэхем внезапно встала, подозвала сына, сказала, что им пора вернуться к обществу, и удалилась с ним по аллейке. Без сомнения, она расслышала или, во всяком случае, догадалась, о чем говорила мисс Уилсон. Тем более что мои щеки запылали огнем негодования против моего недавнего приятеля, она же могла счесть это признаком глупого смущения. Еще одна мучительная минута, которую я мог поставить в счет мисс Уилсон! И чем больше я раздумывал над ее поведением, тем больше ненависти начинал питать к ней.

Когда я наконец вернулся в дом, час был уже поздний и миссис Грэхем как раз прощалась с матушкой. Я попросил... нет, умолял ее о позволении проводить их. Мистер Лоренс стоял неподалеку, с кем-то разговаривая. На нас он не смотрел, но тут вдруг умолк на полуслове, а затем, едва услышав ее отказ, докончил фразу как ни в чем не бывало, но с очень довольным видом.

Отказ этот был хотя и решительным, но достаточно мягким. Она полагала, что на пустынных проселках и лугах ее с сыном не могут подстерегать никакие опасности. Еще светло, и вряд ли они кого-нибудь встретят. Да к тому же обитатели здешних мест люди смирные. Нет-нет, она и слышать не хотела, чтобы кто-нибудь ради нее затруднялся, хотя Фергес тоже предложил себя в провожатые, а матушка настаивала, что пошлет с ней кого-нибудь из работников.

Когда она ушла, вечер утратил всякую прелесть, если не сказать больше. Лоренс попытался втянуть меня в разговор, но я ответил какой-то резкостью и отошел на другой конец комнаты. Вскоре гости начали расходиться, и он протянул мне, прощаясь, руку. Когда я ее не заметил и не услышал его «спокойной ночи», он повторил свое пожелание, так что я, чтобы избавиться от него, вынужден был буркнуть что-то нечленораздельное и угрюмо кивнуть.

— Маркхем, что случилось? — спросил он шепотом.

Я ответил гневно-презрительным взглядом.

— Вы сердитесь, потому что миссис Грэхем не разрешила вам проводить ее? — осведомился он с легкой улыбкой, которая почти лишила меня власти над собой.

Но, проглотив сокрушительный ответ, я сказал только:

— Вам-то что за дело?

— Ни малейшего, — ответил он с язвящей невозмутимостью. — Однако... — Тут он поглядел мне прямо в глаза с глубокой серьезностью. — Только разрешите мне предупредить вас, Маркхем: если вы питаете какие-то надежды, они никогда не сбудутся, и мне больно смотреть, как вы тешитесь пустыми мечтами и напрасно тратите силы в бесполезных попытках...

— Лицемер! — перебил я, и он поперхнулся, взглянул на меня с глубочайшей растерянностью, весь побелел и удалился, не сказав больше ни слова. Я задел его за живое — и был этому рад!

Глава X

УГОВОР И ССОРА

Когда все гости ушли, я убедился, что гнусная клевета действительно была пущена в ход — и в присутствии жертвы! Правда, Роза клялась, что не поверила и никогда этому не поверит, и матушка повторила те же заверения, хотя, боюсь, не с такой искренней и твердой убежденностью. Мысль эта, видимо, ее преследовала, и она постоянно доводила меня до бешенства, вдруг вздыхая и произнося что-нибудь вроде: «Ах, но кто бы мог подумать! Да-да, мне всегда казалось, что есть в ней какая-то странность. Вот сам видишь, как женщина расплачивается за то, что делает вид, будто она не такая, как все люди!»

А однажды она сказала категорически:

— Мне сразу не понравилась такая таинственность. Я *с самого начала* знала, что ничего хорошего тут не кроется! Очень, очень прискорбно!

— Но, мама, ты же сказала, что не веришь этим выдумкам! — заметил Фергес.

— Конечно, милый. Но ведь какие-то причины должны быть!

— Причины тут одни: человеческая злоба и фальшивость! — вскричал я. — Кто-то видел, как мистер Лоренс раза два вечером направлялся в ту сторону, деревенские кумушки тут же решают, будто он ухаживает за приезжей, а омерзительные сплетницы жадно ухватываются за этот слушок, чтобы истолковать его на свой дьявольский лад.

— Но, Гилберт, ведь должно же быть в ней что-то, что дало пищу этим слухам!

— Ты сама заметила в ней что-нибудь дурное?

— Ну, разумеется, нет. Но ты же знаешь, я всегда говорила, что есть в ней что-то странное!

Если не ошибаюсь, именно в тот вечер я осмелился вновь посетить Уайлдфелл-Холл. Со времени последнего нашего разговора у нас в саду прошла почти неделя. Я ежедневно пытался встретить миссис Грэхем во время ее прогулки, но всякий раз терпел разочарование (думаю, благодаря ее предосторожностям) и еженощно перебирал в уме более или менее благовидные поводы, чтобы нанести ей визит.

В конце концов у меня недостало сил терпеть дальнейшую разлуку (как видишь, я уже успел влюбиться по уши), и, вытащив из шкафа старинный том, который, как мне давно казалось, мог ее заинтересовать (до сих пор я не осмеливался принести его ей почитать, так он был растрепан и засален!), я поспешил с ним в Уайлдфелл-Холл, хотя и робел при мысли о приеме, какой она может мне оказать, и от сомнений, хватит ли у меня духу явиться к ней под таким прозрачным предлогом. Но вдруг я увижу ее в саду или встречу на лугу? Как это было бы удачно! Особенно меня пугала необходимость чопорным стуком в дверь возвестить о себе — Рейчел торжественно проводит меня в гостиную, где хозяйка встретит меня удивленно и сухо.

Моя надежда не сбылась. Однако в саду играл с веселым щенком Артур. Я позвал его из-за калитки. Он тут же пригласил меня войти, но я ответил, что без позволения его маменьки сделать этого не могу.

— Я сбегаю спрошу ее, — предложил мальчик.

— Нет-нет, Артур, спрашивать об этом не надо. Но, если она ничем не занята, просто попроси ее выйти сюда на минутку. Скажи, что мне нужно с ней поговорить.

Он опрометью бросился в дом и вскоре вернулся с матерью. Как она была хороша! Легкий летний ветерок играл ее темными локонами, нежные щеки чуть порозовели, на губах сияла улыбка. Милый Артур! Скольким я обязан тебе за эту и другие счастливые наши встречи! Благодаря тебе я был мгновенно избавлен от всех моих страхов, от чопорности и неловкости. В любви нет посредника лучше привязчивого бесхитростного малыша, который всегда готов спаять разделенные сердца, перебросить мост через угрюмый ров условностей, растопить лед холодной сдержанности и сокрушить стену пустых требований приличия и гордости.

— Так что же привело вас сюда, мистер Маркхем? — с ласковой улыбкой спросила меня молодая мать.

— Я хотел бы, чтобы вы посмотрели эту книгу и, если она покажется вам интересной, взяли бы ее, чтобы прочесть на досуге. Я не прошу извинения за то, что вынудил вас выйти на воздух в такой прекрасный вечер, хотя и ради пустяка.

— Ну, мама, скажи, чтобы он вошел! — потребовал Артур.

— Не зайдете ли вы? — спросила она.

— С удовольствием. Мне очень хочется посмотреть, как вы преобразили сад.

— И каково пришлось саженцам вашей сестры от моих забот, — добавила она, открывая калитку.

И мы совершили прогулку по саду, беседуя о цветах, деревьях, книге... и о многом другом. Вечер был теплым и ласковым — как и моя собеседница. Мало-помалу я преисполнился такой горячей нежности, какой еще, пожалуй, никогда не испытывал, но по-прежнему избегал запретных тем, а она не старалась меня оттолкнуть. Когда мы поравнялись с розовым кустом, который я весной преподнес ей от имени Розы, она сорвала прелестный полураспустившийся бутон и попросила передать его моей сестре.

— А можно я оставлю его себе?

— Нет. Но вот для вас другой.

Вместо того чтобы просто взять цветок, я сжал протягивавшие его пальцы и посмотрел ей в лицо. Она не сразу отняла руку, и на мгновение в ее глазах зажегся ликующий блеск, черты отразили радостное волнение, и я уже решил, что настал час моей победы. Но тут же она словно вспомнила что-то невыносимо тягостное, брови ее страдальчески сдвинулись, щеки оделись мраморной белизной, губы побелели, и после мига внутренней борьбы она внезапно вырвала у меня руку и отступила на шаг.

— Мистер Маркхем! — произнесла она с каким-то вымученным спокойствием. — Я должна откровенно сказать вам, что так продолжаться не может. Мне нравится ваше общество, потому что я здесь одна, а беседовать с вами мне интереснее, чем с кем-либо другим. Но если вам мало видеть во мне друга, только друга, только хорошую знакомую, которая относится к вам по-матерински, по-сестрински, если угодно, то прошу вас немедленно удалиться и более меня не навещать. С этой минуты всякое знакомство между нами должно прекратиться.

— Нет же, нет! Я буду вашим другом, хорошим знакомым, братом — ну, чем вам угодно, лишь бы вы позволили мне по-прежнему видеть вас. Но объясните, почему ничем другим мне быть нельзя?

Наступило долгое, тягостное молчание.

— Из-за какого-нибудь необдуманного обета?

— Да, примерно, — ответила она. — Быть может, когда-нибудь я вам все расскажу, но сейчас вам лучше уйти. И никогда больше, Гилберт, не вынуждайте меня повторять то, что я сказала вам сегодня! — добавила она с печальной серьезностью, спокойно и ласково протягивая мне руку. Какой дивной музыкой прозвучало в ее устах мое имя!

— Никогда! — ответил я. — Но этот проступок вы мне простили?

— При условии, что он не повторится.

— И я могу иногда вас навещать?

— Пожалуй... иногда. Если вы только не злоупотребите этим!

— Я не хочу давать пустых обещаний, но докажу на деле.

— Если что-нибудь подобное повторится, знакомство между нами будет кончено. Только и всего.

— И вы теперь всегда будете называть меня Гилбертом? Это ведь по-сестрински и не перестанет напоминать мне о нашем уговоре.

Она улыбнулась и опять попросила меня уйти. Благоразумие подсказало, что мне следует подчиниться. Она вернулась в дом, а я начал спускаться с холма. Внезапно тишину росистого вечера, поразив мой слух, нарушил стук конских копыт, и, поглядев на дорогу, я увидел, что по склону поднимается одинокий всадник. Я узнал его с первого взгляда, хотя уже сгущались сумерки. Мистер Лоренс на своем сером жеребце. Молниеносно пробежав луг, я перемахнул через каменную стенку и неторопливо пошел по дороге навстречу ему. Увидев меня, он натянул поводья, словно намереваясь повернуть назад, но передумал и затрусил вперед. Слегка мне поклонившись, он направил жеребчика вдоль самой стенки, чтобы разминуться со мной, но я этого не допустил, а схватил конька за уздечку и воскликнул:

— Лоренс, я требую объяснения этой тайны! Куда вы едете и зачем? Отвечайте сию же секунду и без увиливаний!

— Отпустите уздечку, будьте так любезны! — сказал он спокойно. — Вы рвете губы Серому.

— Чтоб вас и вашего Серого...

— Почему вы ведете себя и выражаетесь столь непристойно, Маркхем? Мне стыдно за вас.

— Вы не сдвинетесь с места, пока не ответите на мои вопросы! Я требую объяснения вашей низкой двуличности!

— Я не отвечу ни на единый вопрос, пока вы держите уздечку, — держите ее хоть до завтра!

— Ну, хорошо! — Я разжал руку, но остался стоять перед ним.

— Задайте мне их тогда, когда будете в состоянии говорить, как подобает джентльмену! — ответил он и попытался меня объехать, но я тут же остановил конька, который словно был удивлен моей грубостью не менее своего хозяина.

— Право, мистер Маркхем, это уже слишком! — сказал тот. — Я не могу навестить по делу свою арендаторшу без того, чтобы не подвергнуться нападению, которое...

— Вечер — не время для деловых разговоров, сэр! Сейчас я выскажу вам все, что думаю о вашем поведении!

— Лучше отложите до более удобной минуты, — заметил он вполголоса. — Вон мистер Миллуорд!

И действительно, со мной почти тотчас поравнялся священник, возвращавшийся из какого-то дальнего уголка своего прихода. Я тут же отпустил уздечку, и помещик продолжил свой путь, учтиво поклонившись мистеру Миллуорду.

— Э-э, Маркхем, ссоритесь? — воскликнул тот, обернувшись ко мне и укоризненно покачивая головой. — Из-за вдовушки, разумеется. Но разрешите сказать вам, молодой человек (тут он придвинул свое лицо к моему, словно доверительно сообщая важную тайну), она этого не достойна! — И он торжественно кивнул в подтверждение своих слов.

— Мистер Миллуорд!!! — вскричал я столь грозно, что преподобный джентльмен с недоумением посмотрел вокруг, ошеломленный такой нежданной дерзостью, и бросил на меня взгляд, яснее слов говоривший: «Что? Вы смеете *так* говорить *со мной?!*» Но меня душил гнев, и, не подумав извиниться, я повернулся к нему спиной и торопливо зашагал по ухабистой дороге к дому.

Глава XI

ОПЯТЬ МИСТЕР МИЛЛУОРД

Вообрази, что прошли три недели. Миссис Грэхем и я были теперь только друзьями — или братом и сестрой, как мы предпочитали смотреть на себя. Она по моему настоянию называла меня Гилбертом, а я ее — Хелен, обнаружив это имя на титульном листе одной из ее книг. Виделся я с ней не чаще двух раз в неделю, причем по-прежнему старался искать будто бы случайных встреч, полагая, что мне следует соблюдать величайшую осторожность. Короче говоря, я вел себя настолько образцово, что у нее ни разу не нашлось причины в чем-нибудь меня упрекнуть. Тем не менее я замечал, что порой она бывала горько недовольна сама собой или своим положением, и, признаюсь, последнее и у меня вызывало тягостную досаду. Выдерживать небрежный братский тон оказалось очень нелегкой задачей, и я часто ощущал себя последним лицемером. К тому же я видел, а вернее, чувствовал, что вопреки ее усилиям «я ей небезразличен», как скромно выражаются герои романов. И хотя я радовался привилегиям, которых сумел добиться, отказаться от надежд на будущее у меня не хватало сил, хотя, разумеется, свои мечты я тщательно скрывал.

— Куда ты, Гилберт? — как-то вечером спросила Роза, когда я кончил пить чай после хлопотливого дня на ферме.

— Пройдусь немножко, — ответил я.

— А ты всегда так тщательно чистишь шляпу, и причесываешься, и надеваешь новенькие щегольские перчатки, когда хочешь немножко пройтись?

— Не всегда.

— Ты ведь идешь в Уайлдфелл-Холл, верно?

— С чего ты взяла?

— Вид у тебя такой. Но лучше бы ты туда так часто не ходил!

— Чепуха, деточка. Я полтора месяца там не был. О чем ты говоришь?

— Просто на твоем месте я бы держалась от миссис Грэхем подальше.

— Роза, неужели и ты поддалась общему предубеждению?

— Не-ет, — ответила она нерешительно. — Но последнее время я столько про нее наслышалась и у Уилсонов, и у Миллуордов, да и мама говорит, будь она порядочной женщиной, так не жила бы здесь одна. И разве ты забыл, Гилберт, как прошлой зимой она объяснила, почему подписывает картины неверно? Что у нее есть близкие... или знакомые, от которых она прячется, и она боится, как бы они ее не выследили? И как потом она вскочила и вышла из комнаты, когда пришел кто-то, и она не хотела, чтобы мы его увидели? А Артур так загадочно сказал, что это мамин друг?

— Да, Роза, я все это помню. И могу извинить твою подозрительность, потому что, не знай я ее, как знаю, так и сам, возможно, сопоставил бы все это и поверил тому, чему веришь ты. Но, благодарение Богу, я ее знаю. И я буду не достоин называться человеком, если поверю о ней чему-нибудь дурному, пока не услышу подтверждение из ее собственных уст. Уж скорее я поверил бы такому о тебе, Роза!

— Гилберт, ну что ты говоришь?

— Значит, по-твоему, что бы там про тебя ни шептали Уилсоны и Миллуорды, я не должен был бы им верить?

— Еще бы!

— А почему? Потому что я знаю тебя. Ну вот и ее я знаю не хуже.

— Вовсе нет! Что ты знаешь о ее прошлой жизни? Год назад ты ведь и представления не имел, что она живет на свете!

— Не важно. Можно посмотреть человеку в глаза, заглянуть ему в сердце и за какой-то час узнать о его душе столько, сколько и за всю жизнь не обнаружишь, если он или она не захотят тебе открыться или у тебя не хватит ума понять то, что тебе откроется.

— А, так ты все-таки идешь к ней!

— Конечно.

— Но, Гилберт, что скажет мама?

— А зачем ей об этом знать?

— Если ты и дальше будешь так продолжать, от нее ведь не скроешь!

— Продолжать? Что продолжать? Мы с миссис Грэхем просто друзья и такими останемся, и никто на свете не может этому помешать или встать между нами!

— Если бы ты слушал, что они говорят, то вел бы себя осторожнее — и не только ради себя, но и ради нее. Джейн Уилсон считает, что твои визиты туда просто еще одно доказательство ее безнравственности!..

— Чтобы Джейн Уилсон провалилась в тартарары!

— А Элиза Миллуорд очень из-за тебя огорчается.

— Пусть ее.

— И все-таки на твоем месте я не стала бы.

— Не стала бы — чего? Откуда они знают, что я туда хожу?

— От них ничего не спрячешь. Что угодно сумеют выведать и подсмотреть.

— Об этом я не подумал. И они смеют превращать мою дружбу в новую пищу для сплетен и клеветы против нее? Во всяком случае, вот доказательство их лживости, если тебе требуются доказательства. Опровергай их, Роза, когда только сможешь!

— Но они прямо при мне ничего не говорят. О том, что они думают, я знаю только по намекам и умолчаниям. И еще из чужих разговоров.

— Ну, хорошо, сегодня я не пойду, тем более что время позднее. Но пусть они отсохнут, их проклятые языки! — проворчал я со злостью.

И как раз в эту минуту в комнату вошел священник. Мы так увлеклись нашим разговором, что не услышали его стука. По обыкновению, поздоровавшись с Розой отечески ласково — она была его любимицей, — старик смерил меня строгим взглядом.

— Ну-ну, сэр! — начал он. — Да знакомы ли мы с вами? Ведь уже... дайте-ка подумать... — продолжал он, опуская дородное тело в кресло, которое ему услужливо придвинула Роза. — Ведь, по моему счету, уже шесть недель, как вы не переступали моего порога! — Он отчеканивал каждое слово и постукивал палкой по полу.

— Неужели, сэр? — сказал я.

— То-то и оно! — Он добавил торжественный кивок и продолжал взирать на меня с величавым неудовольствием, положив ладони на набалдашник зажатой между колен толстой трости.

— Я был очень занят, — сказал я, так как от меня, видимо, ждали оправданий.

— Занят! — повторил он с усмешкой.

— Да. Вы ведь знаете, я убирал сено, а теперь начинается жатва.

— Гм-гм!

Но тут вошла матушка и отвлекла от меня внимание, почтительно, радостно и многословно здороваясь с его преподобием. Как жаль, что он не пришел чуточку пораньше, к чаю! Но если он сделает ей честь и выпьет чашечку, она тут же заварит свеженького.

— Не для меня, благодарю вас, — ответил он. — Я тороплюсь домой.

— Право, останьтесь и выкушайте чашечку. Через пять минут все будет готово.

Но он величественным жестом остановил ее и произнес:

— Вот чего бы я выпил, миссис Маркхем, так это стаканчик вашего превосходного эля!

— Да на здоровье! — воскликнула матушка, быстро дернула сонетку и приказала подать любимый пастырский напиток.

— Я просто подумал, загляну-ка к вам на минутку, раз уж иду мимо, и пригублю ваш домашний эль. Я возвращаюсь от миссис Грэхем.

— Да неужто?

Он сурово кивнул и добавил грозным голосом:

— Я почел это своим долгом!

— Право?

— А почему, мистер Миллуорд? — спросил я, но он ответил мне строгим взглядом и, отвернувшись к матушке, повторил, пристукнув палкой:

— Я почел это моим долгом!

Матушка, сидевшая напротив него, замерла от ужаса и восхищения.

— «Миссис Грэхем!» — сказал я, — продолжал священник, укоризненно покачивая головой. — «Миссис Грэхем, что означают ужасные, доходящие до меня слухи?» А она говорит, делая вид, будто не понимает: «Какие слухи, сэр?» Но я прямо ей объявил: «Мой долг, как вашего пастыря, высказать вам прямо, что недопустимого я сам нахожу в вашем поведении, что я подозреваю и что мне о вас рассказывают другие!» Так я ей и сказал!

— Да, сэр? — вскричал я, вскакивая на ноги и ударяя кулаком по столу.

Но он только покосился на меня и произнес, обращаясь к матушке:

— Это был тяжкий долг, миссис Маркхем, но я ей сказал все!

— А как она? — спросила матушка.

— Закоснелая натура, боюсь, весьма закоснелая, — ответил он, скорбно покачивая головой. — Пребывающая в грешном заблуждении и не умеющая сдерживать неправедные страсти. Она вся побелела, втянула воздух сквозь зубы, точно в ярости, даже не попыталась возразить или сказать хоть что-нибудь в свое оправдание, но с бесстыдным спокойствием, совсем не подобающим молодой женщине, почти напрямик объявила мне, что в моих увещеваниях не нуждается и пастырские мои советы пропадут втуне... Более того: самое мое присутствие она не желает терпеть, если я буду продолжать. В конце концов я удалился, убедившись, к большому моему прискорбию, что помочь ей нельзя, и всем сердцем сожалея, что нашел ее такой нераскаянной. Но я твердо решил, миссис Маркхем, что *мои* дочери прекратят с ней всякое знакомство. А что до ваших сыновей, — что до *вас*, молодой человек... — продолжал он, вперяя в меня грозный взгляд.

— Что до меня, сэр! — перебил я, но почувствовал, что утратил дар речи, что весь дрожу от бешенства, и поступил наиболее благоразумно: схватил шляпу, выбежал из комнаты и так хлопнул дверью, что дом задрожал, как от землетрясения, матушка испуганно охнула, а мне на секунду стало легче.

В следующую секунду я уже торопливым шагом направлялся к Уайлдфелл-Холлу, сам не зная зачем и с какой целью. Но мои чувства искали выхода в движении, а идти больше мне было некуда. Я должен увидеть ее, поговорить с ней — это я знал твердо. Но что я скажу, что сделаю, мне было неизвестно. Вихрь мыслей, буря противоречивых чувств и намерений совсем лишили меня способности соображать.

Глава XII

ТЕТ-А-ТЕТ И НЕЖДАННОЕ ОТКРЫТИЕ

Через какие-то двадцать минут с небольшим я уже остановился перед знакомой калиткой, вытер вспотевший лоб, попытался отдышаться и хотя бы немного успокоиться. Быстрая ходьба несколько утишила мое возбуждение, и по садовой дорожке я прошел твердым ровным шагом. Приблизившись к обитаемому крылу здания, я увидел в открытом окне миссис Грэхем: она медленно прохаживалась взад и вперед по комнате.

Мое появление как будто взволновало ее и даже смутило, словно она и от меня ждала обвинений. Я намеревался вместе с ней посетовать на гнусность света, присоединиться к ее негодованию против священника и мерзких сплетниц, но едва я вошел, мне стало стыдно начинать подобный разговор, и я решил, что буду молчать о случившемся, если она сама о нем не упомянет.

— Час, конечно, для визитов не слишком урочный, — сказал я шутливо, хотя мне было совсем не весело. — Но я ненадолго.

Она мне улыбнулась, правда, слегка, но ласково (я чуть было не написал «с благодарностью»), едва поняла, что ее опасения были напрасны.

— Как у вас неуютно, Хелен! Почему вы не затопили камин? — спросил я, оглядывая сумрачную комнату.

— Но еще лето! — возразила она.

— Мы обязательно затапливаем камин по вечерам, разве что жара уж вовсе невыносимая. А вам в этом холодном доме, в этой унылой комнате веселый огонь просто необходим!

— Если бы вы пришли пораньше, я развела бы его для вас. Но сейчас нет смысла: вы сказали, что пришли ненадолго, а Артур уже спит.

— Тем не менее я вдруг стосковался по огню. Если я позвоню, вы скажете Рейчел, чтобы она его разожгла?

— Но, Гилберт, что-то незаметно, чтобы вы замерзли! — произнесла она с улыбкой, глядя на мои щеки, которые, наверное, пылали.

— Да, — ответил я. — Но, уходя, я хочу знать, что вам будет тут уютно.

— Уютно! Мне! — повторила она с горьким смешком, словно самая мысль об этом была нелепа. — Нет, сумрак и холод больше мне подходят, — добавила она с грустной покорностью судьбе.

Но я решил поставить на своем и дернул сонетку.

— Ну вот, Хелен! — сказал я, когда в коридоре послышались приближающиеся шаги Рейчел. У нее не оставалось иного выхода, и, обернувшись к служанке, она попросила ее затопить камин.

По сей день я еще не свел счеты с Рейчел за взгляд, которым она меня одарила, когда отправилась на кухню накалить кочергу, — суровый, подозрительный, инквизиторский взгляд, который словно спрашивал: «Вы-то что тут делаете, хотела бы я знать!» Ее хозяйка заметила этот взгляд и печально нахмурилась.

— Вам нельзя оставаться тут долго, Гилберт, — сказала она, едва дверь закрылась.

— У меня такого намерения и нет, — ответил я довольно резко, хотя зол был только на бесцеремонную старуху. — Но прежде чем уйти, Хелен, я должен вам сказать одну вещь...

— Какую же?

— Нет-нет, не сейчас. Я пока еще толком не знаю сам, в чем суть и как к этому приступить, — ответил я правдиво, но не слишком толково и, перепугавшись, что она меня сразу выгонит, принялся говорить не помню уж о каких пустяках, чтобы выиграть время. Тут явилась Рейчел, и, просунув раскаленную докрасна кочергу сквозь решетку, умело подожгла растопку, и удалилась, бросив на меня еще один суровый, враждебный взгляд. Но он меня тронул мало, и я продолжал говорить, усадив миссис Грэхем у камина. А потом, придвинув стул и для себя, осмелился сесть, хотя почти не сомневался, что она предпочла бы, чтобы я ушел.

Вскоре мы оба умолкли и несколько минут рассеянно смотрели на огонь. Она была погружена в свои невеселые думы, а я размышлял, как было бы чудесно сидеть вот так подле нее, чтобы нас не стесняло ничье присутствие, даже Артура, нашего милого дружка, до сих пор всегда бывшего третьим меж нами. Как чудесно, если бы я осмелился открыться ей, дать волю чувствам, столь долго заключенным в моем сердце и рвавшимся теперь наружу, как ни старалось оно их сдержать! И я принялся серьезно взвешивать, не признаться ли ей теперь же, умолять о взаимности, о разрешении назвать ее своей, о праве защищать ее от черной клеветы злых языков. С одной стороны, я вдруг уверовал в свое умение убеждать и почти не сомневался, что сердечный пыл одарит меня непобедимым красноречием, что самая моя решимость, безоговорочная необходимость добиться желанной цели уже должны принести мне полную победу. С другой стороны, я опасался потерять даже то, чего мне удалось добиться ценой столь неимоверных усилий и осмотрительности, одним опрометчивым поступком разрушить все надежды, тогда как время и терпение могли бы принести успех. Словно я ставил свою жизнь на один бросок костей. Тем не менее я уже почти решился. Во всяком случае, я буду умолять ее об объяснении, которое она мне полуобещала. Я потребую, чтобы она открыла, какая ненавистная преграда, какая таинственная помеха стоит между мной и моим счастьем, а также — хотелось мне верить — и ее счастьем.

Но пока я искал нужные слова, она с чуть слышным вздохом очнулась от задумчивости и, взглянув в окно, туда, где из-за темного фантасмагорического тиса выплывала кроваво-красная августовская луна, чьи лучи начали проникать в комнату, сказала:

— Гилберт, уже поздно.

— Да, я вижу. Вы хотите, чтобы я ушел?

— Вы должны. Если мои добрые соседи проведают о вашем визите — а в этом можно не сомневаться! — они истолкуют его не самым лестным для меня образом.

Произнесла она все это с какой-то яростью, как, наверное, выразился бы мистер Миллуорд.

— Пусть толкуют, как им угодно, — ответил я. — Какое дело до их мыслей и вам и мне, до тех пор пока мы уверены в себе и друг в друге! Пусть провалятся в тартарары со своими гнусными толкованиями и лживыми выдумками!

— Значит, вы слышали, что они говорят обо мне?

— Слышал несколько омерзительных измышлений, которым могут верить только дураки, Хелен. А потому не расстраивайтесь из-за них.

— Мистер Миллуорд не показался мне дураком, а он всему этому верит. Но как бы мало вы ни ценили мнение окружающих, как бы мало ни уважали их, тем не менее нет ничего приятного в том, что вас считают исчадием лжи и лицемерия и приписывают вам то, от чего вы с отвращением отворачиваетесь, и обвиняют в пороках, вам ненавистных; в том, что ваши добрые намерения рушатся, а руки оказываются связанными; в том, что вас обливают незаслуженным презрением, и вы невольно бросаете тень на принципы, которые проповедуете.

— Справедливо, и, если я опрометчивостью и эгоистическим пренебрежением к условностям хоть как-то способствовал тому, что на вас обрушились такие беды, молю вас не только о прощении, но и о позволении искупить свою вину: дайте мне право очистить ваше имя, сделать вашу честь моей честью, защищать вашу репутацию даже ценой собственной жизни!

— И у вас хватит героизма соединить себя с той, кого, как вам известно, порочат и презирают все вокруг? Вы решитесь назвать ее интересы, ее честь своими?

— Я бы гордился этим, Хелен! Был бы неописуемо рад и счастлив! И если это — единственное препятствие для нашего союза, то его более не существует, и вы должны... вы будете моей!

Вне себя я вскочил, схватил ее руку и пылко прижал бы к губам, но она столь же внезапно ее отдернула и воскликнула горестно:

— Нет-нет, есть и другое!

— Но какое же? Вы обещали, что со временем я узнаю, так неужели...

— И узнаете... но не сейчас... Ах, как у меня болит голова! — сказала она, прижимая ладонь ко лбу. — Мне надо отдохнуть... Я и так уже сегодня столько выстрадала! — воскликнула она с отчаянием.

— Но если вы скажете, вам станет легче! — не отступал я. — Вы облегчите душу, а я буду знать, как вас утешить.

Она грустно покачала головой.

— Если вам станет известно все, то и вы будете винить меня... может быть, даже больше, чем я того заслуживаю... пусть я и причинила вам огромное зло, — произнесла она почти шепотом, словно думая вслух.

— Вы, Хелен? О чем вы говорите?

— Правда, невольно. Ведь я не представляла себе силу и глубину вашего чувства... Я верила... старалась верить, что вы относитесь ко мне так по-братски, так бесстрастно, как вы притворялись.

— То есть как ко мне относитесь вы?

— Да, как я... должна была бы... Легко, поверхностно, эгоистично...

— Вот тут вы действительно причинили мне зло.

— Знаю. И даже тогда у меня были подозрения. Но я решила, что безопасно предоставить вашим надеждам и фантазии мало-помалу сгореть в собственном пламени или же перепорхнуть на более достойный их предмет.

Мне же осталась бы ваша дружеская симпатия. Но знай я глубину вашей привязанности ко мне, бескорыстие и благородство чувства, которое вы как будто испытываете...

— *Как будто,* Хелен?

— Хорошо, пусть без «как будто»... то я вела бы себя иначе.

— Каким образом? Быть со мной строже и холоднее вы не могли бы! Если же вы полагаете, что причинили мне зло, одарив своей дружбой и иногда позволяя мне наслаждаться вашим обществом и беседой, хотя все мои надежды на большую близость были тщетны — как вы постоянно давали мне понять, — если же вы полагаете, что причиняли мне зло, то вы глубоко ошибаетесь. Ведь эти милости сами по себе не только преисполняли восторгом мое сердце, но возвышали, очищали, облагораживали мою душу. И вашу дружбу я предпочитаю любви всех прочих женщин в мире!

Вовсе не утешенная, она сжала руки на коленях и в безмолвной муке молитвенно возвела глаза к небу, а затем спокойно обратила их на меня и сказала:

— Завтра, если вы встретитесь со мной на вересковой пустоши, я открою вам все, что вы стремитесь узнать. И быть может, тогда вы поймете, насколько необходимо прервать нашу дружбу, если только сами не отвернетесь от меня, как более недостойной вашего уважения.

— Вот этого никогда не будет, Хелен! Подобного признания вы сделать не можете и, видно, просто испытываете мою верность.

— Ах нет! — ответила она. — Если бы так! Благодарение Небу, — добавила она после краткой паузы, — в тяжких преступлениях мне признаваться не надо. Однако вы услышите больше, чем вам хотелось бы, а возможно, и больше, чем сумеете извинить, — и больше, чем я могу сказать вам сейчас. А потому, прошу вас, уйдите!

— Хорошо. Но прежде ответьте мне на один вопрос. Вы любите меня?

— Я на него не отвечу.

— Тогда я буду считать, что услышал «да», и пожелаю вам доброй ночи.

Она отвернулась, пряча чувства, с которыми не могла вполне совладать, но я схватил ее руку и пылко поцеловал.

— Гилберт, да уйдите же! — воскликнула она с такой болью, что было бы жестокостью ее ослушаться.

Но, затворяя за собой дверь, я оглянулся и увидел, что она наклонилась над столом, закрыла глаза руками и судорожно рыдает. Тем не менее я бесшумно ушел, полагая, что всякая попытка утешения только усугубит ее страдания.

Потребовался бы целый том, чтобы описать тебе вопросы, предположения, страхи и надежды, которые теснились в моем мозгу, пока я спускался с холма, не говоря уж о вихре обуревавших меня чувств. Но еще на полпути до подножия невыносимая жалость к той, кого я оставил в неутешной печали, вытеснила все остальное и пробудила неодолимое желание вернуться. «Куда я тороплюсь? — спросил я. — Разве дома я обрету спокойствие, утешение, душевный мир, уверенность? Хотя бы что-то одно? И разве могу я оставить ее в таком смятении, тревоге и печали?»

Я оглянулся на старый дом. С того места, где я стоял, видны были только печные трубы, и мне пришлось пройти обратно, чтобы увидеть его весь. Но я лишь на миг остановился, окинул его взглядом и продолжал подниматься по склону к этому угрюмому средоточию моих надежд. Что-то толкало меня подойти ближе, еще ближе... А почему бы и нет? Ведь созерцание старинного здания, в стенах которого, озаренных особым золотистым светом августовской луны, обитала владычица моей души, дарило мне больше радости, чем сулило возвращение домой, где меня ждали свет и веселое оживление, столь чуждые моему теперешнему настроению, тем более что мои близкие в той или иной мере верили гнусной клевете, при одной *мысли* о которой у меня кровь закипала в жилах. Как я стерплю, если ее повторят вслух или — что еще хуже — язвительно намекнут на нее? Ведь даже и сейчас меня терзал злобный бесенок, нашептывая мне на ухо: «А вдруг это правда?» В конце концов я не выдержал и крикнул:

— Нет, это ложь! И ты никогда не заставишь меня поверить ей!

Мне уже были смутно видны красные отблески огня в окнах гостиной. Я подошел к садовой ограде, оперся о верхний край и, устремив взгляд на частый переплет окна, попытался представить себе, что она сейчас делает, что думает, страдает ли... Ах, если бы я мог сказать ей одно-единственное слово или хотя бы мельком увидеть ее, прежде чем уйду!

Впрочем, почти сразу же, не устояв перед искушением, я перемахнул через ограду, чтобы заглянуть в окно и убедиться, что она несколько успокоилась. Если же нет... да, я попытаюсь утешить ее, сказать хоть частицу того, что должен был бы излить ей прежде, вместо того чтобы усугубить ее муки своей несдержанностью! И я заглянул в окно. Ее кресло было пустым, пустой была и комната.

В этот миг отворилась входная дверь, и голос — *ее голос* — произнес:

— Выйдем. Я хочу посмотреть на луну, подышать вечерним воздухом, может быть, они принесут мне облегчение!

Они с Рейчел сейчас выйдут в сад! Я от души пожелал мгновенно очутиться по ту сторону ограды, но замер в тени высокого остролиста, который, раскинув ветки между окном и крыльцом, скрывал меня от посторонних взглядов, но не мешал мне увидеть, как на залитую луной дорожку спустились две фигуры. Миссис Грэхем и... нет, не Рейчел, а молодой человек, стройный и довольно высокий! Какая боль сжала мои виски! У меня потемнело в глазах, но мне почудилось... да-да, и голос его... Это был мистер Лоренс!

— Ты напрасно принимаешь все это так близко к сердцу, Хелен, — сказал он. — Впредь я буду осторожнее и со временем...

Конец фразы я не расслышал, так как он шел рядом с ней и говорил почти шепотом. Мое сердце разрывалось от ненависти, но я затаил дыхание, чтобы не упустить ни слова из ее ответа, и ясно различил каждое:

— Но я должна уехать отсюда, Фредерик. Тут у меня не будет ни одной счастливой минуты... Как, впрочем, и в любом другом месте, — добавила она с невеселым смешком. — Но остаться я не могу.

— Но где же ты найдешь приют надежнее? Такой уединенный, и по соседству со мной, если последнее для тебя что-нибудь значит.

— Конечно! — перебила она. — И ничего лучше я пожелать бы не могла, если бы только они оставили меня в покое!

— Но куда бы ты ни уехала, Хелен, начнется то же самое. Я не хочу с тобой расставаться. Или мы уедем вместе, или я приеду к тебе потом. А навязчивых дураков всюду много.

Тем временем они успели пройти мимо меня и теперь удалились на такое расстояние, что слова их до меня больше не долетали. Но я увидел, как он обнял ее за талию, а она нежно положила руку ему на плечо. Затем их поглотила тьма. Сердце у меня разрывалось, голова горела. Пошатываясь, я покинул место, где ужас заставил меня окаменеть, и перепрыгнул, а может быть, кое-как перелез через ограду — точно уж не помню. Зато помню, как я бросился на землю, словно обиженный ребенок, изнывая от гнева и отчаяния. Не знаю, сколько времени я пролежал так, но, видимо, очень долго. Во всяком случае, когда потоки слез немного облегчили мою душу и, поглядев на холодную безмятежную луну (столь же равнодушную к моим страданиям, как я — к ее мирному блеску), моля Бога послать мне смерть или забвение, я наконец поднялся на ноги, побрел без дороги в сторону моего дома и в конце концов чудом оказался перед ним, то нашел дверь крепко запертой. Все уже давно легли, кроме матушки, которая поспешила отворить ее в ответ на мой нетерпеливый стук и встретила меня градом вопросов и упреков.

— Ах, Гилберт, как ты мог? Где ты пропадал? Входи же, ужин ждет тебя. Я его оставила для тебя, хотя ты этого не заслуживаешь, потому что насмерть меня перепугал. Вдруг ни с того ни с сего выскочил из дому... Мистер Миллуорд был совершенно... Сыночек, да ты же совсем болен! Что с тобой?

— Ничего. Совсем ничего. Дай мне свечу.

— А ужин как же?

— Нет, я хочу сразу лечь, — ответил я, беря свечу и зажигая ее от той, которую держала матушка.

— Гилберт, но ты же весь дрожишь! — воскликнула моя родительница вне себя от тревоги. — И бледен как полотно. Что с тобой? Что случилось?

— Да ничего! — буркнул я, готовый затопать ногами, потому что свеча никак не зажигалась. Но затем, подавив раздражение, добавил: — Я слишком быстро шел, только и всего! — И начал подниматься по лестнице, хотя вслед мне донеслось:

— Быстро шел! Да где же ты был?

Матушка проводила меня до самой спальни, перемежая вопросы советами поберечь здоровье и сетованиями на мое поведение. Но я упросил ее отложить расспросы до утра. В конце концов она удалилась, а я с облегчением услышал, как стукнула дверь ее спальни. Однако я решил, что спать все равно не буду, и принялся расхаживать взад-вперед по комнате, предварительно сняв сапоги, чтобы матушка не услышала. Но половицы поскрипывали, а она была начеку, и не прошло и четверти часа, как она поскреблась в мою дверь.

— Гилберт, почему ты не ложишься? Ты же сказал, что хочешь лечь!

— Сейчас я лягу! — ответил я.

— Но почему ты ходишь по комнате? Что-то у тебя на душе...

— Ради всего святого, оставь меня в покое и ложись сама.

— Неужели тебя так расстроила миссис Грэхем?

— Да нет же! Сколько раз тебе повторять? Ничего не случилось.

— Дай-то Бог! — прошептала она со вздохом и вернулась к себе, а я кинулся на кровать, без малейшей сыновьей почтительности ругая матушку за то, что она лишила меня даже столь малого облегчения и приковала к этому жуткому ложу из терниев.

Никогда в жизни не проводил я столь тягостной, столь нескончаемой ночи. Однако вовсе бессонной она не была. Под утро мои и без того смятенные мысли совсем утратили ясность и смешались с лихорадочными сонными видениями, а затем я погрузился в тупую дрему. Но лучше бы я вовсе не засыпал! Такая горечь нахлынула на меня с пробуждением, едва я вспомнил, что отныне жизнь моя пуста — о нет, хуже, чем пуста! — наполнена муками и страданиями, не просто бесплодная пустыня, но заросшая терновником и другими колючими кустами, что меня обманули, обвели вокруг пальца, оставили в дураках, что мою любовь растоптали, что мой ангел — вовсе не ангел, а мой друг — дьявол во плоти. Да лучше бы мне вовсе не просыпаться!

Утро было темное, пасмурное, словно погода изменилась в лад моим чувствам. По стеклам стучал дождь. Тем не менее я оделся и вышел из дома. Не для того, чтобы побывать на ферме, хотя и намеревался сослаться на этот предлог, — но чтобы немножко остудить горячечный мозг и попробовать собраться с силами настолько, чтобы во время завтрака не навлекать на себя лишних вопросов. Если я вымокну, а к тому же сошлюсь на усталость от работы перед завтраком, это послужит достаточным объяснением внезапной потери аппетита. Ну, а если я заболею, то чем тяжелее, тем лучше! Будет чем объяснить угрюмость и печаль, которым еще очень долго предстоит омрачать мое чело.

Глава XIII

ВОЗВРАЩЕНИЕ НА СТЕЗЮ ДОЛГА

— Милый Гилберт! Не мог ли бы ты держаться помягче? — как-то утром спросила матушка после очередной моей неоправданной грубости. — Ты говоришь, что с тобой ничего не случилось, что тебя ничто не расстроило, но я в жизни не видела, чтобы кто-нибудь так переменился за какие-то несколько дней! Ты никому доброго слова не скажешь — близкие люди или чужие, знакомые или работники, для тебя все едины. Мне очень хотелось бы, чтобы ты перестал.

— Что перестал?

— Так странно себя вести. Ты даже представить себе не можешь, как это тебя портит! Ведь от природы у тебя прекрасный характер! И нет никаких оправданий, если ты поступаешь наперекор ему.

Она продолжала пенять мне, но я взял книгу, раскрыл ее перед собой и сделал вид, будто погрузился в чтение, так как не мог ничего сказать в свое оправдание и не желал признавать ее правоту. Но моя досточтимая родительница продолжала читать мне наставления, а потом попробовала пустить в ход ласку и погладила меня по волосам, и я уже почувствовал себя пай-мальчиком, но тут мой нахальный братец, болтавшийся в комнате без дела, вновь облил меня дегтем, воскликнув:

— Мама, держитесь от него подальше! Он кусается! Не человек, а какой-то тигр. Сам я махнул на него рукой, отрекся от него, вырвал наше родство с корнем и всеми ветками! Если я на пять шагов к нему подойду, тут мне и смерть. Вчера он чуть не проломил мне голову за то лишь, что я запел миленькую безобидную любовную песенку, чтобы его развлечь.

— Ах, Гилберт! Как ты мог? — вскричала матушка.

— Я ведь сперва предупредил тебя, Фергес, чтобы ты прекратил свой кошачий концерт, — буркнул я.

— Верно, но я же заверил тебя, что мне это вовсе не трудно, и запел второй куплет — вдруг бы да он понравился тебе больше? — а ты схватил меня за плечи и швырнул об стену. Я чуть язык пополам не перекусил и уж думал, что стенка вся облеплена моими мозгами. Но потом пощупал макушку, убедился, что кость цела, и возблагодарил

Небо за такое чудо. Но бедняжка! — добавил он с сочувственным вздохом. — Ведь у него разбито сердце, что так, то так, а голова...

— Хоть теперь-то ты замолчишь? — крикнул я и вскочил с таким свирепым видом, что матушка, боясь, как бы ему не пришлось худо, ухватила меня за локоть и умоляла не трогать его. Фергес тем временем неторопливо скрылся за дверью, сунув руки в карманы и вызывающе насвистывая «Ужель я буду смерть искать, коль ей дано красой блистать?..», ну и так далее.

— Очень мне нужно руки марать! — ответил я на материнские увещевания. — Да я до него кончиком пальца не дотронусь, пусть меня озолотят!

Тут я вспомнил, что мне все-таки следует поговорить с Робертом Уилсоном: я давно подумывал купить у него луг, граничивший с моим, но без конца откладывал этот разговор, так как потерял всякий интерес к делам фермы, был в меланхоличном настроении, а главное — не желал встречаться ни с Джейн Уилсон, ни с ее мамашей. Правда, теперь у меня имелась веская причина поверить историям, которые они распускали про миссис Грэхем, однако это отнюдь не пробудило во мне любви к ним — да и к Элизе Миллуорд тоже. Такая встреча была для меня тем тяжелее, что теперь я уже не мог презирать их за ложь и упиваться сознанием собственной верности. Однако пора было вернуться на стезю долга. И уж лучше пойти к Роберту, чем сидеть без дела, — во всяком случае доходнее. Пусть мое жизненное призвание не сулит мне никаких радостей, ничто другое меня не манит, а потому с этого дня я вновь взвалю на плечи свою ношу и побреду, как ломовая лошадь, свыкшаяся со своей долей, — и так пройду по жизни, угрюмо принося пользу и не жалуясь на свой жребий, хотя бы он меня и не удовлетворил.

Приняв это решение со злобной покорностью судьбе, если такое выражение возможно, я направил стопы свои на ферму Райкот, не думая, что застану владельца дома в такой час, но рассчитывая узнать, на каком лугу или поле смогу его найти.

Дома его действительно не оказалось, но он должен был вернуться с минуты на минуту, а потому меня пригласили подождать его в гостиной. Миссис Уилсон, сообщив мне это, отправилась хлопотать на кухне, но, увы, в гостиной моим очам предстала мисс Уилсон, оживленно болтавшая с Элизой Миллуорд. Я тотчас обещал себе, что буду спокоен и холодно-вежлив. Видимо, такое же решение приняла и Элиза. Мы не виделись с достопамятного нашего чаепития, но при виде меня она сохранила полное равнодушие — ни радости, ни обиды, ни жалобной грусти, ни уязвленной гордости. Держалась она, как требовала того благовоспитанность, была непринужденно весела, что я особым грехом не счел бы, но в ее выразительных глазах таилась злоба, ясно сказавшая мне, что я далеко не прощен. Она больше уже не надеялась прибрать меня к рукам, но свою соперницу продолжала ненавидеть и была рада случаю уязвить меня побольнее. Мисс Уилсон, со своей стороны, была сама любезность, и хотя мне не очень хотелось разговаривать, барышни совместными усилиями умудрялись поддерживать непрерывный огонь светской болтовни. Затем Элиза выбрала случай спросить, давно ли я видел миссис Грэхем, — тоном самым небрежным, но искоса бросив на меня взгляд, полный не игривого лукавства, как ей хотелось бы, но откровенного злорадства.

— Довольно давно, — ответил я столь же небрежно, глядя прямо в ее злые глаза, но с досадой почувствовал, что, вопреки всем своим усилиям, у меня начинают гореть щеки.

— Как? Вы уже утрачиваете интерес? А я полагала, что столь привлекательная особа сумеет удержать вас по меньшей мере год!

— Я предпочел бы не говорить о ней.

— А-а! Так вы наконец убедились в своей ошибке? Вы все-таки обнаружили, что ваша богиня не столь уж безупречна...

— Я просил вас не говорить о ней, мисс Элиза.

— О, прошу прощения! Как вижу, стрелы Купидона оказались очень остры и не просто царапнули кожу, но оставили глубокие раны, и они, не успев зажить, кровоточат при каждом упоминании возлюбленного имени.

— Вовсе нет, — вмешалась мисс Уилсон, — мистер Маркхем просто считает, что это имя не следует упоминать в кругу порядочных людей. Элиза, я вам удивляюсь: неужели вы не понимаете, что упоминание этой несчастной никому здесь не может быть приятно?

Как было терпеть подобное? Я встал, чтобы схватить шляпу и в негодовании бежать из этого дома, но вовремя сообразил, в какое унизительное положение поставил бы себя, дав моим прекрасным мучительницам лишний повод посмеяться надо мной. И ради той, которая теперь казалась мне недостойной никаких жертв (хотя отзвуки былой благоговейной любви были еще настолько живы в моем сердце, что я не желал слушать, как ее имя порочат), я только отошел к окну, злобно закусив губу, и несколько секунд спустя, когда моя грудь перестала бурно вздыматься, сказал мисс Уилсон, что ее брат, очевидно, задержался, а мне время дорого, и потому я лучше зайду завтра в более удобное время, когда скорее застану его дома.

— Нет-нет! — возразила она. — Погодите минутку. Он непременно придет, потому что собирается в Л. (ближайший к нам городок) и должен перед дорогой съесть легкий завтрак.

Мне пришлось подчиниться, но, к счастью, ждать пришлось недолго. Мистер Уилсон действительно пришел через несколько минут, и, хотя мне вовсе не хотелось заниматься делами, хотя луг интересовал меня не больше, чем его владелец, я заставил себя сосредоточиться и с похвальной деловитостью быстро столковался о покупке — вероятно, скопидом-фермер был доволен сделкой куда больше, чем высказал это вслух. Затем, оставив его вкушать весьма обильный «легкий завтрак», я с радостью покинул этот дом и отправился к своим жнецам.

Они уже приближались к концу долины, и я решил подняться по склону к ржаному полю и поглядеть, не ждет ли и оно серпов, но так до него в этот день и не добрался, ибо вдруг увидел, что мне навстречу идут миссис Грэхем и Артур. Они тоже увидели меня, и Артур кинулся ко мне бегом, но я тотчас повернулся и зашагал вниз, так как твердо решил больше никогда с его матерью не видеться. Как детский голосок ни просил меня «подождать минутку», я не замедлил шага, и он вскоре умолк. То ли Артур понял, что бежать за мной бесполезно, то ли мать подозвала его к себе. Во всяком случае, когда пять минут спустя я обернулся, их нигде не было видно.

Эта случайная встреча взволновала и смутила меня самым непонятным образом — разве что стрелы Купидона не только глубоко ранили меня, но оказались еще и зазубренными, так что мне пока не удалось вырвать их из сердца. Но как бы то ни было, до конца дня я чувствовал себя несчастным вдвойне.

Глава XIV

УДАР

На следующее утро мне пришло в голову, что у меня тоже есть дела в Л., а потому я оседлал лошадь и отправился туда сразу после завтрака. Моросил мелкий дождик, но я не обращал на него внимания: хмурое небо как нельзя лучше гармонировало с моим настроением. Я полагал, что дорога будет пустынной — день был не базарный, — и это соображение также меня прельщало.

Некоторое время я трусил мелкой рысцой, пережевывая жвачку горчайших фантазий, а потом услышал за спиной конский топот, но даже не подумал о том, кем может оказаться этот всадник. Однако на некрутом подъеме я пустил лошадь тише, а вернее, воспользовавшись моей рассеянностью, она сама перешла на ленивый шаг, благо я предоставил ей полную свободу, и тут неизвестный нагнал меня. И окликнул по имени, потому что это был мой знакомый — это был мистер Лоренс! Мои пальцы, державшие хлыст, зачесались и инстинктивно сжались покрепче. Но я не дал себе воли и, сухо кивнув на его приветствие, поехал быстрее. Он скоро опять меня нагнал и завел разговор о погоде и видах на урожай. Я отвечал на его вопросы и замечания как мог короче, а потом опять перешел на шаг. Он тоже придержал своего Серого и спросил, не охромела ли моя лошадь. Я ответил ему уничтожающим взглядом, а он безмятежно улыбнулся!

Я был не только раздражен, но и изумлен его непонятным упрямством и невозмутимостью. Мне казалось, что после нашей последней встречи он должен был бы держаться со мной холодно и отчужденно. Он же не только словно забыл все прошлые обиды, но и не обращал внимания на то, как я его обрываю. Прежде стоило ему заметить или вообразить самую легкую холодность в тоне или во взгляде, как он сразу же спешил отойти от собеседника, а теперь его не отталкивала открытая грубость! Может быть, он прослышал о моем разочаровании и захотел полюбоваться результатами, насладиться моим отчаянием? Я сжал хлыст еще крепче, но все-таки удержался и молча ждал более явного оскорбления, чтобы распахнуть шлюзы моей души и дать выплеснуться наружу клокочущей ярости.

— Маркхем, — сказал он с обычным спокойствием, — почему вы ссоритесь со своими друзьями, испытав разочарование, в котором они неповинны? Ваши надежды не сбылись, но почему сердиться на меня? Ведь я, как вы помните, вас предупреждал, но вы не пожелали...

Он не договорил: словно побуждаемый каким-то бесом, я перехватил хлыст за тонкий его конец и с внезапностью и быстротой молнии обрушил другой на голову мистера Лоренса! Со свирепой радостью я увидел, что по его лицу разлилась смертельная бледность, лоб оросили красные капли, и, закачавшись в седле, он упал навзничь посреди дороги. Конек, столь нежданно и непривычно избавленный от своей ноши, вздыбился, сделал несколько курбетов, а потом воспользовался свободой и принялся щипать траву под изгородью, а его хозяин продолжал лежать неподвижно, точно труп. Неужели я его убил? Я нагнулся над ним, с ужасом вглядываясь в жуткое откинутое вверх лицо, и сердце мое сдавила ледяная рука, прекратив его биение... Но нет! Веки лежащего дрогнули, он застонал. Я перевел дух. Оглушен ударом, и ничего больше! Поделом ему, в следующий раз подумает, прежде чем позволять себе такую развязность! Может, помочь ему сесть на лошадь? Ну, нет! Любое другое сочетание оскорблений я бы спустил, но он позволил себе непростительное. Пусть сам взбирается в седло, если захочет... и когда захочет. Вон он уже зашевелился, открыл глаза, и конек пасется совсем рядом!

И с проклятиями я оставил негодяя его судьбе, пришпорил коня и галопом унесся прочь в странном опьянении чувств, проанализировать которое трудно. Впрочем, такой анализ, боюсь, не сделал бы мне чести, так как в основе, пожалуй, лежало злорадное ликование, рожденное моим поступком.

Но почти сразу же возбуждение начало спадать, и несколько минут спустя я повернул лошадь и возвратился, чтобы помочь моей жертве, если потребуется. Руководил мной не благородный порыв, не раскаяние и даже не страх перед последствиями, ожидавшими меня, если я усугублю содеянное тем, что брошу Лоренса на произвол судьбы, подвергая дальнейшей опасности, — нет, во мне просто заговорила совесть. И я испытывал немалую гордость, что так быстро подчинился ее голосу — но если вспомнить, какого усилия мне это стоило, то, быть может, некоторое право гордиться у меня было.

Мистер Лоренс и его конек за эти минуты изменили свое положение. Второй удалился от места происшествия шагов на десять — двенадцать, а первый каким-то образом перебрался с середины дороги на ее край. Теперь он сидел полуоткинувшись на откосе, лицо его сохраняло жуткую бледность, а батистовый носовой платок, который он прижимал ко лбу, уже совсем покраснел. Удар, видимо, был сильным, но почти вся честь (или вина — это уж как тебе угодно) принадлежала массивной металлической конской морде, которая украшала рукоятку моего хлыста. Трава, намокшая от дождя, служила не слишком удобной кушеткой, костюм молодого помещика сильно испачкался, а шляпа откатилась в грязь на другом краю дороги. Но его мысли как будто были сосредоточены на Сером — он следил за коньком взглядом, в котором бессильная тревога мешалась с унылой покорностью судьбе.

Я спешился, привязал свою лошадь к ближайшему дереву и подобрал шляпу с намерением водрузить ее на голову владельца. Но то ли он опасался за вторую, то ли ему не понравилось состояние первой, только он выхватил ее у меня из рук и презрительно отбросил в сторону.

— Для тебя и такая годится! — буркнул я себе под нос и пошел за коньком. Поймать его не составило труда, так как нрав у него был смирный, и после нескольких игривых взмахов головы и прыжков он позволил схватить себя за уздечку. Но предстояло еще усадить в седло его хозяина.

— Эй ты, подлец... пес! Давай руку, и я помогу тебе взобраться на лошадь.

Но нет! Он с отвращением отвернулся от меня. Я подхватил его под локти, однако он откинулся, словно брезгуя моим прикосновением.

— Ах, не желаете? Ну, так сидите тут хоть до судного дня, мне все равно. Только вряд ли вам хочется истечь кровью. Так уж и быть, рану я перевяжу.

— Будьте добры, оставьте меня в покое.

— Хм! С радостью. Да убирайтесь ко всем ч-тям, раз вам так угодно, и скажите, что это я вас прислал!

Но прежде чем ускакать, я привязал его конька к столбу изгороди, а ему бросил свой платок, потому что его собственный уже весь напитался кровью. Он поднял егс и из последних сил швырнул обратно с презрительным отвращением. Это было последнее оскорбление, довершившее все остальное. Разразившись проклятиями, негромкими, но свирепыми, я вернулся к своей лошади, предоставив ему жить или умереть по собственному выбору. Мысленно я хвалил себя за то, что выполнил свой долг (но забывал при этом, что в таком состоянии он оказался по моей вине, а помощь свою я предложил наиоскорбительнейшим образом), и угрюмо готовился принять последствия, если он вздумает обвинить меня в попытке убить его, что представлялось мне вполне вероятным: уж наверное им руководили злобные намерения такого рода, когда он с отвращенным упрямством отверг все мои попытки облегчить его положение.

Вскочив в седло, я, прежде чем уехать, оглянулся. Лоренс встал на ноги и, держась за гриву жеребчика, попытался взобраться на него, но едва вставил ногу в стремя, как им овладела дурнота, он прижался лбом к лошадиной спине, сделал еще одно тщетное усилие и вновь опустился на траву, откинув голову в ее мокрую гущу, словно безмятежно расположился отдохнуть на диване у себя дома.

Мне следовало бы помочь ему, как бы он ни возражал, — перевязать рану, раз сам он не сумел остановить кровь, подсадить на лошадь, проводить до дома. Но этому воспрепятствовал не только бушевавший во мне гнев, а и мысль о том, что я должен буду сказать его слугам и что — моим близким. Либо рассказать правду, — а тогда меня сочтут сумасшедшим, если только я не открою истинной причины, о чем не могло быть и речи, — либо придумать какую-нибудь убедительную ложь, о чем тоже не стоило и думать. Тем более что мистер Лоренс, конечно же, расскажет все, как было, и я окажусь опозоренным втройне — разве у меня хватит подлости воспользоваться отсутствием свидетелей и представить его даже большим негодяем, чем он был на самом деле. Нет! В конце-то концов, у него только рассечена кожа на лбу, да еще он мог получить несколько синяков при падении или от копыт своего жеребчика, а от этого он не умрет, пролежи тут хоть до вечера. И если сам сесть в седло так и не сумеет, кто-нибудь же проедет мимо. Не может быть, чтобы именно в этот день этой дорогой никто, кроме нас, не воспользовался! Ну, а что он расскажет... Подождем — увидим. Если солжет, я его обличу, а если скажет правду, стерплю, насколько сумею. Объяснений я никаких давать не обязан, кроме тех, которые сам сочту нужными. Вполне возможно, что он предпочтет отмолчаться из опасений, как бы сплетники не начали допытываться о причинах ссоры, а тогда откроются его отношения с миссис Грэхем, которые он ради нее или ради собственных интересов столь тщательно скрывал.

Рассуждая подобным образом, я добрался до городка, где сделал то, что намеревался, и выполнил разные поручения матушки и Розы с похвальной обязательностью, если принять во внимание происшествие на дороге. На обратном пути меня охватили всевозможные дурные предчувствия. Что, если я увижу, что злополучный Лоренс все еще лежит на сырой земле, совсем замерзший и ослабевший? Или даже его застывший труп? Этот жуткий, внезапно поразивший меня вопрос вызвал в моем воображении страшную картину того, что мне предстояло увидеть на роковом месте, к которому я как раз приближался. Но нет! Благодарение Небесам, ни человека, ни лошади там уже не было, и лишь два предмета обличали меня — правда, и сами по себе отвратительные, и словно бы свидетельствовавшие о тяжком преступлении, если прямо не об убийстве! — размокшая от дождя, облепленная грязью шляпа с тульей, промятой и рассеченной рукояткой хлыста, и багровый носовой платок в лужице сильно порозовевшей воды (дождь ведь не переставал моросить).

Дурные новости распространяются с быстротой пожара. Когда я вернулся домой, еще не было и четырех, но матушка встретила меня печальным вздохом:

— Ах, Гилберт, как ужасно! Роза ходила за покупками и узнала в лавке, что мистера Лоренса сбросила лошадь. Когда его привезли домой, он был при смерти.

Ну, ты представляешь, как это меня ошеломило, но мне тут же стало легче на душе, так как дальше я услышал, что у него проломлен череп и сломана нога. Я-то знал, что это выдумки, и во мне вспыхнула надежда, что и все остальное столь же преувеличено. Но матушка и Роза так ему сочувствовали и так за него опасались, что я с трудом удерживался, чтобы не утешить их, объяснив, что, насколько мне известно, он отделался рассеченным лбом да несколькими ушибами.

— Ты должен завтра поехать справиться о нем, — сказала матушка.

— А лучше бы сегодня, — добавила Роза. — Сейчас еще рано, и ты можешь взять пони, если твоя лошадь устала. Вот съешь что-нибудь и поезжай, хорошо, Гилберт?

— Нет, нет! Откуда мы знаем, не пустые ли это выдумки? Маловеро...

— Да что ты! В деревне все только об этом и говорят. И я сама видела двоих, которые видели тех, которые видели человека, который его нашел. Конечно, в первую минуту как-то не верится, но если подумать...

— Но Лоренс прекрасно ездит верхом. Весьма маловероятно, что он вообще мог упасть. А если это и случилось, так без подобных повреждений. Уж они-то несомненно сильно преувеличены.

— Так ведь его брыкнула лошадь или наступила...

— Что?! Его смирный жеребчик?

— А откуда ты знаешь, что он ехал на нем?

— Он же всегда на нем ездит.

— В любом случае, — вмешалась матушка, — завтра ты должен у него побывать. Правда это, выдумки или преувеличения, но осведомиться о его здоровье необходимо.

— Пусть Фергес съездит.

— А почему не ты?

— У него больше свободного времени. Я сейчас очень занят.

— А-а! Но, Гилберт, не понимаю, как ты можешь? Неужели в подобном случае нельзя отложить дела на час-другой? Когда твой друг умирает!

— Да ничего подобного, говорю же тебе.

— Откуда ты знаешь? А вдруг? Как ты можешь оставаться таким спокойным, пока не повидал его? Ведь что-то же с ним случилось, и ты непременно должен побывать у него. Иначе он на тебя обидится, и будет прав!

— А, провались он в тартарары! Не могу. Последнее время между нами пробежала кошка.

— Ну, мой милый! Неужели же ты настолько обидчив, что позволишь мелким недоразумениям...

— Мелким, дальше некуда! — пробурчал я.

— И все-так вспомни, что произошло! Подумай, как ты будешь чувствовать себя, если...

— Ну, хорошо, но мне сейчас не до этого. Там видно будет, — перебил я.

А видно оказалось вот что: утром я отправил Фергеса справиться от имени матушки о здоровье мистера Лоренса. Разумеется, сам я туда поехать не мог — как и передать ему мои лучшие пожелания. Фергес привез следующие известия: молодой помещик лежит в постели, потому что к рассеченной голове и сильным ушибам, полученным при падении с лошади, которая затем не сразу успокоилась (подробностей он не рассказал), добавилась еще сильная простуда, — ведь он долго пролежал под дождем на сырой земле. Но все кости у него целы, и безвременная кончина ему пока не угрожает.

Несомненно, ради миссис Грэхем он решил про меня не упоминать.

Глава XV
ВСТРЕЧА И ЕЕ ПОСЛЕДСТВИЯ

В этот день дождь моросил, как и накануне, но к вечеру небо начало проясняться, и на следующее утро обнадеживающе засияло солнце. Я был на холме со жнецами. Колосья колыхались под легким ветерком, и вся природа вокруг улыбалась в солнечном сиянии. Среди серебристых медленно плывущих облачков заливался жаворонок. Недавний дождик так очистил и освежил воздух, так умыл небо, оставил такие алмазы на листьях и травинках, что даже у земледельцев не было желания его бранить. Но в мое сердце не мог проникнуть ни единый солнечный лучик, никакой ветерок не мог его освежить, ничто не могло заполнить пустоты, которая осталась в нем, когда моя вера, мои надежды, мое восторженное преклонение перед Хелен Грэхем были безвозвратно погублены, и ничто не могло изгнать из него томительные сожаления и горечь еще не угасшей любви.

Я стоял, скрестив руки на груди, и рассеянно следил за волнами, бегущими по еще не сжатой половине поля, как вдруг почувствовал, что меня дернули за рукав, и тонкий голосок, теперь уже не радовавший мой слух, положил конец моей задумчивости следующими нежданными словами:

— Мистер, вас мама зовет!

— Зовет *меня,* Артур?

— Да... А отчего у вас такой странный вид? — спросил он с некоторым испугом, когда я резко повернулся к нему. Но потом неуверенно засмеялся и продолжал: — И отчего вы так долго у нас не были? Ну, идемте же! Почему вы стоите?

— У меня сейчас много дел, — пробормотал я, не зная, что ему ответить.

Он заглянул мне в лицо с детским недоумением, но прежде чем я успел открыть рот, миссис Грэхем сама подошла к нам.

— Гилберт, я *должна* с вами поговорить, — произнесла она, еле сдерживая бурное волнение.

Я поглядел на ее бледные щеки, лихорадочно блестевшие глаза, но ничего не сказал.

— Не более минуты, — умоляюще добавила она. — Только уйдемте на соседнее поле. — Она посмотрела на жнецов, которые поглядывали на нее с наглым любопытством. — Я вас долго не задержу.

Я последовал за ней через пролом в изгороди.

— Артур, милый, собери мне букет колокольчиков вон там! — сказала она, указывая на их голубую россыпь у изгороди в некотором отдалении от пролома. Мальчик замялся, словно ему не хотелось расставаться со мной. — Беги, беги, моя радость, — добавила она более настойчивым тоном, который, хотя и не был строгим, не терпел возражений, и Артур послушно оставил нас вдвоем.

— Так что же, миссис Грэхем? — сказал я невозмутимо и холодно. Да, я видел, что она несчастна, даже испытывал к ней жалость и все-таки не мог отказать себе в удовольствии терзать ее.

Она обратила на меня взор, который прожег мне сердце — и заставил улыбнуться.

— Я не спрашиваю о причине такой перемены, Гилберт, — сказала она с горьким спокойствием. — Я знаю ее и без объяснений. Но хотя я видела, как другие подозревают и обсуждают меня, и переносила это без особой боли, стерпеть подобное от вас я не могу. Почему вы не пришли выслушать мои объяснения в назначенный день?

— Потому что успел раньше узнать все, что вы намеревались мне сказать... А может быть, и немного больше.

— Последнее неверно, потому что я сказала бы вам все! — вскричала она с гневом. — Но теперь я вижу, что вы недостойны доверия!

Ее бледные губы дрожали от волнения.

— Позволено ли спросить почему?

Она ответила на мою насмешливую улыбку взглядом испепеляющего презрения.

— Потому что вы меня никогда не понимали, иначе не стали бы с такой готовностью слушать моих клеветников! И моего доверия не заслуживаете — вы не тот человек, за которого я вас принимала. Уходите! Мне все равно, что бы вы обо мне ни думали!

Она отвернулась, а я ушел, так как решил, что это будет для нее лишней пыткой. И не ошибся — оглянувшись, я успел заметить, как она обернулась, словно надеясь или не сомневаясь, что увидит меня рядом. Убедившись в своей ошибке, она замерла, а потом посмотрела через плечо. Взгляд ее выражал не столько гнев, сколько мучительное страдание и отчаяние. Но я мгновенно напустил на себя равнодушие и притворился, будто бесцельно посматриваю по сторонам. Вероятно, она тотчас направилась вверх по склону. Во всяком случае, когда, помедлив, чтобы дать ей время подойти ко мне или хотя бы меня окликнуть, я снова оглянулся, она быстрым шагом удалялась вверх по склону, а маленький Артур бежал рядом и, видимо, о чем-то ей рассказывал, но она отворачивала от него лицо, словно не в силах справиться с собой.

Я вернулся к жнецам. И вскоре начал раскаиваться, что столь поспешно поймал ее на слове. Сомнений в том, что она меня любит, быть не могло. Вероятно, мистер Лоренс ей прискучил и она была бы рада променять его на меня. И если бы я не полюбил ее столь горячо и столь благоговейно, быть может, такое предпочтение, оказанное мне, позабавило бы меня и польстило моему самолюбию. Но теперь контраст между тем, чем она мне казалась и чем была, как я теперь верил, — между моим прежним и моим теперешним мнением о ней — ввергал меня в такой ужас, так угнетал мне душу, что ни о чем другом я не мог и помыслить.

Тем не менее мне захотелось узнать, какое объяснение дала бы она — или даст, если я его все-таки потребую. В чем она признается и какие подыщет себе оправдания? Я жаждал узнать, за что ею восхищаться, а за что ее презирать. Жалеть ли ее или только ненавидеть? А почему, собственно, мне этого не узнать? Я увижусь с ней еще раз и, прежде чем мы расстанемся, пойму, как мне следует на нее смотреть. Разумеется, она для меня потеряна навсегда. Но мне невыносимо было думать, что мы расстались навеки в таком гневе и в таком горе. Ее последний взгляд поразил меня в самое сердце. Я не мог его забыть. Но какой же я глупец! Разве она не обманула меня, не ранила, не сделала несчастным на всю жизнь? «Хорошо! Я с ней увижусь, — решил я окончательно. — Но не сегодня. До ночи и всю ночь пусть она думает о своих грехах и мучается. А завтра я отправлюсь к ней и узнаю, что сумею. Разговор этот будет ей полезен или нет — но в любом случае он овеет ветром волнения жизнь, которую она обрекла на душную неподвижность и, быть может, подарит уверенность, которая остудит некоторые жгучие мысли».

И на следующий день я пошел к ней, но под вечер, когда кончил все дневные дела, то есть между шестью и семью. Заходящее солнце заливало старый дом багрянцем и пылало на мелких стеклах окон, придавая этому угрюмому месту несвойственную ему прелесть.

Мне незачем описывать чувства, с какими я подходил к святилищу моего былого божества, где роилось столько восхитительных воспоминаний и блаженных грез, уничтоженных теперь одной губительной истиной.

Рейчел проводила меня в гостиную и пошла позвать свою госпожу, которая куда-то вышла, но на круглом столике перед креслом с высокой спинкой лежал ее бювар, а на нем книга. Ее небольшую, хотя и прекрасно подобранную библиотеку я знал почти так же хорошо, как свою, но этот томик никогда прежде не видел. Я взял его в руки и раскрыл — «Последние дни философа» сэра Хамфри Дэви. На титульном листе красовалась надпись «Фредерик Лоренс». Я захлопнул томик, но не положил его на место, а встал перед камином лицом к двери, чтобы встретить ее, сохраняя спокойную непринужденную позу. Что она придет, я не сомневался. И вскоре в коридоре послышались ее шаги. Сердце у меня бешено забилось, но хотя бы внешне мне удалось подавить волнение. Она вошла, бледная, спокойная, без тени растерянности на лице.

— Чему я обязана этой честью, мистер Маркхем? — произнесла она с таким строгим, невозмутимым достоинством, что я растерялся. Однако нашел в себе силы улыбнуться и ответить развязным тоном:

— Я пришел выслушать ваши объяснения.

— Но ведь я сказала, что ничего объяснять вам не стану. Я сказала, что вы недостойны моего доверия.

— Прекрасно! — воскликнул я и направился к двери.

— Погодите! — остановила она меня. — Мы видимся в последний раз. Не уходите пока.

Я глядел на нее, ожидая, что она скажет дальше.

— Объясните мне, — продолжала она, — на каком основании вы поверили всему этому? Кто очернил меня? И что они вам говорили?

Я ответил не сразу, но она встретила мой взгляд, не дрогнув, словно черпала силы в сознании своей невинности. Она желала узнать худшее и бросала мне вызов. «Эту дерзкую смелость мне сокрушить нетрудно!» — подумал я и, втайне наслаждаясь такой властью, захотел поиграть со своей жертвой, как кошка с мышкой. Раскрыв томик, который продолжал держать в руках, я указал на надпись, украшавшую титульный лист, и, не спуская глаз с ее лица, спросил:

— Вам знаком этот джентльмен?

— Разумеется, — ответила она, и внезапно ее щеки вспыхнули румянцем (стыда или гнева — я решить не сумел, хотя склонялся ко второй мысли). — Что дальше, сэр?

— Давно ли вы с ним виделись?

— Кто дал вам право допрашивать меня об этом или о чем-либо другом?

— О, никто! В вашей власти отвечать или нет. А теперь разрешите спросить, известно ли вам, что совсем недавно случилось с этим вашим другом? Если нет, то...

— Я не намерена слушать оскорбления, мистер Маркхем, — вскричала она, не стерпев моего тона. — И если вы пришли только ради этого, потрудитесь оставить мой дом!

— Я пришел не оскорблять вас, а выслушать ваши объяснения.

— Я уже сказала, что ничего объяснять не стану! — возразила она, в сильном волнении расхаживая по комнате. Руки ее были крепко сжаты, грудь судорожно вздымалась, глаза метали молнии. — Я не снизойду до объяснений с тем, кто способен превращать в шутку столь гнусные подозрения и с такой легкостью верит им!

— В шутку я их не превращаю, миссис Грэхем, — возразил я, сразу оставляя язвительный тон. — Как мне хотелось бы увидеть в них повод для шуток! А что до легкости, то лишь Богу известно, каким слепым и глупцом был я совсем недавно, как закрывал глаза и затыкал уши, если хоть что-то угрожало моей вере в вас, пока неопровержимое доказательство не рассеяло туман влюбленности!

— Какое доказательство, сэр?

— Ну, хорошо, я вам скажу! Помните последний вечер, когда я был здесь?

— Да.

— Даже тогда вы обронили несколько намеков, которые открыли бы глаза более разумному человеку. Но не мне! Я продолжал верить, отгонять сомнения, надеяться, вопреки надежде, и поклоняться, когда не мог понять. Но после того как я расстался с вами, что-то заставило меня вернуться — глубокое сострадание, чистая сила любви. Не смея навязывать вам свое присутствие, я поддался искушению заглянуть в окно, чтобы посмотреть, не стало ли вам дурно. Ведь когда мы прощались, вы, казалось, были очень расстроены, и я винил себя, что моя настойчивость и нетерпеливость отчасти могли быть тому причиной. Если я поступил дурно, то лишь по настоянию любви, и меня тут же постигла суровая кара: едва я остановился возле остролиста, как из дома вышли вы и ваш друг. Не желая при таких обстоятельствах выдать свое присутствие, я замер в тени, пока вы с ним не прошли мимо.

— И какую часть разговора вы слышали?

— Я услышал достаточно, Хелен. И во благо для себя. Ведь только это могло излечить меня от слепой влюбленности. Я все время утверждал и думал, что я не поверю ни единому плохому слову о вас, если только не услышу его из ваших уст. Все намеки, все заверения других людей я считал злобными, чернящими вас вымыслами. Ваши самообвинения мне казались преувеличенными, и я не сомневался, что все странности вашего положения вы легко объясните, если пожелаете этого.

Миссис Грэхем перестала расхаживать взад и вперед и оперлась на конец каминной полки, противоположный тому, у которого стоял я. Она положила подбородок на сжатую руку и, пока я говорил, переводила глаза, уже не пылавшие гневом, но блестевшие лихорадочным волнением, с меня на стену напротив или на ковер.

— И все-таки вы должны были прийти ко мне, — сказала она. — Прийти и выслушать мои оправдания. Было и неблагородно и зло вдруг исчезнуть сразу же после стольких пылких заверений, даже не открыв причины такой перемены. Да, вы обязаны были высказать мне все, не важно, с каким ожесточением. Любые упреки были бы лучше такого молчания.

— Но зачем бы я пришел к вам? Вы не сумели бы ничего добавить к ответу на вопрос, который единственно интересовал меня. И не могли заставить меня усомниться в свидетельствах моего зрения и слуха. Я захотел сразу же положить конец нашей близости — ведь вы сами говорили, что так оно и случилось бы, узнай я все из ваших уст. Но у меня не было желания осыпать вас упреками, хотя вы (также по вашему собственному признанию) и причинили мне огромное зло. Да, вы нанесли мне рану, которую вам никогда не излечить... и никому другому тоже. Вы погубили силы и надежды юности, превратили мою жизнь в бесплодную пустыню! Проживи я хоть до ста лет, я так и не оправлюсь от этого сокрушительного удара и ни на миг не забуду о нем! С этих пор... Но вы улыбаетесь, миссис Грэхем, — прервал я страстное излияние своих невыразимых чувств, увидев, что она *улыбается* зловещему делу рук своих.

— Разве? — Она подняла на меня глаза с глубокой серьезностью. — Я не заметила. Но если и так, то не от удовольствия при мысли о том зле, которое вам причинила. Видит Небо, как я терзалась, только предполагая подобную возможность! Если я и улыбнулась, то от радости, что в вас все-таки есть благородство души и чувств, что я не совсем в вас ошиблась. Впрочем, и слезы, и улыбки для меня едины и не связаны строго с тем или иным душевным состоянием. Я часто плачу, когда счастлива, и улыбаюсь, когда печальна.

Она снова посмотрела на меня, ожидая ответа, но я молчал.

— А вы очень обрадовались бы, — продолжала она затем, — если бы убедились, что выводы ваши неверны?

— Как вы можете даже спрашивать, Хелен?

— Я не утверждаю, что могу очиститься полностью, — сказала она быстро, почти шепотом, и мне казалось, что я вижу, как отчаянно бьется ее сердце, какое волнение переполняет ее грудь. — Но были бы вы рады узнать, что я лучше, чем вы обо мне думаете?

— С какой жадностью, с каким восторгом я выслушаю все, что хоть чуть-чуть вернет мне прежнее мнение о вас, оправдает чувство, которое я все еще питаю к вам, и смягчит муки невыразимых сожалений, с ним связанных!

Щеки ее пылали огнем, она вся дрожала от неописуемого волнения, но ничего не сказала, а кинулась к бюро и вынула из ящика что-то вроде толстого альбома или манускрипта, торопливо вырвала несколько последних листков и вручила его мне.

— Читать все вам не обязательно. Но возьмите его домой! — С этими словами она выбежала из комнаты.

Когда я уже спустился с крыльца, она окликнула меня из окна, но сказала только:

— Верните его, когда прочтете. Но ни одной живой душе ни звуком, ни намеком не проговоритесь о том, что узнаете. Я полагаюсь на вашу честь.

Прежде чем я успел ответить, она закрыла окно и отвернулась. Я увидел, что она бросилась в старое дубовое кресло и закрыла лицо руками. Обуревавшие ее чувства нашли выход в слезах.

Задыхаясь от нетерпения и стараясь подавить пробуждающиеся надежды, я поспешил домой, сразу взбежал по лестнице в свою спальню, схватив в прихожей свечу, хотя еще не начало смеркаться, задвинул задвижку, чтобы никто не мог мне помешать, положил свою драгоценную ношу на стол, открыл ее и погрузился в чтение. Сперва я лихорадочно перелистал этот, как оказалось, дневник, прочитывая одну-две фразы то там, то тут, а затем успокоился и прочел его с начала и до конца.

Сейчас он лежит передо мной, и, хотя в тебе, разумеется, он не может пробудить и половины такого жгучего интереса, как во мне, ты, я знаю, не удовлетворишься кратким пересказом, а потому получишь его целиком. Изъяты будут лишь отдельные места, касающиеся малозначительных происшествий, или подробности, только перегружающие повествование, а не поясняющие его.

Начинался он прямо с середины вот так... Но отложим это начало до следующей главы, которую назовем

Глава XVI

НАСТАВЛЕНИЯ ОПЫТНОСТИ

1 июня 1821 года. Мы только что вернулись в Стейнингли. То есть вернулись мы несколько дней назад, но я никак не могу с этим свыкнуться, и мне кажется, никогда не свыкнусь. Столицу мы покинули раньше, чем намеревались, так как дядюшке нездоровилось. Как знать, чем бы все это обернулось, если бы мы остались до конца сезона. Мне стыдно, что я утратила всякий вкус к деревенской жизни. Все мои прежние занятия кажутся скучными и никчемными, а развлечения — такими пресными и ненужными! Музицирование не приносит мне радости, потому что никто меня не слышит, прогулки не приносят мне радости, потому что они одиноки, книги не приносят мне радости, потому что я не могу сосредоточиться на чтении — в моем мозгу теснятся воспоминания о последних неделях, не оставляя места ни для чего другого. Остается только рисование, потому что рисуя, можно думать. Правда, сейчас мои рисунки вижу только я да те, кому они неинтересны, однако в будущем, как знать... Но я все время стремлюсь нарисовать или написать красками одно незабываемое лицо, а оно мне не дается, и это меня мучает. И я не могу изгнать из своих мыслей того, кому оно принадлежит. Да и не пытаюсь. А он, думает ли он обо мне? И увижу ли я его когда-нибудь снова? Первый вопрос рождает рои все новых и новых, на которые ответ дадут лишь время и судьба, а в заключение еще одно «если». Если все ответы окажутся утвердительными, так не пожалею ли я об этом, как тотчас сказала бы мне тетушка, угадай она мои мысли? Как ясно помню я наш разговор накануне отъезда в столицу, когда мы сидели у камина вдвоем, потому что дядюшку помучивала подагра, и он рано ушел спать.

— Хелен, — спросила она, прерывая тянувшееся молчание, — ты когда-нибудь думала о замужестве?

— Да, тетя, часто.

— А ты не думала, что выйдешь замуж или будешь помолвлена еще до конца первого сезона?

— И это тоже. Но, по-моему, я замуж не выйду никогда!

— Почему?

— Потому что, мне кажется, в мире найдется очень мало мужчин, которые могли бы мне понравиться настолько. И десять шансов против одного, что мне вообще не случится познакомиться ни с кем из них. Если все-таки судьба сведет нас, то двадцать шансов против одного, он окажется женат или не обратит на меня внимания.

— Это не довод. Быть может, и правда (да так оно и должно быть!), что мужчин, из которых ты сама выбрала бы себе жениха, очень и очень мало. Однако девушке не положено даже помышлять, что она хотела бы выйти за такого-то или такого-то, пока он не сделает ей предложение. Девушка не должна отдавать свое чувство непрошено, если его не ищут. Но когда его ищут, когда цитадель сердца подвергается упорной осаде, то оно порой капитулирует даже прежде, чем это замечает та, в чьей груди оно бьется, — причем нередко наперекор доводам ее рассудка, вопреки всем прежним представлениям о том, каким должен быть тот, кому она отдаст свою любовь. Тут требуется большая осторожность и рассудительность. Я говорю все это, желая предостеречь тебя, Хелен, предупредить, что, вступив в свет, ты должна быть очень осмотрительной и благоразумной и не допустить, чтобы твое сердце украл первый же глупый шалопай или безнравственный негодяй, который захочет завладеть им. Тебе, милочка, всего восемнадцать лет, и времени у тебя более чем достаточно, а ни я, ни твой дядя вовсе не торопимся сбыть тебя с рук. Но в поклонниках с серьезными намерениями, смею предположить, у тебя недостатка не будет. Залогом тому твое происхождение, приличное состояние, которое в будущем еще пополнится, а кроме того, скажу прямо — иначе другие скажут тебе это первыми, — ты наделена еще и красотой. Надеюсь лишь, что тебе не придется об этом пожалеть.

— И я надеюсь, тетя. Но откуда ваши опасения?

— Видишь ли, милочка, красота, как и деньги, особенно привлекает наихудших мужчин и поэтому грозит той, кто ею обладает, всякими горестями.

— А у вас, тетя, они были?

— Нет, — ответила она серьезно и с упреком. — Но я знаю множество примеров. Некоторые по легкомыслию стали несчастными жертвами обмана, иные по слабости душевной не устояли перед соблазнами и ловушками, о которых даже говорить страшно.

— Ну, я не буду ни легкомысленной, ни слабой.

— Вспомни апостола Петра, Хелен! Не похваляйся, но будь на страже. Следи за своими глазами и ушами, открывающими доступ в твое сердце, и за своими губами, выдающими его тайны, иначе в беззаботную минуту они предадут тебя! Все ухаживания принимай холодно и спокойно, пока не узнаешь и не поверишь, чего достоин этот поклонник. И сердцем твоим пусть управляет только обдуманное и взвешенное одобрение. Сначала изучи, потом одобри и лишь тогда люби. Пусть глаза твои будут слепы к поверхностному блеску, твои уши глухи ко всем ухищрениям лести, к самым вкрадчивым улещиваниям. Они пусты... нет хуже, чем пусты, эти ловушки и сети соблазнителя, расставленные на погибель легкомысленным и глупым. Ведь важнее всего — нравственные принципы, а затем здравый смысл, солидность и приличное состояние. Если ты выйдешь замуж за самого красивого, самого полированного и наделенного всяческими светскими талантами человека, то сейчас ты и представить себе не можешь, какие страдания тебя ожидают, если потом он окажется никчемным хлыщом или даже просто глупым фантазером.

— Но что же тогда делать бедным хлыщам и фантазерам, тетя? Если бы все последовали вашим советам, мир скоро опустел бы!

— Не бойся, милочка! Глупцы и хлыщи без труда отыщут себе невест. Ведь среди барышень достаточно дурочек и пустых кокеток. Но ты, будь добра, моими советами не пренебрегай. Это не предмет для шуток, Хелен. Мне очень жаль, что я нахожу в тебе столько легкомыслия. Поверь, *брак — дело очень серьезное!*

Она произнесла последнюю фразу столь серьезно, что я подумала, уж не убедилась ли она в этом на собственном опыте, но дерзких вопросов задавать больше не стала и сказала только:

— Я знаю. Все, что вы говорите, — правда и очень мне полезно. Но не опасайтесь за меня. Я никогда не свяжу свою судьбу с человеком без нравственных принципов или пустым. И не только потому, что это было бы дурно. Даже соблазна у меня возникнуть не может, — каким бы красивым и очаровательным он ни казался, мне он не понравится. Такого человека я могу ненавидеть, презирать, жалеть, ну, что угодно, только не любить. Одобрение не только *должно* руководить моим сердцем, но и непременно будет им руководить. Как же иначе? Любить, не одобряя, я не способна. Само собой разумеется, своего мужа я буду не только любить, но и уважать и почитать, не то бы я его не полюбила. Поэтому не тревожьтесь за меня.

— Надеюсь, что так и будет, — сказала она со вздохом.

— Я знаю, что будет только так, — ответила я.

— Ты еще не испытала себя, Хелен. И обе мы можем лишь надеяться, — заключила она с обычной своей холодной осторожностью.

Меня раздосадовала ее недоверчивость. Но, пожалуй, сомнения ее не были совсем уж неразумны. Боюсь, мне оказалось легче запомнить ее советы, чем воспользоваться ими! Сказать правду, порой я начинаю думать, что во многом она ошибается. Не спорю, советы ее здравы, во всяком случае в определенных пределах, но кое-что она в своих расчетах упускает. Не знаю, была ли она когда-нибудь влюблена!

Я начала свой первый сезон в свете (или свою первую кампанию, по выражению дядюшки), исполненная радужных надежд и всяческих фантазий, рожденных во многом этим вечерним разговором, а также непоколебимо веря в собственное благоразумие и разборчивость. Сперва новизна и бурность столичной жизни приводили меня в восхищение, но вскоре эта вечная суета начала меня утомлять, и я уже вздыхала по деревенской тишине и свободе. Мои новые знакомые обоего пола обманули мои ожидания и вызывали у меня по очереди то раздражение, то скуку. Наблюдать их ужимки мне быстро надоело, как и смеяться над их глупостями, особенно потому, что смеяться я должна была про себя — тетушка не терпела моих насмешливых замечаний по их адресу. Они же — особенно дамы и девицы — казались мне на редкость пустыми и бездушными кривляками. Джентльмены производили менее тягостное впечатление — то ли потому, что были большей новинкой, то ли потому, что льстили мне. Но ни в одного из них я не влюбилась, а удовольствие от их ухаживаний незамедлительно вызывало злость на себя: я убеждалась, что тщеславна, и меня снедали опасения, не уподобляюсь ли я тем самым девицам, которых от души презирала.

Особенно досаждал мне один джентльмен в годах, давний богатый друг дядюшки, кажется, вообразивший, что осчастливит меня своим предложением. Но он не только стар, но вдобавок безобразен, груб и, как мне кажется, без нравственных принципов, хотя тетушка, когда я так ей и сказала, выбранила меня, правда, признав, что он не святой. А еще один, хотя и менее противный, докучал мне даже больше, потому что пользовался ее расположением и постоянно навязывал мне свое общество, осыпая меня слащавыми комплиментами. Зовут его мистер Скукхем, хотя я предпочла бы написать покороче, просто «Скука», такую невыносимую скуку он на меня наводил. Даже и сейчас я содрогаюсь, вспоминая этот тягучий голос — жужужу, жужужу, жужужу у меня над ухом по получасу и больше, — пока он, усевшись поближе ко мне, тешил себя мыслью, что развивает мой ум полезными сведениями или внушает мне верный, то есть собственный, взгляд на вещи, объясняя, в чем ошибочность моих суждений. А может быть, ему казалось, что он снисходит до моего невежества и развлекает меня легкой болтовней! Однако не отрицаю, что человек он, возможно, вполне достойный и, если бы только оставил меня в покое, я бы его не возненавидела. Но что мне оставалось, если он не только преследовал меня своим вниманием, но и лишал общества других, более приятных и интересных людей?

Однажды на балу он превзошел даже самого себя, и мое терпение совсем истощилось. Вечер обещал стать невыносимым. На первый танец меня пригласил пустенький франт, а затем мной завладел мистер Скукхем с видимым намерением терзать меня до конца бала. Он никогда не танцевал, но уселся рядом и наклонял свою физиономию к моему лицу так, чтобы ни у кого не оставалось сомнений, будто он уже получил на меня особые права, а тетушка взирала на это весьма благосклонно и, видимо, желала ему всяческого успеха. Тщетно я пыталась избавиться от него, дав волю своей досаде и доходя даже до прямой грубости, — он пребывал в твердом убеждении, что его общество мне более приятно. Сердитое молчание он принимал за восхищенное внимание и только пуще пускался в новые рассуждения. Колкие ответы казались ему наивными обмолвками девичьей живости, за которые следовало мягко пенять, а резкие возражения только подливали масла в огонь и навлекали на меня новые потоки рассуждений и доказательств его непререкаемой правоты.

Однако некто иной сумел лучше понять состояние моих чувств: стоявший неподалеку молодой джентльмен довольно долго с улыбкой прислушивался к нам, забавляясь слепой назойливостью моего собеседника и моим видимым раздражением и посмеиваясь про себя сухой злости моих ответов. В конце концов он отошел к хозяйке дома и, видимо, попросил ее познакомить нас, потому что вскоре она подвела его ко мне и представила как мистера Хантингдона, сына покойного друга моего дяди, а он тотчас пригласил меня на танец. Разумеется, я с радостью согласилась, и он оставался моим кавалером до самого конца, который, правда, наступил быстро, так как тетушка, по обыкновению, пожелала уехать рано.

Я пожалела об этом, потому что мой новый знакомый оказался очень приятным и интересным собеседником. Во всем, что он говорил и делал, была какая-то чарующая непринужденность, особенно приятная после утомительной необходимости так долго сдерживаться и скучать. Правда, его манеру держаться и разговаривать можно было бы счесть чуть-чуть излишне фамильярной, но меня охватила такая радость, такая благодарность к нему за избавление от мистера Скукхема, что я охотно прощала все.

— Ну, Хелен, как теперь тебе нравится мистер Скукхем? — спросила тетушка, едва мы сели в карету и лошади тронулись.

— Даже меньше, чем прежде, — ответила я.

Лицо ее выразило неудовольствие, но она оставила эту тему и спросила после некоторого молчания:

— А кто этот молодой человек, с которым ты танцевала под конец и который с такой навязчивостью поспешил подать тебе шаль?

— Он нисколько не был навязчив, тетя. И не стал бы этого делать, если бы не увидел, что мне намерен услужить мистер Скукхем. Вот тут-то он со смехом и опередил его, сказав: «Придется мне избавить вас от этого покушения!»

— А кто он такой, могу ли я узнать? — осведомилась она ледяным тоном.

— Мистер Хантингдон, сын старого дядиного друга.

— Я слышала от твоего дяди про молодого мистера Хантингдона. Он как-то сказал: сын Хантингдона отличный малый, но, кажется, немного повеса. И потому прошу тебя поостеречься.

— А что значит «немного повеса»? — спросила я.

— Это значит, что у него нет нравственных принципов, и он склонен ко всем порокам, свойственным молодым людям.

— Однако дядя часто говорит, что в молодости был лихим повесой.

Но она сурово покачала головой.

— Значит, он шутил? — предположила я. — Ну а тут доверился слухам. Я же не могу поверить ничему дурному о таких веселых голубых глазах.

— Ты рассуждаешь глупо, Хелен, — сказала она со вздохом.

— Но, тетушка, нас ведь учат не судить ближних. И почему же глупо? Я прекрасная физиономистка и умею распознать характер человека по его лицу. Не потому, красиво оно или уродливо, но по общему его выражению. Например, я сразу бы заключила по вашему лицу, что вы строги и не склонны к шутливости, лицо мистера Уилмота сказало бы мне, что он никчемный старый сластолюбец, лицо мистера Скукхема — что общество его очень скучно. А лицо мистера Хантингдона говорит, что он не глупец и не негодяй, хотя, возможно, ни мудрецом, ни святым назвать его нельзя. Впрочем, меня это вряд ли касается. Ведь больше я его, наверное, не увижу. Разве что разок-другой потанцую с ним на балу.

Однако я ошиблась, так как увидела его уже на следующее утро. Он приехал к дяде с визитом извиниться, что не сделал этого прежде — но он путешествовал в Европе, вернулся совсем недавно и лишь накануне узнал, что дядюшка в Лондоне. После этого я часто его видела — иногда на званых вечерах, иногда у нас дома, так как он весьма усердно являлся засвидетельствовать почтение своему старинному другу, который, впрочем, не был особенно благодарен ему за такое внимание.

— И что малый повадился ходить сюда? — повторял он. — Может быть, ты знаешь, Хелен? Мне-то он ни к чему, как и я ему.

— Так почему вы ему это не скажете? — спросила тетушка.

— С какой стати? Я-то без него обошелся бы, но ведь я здесь не один живу! (Он подмигнул мне.) Да и состояньице у него кругленькое, Пегги, как тебе известно. Ну, конечно, партия похуже, чем Уилмот, только ведь о нем Хелен даже слышать не желает. Почему-то барышни на стариков и смотреть не хотят, пусть хоть они богаты и свет знают отлично! Бьюсь об заклад, она предпочтет выйти за этого молодца, будь он хоть без гроша в кармане, чем за Уилмота, пусть у него весь дом был бы набит золотом, э, Нелли?

— Вы правы, дядя. Но мистеру Хантингдону это похвала небольшая, так как я лучше предпочту доживать век нищей старой девой, чем стану женой мистера Уилмота.

— Ну, а если тебе предложат стать миссис Хантингдон? Что ты тогда предпочтешь?

— Вот когда мне придется об этом задуматься, тогда я вам и отвечу.

— А, так об этом стоит задуматься? Но все-таки ты и тогда захочешь остаться старой девой, пусть даже и нищей?

— Как я могу на это ответить прежде, чем мне сделали предложение?

И я поспешила выйти из комнаты, чтобы не подвергаться дальнейшему допросу. Но пять минут спустя, случайно поглядев в окно, увидела, что на крыльцо к нам поднимается мистер Скукхем. Почти полчаса я томилась в неприятном ожидании, опасаясь, что тетушка вот-вот пришлет за мной, и тщетно надеялась услышать стук захлопнувшейся за ним входной двери. Затем на лестнице послышались шаги, ко мне с весьма серьезным видом вошла тетушка и притворила за собой дверь.

— Хелен, — произнесла она почти торжественно. — Мистер Скукхем в гостиной. Он хотел бы видеть тебя.

— Ах, тетя, скажите ему, что мне стало дурно. Ведь мне правда становится дурно при одной только мысли, что мне надо выйти к нему!

— Вздор, милочка! Сейчас не время для пустяков. Он приехал по очень важному делу — просить твоей руки у твоего дяди и у меня.

— Надеюсь, дядюшка сказал ему, что распоряжаться ею вы не вправе? Как он посмел говорить кому-нибудь о своих намерениях, не объяснившись прежде со мной!

— Хелен!

— Что ответил дядя?

— Он сказал, что вмешиваться не собирается. Если ты решишь принять лестное предложение мистера Скукхема, то...

— Он так и сказал — «лестное»?

— Нет. Он сказал, что ты можешь отдать ему свою руку, если захочешь, а если нет — так нет.

— Он ответил правильно. А что сказали вы?

— Какое это имеет значение? Важно, что скажешь ты. Он сейчас ждет, чтобы сделать предложение прямо тебе. Но хорошенько подумай, и если ты намерена отказать ему, то прежде объясни мне свои причины.

— Разумеется, я ему откажу. Посоветуйте мне, как это сделать вежливо, но твердо. А когда я от него отделаюсь, то объясню вам причины.

— Погоди, Хелен! Присядь, успокойся, соберись с мыслями. Мистер Скукхем тебя не торопит, так как уверен в твоем согласии, а я полагаю, что обязана с тобой поговорить. Скажи, милочка, что ты имеешь против него? Можешь ли ты отрицать, что он добропорядочный, весьма достойный человек?

— Нет.

— И ты не отрицаешь, что он солиден, благоразумен, с безупречной репутацией?

— Нет. Вполне допускаю, что он именно таков, но...

— «Но», Хелен? Много ли таких людей надеешься ты встретить в свете? Добропорядочных, достойных, солидных, благоразумных, с безупречной репутацией? Неужели это столь уж заурядные качества, что ты без малейших колебаний готова отринуть того, кто наделен такой благородной натурой? Да, *благородной!* Только вдумайся в смысл этих слов, вспомни, сколько добродетелей объединяет каждое (а ведь я могла бы прибавить еще множество!) — и все они слагаются к твоим ногам! В твоей власти обрести до конца дней высочайшее благо, доступное женщине, — благородного, безупречного мужа, который любит тебя нежно, но не настолько слепо, чтобы не видеть твоих недостатков, будет тебе надежным проводником по земной юдоли и разделит с тобой вечное блаженство! Подумай, как...

— Но я его ненавижу, тетя! — воскликнула я, перебивая поток красноречия, столь необычный в ее устах.

— Ненавидишь, Хелен! По-христиански ли это? Ты *его ненавидишь?* Такого превосходного человека?

— Я ненавижу его не как человека, а как жениха. Как человека я люблю его столь сильно, что от души желаю ему найти жену лучше меня — не менее полную добродетелей, чем он сам, и даже более, если, по-вашему, это возможно. При условии, что она будет способна его любить. Я же никогда его не полюблю, а потому...

— Но почему? Что ты имеешь против него?

— Во-первых, ему по меньшей мере сорок лет — а может быть, и намного больше, — мне же только восемнадцать. Во-вторых, он в высшей степени самодоволен и не свободен от ханжества. В-третьих, его наружность, голос, манеры мне чрезвычайно неприятны. И наконец, он внушает мне отвращение, которое я никогда не смогу побороть.

— Так попробуй! Будь добра, сравни его с мистером Хантингдоном и, если оставить в стороне красивую внешность, которая не делает человека лучше и отнюдь не способствует семейному счастью и которой ты, по твоим словам, никогда ни малейшего значения не придавала, ответь, кто из них более достойный человек?

— Я не сомневаюсь, что мистер Хантингдон как человек много лучше, чем вы полагаете. Но ведь мы говорим не о нем, а о мистере Скукхеме. И раз уж я, чем стать его женой, предпочту жить дальше, состариться и умереть в благословенном девичестве, будет только благородно, если я скажу ему об этом прямо и не оставлю никаких напрасных надежд, а потому позвольте мне пойти к нему.

— Только не отказывай ему решительно. Он ничего подобного не предвидит и будет очень оскорблен. Скажи, что ты пока еще не думаешь о замужестве...

— Но я о нем думаю!

— ...или что хотела бы узнать его поближе.

— Но у меня нет ни малейшего желания узнавать его поближе. Как раз наоборот!

И, не дожидаясь дальнейших увещеваний, я вышла из комнаты и спустилась к мистеру Скукхему. Он расхаживал по гостиной, напевал обрывки каких-то мотивчиков и покусывал набалдашник трости.

— Моя милая барышня! — воскликнул он, расшаркиваясь и улыбаясь с величайшим самодовольством. — Я получил разрешение вашего добрейшего опекуна...

— Я знаю, сэр — ответила я, желая как можно скорее положить конец этому разговору. — И весьма благодарна вам за оказанную мне честь, но должна ее отклонить, потому что, мне кажется, мы не созданы друг для друга, как вы сами не замедлили бы обнаружить, если бы мы сделали такой опыт.

Тетушка была права: он, несомненно, не ждал отказа, а тем более решительного. Он был изумлен, ошеломлен моим ответом, но не пожелал ему поверить и не очень обиделся.

— Я понимаю, моя дорогая, что между нами существует заметная разница в годах, характерах, а может быть, и еще в чем-то. Но позвольте уверить вас, что я не буду строг к недостаткам и заблуждениям столь юной и пылкой натуры, как ваша. Да, замечая их про себя или даже пеняя за них с отеческой нежностью, я покажу себя куда более ласково-снисходительным к вам, чем любой юный влюбленный к предмету своего преклонения, и в этом вы можете вполне на меня положиться. А с другой стороны, разрешите мне уповать, что умудренность опытом и более спокойные привычки моего возраста не найдут осуждения в ваших глазах, ибо я приложу все усилия, дабы и они послужили вашему вящему счастью. Ну, так как же? Что вы скажете? Нужны ли между нами девические капризы и жеманство? Говорите прямо.

— Я так и намерена, но могу лишь повторить то, что уже сказала: мы не созданы друг для друга.

— Вы искренне так думаете?

— Да.

— Но ведь вы так мало меня знаете! При более близком знакомстве, когда у вас будет больше времени, чтобы...

— Нет, нет! Я уже достаточно вас знаю, и много лучше, чем вы меня, иначе у вас никогда не возникло бы мысли выбрать себе в подруги жизни столь мало соответствующую... столь не подходящую вам во всех отношениях!

— Но, милая моя барышня, я ведь не ищу совершенства и готов извинить...

— Благодарю вас, мистер Скукхем, но я не хочу злоупотреблять вашей добротой. Свою отеческую снисходительность вам лучше приберечь для более достойных, которые не будут подвергать ее столь тяжким испытаниям.

— Однако не откажите мне в нижайшей просьбе — посоветуйтесь со своей тетушкой, я уверен, что эта превосходнейшая...

— Я уже с ней советовалась и знаю, что ее желания совпадают с вашими. Но в столь важных для моей судьбы решениях я беру на себя смелость самой судить о их здравости. И никакие убеждения не могут изменить мою натуру или заставить поверить, что мое согласие составит мое счастье или ваше. И меня удивляет, как человек, столь умудренный жизненным опытом и столь проницательный, мог даже помыслить о том, чтобы выбрать себе такую жену!

— Что же, пожалуй... Меня и самого это порой удивляло. Я иногда спрашивал себя: «Послушай, Скукхем, чего ты хочешь? Поберегись! Сначала семь раз отмерь. Она прелестна, обворожительна, но вспомни! То, что особенно влечет влюбленного, часто оборачивается величайшими мучениями для мужа». Уверяю вас, свой выбор я сделал не без размышлений, не без длительных размышлений. Боязнь, не опрометчив ли мой выбор, принесла мне много тревожных мыслей днем и много бессонных часов ночью. Но под конец я уверил себя, что он отнюдь не так опрометчив. Я видел, что моя милая избранница не лишена недостатков, но юность ее, как мне верилось, в их число не входит, а лишь являет собой залог добродетелей, еще не раскрывшихся. И потому уповал, что небольшие изъяны в ее характере, ошибки в суждениях, кое-какие недостатки во вкусах и манерах не только не безнадежны, но будут легко исправлены или смягчены терпеливыми усилиями взыскательного, но не строгого советчика, а в тех случаях, когда мне все-таки не удастся убедить или поправить, я ради многих ее достоинств сумею извинить их. Итак, дражайшая барышня, я был с вами откровенен, так, может быть, вы скажете, что вам не нравится во мне? Чем я вам не угодил?

— По правде говоря, мистер Скукхем, причина моего отказа заключена во мне самой, а не в вас, и потому...

(Я собиралась докончить «оставим эту тему, так как ее бесполезно обсуждать дальше, и даже хуже!» Но он брюзгливо меня перебил.)

— И все же? Я бы любил вас, лелеял, оберегал...

И так далее, и так далее.

Не стану утруждать и записывать дальнейшую нашу беседу. Но он долго еще меня допекал и никак не хотел поверить, что я не кокетничаю, а действительно настолько упряма, настолько слепа к собственному своему благу, что ни у него, ни у моей тетушки нет ни малейшей надежды заставить меня переменить решение. Более того, я и сейчас не уверена, что сумела его убедить. Измученная тем, как он снова и снова возвращался к одному и тому же и пускал в ход все те же доводы, вынуждая и меня повторять все те же ответы, я, наконец, чуть на него не накричала. Мои последние слова были:

— Говорю вам прямо, этого не будет! Никакие соображения не вынудят меня выйти замуж против своих склонностей. Я уважаю вас... вернее, уважала бы, если бы вы вели себя как разумный человек, но полюбить вас я не могу и никогда не смогу. И чем дольше вы меня уговариваете, тем больше перестаете мне нравиться, а потому, прошу вас, довольно!

После этого он поклонился мне и ушел, без сомнения, обескураженный и оскорбленный. Но не по моей же вине!

Глава XVII
ДАЛЬНЕЙШИЕ ПРЕДОСТЕРЕЖЕНИЯ

На следующий день я отправилась с дядей и тетушкой на обед к мистеру Уилмоту. У него гостили две барышни, его племянница Аннабелла, очень красивая, со смелыми манерами, — ей уже двадцать пять лет, но, по ее собственным словам, она слишком большая кокетка, чтобы выйти замуж (хотя мужчины почти все ею восхищаются и называют чаровницей), — и ее кузина Милисент Харгрейв, которая прямо-таки влюбилась в меня, потому что я кажусь ей совсем не тем, что я есть. В ответ я очень к ней привязалась. И неприязнь, которую мне внушают мои столичные знакомые женского пола, на бедняжку Милисент не распространяется. Но этот обед я вспоминаю не из-за Милисент или ее кузины, но из-за того, что среди гостей мистера Уилмота оказался и мистер Хантингдон. Это обстоятельство не изгладилось из моей памяти потому, что я с тех пор его больше не видела.

За обедом он сидел далеко от меня, ибо волей судеб в пару ему назначили дородную вдовицу преклонных лет, а моим кавалером оказался мистер Гримсби, его приятель, но весьма неприятный человек. (В лице у него таится что-то зловещее, а манеры под слащавой неискренностью прячут какую-то свирепую грубость, и его соседство было мне невыносимо.) Кстати, какой это глупый обычай! Один из тех, что превращают ультрацивилизованную светскую жизнь в мучение! Уж если мужчинам обязательно сопровождать дам в столовую, то почему им нельзя приглашать тех, кого они предпочли бы?

Однако я вовсе не уверена, что мистер Хантингдон, будь на то его воля, попросил бы меня быть его соседкой за столом. Вполне возможно, что выбор его пал бы на мисс Уилмот, которая, казалось, всячески старалась завладеть его вниманием, а он был совсем не прочь приносить ей дань преклонения, которую она требовала. Во всяком случае, так я заключила, наблюдая, как они переговариваются через стол и смеются к большому негодованию своих забытых соседей. И потом, едва джентльмены присоединились к нам в гостиной, она сразу подозвала его к себе, чтобы он рассудил спор между ней и другой барышней, а он, тотчас подойдя к ним, мгновенно признал ее правой, хотя, по-моему, ошибалась как раз она. Он остался возле нее и весело болтал с ней и другими девицами и молодыми дамами, а я сидела рядом с Милисент в противоположном углу, рассматривала ее рисунки, указывала на их недостатки и давала ей советы, потому что она меня об этом попросила. Но как я ни старалась сохранять равнодушие, мой взгляд то и дело отрывался от рисунков и обращался на веселый кружок, и во мне поднимался непрошеный гнев, видимо омрачивший мое лицо, так как Милисент скоро сказала, что мне, наверное, надоела ее пачкотня — пусть лучше я вернусь к обществу, а рисунки досмотрю как-нибудь в другой раз... Я принялась заверять, что мне вовсе не хочется уходить от нее, что мне очень интересно, но тут к круглому столику, за которым мы устроились, подошел не кто иной, как сам мистер Хантингдон.

— Они ваши? — спросил он, небрежно взяв в руки один лист.

— Нет, мисс Харгрейв.

— А-а! Ну что же, поглядим!

И, не слушая заверений мисс Харгрейв, что они не стоят его внимания, он придвинул стул ко мне и начал брать из моих рук лист за листом, но после беглого взгляда бросал на стол, ни слова о них не упоминая, хотя не умолкал ни на секунду. Не знаю, что думала о таком поведении Милисент Харгрейв, но мне разговор с ним показался на редкость интересным, хотя когда я позже перебирала в уме все, что услышала, то не могла вспомнить почти ничего, кроме вышучивания большинства присутствовавших. Некоторые его наблюдения были очень умны, а другие очень смешны, но если их записать, они покажутся почти банальными. Ведь главным были выражение его лица, тон, жесты и то неотразимое и неизъяснимое очарование, которое словно ореолом одевает все, что он делает и говорит. Из-за этого очарования трудно было оторвать от него взгляд, оно превратило бы его голос в музыку, даже если бы говорил он скучный вздор, — и оно же заставило меня рассердиться на тетушку, когда она прервала нашу восхитительную беседу под предлогом, что тоже хочет взглянуть на рисунки. А ведь нисколько не интересуется искусством и ничего в нем не понимает! Перебирая листы, тетушка самым холодным и сухим своим тоном начала задавать мистеру Хантингдону самые банальные и пустые вопросы, только чтобы отвлечь его от меня — чтобы досадить мне, решила я, и, посмотрев последний рисунок, оставила их и села на диванчик вдали от остального общества, даже не подумав, каким странным может показаться подобное поведение. Вначале я просто поддалась своей досаде, а затем погрузилась в размышления.

Впрочем, я недолго оставалась одна — мистер Уилмот, наиболее неприятный мне из всех находившихся в комнате джентльменов, заметил, что я уединилась, и поспешил усесться рядом со мной. Мне казалось, я столь успешно охлаждала его пыл во всех наших прежних разговорах, что могла более ничего не опасаться, но, видимо, я ошибалась. Так глубоко он верил в неотразимость то ли своего богатства, то ли былой галантности и настолько не сомневался в слабости женщин, что, ничтоже сумняшеся, возобновил осаду с прежней настойчивостью, к тому же подогретой винными возлияниями. Последнее обстоятельство сделало его еще омерзительнее. Но как ни был он мне противен, обойтись с ним грубо я не хотела — ведь я была его гостьей и только что вкусила его хлеба, а как избавиться от него решительно, но вежливо, я не знала. Впрочем, это вряд ли помогло бы: он настолько лишен деликатности чувств, что остановить его могла бы наглость, равная его собственной. Он только все больше рассыпался в притворных нежностях, все больше разгорячался, и я в отчаянии уже собиралась сказать сама не знаю что, как вдруг моя рука, лежавшая на ручке диванчика, ощутила ласковое, но жаркое пожатие. Я сразу же инстинктивно поняла, кто это, и, повернувшись, увидела перед собой улыбающегося мистера Хантингдона не столько с удивлением, сколько с восторгом. Словно от гнусного демона в Чистилище меня заслонил ангел света, явившийся возвестить, что моим мучениям пришел конец.

— Хелен, — сказал он. (Он часто называл меня Хелен, и такая свобода обращения ничуть меня не сердила.) — Вам непременно надо взглянуть на эту картину. Мистер Уилмот, конечно, извинит вас, если вы покинете его.

Я поспешно встала, он взял меня под руку и повел к противоположной стене, которую украшала чудная картина Ван Дейка, которую я давно заметила, но еще не имела случая рассмотреть внимательно. После минутного молчаливого созерцания я было заговорила о ее необыкновенных достоинствах и особенностях, но он шаловливо погладил мою руку, все еще удерживая ее на сгибе своего локтя, и перебил меня словами:

— Забудьте про картину, я вас сюда привел не ради нее, а чтобы избавить от ухаживаний старого селадона, который сейчас смотрит на меня так, словно собирается прислать мне вызов за такой афронт.

— Я вам очень-очень обязана, — сказала я. — Вы уже второй раз спасаете меня от неприятных собеседников!

— Ну, это не стоит благодарности, — возразил он. — Ведь я поступил так не только потому, что хотел выручить вас. Меня толкнула на это еще и досада на ваших мучителей: я был просто в восторге, что могу щелкнуть старичков по носу, хотя, мне кажется, особых причин опасаться их как соперников у меня нет. Не правда ли, Хелен?

— Вы знаете, что я не выношу их обоих.

— Вместе со мной?

— Для этого у меня нет причин.

— Но какие чувства вы испытываете ко мне? Хелен, отвечайте! Как вы относитесь ко мне?

И вновь он пожал мою руку. Но мне почудилось, что в его выражении было больше властности, чем нежности, да и какое право имел он вырывать у меня признание в благосклонности, если сам о своих чувствах не сказал ни слова? От растерянности я не знала, что ответить. Наконец я пробормотала:

— А как *вы* относитесь ко мне?

— Прелестный ангел, я вас обожаю! Я...

— Хелен, ты мне нужна, — тихо, но явственно произнес голос тетушки совсем рядом, и я оставила его шепотом осыпать проклятиями своего злого ангела.

— Что такое, тетя? — спросила я, следуя за ней в эркер. — Зачем я вам нужна?

— Я хочу, чтобы ты присоединилась к обществу, когда примешь приличный вид, — ответила она, сурово меня оглядывая. — Но будь добра, останься здесь, пока эта непристойная краска не сойдет с твоих щек, а твои глаза не обретут обычного выражения. Мне стыдно подумать, что кто-то заметит, в каком ты виде!

Естественно, от таких слов «непристойная краска» не только не отхлынула от моих щек, но начала их жечь огнем, который раздували разные чувства, но особенно возмущение и даже гнев. Тем не менее я промолчала и, откинув занавеску, поглядела в темноту — а вернее, на озаренную фонарями площадь.

— Мистер Хантингдон сделал тебе предложение, Хелен? — спросила моя чересчур наблюдательная дуэнья.

— Нет.

— Тогда, что же он говорил? То, что услышала я, очень походило на объяснение.

— Я не знаю, что он сказал бы, если бы вы его не перебили.

— Но если бы он сделал тебе предложение, ты приняла бы его, Хелен?

— Разумеется, нет... Не посоветовавшись прежде с дядей и с вами.

— А! Я рада, милочка, что ты еще сохраняешь какое-то благоразумие. Ну а теперь, — добавила она после краткого молчания, — постарайся больше не привлекать к себе внимания. Я вижу, дамы удивленно на нас поглядывают. Я пойду к ним, а ты подожди, пока не успокоишься и не возьмешь себя в руки.

— Я уже спокойна.

— В таком случае не повышай голоса и не гляди так злобно, — ответила моя невозмутимая, но язвительная тетушка. — Вскоре мы вернемся домой, и тогда, — добавила она с мрачной многозначительностью, — я должна буду сказать тебе еще многое.

И всю недолгую дорогу домой я ожидала грозных нравоучений. В карете мы обе хранили молчание. Но когда я поднялась к себе в комнату и бросилась в кресло, чтобы обдумать события вечера, тетушка вошла следом за мной, отослала Рейчел, которая убирала в шкатулку мои драгоценности, закрыла за ней дверь и, поставив стул рядом с креслом, а точнее, под углом к нему, села. Разумеется, я тотчас хотела уступить ей свое кресло, но она остановила меня и начала:

— Хелен, ты помнишь наш разговор перед тем, как мы уехали из Стейнингли?

— Да, тетя.

— И помнишь, как я просила тебя остерегаться, чтобы кто-нибудь недостойный не похитил твое сердце? Как предупреждала, чтобы ты не дарила своего чувства, если им не руководит одобрение, если рассудок и осмотрительность противятся...

— Да, но мой рассудок...

— Извини... ты помнишь, как заверяла меня, что опасаться за тебя нечего, что у тебя даже соблазна возникнуть не может выйти за человека пустого или без нравственных принципов, каким бы красивым и очаровательным он ни казался? Что такого человека ты полюбить не способна, что можешь его ненавидеть, презирать, жалеть, но только не любить? Это твои слова?

— Да, но...

— И разве ты не сказала, что твоим чувством *должно* руководить одобрение, что, не одобряя, не уважая, не почитая, ты любить не можешь?

— Да. Но я и одобряю, и уважаю, и почитаю...

— Как так, милочка? Разве мистер Хантингдон хороший человек?

— Он гораздо лучше, чем вы его считаете.

— Речь не об этом. Хороший ли он человек?

— Да, в некоторых отношениях. У него добрые задатки.

— А нравственные принципы у него есть?

— Может быть... не совсем. Но только по некоторому легкомыслию. Если бы кто-то рядом с ним давал ему советы, напоминал, что достойно...

— То он скоро научился бы разбирать, что хорошо, а что дурно? А ты с удовольствием стала бы его наставницей? Но, милочка, он, если не ошибаюсь, старше тебя на полных десять лет, так каким же образом ты опередила его в нравственной зрелости?

— Благодаря вам, тетя, я получила нравственное воспитание и всегда видела перед собой хорошие примеры, чего он, вероятно, был лишен. К тому же у него сангвиническая натура, он весел и беззаботен, а я склонна к задумчивости.

— Из твоих же слов выходит, что он пустой человек без нравственных принципов, а по твоему собственному признанию...

— К его услугам мои принципы, моя рассудительность...

— Это похоже на похвальбу, Хелен. Ты полагаешь, что наделена ими на двоих? И воображаешь, что твой веселый, беззаботный повеса допустит, чтобы им руководила молоденькая девчонка вроде тебя?

— Нет. Я вовсе не хочу им руководить. Но мне кажется, что у меня достанет влияния спасти его от некоторых ошибок, и я считаю, что моя жизнь не пройдет напрасно, если я посвящу ее тому, чтобы спасти столь благородную душу от гибели. Он теперь всегда слушает очень внимательно, когда я говорю с ним на серьезные темы (а я часто осмеливаюсь пенять ему за слишком шутливую манеру выражаться), и не раз повторял, что, будь я всегда рядом с ним, он бы не делал и не говорил ничего дурного, и одного короткого разговора со мной, но только каждый день, было бы довольно, чтобы сделать из него святого. Конечно, это отчасти шутка, отчасти лесть, и все же...

— И все же ты полагаешь, что это правда?

— Если я полагаю, что в его словах есть правда, то потому лишь, что верю не в свое влияние, а в природное благородство его натуры. И вы напрасно называете его повесой, тетя. Он вовсе не повеса!

— Кто тебе это сказал, милочка? А слухи о его интрижке с замужней дамой, с леди... леди... как бишь ее там? Ведь мисс Уилмот на днях рассказала тебе всю историю.

— Это ложь! Ложь! — вскричала я. — Не верю ни единому слову.

— Значит, ты считаешь его добродетельным, во всех отношениях порядочным человеком?

— Я знаю только, что не слышала о нем ничего плохого — то есть ничего, чему было бы хоть малейшее доказательство. А я не верю никаким самым черным обвинениям, пока они остаются недоказанными. И в одном я убеждена: если он и совершал ошибки, то лишь свойственные молодости, каким никто значения не придает. Ведь я вижу, как он всем нравится, как улыбаются ему все маменьки и как все барышни — и мисс Уилмот среди них — ждут не дождутся, чтобы он их заметил.

— Хелен, пусть свет смотрит сквозь пальцы на такое поведение, пусть находятся безнравственные матери, которые ловят для своих дочерей богатых женихов, невзирая на их репутацию, пусть глупые девчонки радуются улыбкам веселого красавца и не стараются заглянуть глубже, но мне казалось, что ты выше того, чтобы смотреть их глазами и судить с их легкомыслием. Я не думала, что ты сочтешь подобные ошибки ничего не значащими!

— Вовсе нет, тетя, но хотя я ненавижу грехи, я люблю грешника и готова на многое ради его спасения, даже если предположить, что ваши подозрения в большинстве своем справедливы — чему я не верю, и никогда не поверю!

— Что же, милочка, спроси у своего дяди, в каком обществе он вращается, каких распутных молодых людей называет закадычными друзьями, веселыми товарищами своих забав, спроси, с каким наслаждением они предаются пороку и соперничают друг с другом, кто быстрее ринется в пропасть, уготованную духу зла и ангелам его.

— Тогда я спасу его от них!

— Ах, Хелен, Хелен! Ты не понимаешь, на какие горести обрекаешь себя, связывая свою судьбу с подобным человеком!

— Я уверена в нем, тетя, что бы вы ни говорили, и с радостью рискну своим счастьем ради него. А тех, кто лучше, я оставлю тем, кто думает лишь о собственном благополучии. Если он поступал неверно, я постараюсь употребить мою жизнь на то, чтобы спасти его от последствий ошибок молодости, вернуть на путь добродетели. И дай мне Бог преуспеть в этом!

Тут наш разговор прервал голос дяди, громко требовавшего, чтобы тетя шла наконец спать. Он был в очень дурном расположении духа, потому что у него разыгралась подагра, которая начала его терзать, едва мы приехали в Лондон, и тетушка, воспользовавшись этим, утром убедила его немедленно вернуться в деревню, пусть сезон еще не кончился. Врач всячески ее поддержал, и вопреки своему обыкновению она так поторопилась со сборами (мне кажется, столько же ради меня, сколько ради дядюшки), что мы уехали через два дня, и я больше не видела мистера Хантингдона. Тетушка льстит себя мыслью, что я его скоро забуду, а возможно, думает, что он уже забыт, — ведь я ни разу не упомянула его имени. И пусть остается в этом убеждении, пока мы вновь не встретимся — если когда-нибудь встретимся.

Глава XVIII
МИНИАТЮРА

25 августа. Мало-помалу я вернулась к прежним своим занятиям и тихим развлечениям. Я бодра, даже весела, но с нетерпением жду весны, когда мы, наверное, опять поедем в Лондон. Нет, меня влекут не столичные удовольствия и суета, а надежда вновь увидеться с мистером Хантингдоном — он по-прежнему со мной в моих мыслях и в моих снах. Все, чем я занимаюсь, все, что я вижу или слышу, связано для меня с ним. Все, что я узнаю, чему учусь, когда-нибудь послужит для его пользы или развлечения; новые красоты, которые открываются мне в природе или в искусстве, я запечатлеваю карандашом или кистью, чтобы когда-нибудь и он их увидел, или запоминаю, чтобы в будущем рассказать о них ему. Во всяком случае, такую надежду я лелею, такие грезы скрашивают мой одинокий путь. Быть может, это лишь блуждающие огоньки, но что дурного последить за ними взглядом, полюбоваться их блеском, если я не дам им сбить меня с верного пути? А последнего, полагаю, никогда не случится, потому что я много размышляла над советами тетушки и теперь ясно вижу, как безрассудно было бы отдать свою жизнь тому, кто не достоин любви, на которую способна я, кто не может ответить на лучшие и сокровеннейшие чувства моего сердца, — вижу так ясно, что даже если мы снова встретимся, если он еще помнит и любит меня (увы, как мало это вероятно при его образе жизни среди таких друзей!) и попросит стать его женой, я твердо решила не давать согласия, пока точно не узнаю, чье мнение о нем, мое или тетушкино, ближе к истине. Ведь если мое окажется неверным, значит, я люблю не его, а призрак, созданный моим воображением. Но не думаю, что я ошиблась в нем. Нет, нет! Есть какой-то таинственный инстинкт, какой-то голос души, заверяющий меня, что я права. Натура его прекрасна по природе, и каким счастьем будет помочь ей расцвести! Если на него воздействует тлетворное влияние развращенных и порочных друзей, какой чудный подвиг — спасти его от них! Ах, если бы я могла поверить, что Небеса предназначили меня для этого!

Нынче первое сентября, но дядюшка приказал лесничему приберечь фазанов для приезда джентльменов.

— Каких джентльменов? — спросила я, когда услышала об этом.

Оказывается, он пригласил пострелять дичь небольшое общество. В том числе своего друга мистера Уилмота и друга моей тетушки мистера Скукхема. Я ужаснулась, но все мои сожаления и досада тотчас были забыты, едва я услышала, что третьим будет мистер Хантингдон! Тетушка, разумеется, против того, чтобы он гостил у нас. Она всячески уговаривала дядю не приглашать его, но он лишь засмеялся и сказал, что уже поздно — он пригласил мистера Хантингдона и его друга лорда Лоуборо еще в Лондоне, и теперь остается только назначить день охоты. Так, значит, он жив, здоров, и я его увижу! Однако я должна скрывать свою радость, пока не узнаю, следует ли мне дать волю своим чувствам или нет. Если я приду к убеждению, что мой долг — подавить их, они никого не ранят, кроме меня. Если же я докажу себе, что они оправданы, то не устрашусь ничего, даже гнева и горя лучшего моего друга на земле. Скоро я уже, конечно, буду знать все. Но они приедут только в середине месяца.

У нас будут гостить и две барышни: мистер Уилмот привезет свою племянницу и ее кузину Милисент. По-моему, тетушка думает, что мне пойдет на пользу общество этой последней, благой пример ее кротости и скромности. А в первой, подозреваю, она видит блестящую приманку, которая отвлечет мистера Хантингдона от меня. Ну я ей не буду за это благодарна! Но Милисент я искренне рада. Она очень милая, добрая девушка, и я хотела бы быть на нее похожей. То есть отчасти.

19 сентября. Они приехали. Они приехали позавчера. Сейчас все джентльмены отправились стрелять куропаток, барышни сидят с тетушкой в гостиной за рукоделием, а я ушла в библиотеку, потому что очень несчастна и хочу побыть одна. Чтение меня не развлекает, и вот, открыв дневник, я изложу причины этой тоски, а тогда, быть может, легче пойму, что мне следует делать. Эта страница будет моей наперсницей, и я изолью ей всю душу. Она не посочувствует моим страданиям, но и не посмеется над ними. И никому про них не проговорится, если я буду беречь ее от посторонних глаз. Вот почему подруги лучше мне, пожалуй, не найти.

Во-первых, расскажу о его приезде — как я сидела у окна и смотрела на дорогу почти два часа, прежде чем его экипаж миновал ворота парка, — они все прибыли раньше, и как горько было всякий раз обманываться в ожиданиях! Первым приехал мистер Уилмот с барышнями. Когда Милисент поднялась к себе в комнату, я на несколько минут покинула свой пост, чтобы поздороваться с ней и побеседовать наедине — мы ведь обменивались длинными письмами и стали близкими подругами. Вернувшись к окну, я увидела подъехавшую карету. Неужели он? Нет. Я узнала простой черный кабриолет мистера Скукхема, а потом увидела на крыльце и его самого — он внимательно следил, как слуги вносят в дом багаж. Столько баулов и свертков, словно он приехал на полгода, не меньше! Через порядочный срок подъехал лорд Лоуборо в ландо. Один из его друзей-повес? Пожалуй, нет. Я уверена, никто не назвал бы его веселым товарищем своих забав. Да и держится он столь серьезно и благовоспитанно, что никак не заслуживает подобных подозрений. Это высокий, худощавый, угрюмый человек лет тридцати пяти на вид, с лицом несколько болезненным и сумрачным.

Наконец к крыльцу лихо подкатил легкий фаэтон мистера Хантингдона, но его самого я почти не увидела — так быстро он выпрыгнул на ступеньки и тотчас скрылся в доме.

Тогда я наконец подчинилась необходимости переодеться к обеду — Рейчел уже минут двадцать меня теребила, — а по завершении этой важной процедуры спустилась в гостиную, где нашла мистера и мисс Уилмот, а также Милисент. Вскоре вошел лорд Лоуборо, а следом за ним мистер Скукхем, который как будто был готов весьма охотно простить и забыть мой отказ в уповании, что кое-какими улещиваниями и упорством он еще сумеет меня образумить. Едва он направился к окну, где я стояла с Милисент, и принялся разглагольствовать в обычном своем духе, как в гостиную вошел мистер Хантингдон.

«Как он поздоровается со мной?» — спросила я свое трепещущее сердце и не пошла ему навстречу, а, наоборот, отвернулась к окну, чтобы совладать со своими чувствами. Но, поздоровавшись с хозяином и хозяйкой дома и с остальными гостями, он сам подошел ко мне, пылко пожал мне руку и нежно сказал, что очень рад снова со мной увидеться. Тут доложили, что обед подан, тетушка попросила его быть кавалером мисс Харгрейв, а мне с омерзительными ужимками подставил свой локоть отвратительный мистер Уилмот. Я была осуждена сидеть за столом между ним и мистером Скукхемом! Но когда мы все вновь сошлись в гостиной, меня вознаградили за мои муки слишком короткие, но восхитительные минуты разговора с мистером Хантингдоном.

В течение вечера мисс Уилмот попросили развлечь общество пением и музыкой, а меня — моими рисунками, и, по-моему, хотя он любит музыку и она превосходная музыкантша, я не ошибусь, сказав, что мои рисунки занимали его больше, чем ее пение.

Все шло отлично, но вдруг он произнес вполголоса с каким-то особым выражением:

— А вот этот — лучше всех!

Я взглянула, чтобы понять, чем вызвана такая похвала, и в ужасе обнаружила, что он самодовольно смотрит *на оборотную сторону* листа, на собственное лицо, которое я там набросала и забыла стереть! Хуже того: вне себя от смущения я хотела вырвать у него лист, но он предупредил мое намерение, быстро прижал его к жилету, застегнул фрак с восхищенным смешком и воскликнул:

— Нет! Клянусь всеми святыми, его я оставлю себе!

Затем, придвинув подсвечник к самому своему локтю, он забрал все рисунки (и те, которые уже смотрел, тоже), пробормотал «уж теперь я буду разглядывать обе стороны» и перешел от слов к делу. Вначале я следила за ним почти спокойно, в уверенности, что больше он там не найдет пищи для своего тщеславия. Хотя оборотная сторона нескольких листов хранила следы попыток запечатлеть это преследовавшее меня лицо, я твердо помнила, что за единственным злополучным исключением стерла все эти доказательства моего увлечения. Однако карандаш часто оставляет на картоне неизгладимые вдавленные линии, и я, признаюсь, со все возраставшим трепетом следила, как он подносит листы к пламени свечи, внимательно вглядываясь в словно бы совершенно чистую поверхность. Тем не менее я тешила себя надеждой, что эти еле заметные отпечатки ему ничего не скажут. Однако я ошиблась. Осмотрев последний лист, он сказал негромко:

— Как вижу, барышни приберегают оборотную сторону рисунков, как и постскриптумы в своих письмах, для самого важного и интересного!

Он откинулся на спинку кресла и несколько минут размышлял в молчании, продолжая довольно улыбаться, а затем, пока я еще только подбирала слова, чтобы согнать эту улыбку с его губ, он вдруг встал, направился туда, где Аннабелла Уилмот отчаянно кокетничала с лордом Лоуборо, опустился на кушетку рядом с ней и уже не отходил от нее до конца вечера.

«Значит, — подумала я, — он презирает меня, так как понял, что я его люблю».

И мне стало так горько, что я не знала, куда деваться. Ко мне подошла Милисент, взяла мои рисунки и начала ими восхищаться, но у меня не было сил говорить с ней. И ни с кем другим тоже. Едва внесли чай, как я воспользовалась общим движением в комнате и ускользнула в библиотеку — я чувствовала, что расплескаю чашку. Тетушка прислала за мной Томаса, но я сказала, что чай пить сегодня не буду. К счастью, она была занята гостями и оставила меня в покое. Во всяком случае, тогда.

Гости устали после долгого пути, и общество разошлось рано. Я услышала, что все они — как мне показалось — поднялись к себе в спальни, и направилась в гостиную, чтобы взять свою свечу. Однако мистер Хантингдон задержался. Он как раз поставил ногу на нижнюю ступеньку, но, услышав мои шаги — хотя сама я их почти не слышала, — тотчас обернулся.

— Хелен, это вы? — спросил он. — Почему вы убежали от нас?

— Спокойной ночи, мистер Хантингдон, — произнесла я холодно, не отвечая на его вопрос, и повернулась к дверям гостиной.

— Но вы дадите мне пожать вашу руку? — произнес он, преградил мне путь, не дожидаясь моего разрешения, схватил мою руку, крепко сжал в своих и не отпускал.

— Не задерживайте меня, мистер Хантингдон, — сказала я. — Мне надо взять свечу.

— Свеча подождет! — возразил он небрежно.

Я попыталась высвободить руку.

— Ну почему вы так торопитесь покинуть меня, Хелен? — сказал он с дразнящей улыбкой. — Вы же знаете, что вовсе не ненавидите меня!

— Нет, ненавижу... сейчас.

— Ничего подобного. Ненавидите вы Аннабеллу Уилмот, а совсем не меня.

— Я совершенно не интересуюсь Аннабеллой Уилмот! — воскликнула я, вспыхивая от негодования.

— А вот я так да, как вам известно, — ответил он, подчеркивая каждое слово.

— Мне это безразлично, сэр! — возразила я.

— Так-таки совсем уж безразлично, Хелен? Вы поклянетесь в этом? Поклянитесь!

— И не подумаю, мистер Хантингдон! Немедленно отпустите меня! — потребовала я, не зная, то ли плакать, то ли смеяться, то ли дать волю гневу.

— Ну так идите, плутовка! — сказал он, но едва отпустил мою руку, как дерзко обнял меня за шею и поцеловал!

Вся дрожа от негодования, волнения и не знаю от чего еще, я вырвалась, схватила свечу и бросилась вверх по лестнице. Он бы никогда не осмелился, если бы не этот ненавистный рисунок! И ведь он у него так и остался — вечный памятник его торжества и моего унижения!

Ночью я почти не сомкнула глаз, а утром встала в растерянности, мучаясь мыслью, как мы встретимся за завтраком. Я не знала, что мне делать. Принять вид холодного, высокомерного равнодушия? Но ведь он знает о моем увлечении, пусть даже только его лицом! И все-таки надо было как-то положить предел его самонадеянности. Нельзя же допустить, чтобы эти ясные смеющиеся глаза помыкали мной! Поэтому я ответила на его веселое утреннее приветствие с таким ледяным спокойствием, какое только могла бы пожелать тетушка, и короткими сухими ответами положила конец двумтрем его попыткам завязать со мной разговор. Зато с остальными я держалась с необычайной веселостью и любезностью — особенно с Аннабеллой Уилмот. Даже ее дядя и мистер Скукхем не составили в это утро исключение — я была с ними почти мила, не из кокетства, а желая показать ему, что моя холодность и сдержанность вовсе не следствие дурного расположения духа или уныния.

Однако моя тактика его не оттолкнула. Он почти не обращался ко мне, но когда заговаривал, то с непринужденностью, откровенностью и... и, да, *добротой,* которая словно намекала, что ему отлично известно, какой музыкой звучит в моих ушах его голос. А когда наши взгляды встречались, он улыбался улыбкой — пусть самонадеянной, но такой светлой, такой нежной, такой ласковой, что я невольно перестала сердиться. Последние остатки гнева скоро исчезли из моего сердца, словно утренний туман под солнечными лучами.

После завтрака все джентльмены, за исключением одного, с мальчишеским азартом собрались пострелять злополучных куропаток. Дядя и мистер Уилмот — верхом на охотничьих лошадках, мистер Хантингдон и лорд Лоуборо — пешком. Исключение составил мистер Скукхем, который, памятуя, что ночью шел дождик, счел за благо задержаться и присоединиться к остальным, когда солнце подсушит траву. Он долго и обстоятельно поучал нас, сколь опасно и вредно промачивать ноги, и сохранял при этом невозмутимую серьезность, несмотря на хохот и насмешки дяди и мистера Хантингдона, которые предоставили благоразумному охотнику развлекать женскую половину общества медицинскими наставлениями, а сами с ружьями за плечами направили стопы свои на конюшню, чтобы посмотреть лошадей и взять собак.

Не испытывая особого желания провести утро в компании мистера Скукхема, я удалилась в библиотеку, поставила там мольберт и взяла палитру. Краски и кисти послужили бы мне оправданием, если бы тетушка заглянула в библиотеку сделать мне выговор за то, что я оставила ее одну занимать гостей. К тому же мне хотелось дописать давно начатую картину. Я вложила в нее много стараний и верила, что она будет моим шедевром, хотя притязания мои довольно честолюбивы. Яркая лазурь небес, теплые световые эффекты и густые длинные тени по моему замыслу воплощают идею солнечного утра. Я осмелилась сделать траву и листья более сочно-зелеными, чем это обычно принято, желая передать их юную свежесть на исходе весны или в самом начале лета. Картина изображает лесную поляну. Темная купа елей на среднем плане смягчает излишнюю яркость других оттенков зелени, а на первом плане я написала могучий дуб — вернее, часть толстого узловатого ствола и несколько ветвей, одетых почти золотистой листвой. Но это не осеннее золото, а блеск солнечных лучей, пронизывающих нежные едва-едва развернувшиеся резные листочки. На нижней ветви, контрастно выделяющейся на угрюмом фоне елей, сидит пара влюбленных голубков, чье сизое оперение создает еще один контраст, но иного рода — чуть навевающий грусть. А возле ствола в траве, усеянной звездами маргариток, стоит на коленях, закинув голову, юная девушка: волна белокурых кудрей ниспадает ей на плечи, руки сжаты, губы полуоткрыты, а глаза с неизъяснимым восторгом устремлены на пернатых влюбленных, которые, всецело поглощенные друг другом, не замечают ее присутствия.

Я только-только приступила к работе (впрочем, мне оставалось сделать лишь несколько завершающих мазков), когда под окном прошли охотники, возвращавшиеся из конюшни. Оно было приоткрыто, и мистер Хантингдон, вероятно, увидел меня, так как через полминуты он вернулся, прислонил ружье к стене, поднял раму, впрыгнул в комнату и встал перед картиной.

— Очень красиво, клянусь честью, — произнес он после нескольких секунд внимательного созерцания. — И тема особенно подходящая для юной барышни. Весна, переходящая в лето, утро, переходящее в полдень, детская наивность, расцветающая в женственность, и грезы, которые вот-вот станут явью. Она прелестна, но почему вы не захотели сделать ее волосы черными?

— Мне казалось, что светлые волосы пойдут ей больше. Вы же видите, я сделала ее голубоглазой, пухленькой, белокурой и румяной.

— Истинная Геба! Я бы влюбился в нее, если бы не видел перед собой художницу. Обворожительная невинность! Она думает, что настанет время, когда и ее, как эту голубку, покорит нежный и пылкий влюбленный, и еще она думает, каким блаженством это будет, какой верной и любящей найдет он ее!

— И может быть, — добавила я, — каким верным и любящим найдет она его.

— Быть может... Ведь в таком возрасте буйная игра воображения не знает пределов.

— По-вашему, *это* такая уж буйная игра воображения?

— Нет. Мое сердце опровергает мои слова. Прежде я мог бы так подумать, но теперь я скажу: дайте мне назвать своей ту, кого я люблю, и я поклянусь ей в вечной верности, ей одной, летом и зимой, в молодости и в старости, в жизни и в смерти. Если старость и смерть все-таки неизбежны!

Он сказал все это так серьезно, так искренне, что сердце у меня подпрыгнуло от радости, но мгновение спустя, изменив тон, он спросил с многозначительной улыбкой, нет ли у меня «еще портретов».

— Нет, — ответила я, краснея от смущения и досады. Но на столе лежала папка с моими рисунками. Он взял ее и, сев у стола, хладнокровно приготовился их перебирать.

— Мистер Хантингдон, это неоконченные наброски! Я никому не разрешаю на них смотреть! — вырвалось у меня.

И я взялась за папку, чтобы отобрать, но он прижал ее ладонью и заверил меня, что «больше всего на свете любит смотреть наброски».

— А я ненавижу, если на них смотрят! — возразила я. — Отдайте папку! Я не могу оставить ее вам.

— Ну, так оставьте мне ее содержимое, — ответил он, и в ту секунду, когда я вырвала у него папку, он ловко вытащил больше половины рисунков и почти сразу же воскликнул: — Клянусь солнцем, еще один!

С этими словами он положил в жилетный карман небольшой овал веленевой бумаги — миниатюру, которой я была настолько довольна, что с большим тщанием ее раскрасила. Но мне совсем не хотелось, чтобы она осталась у него.

— Мистер Хантингдон! — воскликнула я. — Верните мне ее сейчас же. Она моя, и вы не имели никакого права брать ее! Сейчас же отдайте, или я вам этого никогда не прощу!

Но чем взволнованнее я настаивала, тем больше он смеялся, торжествуя, и совсем вывел меня из себя. Однако в конце концов он возвратил мне миниатюру со словами:

— Ну, раз уж вам она так дорога, не стану вас ее лишать!

Чтобы показать ему, как она мне дорога, я разорвала миниатюру пополам и бросила в огонь. К этому он готов не был и, сразу перестав смеяться, в немом изумлении следил, как огонь пожирает это сокровище.

— Хм! Пора пойти пострелять, — бросил он затем небрежно, повернулся, выпрыгнул в окно, щегольски надел шляпу, взял ружье и, насвистывая, удалился, что, впрочем, не помешало мне докончить картину, так как в ту минуту я радовалась его досаде.

Вернувшись в гостиную, я обнаружила, что мистер Скукхем решился присоединиться к остальным охотникам, и после второго завтрака, к которому они не вернулись, как и были намерены, я предложила Милисент и Аннабелле показать им окрестности. Мы долго гуляли и вошли в ворота парка почти вместе с возвращавшимися охотниками. Измученные трудами праведными, в одежде, хранящей следы сырости и глины, почти все они свернули на траву, стараясь держаться подальше от нас, но мистер Хантингдон, хотя был перепачкан с головы до ног и обрызган кровью своих жертв — весьма шокировав мою строгую тетушку, — поспешил нам навстречу, одаряя веселыми улыбками и шутками всех, кроме меня. Затем он пошел между Аннабеллой Уилмот и мной и принялся рассказывать о всевозможных охотничьих подвигах и злоключениях, которые выпали на их долю в этот день, так оригинально и забавно, что не будь мы в ссоре, я бы смеялась до слез. Но он обращался только к Аннабелле, и я, разумеется, предоставляла ей смеяться и поддразнивать его, а сама, напустив на себя полное безразличие, шла чуть в стороне и глядела на что угодно, только не на них. Тетушка шла, опираясь на руку Милисент, и о чем-то с ней серьезно беседовала. Внезапно мистер Хантингдон обернулся ко мне и доверительным шепотом спросил:

— Хелен, почему вы сожгли мой портрет?

— Потому что хотела его уничтожить! — ответила я с раздражением, о котором теперь поздно сожалеть.

— Превосходно! — сказал он. — Если вы меня цените столь мало, придется мне поискать кого-нибудь, кому мое общество будет приятно.

Я подумала, что он шутил, прикидываясь покорным судьбе и равнодушным, но он тотчас вернулся к мисс Уилмот, и с той минуты до этой — весь тот вечер, и весь следующий день, и весь следующий, и следующий, и все нынешнее утро (двадцать второго) — он ни разу не сказал мне ни единого ласкового слова, ни разу не посмотрел на меня с нежностью, разговаривал со мной только, когда этого требовала необходимость, а если и смотрел в мою сторону, то с холодной враждебностью, на какую я не считала его способным.

Тетушка заметила эту перемену, и, хотя не осведомилась о причине и вообще ни словом о ней не обмолвилась, я вижу, что она довольна. Мисс Уилмот тоже ее заметила и с торжеством приписывает это собственным более неотразимым чарам и кокетству. А я несчастна — даже самой себе боюсь признаться, как несчастна! И гордость не приходит мне на помощь. Она ввергла меня в эту беду, но не хочет выручить.

Он же ничего дурного не думал! Он ведь всегда весел и шутлив, а я моим кислым раздражением, таким серьезным, таким неуместным, столь глубоко ранила его чувства и оскорбила его, что, боюсь, он никогда меня не простит, — и все из-за простой шутки! Он думает, что неприятен мне, — пусть думает. Я должна навеки его потерять, и пусть Аннабелла покорит его и торжествует, сколько ее душе угодно.

Но я страдаю не потому, что потеряла его, и не потому, что она торжествует, но потому, что напрасно мечтала стать ему опорой, а она недостойна его привязанности, и, вверив свое счастье ей, он причинит себе столько горя! Ведь она его не любит, она думает только о себе. Ей не дано понять лучшие качества его натуры, она не увидит их, не оценит, не поможет им укрепиться. Она не будет ни скорбеть о его прегрешениях, ни искать им исправления, но лишь добавлять к ним свои собственные. Впрочем, у меня нет уверенности, что она его не обманет. Я вижу, какую двойную игру она ведет с ним и лордом Лоуборо: развлекаясь с веселым, шутливым Хантингдоном, она всячески старается заманить в свои сети его меланхоличного друга. И если ей удастся бросить к своим ногам их обоих, то сын простого помещика, каким бы привлекательным он ни был, вряд ли возьмет верх над титулованным пэром. А он если и замечает ее хитрые уловки, то они его нисколько не смущают, но лишь делают интереснее его забаву, создавая препятствия, надбавляющие цену чересчур уж легкой победе.

Господа Уилмот и Скукхем не замедлили воспользоваться его пренебрежением ко мне и возобновили свои ухаживания. Будь я похожа на Аннабеллу и ей подобных, то могла воспользоваться их настойчивостью, чтобы пробудить в нем угасший интерес ко мне. Но если даже забыть о гордости и уважении к себе, я бы все равно *не выдержала бы!* Их назойливость и без моих поощрений мне невыносимо тягостна. Впрочем, даже окажись я на это способной, он все равно остался бы равнодушен. Видит же он, как я страдаю от снисходительного внимания и докучных рассуждений одного и отталкивающей фамильярности другого, — и ни тени сочувствия ко мне или негодования на моих мучителей! Нет, он никогда меня не любил, иначе не отказался бы от меня столь охотно и не разговаривал бы как ни в чем не бывало и не шутил с лордом Лоуборо и дядюшкой, не поддразнивал бы Милисент Харгрейв, не флиртовал бы с Аннабеллой Уилмот. О, почему я не могу его возненавидеть? Наверное, я потеряла голову, не то с презрением отвергла бы всякое сожаление о нем! Но мне необходимо собрать все свои оставшиеся силы и попытаться вырвать его из сердца. Звонят к обеду, а вот и шаги тетушки, которая идет выбранить меня за то, что я просидела здесь весь день, избегая гостей. Ах, если бы эти гости... разъехались.

Глава XIX
НЕЖДАННОЕ

Двадцать второе. Ночь. Что я натворила? И чем это кончится? Нет, я не могу сейчас размышлять, не могу и спать. Обращусь к дневнику, немедля запишу все, а завтра обдумаю.

Я спустилась к обеду в твердой решимости держаться весело и не отступать от правил хорошего тона. Должна сказать, что намерение свое я привела в исполнение, как ни болела у меня голова, какой несчастной я ни чувствовала себя в душе. Не знаю, что со мной происходит в последнее время. Мои силы, и телесные и душевные, как-то странно угасли, не то я не допустила бы такой слабости. Но последние дня два мне нездоровится: наверное, потому, что я почти не сплю, ничего не ем, все время думаю и не могу справиться с дурным расположением духа. Однако не будем отвлекаться. По просьбе Милисент и тетушки я играла и пела им, пока джентльмены сидели в столовой за вином, — мисс Уилмот не любит музицировать для одних лишь женских ушей. Милисент попросила меня спеть ее любимую шотландскую песенку, и я как раз пела второй куплет, когда к нам присоединились остальные гости. Мистер Хантингдон, не успев войти, обратился к Аннабелле:

— Мисс Уилмот, а вы не усладите нас музыкой? Не отказывайтесь! Я знаю, вы споете, когда я скажу вам, что весь день томился и жаждал услышать ваш голос. Соглашайтесь! Фортепьяно ведь свободно.

Да, оно было свободно, потому что я встала с табурета, едва услышала его мольбы. Будь я наделена истинным самообладанием, то весело присоединила бы к его просьбам мои и тем самым обманула бы его ожидания, если он нарочно оскорбил меня, или же — если причиной была лишь бездумность — заставила бы понять, какой промах он совершил. Но я была так поражена, что сумела только встать из-за фортепьяно и опуститься на кушетку, с трудом сдержав негодующее восклицание. Да, Аннабелла и играет и поет лучше меня, но это еще никому не дает право обходиться со мной так, словно я — пустое место. Минута, которую он выбрал для своей просьбы, и форма, в которую облек ее, казалось, были нарочно рассчитаны, чтобы оскорбить меня, и я чуть не расплакалась от бессильного гнева.

Она же торжествующе села к фортепьяно и усладила его двумя романсами, которые ему особенно нравятся. Но пела она их столь превосходно, что даже мой гнев вскоре сменился восхищением, и я с каким-то угрюмым наслаждением слушала искусные переливы ее красивого, сильного голоса и не менее искусный аккомпанемент. Пока мой слух впивал эти звуки, мои глаза были устремлены на того, по чьей просьбе она пела, и получали такое же, если не большее, наслаждение от созерцания этих выразительных черт, озаренных живейшим восторгом, от нежной улыбки, то появляющейся, то исчезавшей, точно проблески солнца в апрельский день. Неудивительно, что он томился и жаждал услышать ее пение! Я от всей души простила ему нечаянно нанесенную мне обиду, и мне стало стыдно, что я столь мелочно рассердилась на такой пустяк. И еще я стыдилась зависти и злобы, которые грызли мое сердце, вопреки моему восхищению и удовольствию.

— Ну вот, — сказала она, кокетливо пробегая пальцами по клавишам, когда докончила второй романс. — Что же мне спеть вам теперь?

Но при этом она оглянулась на лорда Лоуборо, который стоял чуть позади, опираясь на спинку стула, и слушал пение с величайшим вниманием, и, если судить по выражению его лица, испытывал то же наслаждение, смешанное с печалью, что и я. Однако этот ее взгляд яснее всяких слов сказал: «Теперь выбирайте вы! Его просьбу я исполнила, а сейчас с радостью исполню то, чего пожелаете вы!» После такого одобрения его милость подошел к фортепьяно, посмотрел ноты и вскоре поставил перед ней песню, которую я последнее время не раз брала в руки и перечитывала, ибо в моих мыслях она связывалась с тираном, властвовавшим над ними. И теперь, когда мои нервы были возбуждены и совсем расстроены, ее слова, столь мелодично звучащие, вызвали у меня волнение, с которым я не сумела совладать. Непрошеные слезы навернулись мне на глаза, и я спрятала лицо в подушку, чтобы скрыть их. Мелодия была простой, нежной и грустной. Она все еще звучит в моей душе. Как и слова:

Прощай! Но мыслям о тебе
«Прости!» я не хочу сказать.
Они наперекор судьбе
Мне будут сердце согревать.
Краса, подобная весне!
Хоть неземной тебя зову,
Ты не явилась мне во сне,
Тебя я видел наяву.
О, мой неизлечим недуг.
В душе запечатлен твой лик,
А голоса волшебный звук
Навеки в сердце мне проник.
Небесный голос, полный чар,
Навек заворожил меня.
В моей груди горит пожар
Неугасимого огня.
Сиянье радостных очей
Я буду в памяти беречь.
Улыбку ту... Сравненья ей
Найти не может смертных речь.
Прощай! Но помни в свой черед:
Надежду сердце век таит.
Ее презренье не убьет,
И холодность не охладит.
За все мольбы, что я вознес,
Мне Небеса подарят вдруг
Улыбку вместо прошлых слез
И счастье вместо прошлых мук!

Когда певица умолкла, я хотела только одного: незаметно ускользнуть из комнаты. Дверь была почти рядом с кушеткой, но я не осмеливалась поднять головы, так как знала, что мистер Хантингдон стоит неподалеку и — судя по его голосу, когда он ответил на какой-то вопрос лорда Лоуборо, — лицом в мою сторону. Может быть, его слуха достигло сдавленное рыдание, и он обернулся ко мне? Боже сохрани!

Страшным усилием я справилась с собой, осушила слезы и, когда заключила, что мистер Хантингдон вновь смотрит в другую сторону, встала, вышла из гостиной и по обыкновению укрылась в библиотеке.

Там было темно. И только догорающие угли в камине бросали вокруг красноватые отблески. Но я и не искала света. Я хотела только отдаться течению своих мыслей в тишине и одиночестве. Опустившись на пуф возле покойного кресла, я уткнулась лбом в его мягкое сиденье и думала, думала, думала, пока вновь слезы не хлынули ручьем и я не разрыдалась, как ребенок. Но тут тихо приоткрылась дверь, и кто-то вошел. Кто-то из слуг, решила я и не шелохнулась. Дверь закрылась. Но в темной библиотеке я была теперь не одна. К моему плечу ласково прикоснулась рука, и голос произнес нежно:

— Хелен, что с вами?

Отвечать я была не в силах.

— Вы должны мне сказать и скажете! — прозвучало более властно, говоривший бросился на колени рядом со мной и завладел моей рукой. Однако я тотчас отняла ее и ответила:

— Вас это не касается, мистер Хантингдон.

— Вы в этом уверены? — возразил он. — Можете ли вы поклясться, что вовсе не думали обо мне, пока плакали?

Невыносимо! Я попыталась встать, но его колени прижимали мою юбку к ковру.

— Ответьте! — продолжал он. — Я должен знать. Потому что, если да, мне надо что-то сказать вам. Если же нет, я уйду.

— Так уходите! — вскричала я, но, ужаснувшись, что он поймает меня на слове и больше не вернется, поспешила добавить: — Или скажите, и покончим с этим?

— Так да или нет? — спросил он настойчиво. — Ведь я скажу это только, если вы обо мне думали, Хелен. А потому ответьте!

— Вы слишком дерзки, мистер Хантингдон!

— Вовсе нет. Или вы признаете, что я близок к истине? Так не скажете? Что же, я пощажу вашу женскую гордость и истолкую ваше молчание, как «да». Согласимся, что я был предметом ваших мыслей и вашей печали...

— Право, сэр...

— Если вы станете отрицать, я не открою вам моей тайны, — пригрозил он, и я больше его не перебивала и не отталкивала, когда он вновь взял меня за руку, а другой своей рукой почти обнял меня за плечи. В ту минуту я этого просто не заметила.

— Так вот, — продолжал он, — Аннабелла Уилмот по сравнению с вами не более, чем пышный пион по сравнению с душистым бутоном шиповника в алмазах росы, и я люблю вас до безумия! А теперь скажите, вам приятно это узнать? Как! Опять молчание? То есть знак согласия. Тогда разрешите мне прибавить, что я не могу жить без вас, и если я услышу от вас «нет» на мой последний вопрос, то сойду с ума. Подарите ли вы мне себя? Да-да! — воскликнул он и чуть не задушил меня в объятиях.

— Перестаньте! — ответила я, стараясь высвободиться. — Вы должны спросить у дяди и тети!

— Они мне не откажут, если не откажете вы.

— Не знаю... Тетя вас недолюбливает.

— Но не вы, Хелен! Скажите, что любите меня, и я уйду.

— Уйдите! — прошептала я.

— Сию же минуту. Если только вы скажете, что любите меня.

— Вы же сами знаете, — ответила я. И, вновь стиснув меня в объятиях, он осыпал мое лицо поцелуями.

В эту минуту дверь распахнулась, и перед нами со свечой в руке предстала тетушка, в ужасе переводя изумленный взгляд с мистера Хантингдона на меня и снова на него, — мы с ним быстро поднялись и попятились друг от друга. Но его смущение длилось лишь мгновение. Тотчас оправившись, он с завидным хладнокровием произнес:

— Приношу вам тысячу извинений, миссис Максуэлл! Не будьте ко мне слишком строги. Я просил вашу очаровательную племянницу быть моей женой и в счастье, и в горе, но она как добронравная девица ответила, что и помыслить об этом не может без согласия дядюшки и тетушки. А потому, умоляю вас, не обрекайте меня на вечную печаль. Если я найду союзницу в вас, то могу быть спокоен — мистер Максуэлл, я уверен, не способен вам ни в чем отказать.

— Мы поговорим об этом завтра, сэр, — холодно ответила тетушка. — Наспех и без должных размышлений такие решения не принимаются, а потому вам лучше вернуться в гостиную.

— Но пока, — произнес он умоляюще, — разрешите мне уповать на вашу снисходительность...

— Снисходительность к вам, мистер Хантингдон, для меня ничего изменить не сможет, если речь идет о счастье моей племянницы.

— О, разумеется! Она ангел, а я недостойный шалопай, позволивший себе возмечтать о таком сокровище! И все же я предпочту умереть, чем уступить ее самому достойному человеку в мире. А что до ее счастья, так я готов пожертвовать и телом и душой...

— Телом и *душой,* мистер Хантингдон? Пожертвовать *душой?!*

— Я жизнь отдам...

— Отдавать ее вам незачем.

— В таком случае я посвящу ее... посвящу всю мою жизнь, все силы, чтобы беречь и лелеять...

— Мы поговорим об этом, сэр, в другое время... И я была бы склонна судить о ваших намерениях более доброжелательно, если бы вы выбрали также другое время, другое место и, разрешите мне прибавить, другой способ для изъяснения своих чувств.

— Но, видите ли, миссис Максуэлл... — начал он.

— Простите, сэр, — произнесла она с величайшим достоинством, — вас ждут в гостиной! — И она обернулась ко мне.

— Тогда вы, Хелен, должны ходатайствовать за меня! — воскликнул он и лишь после этого ушел.

— Лучше поднимись к себе, Хелен, — сурово приказала тетушка. — Я поговорю с тобой об этом тоже завтра.

— Не сердитесь, тетя, — сказала я.

— Милочка, я не сержусь, — ответила она. — Но я *удивлена.* Если ты правда ответила ему, что не можешь принять его предложения без нашего согласия...

— Конечно, правда! — перебила я.

— ...так как же ты разрешила...

— Но что мне было делать, тетя? — воскликнула я, заливаясь слезами. Но не слезами печали или страха перед ее неудовольствием, а просто, чтобы дать облегчение переполненному сердцу. Однако мое волнение тронуло добрую тетушку. Она снова посоветовала мне уйти к себе, но гораздо ласковее, нежно поцеловала меня в лоб, пожелала мне доброй ночи и отдала свою свечу. Я ушла к себе в спальню, но мой мозг был в таком лихорадочном возбуждении, что я и подумать не могла о том, чтобы лечь. Но теперь, когда я записала все это, на душе у меня стало спокойнее, и я лягу в надежде предаться нежному целителю природы.

Глава XX
НАСТОЙЧИВОСТЬ

24 сентября. Утром я поднялась веселая и бодрая... нет-нет, безумно счастливая. Неодобрение тетушки, страх, что она не даст своего согласия, исчезли, как ночные тени, в ярком сиянии моих надежд и упоительной уверенности, что я любима. Утро выдалось великолепное, и я вышла насладиться им в обществе моих блаженных грез. Трава сверкала росой, легкий ветерок колыхал тысячи летящих паутинок, веселый красногрудый реполов изливал в песенке свою бесхитростную радость, а в моем сердце звучал благодарственный хвалебный гимн Небесам.

Но я прошла совсем немного, когда мое одиночество было нарушено тем единственным, кто мог оторвать меня от моих мыслей и не омрачить их, — передо мной внезапно предстал мистер Хантингдон. От неожиданности я готова была счесть его видением, рожденным моей разгоряченной фантазией, если бы к свидетельству зрения не прибавились более ощутимые доказательства — его сильная рука тотчас обвила мою талию, прикосновение его губ обожгло мне щеку, а у меня в ушах прозвучал радостный возглас:

— Моя, моя Хелен!

— Пока еще не ваша, — ответила я, поспешно кладя конец этому фамильярному приветствию. — Вспомните моих опекунов. Получить согласие тетушки вам будет не так-то легко. Неужели вы не замечаете, как она предубеждена против вас?

— Я это знаю, сердце мое. Но вы должны объяснить мне причину, чтобы я нашел наилучший способ опровергнуть ее возражения. Полагаю, что она считает меня повесой и мотом, — продолжал он, заметив, что я не склонна отвечать, — или думает, будто мне не на что достойно содержать мою лучшую половину? Если так, то объясните ей, что мое имение — майорат и я не могу его промотать, даже если бы и хотел. Разумеется, у меня есть кое-какие долги, часть недвижимости, к имению не относящейся, заложена, ну, и прочее в том же духе, но все это сущие пустяки. Хотя я готов признать, что не так богат, как мог бы быть или даже — как был, тем не менее оставшегося моего состояния нам хватит с избытком. Видите ли, мой батюшка был скуповат и с годами отказался от всех удовольствий, кроме одного: копить деньги. Так можно ли удивляться, что главным наслаждением для его сына стало тратить эти деньги? Но наше знакомство, милая Хелен, многому меня научило и открыло мне более благородные цели. Самая мысль о том, что теперь моя обязанность — заботиться о вас, сразу вынудит меня сократить расходы и выбрать образ жизни, приличный христианину. Не говоря уже об осмотрительности и благоразумии, которые я обрету с помощью ваших мудрых советов и обворожительной неотразимой добродетельности!

— Нет-нет, — ответила я. — Тетушка о деньгах не думает. Она знает истинную цену земному богатству.

— Так в чем дело?

— Она хочет, чтобы я вышла замуж за... очень хорошего человека.

— Что? За «светоч благочестия», хм-хм? Ну, не беда, я и с этим справлюсь. Ведь сегодня как раз воскресенье, не правда ли? Так я просижу всю утреннюю, всю дневную и всю вечернюю службу и стану столь набожным, что она будет взирать на меня с восхищением и полюбит меня сестринской любовью, как выхваченную из огня головню. Я вернусь под ее кров, вздыхая, как кипящий котел, и благоухая елеем проповеди милого мистера Ханжуса.

— Мистера Лейтона, — поправила я сухо.

— А мистер Лейтон, Хелен, «чудесный проповедник»? Милейший пастырь не от мира сего?

— Он *хороший* человек, мистер Хантингдон. Я хотела бы, чтобы вы были и вполовину таким хорошим!

— Ах, я и забыл, что вы тоже святая. Молю вас о прощении, жизнь моя. Но не называйте меня «мистер Хантингдон». У меня есть имя. Артур.

— Если вы и дальше будете говорить такие вещи, я никак не стану вас называть, потому что не захочу вас видеть. Если вы и правда хотите обмануть тетушку, это очень дурно. А если нет, так подобные шутки также очень дурны.

— Виноват! — ответил он, заключая свой смех печальным вздохом. — Ну а теперь, — продолжал он после короткого молчания, — давайте поговорим о чем-нибудь другом. И подойдите ближе, Хелен, обопритесь на мою руку, и тогда я перестану вас поддразнивать. Но спокойно смотреть, как вы гуляете здесь одна, я не в силах.

Я подчинилась, но предупредила, что скоро мы должны будем вернуться в дом.

— К завтраку еще долго никто не спустится, — возразил он. — Вы сейчас говорили о своих опекунах, Хелен, но ведь ваш отец, кажется, еще жив?

— Да, но на дядю и тетю я привыкла смотреть как на моих опекунов, пусть по закону это и не так. Отец отдал меня на полное их попечение. Я не видела его с тех самых пор, как умерла мама — я тогда была еще совсем маленькой, — и тетя, выполняя ее последнюю волю, взяла меня к себе. Она сразу увезла меня сюда, в Стейнингли, и с тех пор я так тут и живу. Поэтому, мне кажется, он не станет запрещать мне ничего, что она одобрит.

— Но будет ли он возражать против того, чего она не одобрит?

— Вряд ли. По-моему, он просто обо мне не думает.

— Это очень нехорошо с его стороны. Однако он ведь не знает, что его дочь — ангел. К моему счастью, не то бы он не пожелал расстаться с таким сокровищем.

— Мистер Хантингдон, полагаю, вы знаете, что я вовсе не богатая наследница? — спросила я.

Он горячо ответил, что его это ничуть не интересует, и умолял меня не портить ему чудесное утро такими скучными материями. Меня очень обрадовало это доказательство бескорыстности его чувства: ведь Аннабелла Уилмот, наверное, унаследует все богатства своего дяди вдобавок к состоянию своего покойного отца, которым уже владеет.

Тут я решительно потребовала, чтобы мы вернулись в дом, но шли мы медленно и продолжали разговаривать. Пересказывать этот разговор нет нужды, и я сразу перейду к тому, что произошло между мной и тетушкой после завтрака, когда мистер Хантингдон отвел дядю в сторону, несомненно, чтобы просить моей руки, а она поманила меня за собой в соседнюю комнату, где снова принялась всячески меня уговаривать, но без успеха, так как я осталась при своем убеждении, что права все-таки я, а не она.

— Вы слишком к нему суровы, тетя, поверьте мне, — сказала я. — Даже его друзья далеко не так плохи, как вы их рисуете. Например, Уолтер Харгрейв, брат Милисент, — он ведь сущий ангел, если даже она преувеличивает его достоинства более чем вдвое. Она постоянно расхваливает его мне и превозносит до небес присущие ему всяческие добродетели.

— Если ты будешь судить о молодых людях по заверениям их любящих сестер, — возразила она, — то получишь об их характерах самое превратное представление. Худшие из них ловко умеют прятать свои пороки от глаз сестер, да и матерей тоже.

— Ну, а лорд Лоуборо? — продолжала я. — Человек во всех отношениях порядочный...

— Кто тебе это сказал? Лорд Лоуборо — человек, доведший себя почти до гибели. Он растранжирил все свое состояние за карточным столом и разными другими столь же прискорбными способами, а теперь ищет богатую невесту, чтобы поправить свои дела. Я предупредила мисс Уилмот, но вы все на один лад! Она дерзко ответила, что весьма мне обязана, но надеется, что способна отличить, когда поклоннику нравятся ее деньги, а когда — она сама. Она льстит себя мыслью, что достаточно опытна в подобных делах и может полагаться на собственное суждение, а если его милость разорен, ей это безразлично, — она полагает, что ее состояния с избытком хватит на двоих. Ну, а что до его шалопайства, так уж, верно, он не хуже других молодых людей, и к тому же совсем исправился. Да, эти молодцы все умеют лицемерить, когда хотят обмануть влюбленную дурочку!

— Ну, по-моему, он ничем не хуже ее, — заметила я. — А когда мистер Хантингдон женится, у него будет много меньше случаев и поводов видеться со своими холостыми друзьями, — и чем они хуже, тем сильнее мое желание избавить его от них.

— Разумеется, милочка! И чем хуже он сам, тем, полагаю, сильнее твое желание избавить его от самого себя!

— Совершенно верно. При условии, что он не неисправим, тем сильнее мое желание избавить его от пороков, дать ему возможность освободиться от наносного зла, очиститься от соприкосновения с теми, кто хуже его, и предстать в сияющей чистоте своей природной добродетели. Я хочу сделать все, что в моей власти, чтобы помочь лучшей половине его души возобладать над худшей, и возродить в нем того, кем он был бы, если бы судьба не послала ему дурного, себялюбивого, скупого отца, который, побуждаемый своей низменной страстью, лишал его самых невинных удовольствий детства и отрочества и тем внушил ему глубокое отвращение ко всяким путам, и безрассудную мать, которая всячески ему потакала, обманывала ради него мужа и усердно взращивала те зачатки легкомыслия и порочных наклонностей, которые обязана была искоренять. А затем — круг друзей, таких, какими вы их обрисовали...

— Бедняжка! — перебила она саркастически. — Сколько зла причинили ему его близкие!

— Да! — вскричала я страстно. — Но больше они ему зла причинять не будут. Его жена сумеет исправить то, что натворила его мать!

— Ну что же, — сказала она после некоторого молчания, — признаюсь, Хелен, я была более высокого мнения о твоей рассудительности... да и о твоем вкусе тоже. Не понимаю, как ты можешь любить подобного человека и какое удовольствие находить в его обществе? Ведь сказано: «Не преклоняйся под чужое ярмо с неверными. Что общего у света со тьмою?»

— Он не неверный! И я не свет, и он не тьма. Его худший и единственный порок — всего лишь легкомыслие.

— Но легкомыслие, — возразила тетушка, — может привести к любому преступлению и послужит нам очень жалким оправданием в очах Господа. Мистер Хантингдон, я полагаю, не обделен обычными человеческими способностями и не настолько безрассуден, чтобы его можно было счесть безумцем. Творец одарил его разумом и совестью. Писание доступно ему, как всем, но «если не слушают, то если бы кто и из мертвых воскрес, не поверят». Вспомни, Хелен! — продолжала она торжественно. — «Да обратятся нечестивые в ад, все, забывающие Бога». Предположим даже, что он будет любить тебя, а ты его, и вы вместе пройдете по жизни в благополучии, каково придется вам в конце, когда вы узрите, что разлучены навеки? Ты, быть может, вознесешься к вечному блаженству, а он будет низвергнут в озеро, горящее огнем неугасимым, чтобы там вовеки...

— Нет, не вовеки! — вскричала я. — А лишь пока не отдаст он «до последнего кодранта»! Ибо «он понесет потерю, но сам спасен будет через огонь же», и Он, Кто «действует и покоряет все», «сделает всем человекам оправдание» и «в устроение полноты времен все небесное и земное соединит под главою Христа, который вкусил смерть за всех и через которого примирит с собой все и земное и небесное».

— Ах, Хелен, откуда ты все это взяла?

— Из Библии, тетя. Я всю ее обыскала и нашла почти тридцать текстов, подтверждающих такой взгляд.

— Вот какое употребление ты делаешь из своей Библии! А текстов, доказывающих ложность и опасность подобного утверждения, ты не нашла?

— Нет. Правда, я находила и тексты, которые, если взять их отдельно, словно бы противоречат такому взгляду. Но, кроме общепринятого толкования, все они поддаются и другим, — и чаще всего трудность составляет только слово, которое переводится «вечно» и «навеки». Я не знаю греческого, но убеждена, что смысл тут «на века», «в течение веков» и подразумевает иногда бесконечность, а иногда продолжительность. Ну а что до опасности, так я ведь не собираюсь обнародовать свою мысль, не то какой-нибудь бедняга злоупотребит ею себе на гибель, но как чудесно хранить ее в сердце! И я не откажусь от нее ни за что на свете.

На этом наша беседа окончилась, так как давно уже следовало собираться в церковь. На утреннюю службу отправились все, кроме дядюшки, который бывает в церкви очень редко, и мистера Уилмота, оставшегося, чтобы помочь ему приятно скоротать время за криббеджем. Днем мисс Уилмот и лорд Лоуборо также предпочли остаться дома, но мистер Хантингдон вызвался вновь сопровождать нас туда. Не знаю, хотел ли он угодить тетушке, но если так, ему следовало бы во время службы держаться более чинно. Должна признаться, что мне очень не нравилось, как он вел себя в церкви. Молитвенник держал вверх ногами, открывал его наугад и все время посматривал по сторонам, пока не встречался взглядом с тетушкой или со мной, а тогда опускал глаза на страницу, изображая пуританское благочестие, — очень забавно, если бы только это было бы уместно. Во время проповеди он некоторое время внимательно всматривался в мистера Лейтона, а потом внезапно вынул золотой карандашик и схватил лежавшую рядом Библию. Заметив, что я покосилась на него, он шепнул, что хочет записать кое-что из проповеди. Однако я скоро убедилась (мы сидели рядом), что он вовсе не пишет, а рисует карикатуру, изображая почтенного старого священника отъявленным и смешным лицемером. Однако, когда мы вернулись домой, он заговорил с тетушкой о проповеди — серьезно, рассудительно, скромно, и во мне пробудилась надежда, что он и слушал ее внимательно, и извлек для себя немало пользы.

Перед самым обедом дядя позвал меня в библиотеку, чтобы обсудить очень важное дело, с которым он разделался в двух словах.

— Послушай, Нелли, — сказал он, — молодой Хантингдон просит твоей руки. Что мне ответить? Твоя тетка предпочтет «нет». А ты?

— Я отвечу «да», дядя! — воскликнула я без малейших колебаний, так как успела принять твердое решение.

— Отлично! Прямой, честный ответ — редкостный для девицы. Завтра же напишу твоему отцу. Согласие он, конечно, даст, а потому можешь считать дело слаженным. Конечно, ты бы поступила куда как разумнее, если бы выбрала Уилмота, вот что я тебе скажу. Только ты ведь не поверишь. В твоем возрасте надо всем царит любовь, а в моем — надежное полновесное золото. Вот, например, ты и подумать не можешь о том, чтобы навести справки об имуществе своего будущего мужа, и не пожелаешь утруждать свою голову размышлениями о части, которую он должен выделить тебе.

— Вы правы, дядя.

— Ну так радуйся, что для этого есть головы помудрее твоей. У меня еще не было времени поподробнее разведать, в каком состоянии дела этого молодца, но знаю, что значительную часть наследства, полученного от отца, он уже пустил по ветру. Кажется, правда, что осталось еще достаточно и немножко стараний могут поправить все. Далее, нам надо убедить твоего отца, чтобы он тебя прилично обеспечил, — ведь в конце-то концов ему, кроме вас двоих, заботиться не о ком. А если ты будешь вести себя хорошо, как знать, не упомяну ли тебя в своем завещании и я? — добавил он, прижав палец к носу и хитро подмигивая.

— Спасибо, дядя, и за это, и за всю вашу доброту, — ответила я.

— Ну, так я уже говорил с молодцом о твоей части, — продолжал дядюшка, — и он словно бы скупиться не намерен...

— Я не сомневаюсь в этом! — перебила я. — Но, прошу вас, не докучайте этим себе, и ему, и мне. Ведь все мое будет принадлежать ему, а все его — мне, чего же больше нам нужно? — И я хотела уже выйти из комнаты, но он позвал меня назад.

— Погоди, не торопись! — воскликнул он. — Мы ведь не назначили дня! Когда быть свадьбе? Твоя тетка хотела бы отсрочить ее на Бог знает какой срок, а он желает сочетаться браком как можно скорее. В следующем месяце, и не минутой дольше! Ты, я думаю, тут с ним согласна, а потому...

— Нет-нет, дядя. Напротив, я предпочту подождать. После Рождества или еще позже...

— Вздор, меня ты не проведешь! — вскричал он и никак не хотел мне поверить.

Но ведь это правда. Я совсем не тороплюсь. Да и как можно, если меня ожидает такая решительная перемена моей жизни, разлука со всем прежним? Пока с меня довольно счастья *знать,* что наш союз решен, что он любит меня и мне можно любить его так беззаветно и думать о нем так часто, как я хочу. Однако я настояла на том, что о времени свадьбы поговорю с тетушкой, так как нельзя же во всем пренебрегать ее советами, и пока еще окончательное решение не принято.

Глава XXI

МНЕНИЯ

1 октября. Все решено. Отец дал согласие, и свадьба назначена на Рождество, своего рода уступка сторонникам как спешки, так и отсрочки. Одной подружкой будет Милисент Харгрейв, а другой — Аннабелла Уилмот, — не то чтобы мне эта последняя так уж нравится, но она племянница дядиного друга, а кроме Милисент у меня подруг нет.

Правда, когда я рассказала Милисент о моей помолвке, она посмотрела на меня с таким немым изумлением, что я даже рассердилась и еще больше, когда она сказала потом:

— Что же, Хелен, наверное, я должна тебя поздравить. И я рада тому, что ты счастлива. Только мне и в голову не приходило, что ты можешь дать ему согласие, и я невольно удивляюсь, что он тебе так нравится.

— Почему же?

— Потому что ты во всех отношениях настолько выше его! И в нем есть что-то дерзкое, необузданное и... я не знаю почему, но мне всегда хочется убежать, когда он смотрит на меня.

— Ты застенчива, Милисент, но он же в этом не виноват.

— И его наружность, — продолжала она. — Его называют красавцем, и он, конечно, красив, только мне такая красота не нравится, и я удивляюсь, что ты иного мнения.

— Объясни же!

— Видишь ли... я не нахожу в его внешности ничего благородного, ничего возвышенного.

— Короче говоря, тебя удивляет, как мне мог понравиться кто-то совсем не похожий на высокопарных книжных героев? Очень хорошо! Дай мне возлюбленного из плоти и крови, а всех сэров Гербертов и Валентинов можешь забрать себе, если только их отыщешь.

— Они мне ни к чему, — сказала она. — Мне тоже будет довольно плоти и крови... но только освещенных сиянием души. Оно должно быть главным. И не кажется ли тебе, что лицо мистера Хантингдона чуть красновато?

— Ничего подобного! — вскричала я в негодовании. — Никакой красноты в нем нет. А просто цвет его отличает яркость, здоровая свежесть. Нежная розоватость всего лица прекрасно сочетается с румянцем на щеках. Так оно и должно быть! Терпеть не могу белые мужские лица с красными пятнами на щеках, как у деревянных кукол, или болезненно бледные, или смуглые, точно закопченные, или желтовато-восковые, как у мертвецов!

— Ну, о вкусах не спорят, — ответила она. — Самой мне нравится бледность или смуглость. Но, признаюсь, Хелен, я льстила себя надеждой, что когда-нибудь ты станешь моей сестрой. Я мечтала, что Уолтер познакомится с тобой в следующем сезоне, что он тебе понравится. А что он в тебя влюбится, я не сомневалась и тешилась мыслью, что мне выпадет счастье увидеть, как те двое, кого я люблю больше всех в мире, — кроме маменьки, конечно, — будут соединены священными узами. Может быть, ты не назвала бы его красавцем, но выглядит он куда более благородно, чем мистер Хантингдон, и он приятнее, он лучше его. И я знаю, ты так сама бы сказала, если бы познакомилась с ним.

— Никогда, Милисент! Ты так думаешь, потому что ты его сестра. И только поэтому я тебя прощаю. Но никому другому я не позволила бы безнаказанно чернить передо мной Артура Хантингдона до такой степени!

Мисс Уилмот выразила мне свое мнение почти столь же откровенно.

— Так, значит, Хелен, — сказала она, подходя ко мне с далеко не дружеской улыбкой, — вы намерены стать миссис Хантингдон?

— Да, — ответила я. — Можете мне позавидовать!

— Вот уж не собираюсь! — воскликнула она. — Я, наверное, в один прекрасный день стану леди Лоуборо, и вот тогда, милочка, у меня будет право сказать вам: «Можете мне позавидовать!»

— Впредь я никому завидовать не буду! — возразила я.

— Неужели? Вот, значит, как вы счастливы? — произнесла она задумчиво. — А он любит вас... то есть безмерно вас обожает, как вы его? — добавила она и посмотрела на меня, ожидая ответа с плохо скрываемой тревогой.

— Я не хочу, чтобы меня безмерно обожали, — ответила я, — но не сомневаюсь, что он *любит* меня больше всех на свете... как и я его.

— Вот именно, — сказала она, кивнув. — Хотела бы я...

— Чего вы хотели бы? — спросила я, уязвленная злорадным выражением на ее лице.

— Я хотела бы... — повторила она с коротким смешком, — чтобы все привлекательные качества и другие достоинства этих двух джентльменов принадлежали кому-нибудь одному из них, пусть бы лорд Лоуборо обладал красивой внешностью Хантингдона, его приятным характером, остроумием, веселостью и обаянием, либо Хантингдону принадлежали бы родословная Лоуборо, его титул, его восхитительное родовое имение, и он достался бы мне, а вы вышли за другого, и на здоровье.

— Благодарю вас, дорогая Аннабелла, но я вполне удовлетворена тем, что есть на самом деле, и желаю вам быть столь же довольной своим нареченным, как я моим, — ответила я достаточно искренне, потому что ее откровенность тронула меня и развеяла мою досаду на нее, и различие в нашем положении позволяло мне от души пожалеть ее и пожелать ей счастья.

Знакомые мистера Хантингдона, по-видимому, одобряют наш будущий союз не больше, чем мои близкие. Читая сегодня за завтраком письма от друзей, полученные с утренней почтой, он привлек внимание всего общества сменой разнообразных гримас на своем лице. Потом чему-то засмеялся, смял их, сунул в карман и ни словом о них не обмолвился до конца завтрака. А тогда, пока остальные грелись у камина или бродили по комнате, решая, чем заняться, он оперся на спинку моего стула, нежно прикоснулся губами к моим волосам и принялся нашептывать мне на ухо вот такие жалобы:

— Хелен, колдунья, а вы знаете, что навлекли на меня проклятия всех моих друзей? На днях я известил их о моем грядущем счастье, и вот теперь у меня в кармане вместо поздравлений полно поношений и упреков. Ни единого доброго пожелания мне или похвалы вам. Они твердят, что кончились веселые денечки и чудесные ночки — и все по моей вине. Я первый покинул тесный дружеский круг, и остальные от отчаяния последуют моему примеру. Они делают мне честь, называя меня душой и опорой всей компании, и вот я бесславно предал их доверие...

— Вы можете вернуться к ним, если хотите, — сказала я, несколько задетая его печальным тоном. — Мне было бы очень жаль стать причиной, из-за которой хоть один человек, не говоря уж о целой дружной компании, лишится столького счастья! И, быть может, я как-нибудь сумею обойтись без вас и ваших бедных, покинутых друзей!

— Да что вы, Бог с вами! — прошептал он. — Это ведь как для меня писалось — «Все во имя любви, или Блаженное уединение от света». Да пусть они все провалятся... туда, где им самое место, выражаясь вежливо. Но если бы вы прочли, Хелен, как они меня честят, то полюбили бы меня еще сильнее за то, на что я ради вас осмелился!

Он вытащил смятые письма. Полагая, что он намерен показать их мне, я поспешила сказать, что у меня нет ни малейшего желания читать их.

— Так я же не собираюсь давать их вам в руки, любовь моя! — сказал он. — Они не для женских глаз, то есть за небольшим исключением. Но взгляните. Это каракули Гримсби. Всего три строчки нацарапал, скотина. Но самое его молчание подразумевает куда больше, чем слова всех остальных, и чем меньше он говорит, тем больше думаешь, чтобы он провалился ко всем ч-тям! Извините, радость моя. А вот это послание Харгрейва. Он на меня особенно зол! Вообразите, он, видите ли, влюбился в вас по рассказам своей сестрицы и собирается сам на вас жениться, как только немного перебесится.

— Весьма ему обязана, — заметила я.

— И я тоже, — подхватил он. — А вот это от Хэттерсли. Все страницы сплошь горькие обвинения, злобные проклятия и душераздирающие жалобы, а в заключение — клятва, что в отместку он сам женится на первой же старой деве, которая решит подцепить его на крючок, — как будто мне не все равно, что он с собой делает!

— Ну что же, — сказала я, — если вы откажетесь от дружеской близости с такими людьми, я полагаю, у вас будет мало причин жалеть об этом. Ведь, насколько известно мне, ничего хорошего вы от них не почерпнули.

— Возможно. И все-таки время мы проводили весело, хотя и не без печали и страданий, как довелось убедиться Лоуборо. Ха-ха-ха!

Пока он смеялся каким-то воспоминаниям о бедах лорда Лоуборо, к нам подошел дядя и похлопал его по плечу:

— Идемте, мой милый! — сказал он. — Или вы так заняты изъяснениями в любви моей племяннице, что вам некогда начать войну с фазанами? Сегодня же первое октября! Солнце засияло, дождь кончился, даже Скукхем готов положиться на свои непромокаемые сапоги. А мы с Уилмотом уговорились превзойти вас всех. Как погляжу, мы, старички, самые среди вас заядлые охотники.

— Ну нет! Сегодня я вам покажу, на что способен! — ответил мой собеседник. — И перестреляю всех ваших птиц только за то, что они лишают меня общества куда более приятного, чем их или ваше.

С этими словами он ушел, и увидела я его снова только за обедом. Как долго тянулось время! Право, не знаю, что я буду делать, когда он уедет!

Действительно, трое пожилых джентльменов оказались куда более рьяными охотниками, чем двое молодых. Оба они — и лорд Лоуборо, и Артур Хантингдон — последние дни предпочитали не стрелять птиц, а сопровождать нас на прогулках как верхом, так и пешком. Но это прекрасное время приближается к концу. Менее чем через две недели гости разъедутся — к большой моей грусти, так как каждый день приносит мне все больше и больше счастья, тем более что господа Уилмот и Скукхем перестали надоедать мне, тетушка перестала пичкать меня нравоучениями, а я перестала ревновать его к Аннабелле и даже питать к ней неприязнь...

Теперь, когда мистер Хантингдон стал моим собственным Артуром, и я могу наслаждаться его обществом без докучных ограничений. Нет, я просто не знаю, что буду делать, когда он уедет!

Глава XXII

ДОКАЗАТЕЛЬСТВА ДРУЖБЫ

5 октября. Чаша моего блаженства содержит не только сладость. Иногда к ней подмешиваются капли горечи, и я волей-неволей распознаю их вкус, как бы я его ни объясняла. Можно убеждать себя, что сладость совсем заглушает горечь или что это — приправа, приятно разнообразящая напиток, но какие бы объяснения я ни находила, горечь не исчезает, и я вновь и вновь ее ощущаю. Я не способна закрывать глаза на недостатки Артура, и чем сильнее люблю его, тем больше они меня тревожат. Даже его сердце, которому я так доверяла, боюсь, не столь пылко и великодушно, как мне думалось. Во всяком случае, нынче он показал мне черты характера, заслуживающие более сурового наименования, чем легкомыслие и бездумность. Они с лордом Лоуборо отправились кататься верхом, сопровождая нас с Аннабеллой, — это была долгая, восхитительная прогулка. Аннабелла и лорд Лоуборо ехали немного впереди, и он наклонялся к ней, словно они вели нежный разговор.

— А ведь эта парочка нас обгонит, Хелен, если мы не поторопимся! — заметил Хантингдон. — Теперь уже видно, что поженятся они, поженятся непременно. Лоуборо совсем потерял голову. Но когда он назовет ее своей, ему придется несладко, бьюсь об заклад.

— И ей тоже, — возразила я, — если то, что я о нем слышала, правда.

— Ничуть. Она знает, чего хочет. Но он, бедняга, вообразил, будто она будет ему хорошей женой, и тешится мыслью, что она питает к нему глубокую любовь — наслушался от нее всякого вздора о том, как она презирает знатность и богатство, если речь идет о соединении истинно любящих сердец, и поверил, что она не откажет ему из-за его бедности, не льстится на его титул, а любит его ради него самого.

— Но ведь это он льстится на ее богатство?

— Нисколько. То есть вначале так и было, но теперь он о деньгах и думать не думает — разве как об условии, без которого не мог бы на ней жениться ради ее же блага. Нет, он по уши влюблен, хотя и думал, что больше никогда не влюбится. И вот! Года два-три тому назад он был женихом, но потерял невесту, потеряв все свое состояние. В Лондоне он принадлежал к нашему кружку, и ему скверно пришлось. На свою беду он пристрастился к азартным играм и, верно, родился под несчастной звездой — всегда проигрывал втрое больше, чем выигрывал. Я вот никогда себя так не терзал. Уж если тратить деньги, то так, чтобы получить за них радости сполна. А какой толк транжирить их на воров и шулеров? Ну, а наживать деньги... до сих пор мне хватало того, что у меня есть, и думать, как раздобыть больше, по-моему, надо только, когда проживешься. Но я захаживал в игорные дома посмотреть на безумных поклонников Случая, — право, Хелен, очень интересное зрелище, а порой и забавное: сколько раз я хохотал до упаду, наблюдая за безмозглыми и сумасшедшими завсегдатаями этих заведений. Лоуборо играл как одержимый, не ради удовольствия, а в силу необходимости. Он постоянно давал зарок бросить играть и тут же его нарушал. Вечно это был «еще один, самый последний раз»! Если он немного выигрывал, то надеялся, поставив еще, выиграть побольше, если же проигрывал, то не мог просто встать и уйти, не попробовав вернуть хотя бы последний проигрыш. Дурная полоса ведь не может продолжаться вечно! А каждая удача казалась ему началом хорошей полосы, пока опыт не доказывал обратного. В конце концов он совсем отчаялся, и мы ожидали, что он вот-вот наложит на себя руки, — невелика потеря, говорили некоторые, потому что он давно перестал быть украшением нашего клуба. Однако в конце концов играть он бросил. Сделал большую ставку и объявил, что она — последняя, выиграет ли он или проиграет. Так произошло и на этот раз. Он проиграл, его противник с улыбкой придвинул все деньги к себе, а он побелел, молча отошел от стола и вытер лоб. Это случилось при мне. И глядя, как он скрестил руки и устремил взгляд себе под ноги, я понял, о чем он думает.

«Значит, Лоуборо, это был последний раз?» — спросил я, подходя к нему.

«*Предпоследний!*» — ответил он с угрюмой улыбкой, кинулся назад к столу, хлопнул по нему ладонью и, заглушая звон монет, глухие ругательства и проклятия, громовым голосом произнес нерушимую клятву, что *это* испытание судьбы будет действительно последним, и пусть его постигнут самые страшные кары, если он еще когда-нибудь возьмет в руки карточную колоду или стаканчик с костями. Затем он удвоил свою предыдущую ставку и объявил, что готов играть с кем угодно. Гримсби тотчас принял его вызов. Лоуборо оскалился на него, потому что Гримсби слыл столь же удачливым, как он сам — неудачником. Однако играть они начали. Гримсби искусный игрок и не знает, что такое совесть. Не берусь утверждать, воспользовался ли он лихорадочным слепым нетерпением Лоуборо, чтобы обхитрить его, но, во всяком случае, тот снова проиграл и побелел как мертвец.

«Попробуйте-ка еще», — посоветовал ему Гримсби, перегибаясь через стол и подмигивая в мою сторону.

«Мне не на что пробовать», — ответил бедняга и скривился в улыбке.

«Так Хантингдон вам одолжит, сколько захотите», — говорит Гримсби.

«Нет. Вы же слышали мою клятву?» — ответил Лоуборо и отвернулся в унылом отчаянии. Тут я взял его под руку и увел.

«Самый последний раз, Лоуборо?» — спросил я, когда мы вышли на улицу.

«Самый последний», — ответил он, хотя я, признаться, ожидал другого. Я проводил его домой, то есть к нам в клуб, потому что он слушался меня, как малый ребенок, и начал отпаивать коньяком с водой, пока он немного не повеселел, а вернее, чуть-чуть ожил.

«Хантингдон! Я погиб!» — воскликнул он, когда я налил ему третью рюмку. (Первые две он выпил молча.)

«Вовсе нет, — возразил я. — Ты убедишься, что человек способен жить без денег так же весело, как черепаха без головы или оса без брюшка!»

«Но я весь в долгах, — продолжал он. — Совсем запутался. И никогда, никогда не сумею расплатиться!»

«Ну и что? Люди и получше тебя жили и умирали в долгу, как в шелку, а тебя в тюрьму не могут посадить, потому что ты пэр!» — И я налил ему четвертую рюмку.

«Но я ненавижу долги! — крикнул он. — Не для того я был рожден, и мне это невыносимо!»

«Стерпится — слюбится», — сказал я и смешал коньяк с водой для пятой рюмки.

«И я потерял мою Каролину!» — Тут он захныкал, потому что коньяк его разнежил.

«Пустяки! — возразил я. — На свете найдется еще много Каролин».

«Для меня есть только одна, — ответил он с меланхоличным вздохом. — Но будь их хоть пятьдесят, как можно без денег на них жениться?»

«Найдется такая, которая польстится на твой титул. А твое родовое поместье — майорат, и так при тебе останется».

«Жаль, что я не могу его продать и расплатиться с долгами!» — пробормотал он.

«А кроме того, вы могли бы попробовать еще разок, — сказал Гримсби с порога. — Я на вашем месте обязательно рискнул бы еще раз. И не остановился на полдороге».

«А я не буду, слышите?» — крикнул Лоуборо, встал и вышел из комнаты, еле держась на ногах, потому что коньяк ударил-таки ему в голову. Он тогда к нему еще не привык. Но потом научился искать в нем утешение от бед.

Свою клятву больше никогда не играть он, к нашему удивлению, сдержал, как ни искушал его Гримсби нарушить слово, но теперь мучился из-за новой страсти, так как вскоре обнаружил, что демон вина по черноте почти не уступает демону игры и избавиться от него столь же трудно — особенно когда добрые друзья всячески стараются посодействовать тебе в утолении неутолимой жажды.

— Значит, они сами демоны! — вскричала я, не в силах сдержать негодование. — И вы, мистер Хантингдон, видимо, первым начали его искушать!

— А что мы могли сделать? — ответил он с упреком. — Поступали мы так из доброты: просто смотреть не могли, как бедняга мучается. Кроме того, он такое на нас наводил уныние! Сидит насупившись и молчит, а про себя с похмелья оплакивает утрату невесты и утрату состояния. Но стоило ему выпить немного, то хоть сам он и не веселился, зато служил верным источником для нашего веселья. Даже Гримсби и тот посмеивался над нелепыми его утверждениями — они были ему куда больше по вкусу, чем мои шутки или балагурство Хэттерсли. Но как-то вечером, когда мы сидели за вином в клубе после обеда и все очень веселились, Лоуборо предлагал один дурацкий тост за другим, слушал наши забористые песенки и хлопал им, хотя сам не присоединялся, а потом вдруг смолк, оперся лбом на руку и отставил рюмку. Впрочем, тут ничего нового не было, а потому мы на него внимания не обращали и продолжали свое, как вдруг он поднял голову и прервал наш хохот, воскликнув:

«Господа, чем все это кончится? Можете вы мне ответить? Сейчас же! Чем все это кончится?»

«Адским пламенем», — пробурчал Гримсби.

«Верно! Я и сам так думаю! — говорит он. — Ну, так я вот что вам скажу....»

«Спич! Спич! — завопили мы все. — Тише! Лоуборо скажет спич!»

Он спокойно выждал, а когда гром рукоплесканий и звон бокалов стих, продолжил:

«Господа, я просто полагаю, что нам лучше не продолжать. Мы должны остановиться, пока еще возможно».

«Вот-вот!» — завопил Хэттерсли и пропел:

Погоди! Остановись,
Грешник обреченный!
Бражничать остерегись
На краю геенны!

«Совершенно верно, — отвечает его милость с серьезнейшей миной. — А если вы решили рухнуть в бездну, то я вам не товарищ и даю клятву, что не сделаю к ней больше ни шагу. Что это?» — спросил он, беря свою рюмку.

«А ты попробуй», — посоветовал я.

«Это адское варево! — крикнул он. — Отрекаюсь от него навеки!» — И выплеснул вино на стол.

«Налей-ка! — сказал я, протягивая ему бутылку. — И выпьем за твое от него отречение».

«Это чистейшая отрава, — говорит он и хватает бутылку за горлышко. — Больше я ее ни капли в рот не возьму! Я бросил игру и это тоже брошу! — И он уже собрался вылить вино на стол, но тут Хэттерсли вырвал у него бутылку. — Так пусть же проклятие падет на вас! — крикнул он тогда, попятился к двери, завопил: — Прощайте, злые искусители!» — и скрылся под хохот и рукоплескания.

Мы не сомневались, что на следующий день увидим его среди нас, но, к нашему удивлению, его место осталось пустым. Прошла неделя, он не показывался, и мы было решили, что он и вправду сдержит свою клятву. Наконец как-то вечером, когда мы собрались почти все, вдруг входит он, безмолвный и мрачный, как привидение, и пытается проскользнуть незаметно на свое обычное место рядом со мной. Не тут-то было! Мы все повскакали на ноги, приветствуя его, наперебой спрашивали, чего ему налить, и уже наливали, но я-то знал, что лучше всего его утешит стопочка коньяка с водой, и уже смешал целительный напиток, но тут Лоуборо брюзгливо оттолкнул стопку и сказал:

«Оставь меня в покое, Хантингдон! А вы все угомонитесь! Я пришел не для того, чтобы пить с вами, а просто немножко посидеть среди вас, потому что мне невыносимо оставаться одному со своими мыслями».

Он скрестил руки на груди и откинулся на спинку кресла. Мы не стали его допекать, но стопку я придвинул к нему поближе, и вскоре Гримсби, смотрю, мне подмигивает. Гляжу, а стопка уже пустая. Гримсби делает мне знак, мол, налей ему еще, и тихонько передает мне бутылку. Я охотно смешал еще порцию, но Лоуборо заметил нашу пантомиму и, озлившись на многозначительные ухмылки, выхватил у меня стопку, выплеснул ее содержимое Гримсби в лицо, пустую стопку швырнул в меня и выбежал вон.

— Надеюсь, он проломил вам голову, — сказала я.

— Ну нет, любовь моя, — со смехом ответил мистер Хантингдон, звонко расхохотавшись при воспоминании об этом происшествии. — Может быть, и проломил бы, и подпортил мою красоту, но по милости Провидения эта грива (он снял шляпу и встряхнул пышными каштановыми кудрями) сохранила мой череп в целости, и стопка скатилась на стол, не разбившись.

— После этого, — продолжал он свое повествование, — Лоуборо не показывался в нашей компании недели две. Но я иногда встречал его в городе, а так как по доброте душевной извинил его грубиянство, а он на меня тоже не злился, то не только не отказывался поболтать со мной, но, наоборот, цеплялся за меня и был готов сопровождать меня куда угодно, кроме клуба, игорных домов и прочих злачных местечек, — до того бедняга изнывал от унылого и мрачного своего характера. Наконец я уговорил его пойти со мной в клуб, обещав, что не стану предлагать ему пить, и некоторое время он частенько к нам заглядывал по вечерам, по-прежнему с удивительным упорством воздерживаясь от «чистейшей отравы», которую столь решительно бросил. Но кое-кто из членов начал ворчать. Им не нравилось, как он сидит среди нас, словно скелет на пиру, вместо того, чтобы вносить свою долю в общее веселье, наводит на всех тоску и жадными глазами следит за каждой каплей, которую мы подносим к губам. Они клялись, что это нечестно, и некоторые настаивали, что его надо либо заставить вести себя как все, либо изгнать из клуба, — дайте ему только прийти, и они так ему и скажут! Если же он не послушает их предостережения, они перейдут от слов к делу. Однако на этот раз я принял его под свое крыло, а им посоветовал оставить его в покое, дав понять, что нам надо немного потерпеть и он станет прежним. Тем не менее трудно было не досадовать — он отказывался пить, как честный христианин, но я ведь знал, что он носит с собой пузырек опия и постоянно им злоупотребляет, а вернее, играет с ним: сегодня воздержится, а завтра примет без всякой меры, ну, точно как с вином.

Однако как-то ночью во время одной из наших оргий... то есть одного из наших празднеств, хотел я сказать, он скользнул в комнату, точно дух в «Макбете», и, как обычно, сел чуть в стороне от стола в кресло, которое мы всегда там ставили «для призрака», приходил он или нет. По его лицу я догадался, что он страдает от слишком большой дозы своей коварной панацеи, но никто с ним не заговаривал, и он ни с кем не заговаривал. Несколько взглядов искоса, шепоток «призрак явился!» — и его перестали замечать. Мы продолжали веселиться, как вдруг он придвинулся к столу, положил на него локти и воскликнул с мрачной торжественностью:

«Не понимаю, что вас так радует? Не знаю, что вы видите вокруг! Я вот вижу только черноту тьмы, боязливое ожидание кары и огненного гнева!»

Все одновременно придвинули к нему свои рюмки и стаканы, я расставил их перед ним полукругом, похлопал его ободряюще по спине и посоветовал поскорее выпить — тогда ему тотчас все предстанет в столь же радужном свете, как и нам. Но он оттолкнул их, бормоча:

«Уберите! Я ни капли не выпью! Слышите, ни капли! Нет... нет...»

Тогда я возвратил их по принадлежности, но заметил, каким жаждущим, полным сожаления взглядом Лоуборо их провожает. Он прижал ладони к глазам, чтобы ничего не видеть, однако минуты две спустя откинул голову и сказал хриплым, но яростным шепотом:

«И все-таки не могу! Хантингдон, налей мне рюмку!»

«Бери всю бутылку, дружище!» — ответил я, всовывая ему в руку бутылку коньяка... Но, кажется, я наговорил лишнего? — прервал себя рассказчик, такой взгляд я на него бросила. — А впрочем, что тут такого? — добавил он беззаботно и продолжал: — В своем неистовстве он присосался к бутылке и пил, пока вдруг не соскользнул под стол, провожаемый бурей рукоплесканий. Следствием такой невоздержанности был легкий апоплексический удар, за которым последовала сильная мозговая горячка...

— И что вы обо всем этом думали, сударь? — спросила я быстро.

— Разумеется, я очень сожалел, — ответил он. — Я навестил его раза два... нет, два-три... а вернее, клянусь Пресвятой Девой, четыре раза, если не больше. А когда он более или менее оправился, я бережно вернул его в дружеский круг.

— О чем вы говорите?

— О том, что благодаря мне клуб открыл ему объятия, я же, сострадая слабости его здоровья и тягостному унынию духа, посоветовал ему «пить немного вина для пользы желудка». Когда же он окреп, то по моей рекомендации прибег к плану media-via, ni-jamais-ni-toujours* — не губить себя по-дурацки, но и не воздерживаться на манер маменькиных сынков, а, короче говоря, получать удовольствие по-разному и брать пример с меня. Потому что не думайте, Хелен, будто я такой уж завзятый любитель вина, — никогда им не был и никогда не стану. Хотя бы потому, что ценю свое здоровье и покой. Я ведь вижу, что тот, кто пьет, половину своих дней мучается, а вторую половину безумствует. К тому же мне нравится наслаждаться жизнью во всей ее полноте, что не дано рабам какого-нибудь одного пристрастия. Не говоря уж про то, что злоупотребление вином портит красоту, — закончил он с самодовольнейшей улыбкой, которая должна была бы вывести меня из себя куда больше, чем вывела.

— И ваш совет принес пользу лорду Лоуборо? — спросила я.

— Да, в какой-то мере. Некоторое время у него все шло отлично. Он был образцом умеренности и благоразумия — порой даже слишком, на взгляд нашей буйной компании. Однако Лоуборо лишен дара умеренности. Если он чуть споткнется, то непременно должен упасть, прежде чем твердо встать на ноги. Если нынче вечером он перегибал палку, то назавтра чувствовал себя столь несчастным, что должен был повторить во искупление то же самое, — и так изо дня в день, пока бранчливая совесть не заставляла его остановиться. И тогда в минуты трезвости он так допекал своих друзей раскаянием, всякими ужасами и горестями, что они ради собственного спасения уговаривали его утопить печаль в вине или более крепком напитке, какой оказывался под рукой. Если же удавалось справиться с первыми угрызениями его совести, в дальнейших убеждениях он не нуждался. Нередко в своем исступлении он равнялся с самыми отпетыми из них, но для того лишь, чтобы потом еще горше оплакивать свою чернейшую греховность и падение.

Наконец в один прекрасный день, когда мы были с ним вдвоем, он вдруг поднял голову, опущенную на грудь в угрюмом раздумье, схватил меня за руку и вскричал:

* Средний путь без «никогда» и без «всегда» (*лат. и фр.*).

«Хантингдон, так невозможно! Я решил покончить с этим».

«Как? Ты намерен застрелиться?» — спросил я.

«Нет. Но исправиться».

«Так что тут такого нового? Ты ведь уже год с лишним как исправляешься».

«Да, но вы мне не даете, а я по глупости воображал, будто не могу без вас жить. Но теперь я понял, что мне мешает и что нужно для моего спасения. И я бы ради этого обшарил море и сушу, только, боюсь, надежды для меня нет!» — И он вздохнул, словно у него разрывалось сердце.

«Но что же это такое, Лоуборо?» — спрашиваю я, а сам думаю, что уж теперь-то он совсем с ума спятил.

«Жена, — отвечает он. — Один я жить не могу, потому что мысли меня терзают и лишают всяких сил. И у тебя я жить не могу, потому что ты стакнулся с дьяволом против меня».

«Кто? Я?!»

«Да! Все вы, а ты даже больше остальных, сам знаешь. Но если бы я мог найти себе жену с приданым, достаточным, чтобы заплатить мои долги и поддержать меня на прямом пути...»

«Разумеется, разумеется», — говорю я.

«И при этом полную доброты и нежности, чтобы мой дом стал моим убежищем, и я примирился бы с собой, вот тогда, мне кажется, я сумею стать другим. Влюбиться я больше никогда не влюблюсь, тут сомнений нет, но, быть может, это не так уж и плохо — я буду выбирать не в ослеплении и сумею быть хорошим мужем. Но могут ли полюбить меня? Вот в чем вопрос. Обладай я твоей красотой и умением чаровать (так он меня любезно аттестовал!), то еще была бы какая-то надежда. Ну как, по-твоему, Хантингдон, найдется ли такая, кто захочет стать моей женой, женой разоренного, несчастного человека?»

«Можешь не сомневаться».

«Кто же?»

«Да любая старая дева, уже отчаявшаяся, с восторгом...»

«Нет, нет! — перебил он. — Я ведь тоже должен ее полюбить!»

«Но ты только что сказал, что никогда больше влюбляться не будешь!»

«Ну, любовь не то слово. Но нравиться она мне должна. Я всю Англию обыщу! — вдруг вскричал он, не то с надеждой, не то в отчаянии. — Найду или не найду — это все-таки лучше, чем устремляться к погибели в этом ч-вом клубе! А потому я распрощаюсь с ним и с тобой. Всегда буду рад тебя видеть в любом порядочном доме или ином почтенном месте, но в это *логово дьявола* ты меня больше не заманишь!»

Хотя он и не поскупился на такие оскорбления, я пожал ему руку, и мы расстались. Слово он сдержал и с того вечера, насколько мне известно, стал образцом добропорядочности, но до самого последнего времени мы с ним редко виделись. Иногда он искал моего общества, но чаще сторонился меня из опасения, что я вновь заманю его на гибельный путь. Да и мне с ним было скучновато, особенно когда он пытался пробудить во мне совесть и спасти меня, как, по его мнению, спасся он сам. Однако всякий раз я не забывал осведомиться, как обстоят дела с его брачными планами и розысками, и в ответ ничего обнадеживающего не слышал. Маменьки пугались его пустого кошелька и репутации игрока, а дочки — его угрюмого вида и меланхоличного характера, да к тому же он их не понимал. Ему недоставало воодушевления и уверенности, чтобы добиться своего.

Потом я уехал на континент, а вернувшись в конце года, нашел его все тем же безутешным холостяком, хотя, бесспорно, он меньше походил на неприкаянного выходца из могилы. Барышни перестали его чураться и уже находили интересным, однако маменьки ничуть не смягчились. Как раз тогда, Хелен, мой ангел-хранитель показал мне вас, и я уже больше никого не видел и не слышал. Но Лоуборо тем временем познакомился с нашей очаровательной мисс Уилмот — благодаря вмешательству своего ангела-хранителя, как, несомненно, он вам сказал бы, — хотя не смел даже надеяться, что этот предмет всеобщего восхищения и поклонения обратит на него внимание, пока они не оказались вместе здесь, в Стейнингли, и вдали от прочих своих обожателей она не поглядела на него с несомненной благосклонностью и не поощрила его робкие ухаживания. Вот тут-то он и воспылал в чаянии счастливого будущего. Конечно, некоторое время я омрачал его радость, встав между ним и его солнцем и чуть вновь не ввергнув его в бездну отчаяния. Однако это лишь удесятерило его пыл и укрепило надежды, когда я, ради куда более драгоценного сокровища, сошел с его пути. Короче говоря, как я упомянул в начале разговора, он совсем потерял голову. Сперва он был еще способен хотя бы смутно замечать ее недостатки, и они внушали ему порядочную тревогу, но теперь его страсть и ее искусство настолько его ослепили, что он способен видеть лишь ее совершенства и собственную свою необъяснимую удачу. Вчера вечером он явился в мою комнату, до краев полный новообретенным блаженством.

«Хантингдон, я более не отщепенец! — воскликнул он, сжимая мою руку, как в тисках. — Для меня еще возможно счастье... Даже на этом свете... Она меня любит!»

«Ах, вот как! — говорю. — Она тебе так прямо и сказала?»

«Нет, но у меня больше нет сомнений. Разве ты не замечаешь, как она особенно со мной добра и ласкова? И она знает всю меру моей бедности, но не придает ей никакого значения. Она знает все безумие, всю порочность прежней моей жизни и не боится довериться мне, а моя знатность, мой титул ее нисколько не манят. Ей они безразличны. Это самая благородная, самая возвышенная натура, какую только можно вообразить. Она спасет меня — и душу мою и тело — от гибели. Уже она возвысила меня в собственном моем мнении, сделала меня втрое мудрее и лучше, чем я был. Ах, если бы только я узнал ее раньше! От какого падения, от каких терзаний был бы я избавлен! Но чем я заслужил взаимность столь волшебного создания?»

— Соль же шутки, — продолжал со смехом мистер Хантингдон, — заключается в том, что на самом деле хитрая плутовка любит только его титул, родословную да «это восхитительное родовое имение»!

— Откуда вы знаете? — спросила я.

— Она сама мне призналась. Она сказала: «Его я глубоко презираю, но ведь, наверное, мне пора сделать выбор, а если я буду ждать нареченного, способного внушить мне уважение и любовь, так должна буду скоротать свой век в благословенном девичестве, ведь всех вас я терпеть не могу!» Ха-ха-ха! Подозреваю, что тут она уклонилась от истины, но во всяком случае, к нему, бедняге, она ни малейшей любви не питает, это ясно!

— Тогда вы обязаны его предупредить!

— Как? И испортить все планы и надежды бедной девочки? Нет, нет! И ведь это было бы нарушением доверия, э, Хелен? Ха-ха! А ему разбило бы сердце! — Он снова захохотал.

— Право, мистер Хантингдон, не понимаю, что вы находите тут такого забавного. Не вижу, над чем вы можете смеяться!

— Сейчас уже над вами, любовь моя, — ответил он, хохоча вдвое громче.

Я тронула Руби хлыстом и поскакала догонять наших спутников, предоставив ему веселиться одному, сколько его душе угодно. (Последние минуты мы ехали почти шагом и сильно отстали.) Артур скоро вновь поравнялся со мной, но я не хотела с ним разговаривать и пустила лошадь галопом. Он последовал моему примеру, и мы придержали наших лошадей только в полумиле от ворот парка, где нас поджидали мисс Уилмот и лорд Лоуборо. Я не перемолвилась с ним ни единым словом до конца прогулки, а тогда намеревалась спрыгнуть на землю и скрыться в доме, прежде чем он успеет предложить мне свою помощь. Однако я не успела высвободить зацепившуюся за седло амазонку, как он уже подхватил меня в объятия, поставил на крыльцо и, схватив за обе руки, заявил, что не отпустит, пока я не дарую ему прощения.

— Мне нечего прощать, — сказала я. — Вы ничем меня не обидели.

— Конечно, нет, жизнь моя! Боже упаси! Но вы сердитесь, потому что Аннабелла мне призналась в пренебрежении к своему смиренному обожателю.

— Нет, Артур, вовсе не поэтому. А из-за того, как вы всегда обходились с вашим другом. Если вы хотите, чтобы я про это забыла, сейчас же пойдите и скажите ему, какова на самом деле та, в кого он так беззаветно влюблен, кому вручил все свои надежды на будущее счастье!

— Но говорю же вам, Хелен, это разобьет ему сердце, убьет его, и какую подлую шутку я сыграю с бедняжкой Аннабеллой? Ему уже помочь нельзя. Он безнадежен. К тому же, быть может, она намерена поддерживать свой обман до конца их дней, и он обретет все то счастье, которого ждет, пусть в заблуждении. Или же обнаружит свою ошибку, когда перестанет ее любить. Но в любом случае будет лучше, если правда откроется ему мало-помалу. Теперь, мой ангел, когда я столь неопровержимо убедил вас, что не могу искупить свою вину тем способом, на котором вы настаивали, скажите, что еще вы от меня потребуете? Только скажите, и я с радостью исполню все.

— Только одного, — произнесла я с прежней серьезностью. — Больше никогда не превращайте в шутку чужие страдания, а свое влияние на друзей употребите для того, чтобы отучать их от дурных наклонностей, вместо того, чтобы им во вред всячески поощрять и поддерживать эти наклонности.

— Сделаю все, — ответил он, — чтобы помнить и исполнять повеления моей ангельской наставницы! — И, поцеловав обе мои руки сквозь перчатки, он наконец их выпустил.

У себя в комнате я, к своему удивлению, увидела Аннабеллу Уилмот. Она стояла перед туалетным столиком и спокойно рассматривала свое отражение, одной рукой поигрывая хлыстиком, а другой придерживая юбку амазонки.

«Да, она, бесспорно, волшебное создание!» — подумала я, глядя на ее стройный стан и отраженное в зеркале прекрасное лицо в обрамлении пышных темных волос, которые чуть-чуть очаровательно растрепались после скачки, на румянец, окрасивший нежную смуглоту кожи, на черные глаза, полные какого-то особенного блеска.

Она обернулась ко мне со смехом, в котором было больше злорадства, чем истинной веселости.

— Ах, Хелен, что вас так задержало? А я пришла рассказать вам о моей радости, — продолжала она, не обращая внимания на Рейчел. — Лорд Лоуборо предложил мне руку и сердце, и я их милостиво приняла. Вы не завидуете мне, душенька?

— Нет, милочка, — ответила я, а про себя добавила: «И ему тоже!» — Так он вам нравится, Аннабелла?

— Нравится? О, разумеется. Я по уши в него влюблена.

— Что же, надеюсь, вы будете ему хорошей женой.

— Благодарю, душенька! А еще на что вы надеетесь?

— Надеюсь, что вы будете любить друг друга и оба будете счастливы.

— Спасибо. А я надеюсь, что вы будете очень хорошей женой мистеру Хантингдону! — произнесла она, царственно наклоняя голову, и удалилась.

— Ох, мисс, да как же вы ей такое сказали? — воскликнула Рейчел.

— Но что я сказала?

— А что надеетесь, что она будет ему хорошей женой. Да разве же так можно?

— Но я, правда, надеюсь... вернее, от всего сердца желаю этого. Надеяться же тут трудно.

— Ну-ну! — ответила она. — Я-то вот надеюсь, что он ей будет хорошим мужем. В людской о нем такое говорят! Будто он...

— Я знаю, Рейчел. Мне про него все известно. Но он исправился. И как они смеют сплетничать о своих господах?

— Оно так, барышня. Но только вот и про мистера Хантингдона говорят...

— Я не желаю ничего слушать, Рейчел. Они лгут.

— Хорошо, барышня, — ответила она тихо и продолжала расчесывать мне волосы.

— А ты им веришь, Рейчел? — спросила я, помолчав.

— Нет, мисс, и не думаю. Вы же знаете, когда столько слуг собирается в одном доме, у них первое дело о господах судачить. Ну, и для важности, бывает, прихвастнут: дескать, мы такое знаем! И давай намекать, да прохаживаться, только чтобы другим пыль в глаза пустить. Но только на вашем-то месте, мисс Хелен, я бы не семь, а сто раз отмерила, прежде-то чем отрезать. По мне, всякой барышне поостеречься не мешает, как она замуж соберется.

— Конечно, — сказала я. — Но немножко поторопись, Рейчел, я хочу побыстрее переодеться.

Я и в самом деле хотела побыстрее избавиться от ее присутствия, потому что меня томила тоска, и я лишь с трудом сдерживала слезы, пока она помогала мне одеваться. Но плакать мне хотелось не о лорде Лоуборо, не об Аннабелле, не о себе, а об Артуре Хантингдоне.

13 октября. Они уехали — и он тоже. Мы разлучились более чем на два месяца! На десять недель! Как долго я его не увижу. Но он обещал часто писать, а с меня взял обещание, что я буду писать еще чаще, — ведь он будет очень занят, приводя в порядок свои дела, а у меня таких помех нет. Ну, мне кажется, я всегда найду, о чем писать, и все-таки когда же мы будем всегда вместе, чтобы обмениваться мыслями без таких холодных посредников, как перо, чернила и бумага?

22 октября. Я уже получила от Артура несколько

писем. Все довольно короткие, но очень милые и совсем такие же, как он сам, — полные пылкой нежности, веселой, живой шутливости, но... В этом несовершенном мире обязательно бывает какое-то «но»! А я так хочу, чтобы он хоть иногда бывал серьезен! Мне не удается заставить его писать или говорить по-настоящему серьезно о действительно важных вещах. Пока меня это не очень огорчает, но если так будет и дальше, куда мне деть серьезную сторону моей души?

Глава XXIII

ПЕРВЫЕ НЕДЕЛИ ПОСЛЕ СВАДЬБЫ

18 февраля 1822 года. Сегодня рано утром Артур вскочил на своего гунтера и весело отправился на лисью травлю. Вернется он не раньше вечера, и потому я займусь моим забытым дневником — если столь разрозненные записи заслуживают такого названия. Прошло ровно четыре месяца с тех пор, как я открывала его в последний раз.

Вот я и замужем — миссис Хантингдон, хозяйка Грасдейл-Мэнора. Позади восемь недель семейной жизни. Жалею ли я о сделанном мной шаге? Нет... хотя в глубине сердца не могу не признать, что Артур не тот, каким он мне казался, и если бы я с самого начала знала его так хорошо, как знаю теперь, то, наверное, не полюбила бы. Или полюбила бы, но, сделав такое открытие до свадьбы, боюсь, сочла бы своим долгом разорвать помолвку. Да, бесспорно, я могла бы узнать его еще тогда — ведь все только и хотели рассказать мне о нем всю правду, да и он вовсе не такой уж отъявленный лицемер, но я упрямо закрывала глаза, и вот теперь, вместо того чтобы сожалеть о том, что не узнала его настоящего характера до того, как нас связали нерасторжимые узы, я этому *радуюсь!* Ведь таким образом я избавилась от битв со своей совестью, от всяческих тревог, боли и неприятностей, которыми чреват подобный разрыв. Теперь же мой *долг,* вопреки всяким «если», повелевает мне любить его и быть с ним, а это совпадает с моими желаниями.

Он очень меня любит. Пожалуй, даже чересчур. Я предпочла бы чуть меньше ласк и больше разумности. Будь у меня выбор, я хотела бы, чтобы во мне видели не столько предмет для обожания, сколько верную подругу, но жаловаться я не стану. Боюсь только, что в его чувстве пылкость заменяет глубину. Иногда оно мне представляется костром из сухого хвороста, а не ровно и долго горящим углем. Пылает жарко и ярко, но что, если он угаснет, оставив только горстку золы? Что я буду делать? Но нет! Этого не случится. Я твердо решила, что не позволю ему угаснуть, и, наверное, у меня есть такая власть. А потому выкину эту мысль из головы немедленно. Однако не могу не признать, что Артур себялюбив. Впрочем, огорчаюсь я гораздо меньше, чем можно было бы предположить. Ведь раз я люблю его так сильно, то мне легко извинить ему любовь к самому себе. Он ищет удовольствий, а для меня радость доставлять ему их. И если я сожалею об этой стороне его натуры, то из-за него, а не из-за себя.

В первый раз он показал мне себя с этой стороны во время свадебного путешествия. Он всячески старался его ускорить — все на континенте было ему знакомо, многое утратило в его глазах былой интерес, а другое и вовсе никогда не интересовало. И вот, быстро проехав часть Франции и часть Италии, я вернулась на родину почти столь же невежественной, какой была, не узнав ни людей, ни обычаев этих стран и лишь чуть-чуть ознакомившись с некоторыми их достопримечательностями. Моя голова шла кругом от пестрой смены впечатлений. Некоторые, правда, оказывались более глубокими и приятными, чем другие, но к ним примешивалась горечь, потому что мне не только не удавалось разделить их с моим спутником, но, напротив, он сердился, когда я выражала интерес к чему-либо, что видела или хотела увидеть. Как! Значит, мне может нравиться что-то, кроме него?

В Париже мы почти не задержались, а в Риме он не позволил мне осмотреть и десятой части красот и древностей. Он говорил, что ему не терпится увезти меня домой, в Грасдейл-Мэнор, где я буду всецело принадлежать ему одному, такая же наивная, чарующая однолюбка, которой он меня узнал. И, словно я — хрупкая бабочка, он опасался, что соприкосновение с обществом, особенно в Париже и в Риме, может стереть серебристую пыльцу с моих крыльев. Тем более что — как он не постеснялся мне сказать — и там есть дамы, которые выцарапают ему глаза, если увидят его со мной.

Разумеется, мне все это досаждало. Однако причиной было не столько разочарование в моих ожиданиях, сколько разочарование в *нем* и еще необходимость придумывать для моих друзей всяческие объяснения, почему я увидела и узнала так мало, не бросая при этом ни малейшей тени на моего спутника. Но когда мы вернулись домой — в мой новый восхитительный дом, — я была так счастлива, а он был так мил, что я от души все ему простила. И начала даже думать, что мое счастье слишком уж велико, а мой муж слишком уж хорош для меня, если вообще не для этого мира, как вдруг на второе воскресенье после нашего приезда сюда он ужаснул меня новым безрассудным требованием. Мы возвращались после утренней службы пешком, так как день был приятно-морозный, а от церкви до дома совсем близко, и я распорядилась не закладывать кареты.

— Хелен, — сказал он мне с непривычной серьезностью, — я не совсем тобой доволен.

Я осведомилась, в чем моя вина.

— Но ты обещаешь исправиться, если я тебе расскажу?

— Да, если это в моих силах и не противно установлениям Всевышнего.

— Вот-вот! Об этом я и говорю. Ты любишь меня не всем сердцем.

— Я не понимаю, Артур... надеюсь, что не понимаю. Объясни, какие мои поступки, какие слова...

— Дело не в твоих поступках или словах, а в тебе самой. Ты слишком уж набожна. Нет, набожность в женщинах мне нравится, и твое благочестие, на мой взгляд, придает тебе особое очарование, но им, как и всем хорошим, не следует злоупотреблять. Вера в женщине, как я считаю, не должна брать верха над преданностью ее земному владыке. Вера должна очищать ее душу, придавать ей эфирность, но не настолько, чтобы сердце ее совсем опустело и она поднялась выше всех человеческих чувств.

— И я — я! — выше всех человеческих чувств?

— Нет, радость моя, но святости ты набираешься больше, чем мне хотелось бы. Вот все эти два часа я думал о тебе, старался перехватить твой взгляд, а ты была так поглощена своими молитвами, что даже ни разу не удосужилась посмотреть на меня! Право же, как тут не взревновать к твоему Творцу — а это ведь большой грех, как ты знаешь. Так ради спасения моей души не давай пищи столь дурным страстям!

— Все свое сердце, всю душу я отдам Творцу, если смогу, — ответила я. — А тебе ни на гран более того, что дозволяет Он. Да кто вы такой, сударь, что возводите себя в боги и дерзаете оспаривать мое сердце у Того, Кому я обязана всем, что у меня есть, самой собой, всеми былыми и будущими дарованными мне благами — и вами в том числе, если вы и вправду благо, в чем я склонна усомниться!

— Не будь ко мне столь строга, Хелен, и пожалей мою руку — ты так ее сжала, что она будет вся в синяках.

— Артур, — продолжала я, разжимая пальцы, которыми стиснула его руку у локтя, — ты меня и вполовину так не любишь, как я тебя, и все же люби ты меня даже гораздо меньше, я не сетовала бы, если бы ты больше любил Творца. Я *возликовала* бы, если бы увидела, что, жарко молясь, ты забыл обо мне. Но конечно, я ничего не потеряла бы: ведь чем больше любил бы ты Господа, тем глубже и преданнее была бы твоя любовь ко мне!

На это он только засмеялся, поцеловал мне руку и назвал меня милой мечтательницей. А потом снял шляпу и добавил:

— Но скажи, Хелен, что делать человеку с такой головой?

Ничего дурного я в ней не заметила, но когда он положил мою ладонь себе на макушку, она опустилась, приминая пышные кудри, слишком уж низко — особенно в середине.

— Как видишь, я не предназначен стать святым, — объяснил он со смехом. — Если Бог хотел, чтобы я был набожен, почему он не снабдил меня шишкой благочестия?

— Ты уподобляешься рабу, — ответила я, — который вместо того, чтобы во имя своего господина употребить в дело доверенный ему один талант, вернул его, не приумножив, а в оправдание сказал, что он ведь знает его, как человека жестокого, который жнет, где не сеял, и собирает, где не рассыпал. Кому меньше дано, с того меньше и спросится, но от нас всех требуется вся мера усердия, на какое мы способны. И набожность, и вера, и надежда, и совесть, и разум, и все остальное, из чего слагается характер истинного христианина, тебе даны, лишь бы употребить их в дело. Но любые наши таланты умножаются от употребления, все наклонности как к хорошему, так и к дурному развиваются, когда им следуют. Поэтому если ты предпочтешь следовать дурным наклонностям (или тем, которые могут обратиться во зло), пока они не возьмут над тобой полную власть, а все хорошие подавляешь, пока они совсем не зачахнут, то винить тебе, кроме себя, будет некого. Но ведь тебе дарованы таланты, Артур, — природные качества сердца, ума и характера, которым могут позавидовать многие более праведные христиане, если бы только ты употребил их для служения Господу. Нет, я не жду от тебя суровой набожности, но ведь можно быть хорошим христианином, оставаясь веселым, счастливым человеком!

— Ты изрекаешь истины, как оракул, Хелен. Все это бесспорно. Однако послушай: я голоден, и передо мной стоит недурной сытный обед, а мне говорят, чтобы я от него отказался, и тогда завтра смогу вволю объедаться всякими деликатесами и сладостями. Так вот: во-первых, мне просто не хочется ждать завтрашнего дня, раз я могу утолить голод сейчас же. Во-вторых, нынешние дымящиеся передо мною кушанья более мне по вкусу, чем обещанные мне тонкие лакомства. В-третьих, завтрашнего пира я ведь не вижу, так как же я могу быть уверен, что это не сказочка, придуманная елейным ханжой, который советует мне воздержаться от готового обеда, чтобы забрать все лучшие яства себе? В-четвертых, ведь стол этот накрыт для кого-то, а как говорит Соломон: «И то благо, чтоб есть и пить». В-пятых, с твоего разрешения, я сяду и утолю мой нынешний голод, а завтра пусть сам о себе позаботится. Да и кто знает, может быть, и тот пир все равно от меня не уйдет.

— Но ведь никто не требует, чтобы ты совсем не прикасался к сегодняшнему обеду! Тебе же только советуют вкушать эти более грубые кушанья умеренно, чтобы ты мог полностью насладиться изысканнейшими блюдами на следующий день. Если же вопреки этим советам ты предпочтешь объедаться и обпиваться сию же минуту, точно скот, и в результате здоровая пища превратится в отраву, так кого же надо будет винить, если на следующий день, испытывая невыразимые мучения из-за вчерашнего обжорства и пьянства, ты увидишь, как более умеренные люди наслаждаются теми изысканными деликатесами, попробовать которые ты не в силах?

— Бесспорно, бесспорно, моя святая покровительница. И все-таки наш друг Соломон говорит: «Нет лучшего для человека под солнцем, как есть, пить и веселиться».

— И он же, — возразила я, — говорит: «Веселись, юноша, в юности твоей и ходи по путям сердца твоего и по видению очей твоих; только знай, что за все это Бог приведет тебя на суд».

— Ну, послушай, Хелен, я уверен, что все последнее время был очень хорошим. Что ты видишь во мне дурного и что, по-твоему, мне следует делать?

— Ничего, кроме того, что ты делаешь, Артур. Все твои поступки пока не оставляют желать ничего лучшего. Но мне очень хотелось бы, чтобы переменился образ твоих мыслей, чтобы ты укрепился против соблазнов, не называл бы зло добром, а добро — злом. Я бы так хотела, чтобы ты думал глубже, видел дальше и целился выше, чем теперь!

Тем временем мы дошли до наших дверей, и я умолкла, горячо со слезами обняла его и поднялась к себе снять мантилью и шляпку. Больше я ничего об этих предметах говорить не хотела, чтобы не вызвать у него отвращения и к ним, и к себе.

Глава XXIV
ПЕРВАЯ ССОРА

25 марта. Артуру начинает надоедать — нет, надеюсь, не я, но тихая праздная жизнь, которую он ведет. И не удивительно, ведь у него здесь так мало развлечений! Он ничего не читает, кроме газет и журналов, предназначенных для любителей охоты и прочего в том же роде. А когда застает меня с книгой в руках, немедленно заставляет ее отложить. В хорошую погоду он обычно находит приятные способы коротать время, но в дождливые дни — а выпадают они часто — просто больно смотреть, как он скучает. Я всячески стараюсь развлекать его, но ему совершенно неинтересно то, о чем мне особенно нравится разговаривать. А с другой стороны, он любит говорить о том, что мне никак не может быть интересно или даже меня раздражает, и вот это-то доставляет ему особенное удовольствие. Его любимое развлечение — сесть или разлечься возле меня на диване и забавлять меня рассказами о своих прошлых романах, с особенным вкусом описывая, как ему удалось погубить какую-нибудь доверчивую девушку или притворной дружбой отвести глаза ничего не подозревающего мужа. А когда я не могу сдержать ужаса и негодования, он объявляет, что я просто его ревную, и хохочет до слез. Сначала я приходила в бешенство или рыдала, но, обнаружив, что веселость его тем бурнее, чем сильнее мой гнев или волнение, я теперь пытаюсь скрывать свои чувства и выслушивать его признания молча, с холодным пренебрежением. Но он догадывается по моему лицу о том, как я терзаюсь, и горечь, которую вызывает в моей душе его недостойное поведение, приписывает мукам разгоряченной ревности. Когда же эта забава ему приедается или у него возникает опасение, что мое дурное расположение духа может стать и ему в тягость, он принимается целовать меня и улещивать! Как мне неприятны подобные ласки! Это же удвоенное себялюбие! Бесчувственность и ко мне, и к тем, кому он прежде клялся в любви. В подобные минуты у меня порой сердце сжимается в безумном отчаянии, и я спрашиваю себя: «Хелен, что ты наделала?!» Но я укоряю этот внутренний голос, отгоняю одолевающие меня непрошеные мысли: ведь будь он даже в десять раз более чувственным и недоступным для благородных, высоких мыслей, я твердо знаю, что у меня нет права жаловаться. И я не жалуюсь, и никогда не буду. Я все еще его люблю и буду любить. И я не жалею и никогда не пожалею, что связала свою судьбу с его судьбой.

4 апреля. Мы поссорились по-настоящему. Вот как это произошло. Артур мало-помалу рассказал мне все подробности своей интриги с леди Ф. — той самой интриги, в которую я отказалась поверить. Однако некоторым утешением мне послужило то, что в этом случае ее вина была больше, чем его. Он был тогда еще совсем юным, и, если сказал правду, первый шаг принадлежал ей. Я ее возненавидела: ведь таким развращенным его во многом сделала она! И вот, когда на днях он снова заговорил о ней, я умоляла его перестать, потому что не выношу даже звука ее имени.

— Но не потому, что ты ее любил, Артур, пойми же! А потому, что она губила тебя и обманывала мужа.

Настоящее чудовище! Тебе должно быть стыдно даже упоминать о ней!

Но он принялся ее защищать: муж у нее был дряхлый старик — о какой же любви могла идти речь?

— Тогда почему она вышла за него? — спросила я.

— Ради его денег.

— Еще одно непростительное преступление, которое усугублялось тем, что она торжественно клялась любить и почитать его. Преступная клятва!

— Ты уж слишком сурова к бедняжке, — засмеялся он. — Но успокойся, Хелен, мне она теперь безразлична. Да и ни одну из них я не любил и вполовину так сильно, как тебя. А потому тебе нечего бояться, что и ты окажешься покинутой.

— Если бы ты рассказал мне все раньше, Артур, то у тебя бы не было такой возможности. Я бы ее тебе не дала.

— Неужели, радость моя?

— Нет. Ни за что.

Он недоверчиво засмеялся.

— Как бы я хотела, чтобы у меня было средство убедить тебя в этом сейчас! — вскричала я, вскочила и в первый раз (надеюсь, и в последний) пожалела, что вышла за него.

— Хелен, — сказал он уже серьезно, — а понимаешь ли ты, что я, если бы поверил тебе, очень рассердился бы? Но, благодарение Небу, ты не можешь меня обмануть. Хоть ты вся побелела и сверкаешь на меня глазами, как разъяренная тигрица, твое сердечко я знаю чуть-чуть лучше, чем ты сама.

Я молча ушла к себе и заперлась. Примерно через полчаса он подошел к двери, подергал ручку, а потом постучался.

— Хелен, ты меня не впустишь? — сказал он.

— Нет. Ты меня больно ранил, и до утра я ни видеть, ни слышать тебя не хочу.

Он замер, словно растерявшись или не зная, как ответить на такие слова, а затем повернулся и ушел. После обеда прошел всего час. Я знала, как скучно ему будет весь вечер сидеть одному, и от этой мысли мой гнев незаметно остыл, но от своего решения я не отступила, твердо положив показать ему, что мое сердце вовсе у него не в рабстве, что я смогу прожить без него, если захочу. Я села и написала длинное письмо тетушке, разумеется, ни словом не упомянув о том, что случилось сегодня. В начале одиннадцатого я вновь услышала его шаги, но он прошел мимо моей двери к себе в гардеробную и заперся там на ночь.

Мне было немножко страшно, как мы встретимся утром, и я ощутила некоторое разочарование, когда увидела, что он входит в столовую, весело улыбаясь.

— Все еще сердишься, Хелен? — спросил он, подходя, словно намереваясь меня поцеловать. Я холодно отвернулась к столу и начала наливать кофе, заметив, что он поздно спустился к завтраку.

Он присвистнул, отошел к окну и несколько минут любовался очаровательным видом угрюмых серых туч, дождевых струй, залитого водой газона и голых древесных веток, с которых падали бесчисленные капли. Несколько раз прокляв погоду, он сел завтракать. Отхлебнув кофе, он буркнул, что он ч-ски холоден.

— Так ты бы пил его сразу, — сказала я.

Он ничего не ответил, и завтрак продолжался в молчании. Нам обоим стало легче, когда принесли почту: газету и несколько писем. Два были адресованы мне, и он молча перебросил их через стол. Одно было от моего брата, другое от Милисент Харгрейв, которая сейчас в Лондоне вместе с матерью. Письма, которые получил он, были, по-моему, все деловые и, видимо, не очень приятные, так как он смял их и сунул в карман, бормоча выражения, за которые в любое другое время я бы ему попеняла. Затем, развернув газету, он до конца завтрака и довольно долго после делал вид, будто всецело поглощен чтением.

До полудня у меня нашлось достаточно занятий — прочесть письма, ответить на них, отдать распоряжения слугам. После второго завтрака я села рисовать, а после обеда до отхода ко сну читала. Тем временем бедный Артур не мог найти для себя ни развлечения, ни дела. Он пытался изобразить, будто занят не меньше меня и совсем не скучает, и не будь погода такой уж скверной, конечно, приказал бы оседлать лошадь, отправился бы куда-нибудь подальше — не важно куда — и вернулся бы только вечером. А если бы в окрестностях проживала барышня или дама любого возраста от пятнадцати до сорока пяти лет, он, несомненно, попробовал бы отомстить мне и развлечься, затеяв с ней отчаянный флирт. Но поскольку волей судеб и к большому моему тайному удовлетворению ни то, ни другое возможно не было, то страдал он невыносимо. Кончив зевать над газетой и нацарапав коротенькие ответы на еще более короткие письма, до конца утра и весь день он бродил по комнатам, смотрел на тучи, ругал дождь, попеременно ласкал, дразнил и осыпал проклятиями своих собак, порой бросался на диван с книгой, но даже не трудился толком ее открыть и очень часто посматривал на меня, как он полагал, незаметно, в надежде различить на моем лице следы слез или другие признаки сожалений и терзаний. Но я сумела до конца дня сохранять безмятежный, хотя и серьезный вид. Я уже не сердилась, а от души его жалела и очень хотела помириться. Но я твердо решила, что первый шаг должен сделать он или хотя бы как-то показать, что раскаивается и чувствует себя виноватым. Ведь начни первой я, это только пощекотало бы его самодовольство, укрепило высокомерие и свело на нет урок, который я хотела ему преподать.

После обеда он засиделся в столовой очень долго и, боюсь, выпил много больше обычного — хотя и не настолько, чтобы у него развязался язык. Во всяком случае, войдя в гостиную и увидев, что я увлечена чтением и даже не подняла головы при его появлении, он ограничился сердитым восклицанием, громко захлопнул дверь и растянулся на диване, собираясь вздремнуть. Но тут Дэш, его любимый кокер-спаниель, лежавший у моих ног, дерзко прыгнул на него и принялся облизывать ему лицо. Он свирепо сбросил его на пол, и бедный песик, взвизгнув, вернулся ко мне с понурым видом. Проснувшись через полчаса, он позвал Дэша, но тот только прижался к полу и робко вильнул кончиком хвоста. Он еще раз сердито позвал, однако Дэш прижался к моей ноге и лизнул мне руку, словно прося о защите. Его взбешенный хозяин схватил тяжелый том и метнул ему в голову. Несчастный песик жалобно завизжал и побежал к двери. Я выпустила его и подобрала книгу с пола.

— Отдай ее мне, — приказал Артур не слишком вежливым тоном.

Я отдала.

— Зачем ты его выпустила? — спросил он. — Ты же видела, что он мне нужен?

— И ради этого ты швырнул в него книгой? — возразила я. — Или она предназначалась мне?

— Нет. Но, как вижу, и тебе досталось, — заметил он, разглядывая ссадину на моей руке, оставленную углом переплета.

Я продолжала читать, и он попытался последовать моему примеру, но вскоре глубоко зевнул, объявил, что не стоит портить глаза «такой проклятущей дрянью», и бросил свою книгу на стол. Затем последовало десятиминутное молчание, во время которого он, мне кажется, не спускал с меня глаз. Наконец его терпение истощилось.

— Что ты читаешь, Хелен? — осведомился он громко.

Я ответила.

— Интересно?

— Очень.

— Хм!

Я продолжала читать — вернее, притворяться, будто читаю, так как связь между моими глазами и мозгом словно прервалась. Они пробегали строчку за строчкой, но думала я о том, когда Артур снова заговорит, и что он скажет, и что мне следует ответить. Но он так и не заговорил, пока я не встала, чтобы заварить чай, а тогда сказал только, что пить его не будет. Он лежал на диване и то закрывал глаза, то поглядывал на свои часы или на меня. Так продолжалось до тех пор, пока я не взяла свечу, чтобы отправиться спать.

— Хелен! — воскликнул он, когда я подошла к двери.

Я оглянулась, подождала и наконец спросила сама:

— Что тебе нужно, Артур?

— Ничего, — ответил он. — Иди.

Я вышла, но, закрывая дверь, услышала, что он что-то бормочет, и снова обернулась. Неужели он буркнул «чтоб тебя ч-т побрал»? Но очень возможно, что я ослышалась.

— Ты что-то сказал, Артур? — спросила я.

— Нет, — ответил он, и, затворив дверь, я ушла.

Увидела я его опять только на следующее утро за завтраком, к которому он спустился на час позже обычного.

— Как ты поздно! — Таким было мое утреннее приветствие.

— Ты могла бы меня и не ждать! — Так поздоровался со мной он и подошел к окну. Погода со вчерашнего дня не переменилась.

— Проклятый дождь! — проворчал он, однако после минутного созерцания внезапно воскликнул: — А, придумал!

Он вернулся к столу и сел. Сумка с почтой уже лежала перед его прибором. Он отпер ее, проглядел содержимое, но ничего не сказал.

— Что-нибудь для меня? — спросила я.

— Нет.

И, развернув газету, он погрузился в чтение.

— Пей же кофе, — сказала я. — Не то он опять остынет.

— Иди, если ты закончила, — ответил он. — Мне ты не нужна.

Я встала и ушла в соседнюю комнату, со страхом спрашивая себя, неужели нам предстоит такой же мучительный день, как вчерашний, и от души желая, чтобы мы кончили терзать друг друга. Вскоре я услышала, как он позвонил и начал отдавать какие-то распоряжения о своем гардеробе, словно собираясь в долгую поездку. Затем послал за кучером и сказал ему что-то о карете, лошадях, и о Лондоне, и о семи часах утра. Все это очень меня смутило и встревожило.

«Ни в коем случае нельзя отпустить его в Лондон! — сказала я себе. — Он там Бог знает что натворит, и причиной буду я! Но как мне его удержать? Подожду, не заговорит ли он об этом сам».

Час за часом я с волнением ждала, но не услышала ни слова — ни об этом, ни о чем-либо другом. Он насвистывал, болтал с собаками, бродил по комнатам — совсем как накануне. В конце концов я решила, что сама должна начать разговор, и только раздумывала, как лучше к нему приступить, но тут меня, сам того не подозревая, выручил Джон, который по поручению кучера пришел доложить:

— Простите, сэр, Ричард говорит, что одна лошадь сильно простужена, так если бы, сэр, отложить отъезд на день, он бы ныне задал ей лекарства и...

— Ч-т бы побрал его наглость! — перебил хозяин дома.

— Простите, сэр, только он говорит, что эдак лучше будет, — не отступал Джон. — Погода, он говорит, вот-вот переменится, а когда лошадь хрипит, да и лекарство он ей задал, так...

— К дьяволу лошадь! Хорошо, скажи ему, что я подумаю, — добавил он после минутного размышления, а едва лакей вышел, внимательно посмотрел на меня, ожидая увидеть на моем лице удивление и тревогу. Но, предупрежденная заранее, я сохранила вид невозмутимого равнодушия и спокойно встретила его взгляд. Лицо у него вытянулось, он с плохо скрытым разочарованием отвернулся и отошел к камину, оперся о полку и опустил голову на локоть в позе глубокого уныния.

— Куда ты едешь, Артур? — спросила я.

— В Лондон, — ответил он мрачно.

— Зачем?

— Затем, что тут я быть счастлив не могу.

— Но почему?

— Потому что моя жена меня не любит.

— Она бы любила тебя всем сердцем, если бы ты этого заслуживал.

— А чем же я могу это заслужить?

Произнес он это смиренно и так горячо, что я совсем растерялась от вспыхнувшей во мне радости, смешанной с жалостью, и должна была немного помолчать, чтобы придать спокойствие своему голосу.

— Если она подарила тебе свое сердце, то будь благодарен, береги его, а не разрывай в клочья и не смейся ей в лицо, потому что она не может отобрать его у тебя.

Тут он повернулся ко мне лицом:

— Послушай, Хелен, ты будешь умницей?

Слова эти прозвучали слишком уж высокомерно, и мне совсем не понравилась улыбка, которая их сопровождала. Поэтому я заговорила не сразу. Быть может, тот мой ответ означал слишком уж большую уступку. Он услышал, как задрожал мой голос, а может быть, и заметил, как я украдкой вытерла глаза.

— Так ты простишь меня, Хелен? — продолжал он более кротко.

— Но ты раскаиваешься? — сказала я, подходя к нему, и улыбнулась.

— До глубины души! — воскликнул он с самым печальным видом, однако в его глазах и в уголках губ пряталась веселая улыбка. Но она меня не остановила, и я бросилась в его объятия. Он пылко меня поцеловал, и, хотя я пролила потоки слез, мне кажется, никогда в жизни я не была так счастлива!

— Так ты не поедешь в Лондон, Артур? — спросила я, когда буря слез и поцелуев несколько поутихла.

— Конечно, нет... Разве что ты поедешь со мной.

— С радостью! — ответила я. — Если ты считаешь, что это тебя развлечет и если отложишь отъезд до будущей недели.

Он охотно согласился и прибавил, что особые сборы не нужны, так как мы там останемся недолго — он не хочет, чтобы я превратилась в столичную щеголиху и утратила свежесть и наивность в обществе светских дам. Я подумала, что это нелепо, но возражать ему в ту минуту мне не хотелось, и я только сказала, что всему предпочитаю домашнее уединение, как он хорошо знает, и не имею особого желания часто ездить в свет.

Итак, в понедельник послезавтра мы уезжаем в Лондон. После окончания нашей ссоры миновало четыре дня, и я убеждена, что она пошла на пользу нам обоим: Артур стал мне нравиться даже больше, а его она заставила вести себя со мной гораздо лучше. Он ни разу не пытался дразнить меня хоть малейшим намеком на леди Ф. или какими-нибудь противными воспоминаниями из его прошлой жизни. Ах, как мне хотелось бы стереть их все в его памяти или внушить ему к ним такое же отвращение, какое испытываю сама! Что же, не так уж плохо и то, что он понял, как мало они подходят для семейных шуток. А со временем, быть может, он поймет еще больше — я не хочу ограничивать свои надежды. И вопреки предсказаниям тетушки и моим собственным тайным опасениям, я верю, что мы еще будем счастливы!

Глава XXV

ПЕРВАЯ РАЗЛУКА

Восьмого апреля мы уехали в Лондон, восьмого мая я вернулась, подчиняясь желанию Артура, но против своей воли, так как он остался в Лондоне. Если бы он поехал со мной, я была бы очень счастлива оказаться дома: он закружил меня в таком вихре всяческих пустых развлечений, что я очень быстро совсем от них устала. Ему, казалось, очень нравилось показывать меня своим друзьям и знакомым, а также показываться со мной на публике — при всяком удобном случае и в самом выгодном свете.

Конечно, приятно, что он мной гордится, но я дорого платила за это. Во-первых, чтобы угодить ему, я должна была отказаться от предпочтения, ставшего для меня почти принципом, — от манеры одеваться скромно в темные, простые платья. Мне приходилось блистать драгоценностями, украшаться, изображать пеструю бабочку, чего я давно решила никогда не делать, — и это была не такая уж малая жертва! Во-вторых, я непрерывно напрягала все силы, чтобы не обмануть его ожидания и сделать честь его выбору безупречной светскостью манер, и постоянно боялась разочаровать его, допустив ненароком какой-нибудь промах или неловкость, выдать свою неопытность в обычаях света, и особенно когда играла роль хозяйки дома, что мне приходилось делать не так уж редко. А в-третьих, как я уже упоминала раньше, меня утомляют беспорядочная суета, беспокойная спешка и непрерывные перемены, столь чуждые обычному моему образу жизни. Наконец он внезапно обнаружил, что лондонский воздух мне вреден, что я тоскую по деревенскому приюту, и потребовал, чтобы я немедленно вернулась в Грасдейл.

Я со смехом заверила его, что дела обстоят вовсе не так плохо, как он вообразил, хотя я охотно уеду домой, если он решил вернуться. Но он ответил, что должен будет задержаться по делам на неделю-две.

— Так я останусь с тобой, — сказала я.

— Это невозможно, Хелен, — ответил он. — Ведь пока ты здесь, я все время буду с тобой и не сумею заняться делами.

— Ничего подобного! — возразила я. — Теперь, когда я знаю, что у тебя есть дела, то не позволю тебе тратить все свое время на меня и прекрасно побуду одна, пока ты будешь ими заниматься, да и, по правде говоря, я не прочь немножко отдохнуть. Кататься верхом и гулять в парке я смогу, как и раньше, да ведь и ты не станешь заниматься делами все дни напролет. Во всяком случае, я буду видеть тебя за столом и по вечерам, а это гораздо лучше, чем уехать за сотню миль и не видеть тебя вовсе!

— Нет, любовь моя, я не могу позволить тебе остаться. Как я буду заниматься делами, все время думая, что ты тут одна, брошенная...

— Я не собираюсь чувствовать себя брошенной, Артур, из-за того, что ты исполняешь свои обязанности. Ты не услышишь от меня ни единой жалобы или упрека. Если бы ты раньше сказал мне про эти дела, то уже успел бы наполовину с ними покончить. А теперь тебе придется возместить потерянное время, удвоив усилия. Объясни мне, о чем идет речь, и я вместо помехи стану твоей вдохновительницей!

— Нет, нет! — возразил непрактичный упрямец. — Ты должна вернуться домой, Хелен. Мне необходимо знать, что ты в безопасности и покойна душой, пусть и вдали от меня. Разве я не вижу, как плохо ты выглядишь. Твои ясные глаза совсем угасли, а с твоих щечек исчез нежный румянец.

— Причина всего лишь в избытке развлечений и усталости от них.

— Да нет же, говорю тебе! Это лондонский воздух. Ты чахнешь, потому что тебе не хватает свежего ветра твоего деревенского дома. И не пройдет и двух дней, как ты снова вдохнешь его. И, милая, милая Хелен, вспомни о своем положении. Ведь ты знаешь, от твоего здоровья зависят здоровье и жизнь нашей будущей надежды.

— Так ты правда решил от меня избавиться?

— И твердо. Я отвезу тебя в Грасдейл и вернусь сюда. На неделю, и уж, во всяком случае, не больше, чем на две.

— Но если я должна непременно уехать, то меня не надо провожать. Зачем тебе напрасно тратить время на дорогу туда и назад?

Но он никак не хотел отпускать меня одну.

— Каким же беспомощным созданием ты меня считаешь, — сказала я, — если боишься, что я не сумею проехать сотню миль в нашей собственной карете под охраной лакея и горничной? Если ты поедешь со мной, то назад я тебя не отпущу. Но все-таки, Артур, что это за неотложные дела и почему ты о них раньше ничего не упоминал?

— Просто мне надо кое-что поручить моему поверенному, — ответил он и объяснил, что хочет продать какой-то дом, чтобы освободить имение от части долгов. Но то ли дело очень запутанное, то ли я очень тупа, но я так и не поняла, каким образом оно может задержать его в столице на две недели. И я еще меньше понимаю, почему он задержался на месяц — ведь я уехала почти месяц назад, а о его возвращении пока нет и речи. Извинения туманны и неубедительны. Я уже не сомневаюсь, что он опять попал в общество прежних своих приятелей. Ах, зачем я оставила его там одного? Я хочу, как я хочу, чтобы он вернулся!

29 июня. Артура все нет. И уже столько дней я тщетно жду письма! Если красивые слова и нежные имена чего-то стоят, то его письма — когда он их пишет — очень ласковы, но всегда коротки и заполнены одними и теми же оправданиями и обещаниями, которым я уже не доверяю. И все-таки с каким волнением я их жду! Как торопливо разворачиваю эти наспех нацарапанные строчки — ответ на три-четыре длинных моих письма сразу!

Нет, это жестоко — так долго оставлять меня совсем одну. Он ведь знает, что мне не с кем разговаривать, кроме Рейчел, потому что близких соседей у нас нет, кроме Харгрейвов, чей дом я различаю из окон второго этажа среди лесистых холмов на том берегу Дейла. Когда я узнала, что Милисент живет совсем недалеко от нас, то очень обрадовалась, и теперь ее общество послужило бы мне таким утешением и поддержкой! Но она все еще в Лондоне со своей матерью, и в Груве живет только маленькая Эстер под присмотром гувернантки, потому что Уолтер редко заглядывает под отчий кров. В столице я познакомилась с этим воплощением стольких совершенств. Мне показалось, что он не слишком заслуживает панегириков своей матери и сестры, хотя бесспорно он более живой и приятный собеседник, чем лорд Лоуборо, более прямодушен и благороден, чем мистер Гримсби, и более полирован и благовоспитан, чем мистер Хэттерсли, единственный, кроме него, старый друг Артура, которого он счел возможным представить мне. Ах, Артур, почему ты не едешь? Почему ты хотя бы не пишешь? Ты беспокоился о моем здоровье, но как я могу сохранить его цветущим, когда тоскую в одиночестве и тревога изо дня в день подтачивает мои силы? Если он вернется и увидит, что моя красота увяла, так ему и надо будет! Я бы пригласила дядю с тетей или брата навестить меня, но мне не хочется жаловаться им на мое одиночество. Хотя одиночество — самая малая из моих мук. Но чем он занят? Почему не едет? Эти вечно повторяющиеся вопросы и ужасные мысли, которые они рождают, — вот что меня терзает больше всего.

3 июля. Мое последнее горькое письмо наконец-то вырвало у него ответ — и более длинный, чем прежние. И все-таки я не могу понять! Он шутливо бранит меня за желчь и уксус в моем послании, уверяет, что я и представить себе не могу то множество обязанностей, которые мешают ему вернуться, однако обещает, что будет со мной еще до конца следующей недели — человек в его положении не в состоянии точно назначить день! Пока же он просит меня набраться терпения — «первой из женских добродетелей», помнить поговорку «любовь от разлуки только крепнет» и утешаться мыслью, что он чем дольше задержится, тем сильнее будет любить меня, когда вернется. А до того времени он умоляет меня писать ему поусерднее, — хотя сам он порой от лени, а чаще за хлопотами не сразу отвечает на мои письма, его бесконечно радует, что они приходят каждый день, и если я исполню свою угрозу и перестану их писать в наказание за то, что я будто бы совсем брошена, он страшно рассердится и приложит все силы к тому, чтобы меня забыть. А дальше он сообщает мне следующую новость о бедной Милисент Харгрейв:

«Твоя подружка Милисент, как кажется, скоро последует твоему примеру и возложит на себя брачное ярмо в упряжке с одним моим другом. Хэттерсли, как тебе известно, все еще не исполнил жуткую угрозу облагодетельствовать своей драгоценной персоной первую же старую деву, которая вздумает воспылать к нему нежностью, но от намерения стать женатым до конца года отнюдь не отказался. «Только, — объяснил он, — мне требуется жена, которая ни в чем не будет меня стеснять, — не то, что твоя супруга, Хантингдон. Она, конечно, очаровательна, но вид у нее такой, словно она умеет поставить на своем и может иной раз показать строптивый нрав! («Ты прав, старина», — подумал я тут, но вслух ничего не сказал!) Я ищу доброе, покладистое создание, которое ни в чем не будет мне перечить, чтобы я мог делать, что хочу, бывать, где хочу, сидеть дома или надолго уезжать и не слышать ни упреков, ни жалоб. Я ведь не люблю, когда мне надоедают». А я ему ответил: «Если ты о деньгах особенно не думаешь, так могу назвать тебе точно такую невесту, какую ты описал. Это Милисент, сестра Харгрейва». Он тут же потребовал, чтобы его ей представили, потому что презренного металла у него более чем достаточно — или будет, когда его папенька соблаговолит отвесить последний поклон и сойти со сцены. Вот видишь, Хелен, как я все отлично устроил и для твоей подруги, и для моего друга».

Бедняжка Милисент! Но не может быть, чтобы она дала согласие подобному жениху. Он ведь отталкивающая противоположность тому мужу, которого, как она мне призналась, она могла бы почитать и любить.

Пятое. К сожалению, я ошиблась. Нынче утром от нее пришло длинное письмо: она уже помолвлена, и свадьба назначена в конце месяца.

«Право, не знаю, — пишет она, — ни что сказать, ни что думать. По правде говоря, Хелен, думать мне даже страшно. Ведь если я стану женой мистера Хэттерсли, мне должно его полюбить. И я стараюсь изо всех сил, но пока толку нет почти никакого. А худшее предзнаменование заключается в том, что чем он от меня дальше, тем нравится мне больше. Он пугает меня своей отрывистостью и непонятной придирчивостью. Стоит мне подумать, что я буду его женой, и мной овладевает ужас. «Так почему же ты дала ему согласие?» — спросишь ты. Но я даже не знала, что согласилась, мама говорит, что я сказала «да», и он так полагает. А я и не собиралась. Правда, отказать наотрез я не решилась, чтобы не огорчить и не рассердить маму (я ведь знала, что она хочет выдать меня за него). Я думала прежде всего поговорить с ней, а потому ответила ему, как мне казалось, уклончиво, почти отказом. Но она твердит, что это было согласие, и он сочтет меня капризной кокеткой, если я попытаюсь взять назад свое слово... А я в ту минуту так перепугалась и расстроилась, что сейчас не могу толком вспомнить, что именно сказала. Когда я снова его увидела, он без всяких колебаний поздоровался со мной, как с невестой, и сразу же начал обсуждать с мамой всякие дела. У меня не хватило смелости возразить им в ту минуту, так могу ли я сделать это сейчас? Нет-нет, они сочтут меня сумасшедшей. И ведь мама в таком восторге! Она убеждена, что устроила мне превосходную партию, и у меня не хватает духа обмануть ее надежды. Порой я возражаю, объясняю ей свои чувства, но ты и вообразить не можешь, как она меня убеждает! Мистер Хэттерсли, как тебе известно, сын богатого банкира, а у нас с Эстер никакого состояния нет. Уолтер совсем не богат, и милая мама думает только о том, чтобы все мы обрели счастье в браке, а для нее это означает — сделать выгодную партию, хотя, по-моему, семейное счастье заключено совсем в другом. Но она-то хочет мне добра. Она говорит о том, какое бремя спадет с ее души, если ей удастся столь удачно меня пристроить, и каким счастьем это обернется не только для меня, но и для всей нашей семьи. Даже Уолтер очень доволен, а когда я призналась ему в своих сомнениях, он ответил, что все это детский вздор. По-твоему, Хелен, это правда вздор? Я бы смирилась, если бы только видела в нем хоть что-то достойное восхищения и любви, но не нахожу ничего. Ни единого качества, способного вызвать уважение, возбудить сердечную привязанность. Он ведь в любом отношении прямая противоположность тому человеку, каким я представляла себе своего будущего мужа. Прошу тебя, напиши мне и ободри, насколько сумеешь. Нет, не отговаривай меня — моя судьба уже решилась, приготовления к свадьбе начались... Да, и ни единого дурного слова о мистере Хэттерсли! Потому что я хочу думать о нем хорошо, и в этом письме в самый последний раз позволила себе излить все, что меня в нем страшит. С этих пор я не допущу ни малейшего упрека ему, как бы он, казалось, его ни заслуживал. И не пожелаю сохранять добрые отношения с теми, кто посмеет без уважения отзываться о человеке, которого я поклянусь любить, почитать и во всем слушаться. В конце-то концов, я убеждена, что он ничем не хуже мистера Хантингдона, если не лучше, а ведь ты его любишь и, судя по всему, счастлива и довольна. Так, может быть, и я сумею? Ты должна убедить меня, если можешь, что мистер Хэттерсли много достойнее, чем может показаться на первый взгляд, что он прямодушен, благороден, добр, иными словами, настоящий алмаз, только еще не очищенный и не ограненный. Ведь, возможно, так оно и есть, и я его просто не знаю. Он известен мне только с самой внешней стороны, и я надеюсь, что все остальное много лучше».

Письмо заканчивается так: «До свидания, милая Хелен. Я с нетерпением жду твоих советов, только помни, какими они должны быть!»

Бедная моя Милисент! Как могу я тебя ободрить! И какой совет дать, кроме одного-единственного, — лучше сейчас смело настоять на своем, не устрашась разочаровать и рассердить мать, брата, жениха, чем потом всю остальную жизнь страдать и предаваться тщетным сожалениям!

Суббота, тринадцатое. Неделя кончилась, а он не приехал. Чудное лето проходит, не принося ни капли радости мне, ни пользы ему. А я-то ждала этих месяцев с таким жарким нетерпением, обманываясь надеждой, что мы будем тихо наслаждаться ими вместе, что с Божьей помощью и моими стараниями они помогут возвысить его ум, облагородят его вкусы, научив ценить целительные и чистые удовольствия, даримые природой, мирный покой и беспорочную любовь. Теперь же по вечерам, когда алый солнечный диск опускается за лесистые холмы и их окутывает дремотная багряно-золотистая дымка, я думаю только, что вот еще один дивный день потерян для него и для меня. А утром, когда, разбуженная чириканьем воробьев и веселым щебетом ласточек — деятельных пичужек, которые, полные радости жизни, заняты вскармливанием своих птенчиков, я открываю окно, вдыхаю душистый, бодрящий воздух и смотрю на чудесный пейзаж, сверкающий росой в смеющихся солнечных лучах, мой взгляд часто туманят жгучие слезы неблагородной грусти, потому что *он* не испытывает животворного воздействия всей этой благодати. Я прогуливаюсь по нашему лесу, где из трав мне улыбаются лесные цветы, или сажусь на берегу озера в тени величественных ясеней, чьи ветви чуть колышутся под легким дуновением ветерка, шелестящего в их листве. Мои уши внимают этой музыке, в которую вплетается ленивое жужжание насекомых, мои глаза рассеянно глядят на спокойную гладь небольшого озера, столь верно отражающую теснящиеся вокруг деревья — и те, что изящно склоняют ветки к самой воде, словно целуя ее, и те, что простирают их над ней в вышине, гордо вознося вершины к небу. Внезапно уголок этой зеркальной картины морщат пробегающие водомерки или вся она колышится и дробится под ударом на мгновение окрепшего ветра... Но все это пиршество зрения и слуха меня не радует: ведь чем больше счастья предлагает мне природа, тем сильнее томит меня тоска, что *он* не вкушает его со мной. Чем больше блаженство, которое мы могли бы делить, тем болезненнее я ощущаю, как мы несчастны в разлуке! (Да, мы! Конечно, конечно, он тоже несчастен! Хотя, может быть, не понимает, почему.) И чем прекраснее то, что меня окружает, тем тяжелее у меня на сердце, — ведь оно там, с ним, в пыли и дыму Лондона или замуровано в стенах его ненавистного клуба!

Но горше всего ночи, когда я вхожу в свою одинокую комнату и гляжу на летнюю луну, на «нежную владычицу небес», плывущую надо мной по «сине-черному небосводу» и льющую серебряное сияние на парк, леса и воды — такое чистое, мирное, Божественное. Гляжу и спрашиваю себя: где он сейчас? Что делает в эту минуту? Быть может, и не подозревая об этой дивной красоте, веселится с буйными приятелями? Или же... Боже, спаси меня и помилуй, это уже слишком, слишком...

Двадцать третье. Благодарение Небу, наконец-то он здесь! Но как он изменился! Лицо воспаленное, лихорадочное, красота словно бы угасла, энергия и жизнерадостность исчезли, сменились вялостью и слабостью. Я не упрекнула его ни словом, ни взглядом — даже не спросила, что с ним произошло. У меня просто духу не хватило, потому что, по-моему, ему очень стыдно. Ведь иначе и быть не может, а такие расспросы будут мучительны для нас обоих. Моя терпимость ему приятна, она, мне кажется, его даже растрогала. Он говорит, что рад вернуться домой, и только Богу известно, как рада я, пусть и увидела его таким! Почти весь день он лежит на диване, а я играю ему и пою, час за часом. Пишу письма под его диктовку, предупреждаю все его желания. Иногда читаю ему, иногда мы разговариваем, а иногда я просто сижу рядом и успокаиваю его безмолвными ласками. Я знаю, он этого не заслуживает, и боюсь, что такая мягкость его избалует. Но на первый раз я ему простила все и охотно. Он устыдится, мне будет легче помочь ему исправиться, и уж больше я никогда его от себя не отпущу!

Ему нравится мое внимание, возможно, он мне за него благодарен. И предпочитает, чтобы я всегда была рядом. Хотя он постоянно раздражается на слуг и сердится на своих собак, со мной он неизменно кроток и ласков. Хотя не знаю, как он повел бы себя, если бы я тотчас не угадывала, чего он хочет, и старательно не избегала всего, что могло бы ему досадить, пусть беспричинно. Ах, как я хочу, чтобы он был достоин таких забот! Вчера вечером, когда я сидела, положив его голову себе на колени, и поглаживала его прекрасные кудри, эта мысль, как обычно, вызвала у меня на глаза слезы, но против обыкновения одна из них скатилась по щеке и упала ему на лицо. Он поднял на меня глаза и улыбнулся. Но не с оскорбительной насмешкой.

— Милая Хелен, — сказал он, — почему ты плачешь? Ты ведь знаешь, что я люблю тебя! — И он прижал мою руку к своим лихорадочно-горячим губам. — Так чего же ты можешь желать?

— Только одного, Артур, чтобы ты любил себя так же преданно и взыскательно, как ты любим мною.

— Ну, это вряд ли возможно! — ответил он, нежно пожимая мне руку.

Не знаю, понял ли он мои слова правильно, но только улыбка его стала задумчивой, даже грустной, какой я прежде у него не видела. А потом глаза у него закрылись, и он уснул, безмятежно, как безгрешное дитя. И, глядя на него, погруженного в этот мирный сон, я почувствовала, что мое сердце вот-вот разорвется, и из глаз у меня хлынули ничем не сдерживаемые слезы.

24 августа. Артур вновь стал самим собой — жизнерадостным, беззаботным, непостоянным и в чувствах, и в мыслях. Он опять капризен и требует, чтобы его забавляли, точно избалованный ребенок, и почти столь же способен от скуки на злые проказы, особенно если дождливая погода вынуждает его оставаться дома. Как бы я желала, чтобы у него было какое-нибудь занятие! Профессия, полезное ремесло, просто дела, чтобы его голова и руки не оставались праздными весь день напролет, чтобы ему было о чем думать, кроме развлечений и удовольствий! Испытать бы ему свои силы в роли рачительного хозяина, но он ничего не понимает в сельском хозяйстве и не желает понимать. Или заняться литературным трудом, научиться рисовать, а то и играть на фортепьяно — он ведь любит музыку! Я даже предложила учить его, но он слишком ленив. Он так же не способен напрягаться, чтобы преодолевать препятствия, как и ограничивать свои желания, вот в чем вся беда. В этих двух слабостях его характера повинны, я убеждена, его суровый, но равнодушный отец и безрассудно потакавшая ему мать. Если мне суждено стать матерью, я любой ценой постараюсь подавить в себе эту *преступную* склонность баловать своих детей. Как иначе назвать ее, раз она порождает столько зла?

К счастью, сезон охоты не за горами, и тогда, если позволит погода, стрельба по куропаткам и фазанам будет для него достаточным развлечением. В наших местах нет рябчиков, не то он и сейчас бы мог отправиться с ружьем на их поиски, вместо того чтобы лежать под акацией и таскать за уши беднягу Дэша. Впрочем, он говорит, что охотиться в одиночку очень скучно — с двумя-тремя друзьями дело иное.

— Но только, пожалуйста, Артур, пригласи наиболее порядочных, — сказала я. Слово «друг» в его устах ввергает меня в дрожь. Ведь это его «друзья» добились, чтобы он остался в Лондоне без меня, и удерживали его там так долго. Более того, из неосторожных слов и кое-каких насмешливых намеков я поняла, что он часто показывал им мои письма в доказательство, с какой любовью его жена печется о нем и как тоскует без него, а они неделя за неделей отговаривали его от отъезда и толкали на всяческие излишества, лишь бы кто-нибудь не вообразил, будто он у жены под каблуком... Или даже для того, чтобы показать, сколько он может себе позволить, не опасаясь оттолкнуть от себя столь преданное создание! Отвратительная мысль, но, боюсь, не слишком далекая от истины.

— Ну, — ответил он, — я хотел пригласить лорда Лоуборо. Но без своей лучшей половины, нашей взаимной приятельницы Аннабеллы, он не приедет, и пригласить придется обоих. Ты ведь ее не боишься, а, Хелен? — спросил он с шаловливым блеском в глазах.

— Разумеется, нет, — ответила я. — С какой стати. А кого еще?

— Харгрейва. Он будет рад, хотя его собственное поместье и совсем рядом. Но его охотничьи угодья невелики. С другой стороны, если захотим, мы сможем всей компанией пострелять дичь у него. А он сама добропорядочность, Хелен, и, можно сказать, дамский угодник. Ну, и еще Гримсби. Очень приличный, спокойный человек. Ты ведь не будешь возражать против Гримсби?

— Я его терпеть не могу. Но если ты хочешь, я постараюсь на время смириться с его обществом.

— В тебе говорит предубеждение, Хелен. Женский каприз, и ничего больше.

— Нет. Для моей неприязни есть веские основания. И больше никого?

— Да, пожалуй. Хэттерсли еще воркует и лобзается с молодой женой, и пока ему не до ружей и собак, — ответил он.

Да, кстати. Я получила от Милисент несколько писем после ее свадьбы, и она либо вполне примирилась со своим жребием, либо убедительно делает такой вид.

В своем муже она успела открыть бесчисленные добродетели и совершенства, часть которых, боюсь, менее пристрастные глаза не сумеют различить, пусть вглядываются, пока не прослезятся. Теперь, когда она привыкла к его громкому голосу и грубоватой резкости манер, ей, уверяет она, не составляет никакого труда любить его, как подобает жене, и она умоляет меня сжечь письмо, в котором говорила о нем столь неразумно. Пожалуй, можно все-таки надеяться, что она будет счастлива. Однако это будет ей наградой только за доброту сердца. Ведь смотри она на себя как на жертву злой судьбы или суетности своей матери, то была бы глубоко несчастной; и если бы во имя долга и не приложила всех усилий, чтобы полюбить мужа, то, без сомнения, возненавидела бы его на всю жизнь.

Глава XXVI
ГОСТИ

23 сентября. Наши гости приехали недели три назад. Лорд и леди Лоуборо связаны узами брака уже восемь месяцев, и должна отдать ей должное: ее муж выглядит совсем другим человеком. С тех пор, как я видела его в последний раз, и его вид, и характер, и расположение духа заметно изменились к лучшему. Однако не до конца. Он не всегда бодр, не всегда доволен, а она часто сетует на его раздражительность, хотя не ей бы жаловаться, — ведь если он на нее и сердится, то лишь за выходки, которые вывели бы из себя даже святого. Он все так же ее обожает и ради нее отправился бы хоть на край света. Она знает свою власть над ним и пользуется ею. Однако вполне понимая, что улещивать и упрашивать куда надежнее, чем приказывать, услащает свою тиранию лестью и ласками, так что он чувствует себя счастливым, любимым мужем. И все же порой даже в ее присутствии его лицо мрачнеет, но, видимо, не от досады, а от безнадежности. Случается это обычно, когда она неосторожно выдает свой истинный нрав или заблуждения своего ума — безжалостно и беспричинно попирает самые заветные его убеждения или беззаботно топчет нравственные принципы, пробуждая в нем горькие сожаления, что его обворожительной, горячо любимой жене присущи недостатки. Я глубоко ему сочувствую, потому что знаю, как мучительно такое сознание.

Но у нее есть еще один способ его мучить, а заодно и меня, если бы я это допустила, — она открыто, хотя и оставаясь в рамках приличий, кокетничает с мистером Хантингдоном, который охотно ей подыгрывает. Меня это мало трогает, так как я знаю, что в нем говорит только тщеславие, злокозненное желание пробудить во мне ревность, а может быть, и подразнить своего друга. Полагаю, что и ею руководят те же побуждения, хотя в ее маневрах больше злобы, чем шаловливости. Разумеется, в моих интересах обманывать ожидания их обоих и сохранять безмятежную веселость. И вот я всячески стараюсь показать, как неколебимо доверяю мужу и как равнодушна к уловкам моей красавицы гостьи. Первого я упрекнула лишь один раз — за то, что как-то вечером, когда они оба дали себе особенную волю, он начал хохотать над печальным, встревоженным выражением на лице лорда Лоуборо. Но тогда уж я высказала ему довольно много и самым строгим тоном, но он только засмеялся и сказал:

— А, так ты ему сочувствуешь, Хелен?

— Я готова сочувствовать любому человеку, с которым обходятся несправедливо, — ответила я. — И негодовать на тех, кто так поступает.

— Хелен! Да ты же ревнива не меньше его! — вскричал он, смеясь еще пуще. И убедить его в том, что ничего подобного нет, мне не удалось.

С тех пор я тщательно слежу за собой и старательно ничего не замечаю, предоставив лорду Лоуборо самому о себе заботиться. У него не хватает либо здравого смысла, либо сил последовать моему примеру, хотя он и пытается, как может, не выдавать своей тревоги. Однако она отражается на его лице, как порой и неудовольствие, хотя оно никогда не переходит в открытое возмущение — для этого они повода никогда не дают. Но, признаюсь, иногда я все-таки ревную — мучительно, завистливо: когда она играет и поет ему, а он склоняется над фортепьяно и упивается ее голосом с непритворным восторгом. Я знаю, как глубоко он восхищен, а у меня нет власти возбудить в нем такое же восхищение. Своими простыми песнями я развлекаю его: доставляю ему удовольствие, но не завораживаю, как она.

Если бы я захотела, то могла бы отплатить ему той же монетой. Ведь мистер Харгрейв очень учтив и предупредителен со мной (особенно когда Артур забывает про меня) — то ли как с хозяйкой дома, то ли из непрошеного сострадания ко мне, то ли желая щегольнуть тонким воспитанием на фоне небрежности своего друга, судить не берусь. Но так или иначе, его любезность мне претит. Если Артур немного небрежен со мной, очень неприятно видеть, как это подчеркивается чужой обходительностью, а жалость ко мне, точно к брошенной жене, хотя я вовсе не брошена, — это невыносимое оскорбление! Но законы гостеприимства заставляют меня подавлять эту безотчетную неприязнь и обходиться вежливо с нашим гостем, который, надо отдать ему справедливость, очень приятный собеседник. Он весьма осведомлен, красноречив, обладает вкусом, и с ним можно обсуждать предметы, о которых Артур разговаривать отказывается и которыми его невозможно заинтересовать. Однако Артуру не нравится, когда мы с ним беседуем, и его сердят даже самые обычные выражения вежливости. Нет, полагаю, мой муж не питает никаких недостойных подозрений, касается ли это меня или его друга. Но он не любит, когда меня занимает что-нибудь, кроме него, когда я получаю знаки внимания и восхищения, кроме тех, которые соизволит оказать мне он сам. Он знает, что он — мое солнце, но когда ему угодно отнимать у меня свой свет, мое небо, по его мнению, должно оставаться в полном мраке. И он не желает, чтобы этот мрак смягчался слабым сиянием месяца. Это несправедливо, и порой у меня возникает искушение хорошенько его подразнить. Но я не поддамся соблазну, а если, играя с моими чувствами, он зайдет слишком далеко, я отыщу иное средство его остановить.

Двадцать восьмое. Вчера мы все побывали в Груве, доме мистера Харгрейва, где сам он редкий гость. Его мать то и дело посылает нам приглашения, лишь бы иметь удовольствие увидеть у себя своего дорогого Уолтера, и на этот раз дала званый обед, пригласив на него всех ближних и дальних соседей. Все было устроено превосходно, но я не могла отогнать от себя мысли, во что это обошлось. Миссис Харгрейв мне не нравится — черствая, чванливая, суетная женщина. У нее вполне достаточно денег, чтобы жить, ни в чем не нуждаясь, если бы только она умела разумно ими распоряжаться и научила тому же своего сына. Она думает лишь о том, как бы поддержать вид богатства, повинуясь той никчемной гордости, которая чурается бедности, как постыдного преступления. Она выжимает все соки из своих арендаторов, скаредна со слугами, даже собственных дочерей и себя лишает всего, кроме самого необходимого, только бы не уступить в наружном блеске тем, кто втрое ее богаче, чтобы ее обожаемый сын «ни в чем не уступал самым знатным своим сверстникам». Сын же этот, мне кажется, обладает весьма дорогостоящими вкусами — нет, он не мот и не прожигатель жизни, но эгоист, который любит, чтобы у него «все было самое лучшее», и позволяет себе пожинать некоторые цветы удовольствий молодости, причем не столько по влечению к ним, сколько ради поддержания репутации светского человека и уважаемого члена собственного беспутного кружка. Себялюбец, ни на миг не задумывающийся о том, сколько благ могли бы обеспечить деньги, которые он транжирит на эти свои прихоти, его любящим сестрам и матери. До тех пор пока они, ненадолго приезжая в столицу, умудряются поддерживать там светский образ жизни, его совершенно не заботит, как они себя урезывают и ограничивают в деревне весь остальной год. Довольно жестокий приговор «милому, благородному, великодушному Уолтеру», но, боюсь, справедливый.

Настойчивое стремление миссис Харгрейв выгодно выдать дочерей замуж является отчасти причиной, а отчасти следствием всех этих ошибок. Вращаясь в свете, выставляя их в наиболее авантажном виде, она надеется устроить им хорошие партии, но, живя не по средствам, тратя столь много и столь нерасчетливо на их брата, она превратила их в бесприданниц, в обузу. Бедняжка Милисент, боюсь, уже стала жертвой расчетливости своей заблудшей матери, которая теперь поздравляет себя со столь удачным выполнением родительского долга и только надеется, что и для Эстер найдется жених не хуже. Впрочем, Эстер еще девочка — веселая четырнадцатилетняя шалунья, такая же простодушная и бесхитростная, как ее сестра, но наделенная бесстрашием и твердостью характера, с которыми, по-моему, ее маменьке будет справиться не так уж легко.

Глава XXVII

ПРОВИННОСТЬ

9 октября. Пока джентльмены бродят по лесу, а леди Лоуборо пишет письма, я вернусь к своей летописи, чтобы запечатлеть слова и дела такого рода, каких, надеюсь, мне больше никогда не доведется заносить на ее страницы.

Вечером четвертого вскоре после чая Аннабелла некоторое время играла и пела, а Артур, по обыкновению, стоял возле. Но и кончив, она продолжала сидеть у фортепьяно, а он облокотился о спинку ее стула и, о чем-то тихо с ней разговаривая, нагибался почти к самому ее лицу. Я поглядела на лорда Лоуборо. Он в другом конце комнаты беседовал с господами Харгрейвом и Гримсби, но я перехватила быстрый тревожный взгляд, который он бросил на жену, вызвав у Гримсби улыбку. Решив прервать этот тет-а-тет, я встала, взяла с этажерки ноты и направилась к фортепьяно, намереваясь попросить музыкантшу сыграть эту вещицу. Но я окаменела и онемела, увидев, что она, вся розовая, с торжествующей улыбкой слушает его нашептывания, не отнимая руки, которую он нежно пожимал! Кровь прилила к моему сердцу, бросилась мне в голову — ведь этим дело не ограничилось! Почти в тот же миг он торопливо покосился через плечо на компанию в дальнем углу и пылко прижал несопротивляющиеся пальцы к своим губам! Подняв глаза, он встретил мой взгляд и тут же смущенно и растерянно их опустил. Она тоже меня увидела и посмотрела мне прямо в лицо с дерзким вызовом. Я положила ноты на фортепьяно и отошла. Мне казалось, что я вот-вот упаду в обморок, но я принудила себя остаться в комнате. К счастью, час был поздний и ждать, когда все разойдутся, оставалось уже недолго. Я отошла к камину и прижалась лбом к каминной полке. Через минуту-другую кто-то спросил, не дурно ли мне. Я ничего не ответила. Вопроса я даже не расслышала, но машинально подняла голову и увидела, что передо мной на коврике стоит мистер Харгрейв.

— Не принести ли вам рюмку вина? — спросил он.

— Благодарю вас, не надо, — ответила я и, отвернувшись от него, обвела взглядом комнату. Леди Лоуборо нагибалась к сидящему в кресле мужу и что-то говорила ему, нежно положив руку на его плечо. А Артур у стола перелистывал альбом гравюр. Я опустилась на ближайший стул, и мистер Харгрейв, убедившись, что его услуги не требуются, благоразумно отошел. Вскоре гости удалились в свои комнаты, и Артур направился ко мне с самоувереннейшей улыбкой.

— Ты очень-очень сердишься, Хелен? — спросил он.

— Это не тема для шуток, Артур, — ответила я серьезно, но как могла спокойнее. — Разве что для тебя шутка навсегда потерять мою любовь.

— Как? Ты в таком гневе? — воскликнул он и со смехом сжал мою руку в ладонях, но я ее отдернула с негодованием, почти с отвращением, потому что, совершенно очевидно, вино затуманило ему голову.

— Тогда мне остается только пасть на колени! — объявил он и встал передо мной в этой смиренной позе, сложив руки в притворном раскаянии. — Прости меня, Хелен, — продолжал он умоляющим тоном. — Милая, милая Хелен, прости меня, и я больше не буду. Никогда! — Уткнувшись лицом в носовой платок, он изобразил громкие рыдания.

Оставив его продолжать эту игру, я взяла свою свечу, тихонько выскользнула из комнаты и кинулась вверх по лестнице. Но он почти сразу заметил, что я ушла, бросился за мной и схватил в объятия на пороге спальни, прежде чем я успела захлопнуть перед ним дверь.

— Нет, клянусь Небесами, ты от меня не убежишь! — вскричал он, но тут же, испугавшись моего волнения, принялся меня успокаивать: причин сердиться у меня нет ни малейших, а я бледна как полотно и убью себя, если буду поддаваться таким вспышкам.

— Тогда отпусти меня, — прошептала я, и он послушался. Что было к лучшему, так как я правда испытывала страшное волнение. Я упала в кресло и напрягла все силы, чтобы овладеть собой и говорить с ним спокойно. Он стоял совсем рядом, но несколько секунд не осмеливался ни заговорить со мной, ни прикоснуться ко мне. Потом опустился на одно колено — уже не в насмешку, но чтобы не наклоняться надо мной, и, положив ладонь на ручку кресла, произнес тихо:

— Хелен, все это вздор... шутка... пустяк, не стоящий внимания. Неужели ты так *никогда* и не поймешь, — продолжал он уже более смело, — что можешь совершенно за меня не опасаться? Что я люблю только тебя — всецело и навсегда? Если же, — добавил он с улыбкой в уголках губ, — я иной раз и позволю себе взглянуть на другую, тебе нечего на это сетовать: это же просто мгновенная вспышка молнии, а моя любовь к тебе пылает ровно и вечно, как солнце. Маленькая суровая тиранка, неужели подобной...

— Помолчи, Артур, будь так добр, — сказала я. — И выслушай меня. Только не воображай, будто меня снедает ревнивая ярость. Я совершенно спокойна. Вот пощупай мою руку. — И я протянула ее с невозмутимым видом, однако сжала его пальцы с силой, опровергавшей мои слова, и он улыбнулся. — Не улыбайтесь, сударь, — сказала я, сжала его руку еще больнее и посмотрела на него так, что он вздрогнул. — Возможно, мистер Хантингдон, вам кажется очень забавным будить во мне ревность. Но берегитесь, как бы не пробудить вместо нее ненависть. А если вы угасите мою любовь, заставить вновь ее вспыхнуть вам будет очень нелегко.

— Ну хорошо, Хелен, больше я себе подобного не позволю. Но поверь, этому нельзя придавать ни малейшего значения. Я выпил лишнего и в ту минуту сам не понимал, что делаю.

— Ты слишком часто пьешь лишнее, и этого я тоже не выношу!

Он поглядел на меня с удивлением, не поняв моей горячности.

— Да, — продолжала я, — раньше я об этом не упоминала, но теперь говорю, что такая привычка очень меня огорчает и может внушить мне непреходящее отвращение, если ты позволишь ей взять над собой верх. А так будет неминуемо, если ты вовремя не остановишься. Но в том, как ты держишься с леди Лоуборо, вино ни при чем, и нынче ты прекрасно знал, что делаешь.

— Ну, я ведь сказал, что очень сожалею, — ответил он больше с обидой, чем с раскаянием. — Чего же ты хочешь?

— Без сомнения, ты сожалеешь, что я тебя увидела, — ответила я холодно.

— Если бы ты меня не увидела, так ничего бы и не было, — пробормотал он, не отрывая глаз от ковра.

У меня чуть не разорвалось сердце, но я подавила свои чувства и спросила бесстрастно:

— Ты так думаешь?

— Да! — ответил он дерзко. — В конце-то концов, что я такого сделал? Это тебе приспичило превратить пустяк в повод для обвинений и страданий.

— А что подумал бы лорд Лоуборо, *твой друг,* если бы он знал все? И что бы подумал ты сам, если бы он или еще кто-нибудь вел себя со мной все это время так, как ты с Аннабеллой?

— Влепил бы ему пулю в лоб!

— Каким же образом, Артур, можешь ты называть пустяком оскорбление, за которое готов застрелить другого человека? Пустяк — играть чувствами твоих друзей и моими? Стараться отнять у мужа любовь его жены? Жены, которая для него дороже всего золота в мире, что делает подобный поступок еще более бесчестным? Неужели брачная клятва всего лишь шутка, и тебе весело играть с ней и соблазнять других на то же? Могу ли я любить человека, который поступает так, а потом хладнокровно называет все это пустяком, не стоящим внимания?

— Ты сама нарушаешь свою брачную клятву! — с негодованием воскликнул он, вскочил и принялся расхаживать по комнате. — Ты обещала перед алтарем почитать меня и повиноваться мне, а теперь думаешь взять надо мной власть, грозишь мне, обвиняешь меня, считаешь хуже разбойника с большой дороги. Не будь ты в положении, Хелен, я бы этого так просто не спустил. Я не позволю женщине командовать мной, будь она сто раз моя жена.

— Так что же ты намерен делать дальше? Будешь продолжать, пока я тебя не возненавижу, а тогда обвинишь меня в нарушении брачного обета?

После некоторого молчания он ответил:

— Ты меня никогда не возненавидишь! — И, вернувшись, вновь опустился возле меня на колени и повторил с силой: — Ты не можешь меня возненавидеть, пока я тебя люблю!

— Но как мне верить в твою любовь, если ты и дальше будешь вести себя подобным образом? Попробуй поставить себя на мое место — ты бы поверил, что я тебя люблю, если бы я поступала так же? Ты поверил бы моим отрицаниям? Продолжал бы в подобных обстоятельствах не сомневаться во мне, в моей чести?

— Это же совсем другое дело! — возразил он. — Верность — в натуре женщины. Ей положено любить одного-единственного, слепо, нежно и вечно. Да благословит вас Бог, прелестные создания! Но вы должны иметь сострадание к нам, вы должны предоставлять нам чуть больше свободы, потому что, как сказал Шекспир:

> Хотя себя мы часто превозносим,
> Но мы в любви капризней, легковесней,
> Быстрее устаем и остываем,
> Чем женщины...

— Ты хочешь сказать, что твоя любовь для меня потеряна и завоевана леди Лоуборо?

— Нет! Бог мне свидетель, по сравнению с тобой она для меня пыль и прах. Так будет и дальше, если только ты не оттолкнешь меня чрезмерной строгостью. Она — дочь земли, ты — небесный ангел. Только не будь слишком суровой в своей святости и помни, что я всего лишь бедный заблудший смертный. Ну, послушай, Хелен, неужели ты меня не простишь? — спросил он нежно, беря меня за руку и улыбаясь шаловливой улыбкой.

— Я прощу, а ты опять...

— Клянусь тебе...

— Не клянись. Твоему слову я поверю точно так же, как клятве. Жаль только, что я равно не могу на них положиться.

— Так испытай меня, Хелен! Поверь мне на этот раз, прости, и ты сама увидишь! Ответь же! Ты молчишь, а я испытываю адские муки!

Я продолжала молчать, но положила руку ему на плечо, поцеловала его в лоб и расплакалась. Он нежно меня обнял, и с тех пор между нами все хорошо. Вина после обеда он почти не пьет, а с леди Лоуборо держится безупречно. В первый день он сторонился ее, насколько это совместимо с его положением хозяина дома, а потом перешел на вежливый, дружеский тон, и только — во всяком случае, при мне, но думаю, что и в любое другое время тоже. Во всяком случае, у нее вид высокомерный и сердитый, а лорд Лоуборо повеселел и с Артуром ведет себя куда более дружески. Однако я буду рада, когда они уедут, потому что мне трудно сохранять с Аннабеллой даже простую вежливость, — такую неприязнь я к ней испытываю. А так как она — единственная наша гостья, мы волей-неволей должны много времени проводить в обществе друг друга. В следующий раз, когда нас навестит миссис Харгрейв, я приму ее с распростертыми объятиями и даже думаю попросить согласия Артура на то, чтобы оставить ее погостить у нас до общего разъезда. Да, так я и сделаю. Она примет это за любезность, и хотя ее общество меня отнюдь не прельщает, все-таки она окажется третьей между мной и леди Лоуборо.

После того злополучного вечера мы остались с Аннабеллой наедине на следующее же утро, когда часа через два после завтрака джентльмены, кончив писать письма, читать газеты и болтать, отправились на охоту. Минуты две-три мы молчали. Она склонялась над рукоделием, а я старательно изучала газетную страницу, которую четверть часа назад уже прочла до последней строчки. Я чувствовала себя крайне неловко и полагала, что она смущена даже еще больше. Но, видимо, я ошиблась. Первой молчание нарушила она, произнеся с наглой улыбкой:

— Ваш муж, Хелен, был вчера заметно навеселе. Это с ним часто случается?

Кровь жарко прихлынула к моим щекам. Но уж лучше пусть она приписывает его поступок вину!

— Нет, — ответила я. — И надеюсь, больше никогда не случится.

— Вы, конечно, прочли ему нотацию на сон грядущий?

— Нет. Но я сказала, что мне такое поведение не нравится, и он обещал, что больше ничего подобного никогда не повторится.

— А! То-то мне *показалось,* что он был нынче какой-то притихший, — заметила она. — А вы, Хелен, вы, как вижу, плакали? Разумеется, это наше последнее средство, но у вас рези в глазах не появляется? И оно всегда приносит вам победу?

— Я никогда не плачу из какого-то расчета. И не понимаю, как это вообще можно!

— Не берусь судить. У меня надобности к нему прибегать не бывает. Но, полагаю, если бы Лоуборо допустил подобную неприличную выходку, плакал бы он, а не я! Меня не удивляет, что вы рассердились: я бы преподала своему мужу хороший урок, если бы он позволил себе куда меньше. Но с другой стороны, он-то *никогда* ничего подобного не допустит, я умею держать его в руках.

— А вы уверены, что не приписываете себе лишнего, леди Лоуборо? Лорд Лоуборо, как я слышала, стал строгим трезвенником задолго до того, как вы за него вышли.

— А, так вы о *вине!* Да, тут я могу за него не опасаться. Как и в отношении других женщин: я знаю, что пока жива, он ни на одну даже мельком не взглянет. Он ведь слепо меня обожает.

— Неужели? А вы уверены, что заслуживаете этого?

— О, тут я не судья. Вы же знаете, Хелен, все мы слабые создания. И обожания ни одна из нас не заслуживает. Но вы-то разве уверены, что ваш дражайший Хантингдон достоин всей той любви, которой его одаряете вы?

Я не знала, как ответить. Меня душил гнев, но я сумела скрыть его и, закусив губу, притворилась, что развертываю свое шитье.

— Впрочем, — поспешила она воспользоваться моим замешательством, — вы можете утешаться мыслью, что вполне достойны всей той любви, которую он вам дарит.

— Вы мне льстите, — ответила я. — Но, во всяком случае, я стараюсь быть ее достойной!

И я переменила тему.

Глава XXVIII
РОДИТЕЛЬСКИЕ ЧУВСТВА

25 декабря. Прошлое Рождество я встретила невестой и мое сердце переполняло счастье, а также пылкие надежды на будущее, хотя и не без смутного страха. Теперь я жена, счастье мое утратило безоблачность, но не погибло, надежды остыли, но еще живы. Опасения укрепились, но полностью не подтвердились, и, благодарение Небу, я теперь еще и мать! Господь ниспослал мне душу, чтобы воспитывать ее для райских кущ, и в утешение одарил новым, более незыблемым счастьем, более осуществимыми надеждами. Но где просыпается надежда, там всегда таится страх, и когда я прижимаю мое сокровище к груди или блюду его сон с невыразимым восторгом и светлыми надеждами, одна из двух мыслей не позволяет мне наслаждаться незамутненным блаженством. Вот первая: я могу его лишиться. Вот вторая: вдруг он когда-нибудь проклянет себя за то, что родился на свет? Первая таит в себе свое утешение — ведь сорванный росток не увянет, а лишь пересаженный в более благодатную почву дивно расцветет под более ярким солнцем. И хотя мне не будет дано лелеять и развивать ум и душу моего ребенка, зато он сразу избавится от всех земных страданий и грехов. Рассудок твердит мне, что это еще не величайшее из всех несчастий, но сердце не хочет смириться с таким исходом и спрашивает меня, смогу ли я перенести его смерть, уступить жестокой холодной могиле это нежное живое тельце, плоть от моей плоти, святое хранилище той чистой искры, оберегать которую от земной грязи будет сладчайшим долгом всей моей жизни. Мое сердце возносит горячие молитвы, чтобы Небеса оставили его мне, чтобы он был моим утешением и радостью, а я — его защитницей, наставницей, другом, чтобы мне было дано благополучно провести его по опасной дороге юности и воспитать его верным слугой Господа на земле, непорочным и блаженным святым на Небе. Но если верна вторая мысль, если он будет жить и разобьет все мои упования, сделает тщетными все мои усилия, станет рабом греха, жертвой пороков, источником горя и проклятием для себя и для других, тогда... о, тогда, Отче Небесный, если ты зришь в грядущем такую его жизнь, то отними его у меня сейчас, несмотря на все мои муки, вырви его из моих рук и упокой в лоне своем, пока он еще невинный, ничем не запятнанный агнец!

Мой маленький Артур! Вот ты лежишь в сладкой, безмятежной дреме, крохотное подобие своего отца, но пока еще чистый, как свежевыпавший снег. Да спасет тебя Господь от его ошибок! Как я буду следить, как трудиться, чтобы охранить тебя от них! Он просыпается, он тянет ко мне ручки с крохотными пальчиками, его глазки открываются, они встречают мой взгляд, но не отзываются на него. Ангелок мой! Ты еще не знаешь меня, ты не можешь ни думать обо мне, ни любить меня, и все же как полно мое сердце слито с твоим, как благодарна я за всю радость, которой ты меня одаряешь! Ах, если бы твой отец делил ее со мной! Если бы он мог чувствовать мою любовь, мою надежду и равно разделял бы мои решения и планы будущего... Нет, если бы он сочувствовал лишь половине моих убеждений, разделял лишь половину моих чувств, это тем не менее было бы истинным благословением и для него, и для меня. Это возвысило бы и очистило его дух, связало бы теснее с семейным очагом и со мной.

Быть может, в нем проснется интерес и любовь к ребенку, когда тот подрастет? Пока он доволен своим новым приобретением, надеется, что из него вырастет красивый мальчуган, достойный наследник, а больше мне пока добавить нечего. Сначала предмет для удивления и смеха, который лучше не трогать, а теперь холодное равнодушие или раздражение на «полную беспомощность» и «непроходимую глупость», как ему угодно выражаться, — и на мою материнскую заботливость. Он часто приходит и сидит возле меня, пока я занята младенцем. Сначала я питала надежду, что ему хочется полюбоваться нашим бесценным сокровищем, но вскоре поняла, что его влечет только мое общество, желание развеять скуку одиночества. Его встречают с радостью, но ведь внимание к ребенку — вот что дорого матери. Однажды он просто вверг меня в ужас. Случилось это недели через две после рождения нашего сына, и он был со мной в детской. Некоторое время мы оба молчали. Я загляделась на моего маленького и думала, что и он тоже, — то есть если я вообще о нем думала. Но внезапно он заставил меня вспомнить о себе, сердито крикнув:

— Хелен, я скоро возненавижу это дрянцо, если ты будешь так по нему с ума сходить! Просто идолопоклонство какое-то!

Я посмотрела на него с удивлением, не веря, что он говорит серьезно.

— Ты больше ни о чем не способна думать, — продолжал он тем же тоном. — Тут я или нет, прихожу или ухожу, весел или грустен — тебе все равно. Пока ты можешь обожать своего уродца, тебе все равно, есть я на свете или меня нет!

— Неправда, Артур! Когда ты входишь в комнату, мое счастье сразу удваивается. Когда ты рядом, твое присутствие меня радует, пусть я на тебя и не гляжу. А когда я думаю о нашем сыне, то счастлива тем, что ты разделяешь мои мысли и чувства, хотя вслух я их и не выражаю.

— Какого дьявола я буду тратить свои мысли и чувства на этого никчемного идиотика?

— Но он же твой сын, Артур! Если же это тебе все равно, так он и мой сын, а ты должен считаться с моими чувствами.

— Ну, не сердись, я оговорился, — сказал он умоляюще. — Малыш вовсе не плох, только я не могу обожать его, как ты.

— В наказание понянчи его! — сказала я, вставая, чтобы положить младенца на руки его отца.

— Нет, Хелен, не надо! — вскрикнул он с искренним испугом.

— Возьми его. Когда ты подержишь его на руках, он сразу станет тебе дороже.

Я вручила ему бесценную ношу, а сама отошла в другой угол, смеясь над растерянным видом, с каким он держал младенца, старательно вытянув руки и глядя на него с недоумением, словно на какое-то неведомое существо.

— Хелен, да забери же его! — воскликнул он затем. — Не то я его уроню!

Я сжалилась над ним (а вернее, над маленьким) и избавила его от обязанностей няньки.

— Поцелуй его, Артур! Ты ведь его еще ни разу не поцеловал! — воскликнула я, опускаясь перед ним на колени и поднося личико младенца к его губам.

— Лучше я поцелую его мать, — ответил он, подтверждая слово делом. — Разве этого недостаточно?

Я вернулась в свое кресло и осыпала малютку нежными поцелуями, чтобы возместить ему отцовский отказ.

— Ну вот, началось! — вскричал ревнивый родитель. — За какую-то одну минуту этот бесчувственный, неблагодарный слизнячок получил от тебя больше поцелуев, чем я за последние три недели.

— Ну так подойди сюда, ненасытный монополист, и получишь их сколько пожелаешь, хоть ты неисправим и ничуть их не заслужил! Ну как? С тебя достаточно? Но, пожалуй, больше ты от меня ни единого не дождешься, пока не научишься любить моего мальчика, как положено отцу.

— Так мне же нравится этот дьяволенок...

— Артур!

— Ладно, ладно, этот ангелочек! — И в доказательство он ущипнул чудный носик. — Но вот *любить* я его не могу. Что тут любить? Он же не способен любить меня, да и тебя тоже. Он не понимает ни единого твоего слова, не чувствует ни малейшей благодарности за все, что ты для него делаешь. Погоди, пока он не научится выражать какую-то привязанность ко мне, и тогда я решу, любить его или нет. Но сейчас это просто крохотный эгоистичный сенсуалист. Если ты находишь в нем что-то восхитительное, дело твое. А я просто не понимаю, как это тебе удается.

— Не будь ты сам эгоистом, Артур, то видел бы все по-другому!

— Возможно, любовь моя. Но что есть, то есть, и тут уж ничего не поделаешь.

Глава XXIX

ЛЮБЕЗНЫЙ СОСЕД

25 декабря 1823 года. Вот миновал еще год. Мой малютка Артур живет и цветет. Он здоров, хотя крепышом его назвать нельзя. Веселый, живой, уже очень ласковый, полный всяческих чувств и душевных движений, для которых у него еще долго не будет слов. Он наконец покорил сердце своего отца, и теперь я живу под постоянной угрозой, что безрассудное отцовское баловство испортит его. Но мне следует остерегаться и собственной слабости, потому что только теперь я узнала, как трудно противостоять соблазну потакать своему единственному ребенку.

Мне необходимо искать утешение в моем сыне (безмолвной бумаге я могу доверить такое признание!), потому что в своем муже я нахожу его так мало! Я все еще люблю его, и он меня по-своему любит, но как, о, как это не похоже на ту любовь, которую я могла бы дарить и когда-то мечтала получать! Как мало между нами истинной близости! Сколько моих мыслей и чувств замкнуты во мне и не находят исхода! Сколько самого лучшего и благородного в моей душе остается вне пределов моего брака и обречено либо окаменеть и ожесточиться в вечном мраке одиночества, либо тихо увянуть и рассыпаться, не находя питания в этой скудной почве! Но повторю еще раз: у меня нет права жаловаться. Тем не менее я должна сказать истину, пусть не всю, а потом увидим, будут ли пятнать эти страницы еще более черные истины.

Мы теперь женаты полных два года, «романтичность»

нашей любви должна была полностью стереться. Уж конечно, я достигла самой низшей ступени в привязанности Артура и узнала все худшие стороны его натуры. И если суждены еще перемены, так они должны быть к лучшему! Мы больше привыкаем друг к другу, ну а с этой ступени ниже нам спускаться некуда. Но если так, то я смогу переносить это, во всяком случае, не хуже, чем переносила до сих пор.

Артур ведь вовсе не дурной человек в общепринятом смысле этого слова. У него много хороших качеств, но он лишен способности управлять собой, лишен высоких устремлений — бонвиван, преданный плотским удовольствиям. Он совсем не плохой муж, но его понятия о семейных обязанностях и радостях далеки от моих. Насколько можно судить, по его убеждению, жена — это механизм, назначение которого преданно любить мужа и сидеть дома. Она должна ухаживать за своим повелителем, развлекать его и всячески ублажать, пока он изволит оставаться с ней. А в его отсутствие ей положено блюсти его интересы во всем, что от нее зависит, и терпеливо ждать его возвращения, независимо от того, чем он занимается вдали от нее.

В начале весны Артур объявил, что едет в Лондон — его ждут там дела и больше откладывать их он не может. Он выразил сожаление, что должен меня покинуть, а также надежду, что до его возвращения малыш послужит мне достаточным развлечением.

— Но почему ты должен со мной расставаться? — спросила я. — Почему мне не поехать с тобой? И без долгих сборов.

— Так не повезешь же ты младенца в город?

— Повезу. А почему нет?

Вздор! Городской воздух будет ему очень вреден, да и мне, пока я его кормлю. Лондонский образ жизни, поздние часы, принятые в столице, будут мне при таких обстоятельствах в тягость. И вообще, заверил он меня, такой переезд причинит мне слишком много хлопот и вреда. Нет, мне никак не следует подвергать себя таким опасностям. Я опровергла его возражения, насколько могла, так как дрожала при мысли, что он поедет один, и готова была пойти на большие жертвы — даже в ущерб моему ребенку, лишь бы не допустить этого. В конце концов он сказал мне прямо и довольно раздраженно, что не хочет, чтобы я ехала: он совсем измучен бессонными ночами, на которые обречен по милости младенца, и должен немного отдохнуть. Я предложила устроить в городе отдельные спальни, но и это ему не подошло.

— Правда в том, Артур, — сказала я наконец, — что ты устал от меня и твердо решил, что я с тобой не поеду. Почему ты сразу мне так не сказал?

Он начал отрицать, но я тут выбежала из комнаты и укрылась в детской, чтобы если не успокоиться, то хотя бы скрыть свои чувства.

Горечь обиды не позволяла мне больше возражать против его намерений и вообще говорить о них, если не считать необходимых вопросов о сборах в дорогу и о делах, которыми мне надо будет заниматься в его отсутствие. Однако накануне его отъезда я все-таки не выдержала и умоляла его следить за собой и держаться подальше от соблазнов. Он посмеялся над моей тревогой, заверил меня, что причин для нее нет ни малейших, и обещал помнить мои советы.

— Полагаю, бесполезно просить, чтобы ты сейчас назначил день своего возвращения? — спросила я.

— Ну да. Откуда мне знать заранее, как все сложится? Но успокойся, любовь моя, долго я там не останусь.

— У меня вовсе нет желания держать тебя дома взаперти! — воскликнула я. — И я не упрекнула бы тебя, если бы ты даже уехал на несколько месяцев, — если уж ты способен быть счастлив в такой долгой разлуке со мной! — но при условии, чтобы я знала, что тебе ничто не угрожает. Однако мне очень не нравится, что все это время ты будешь проводить с друзьями, как ты их называешь!

— Вздор, глупышка моя! Неужели ты думаешь, что я не сумею держать себя в руках?

— В прошлый раз не сумел же! Но *теперь,* Артур, — сказала я с жаром, — докажи мне это, убеди меня, что тебе можно доверять без боязни!

Он дал мне слово, но, правда, тоном, каким успокаивают неразумного ребенка. И сдержал его? Нет! И с этих пор я уже *никогда не смогу доверять его слову!* Мучительное признание! Я пишу это со слезами. Уехал он в начале марта, а вернулся только в июле! И в отличие от прошлого раза даже не потрудился придумывать предлоги и извинения. Писал он тоже гораздо реже — и не только короче, но без прежней нежности, особенно после первых недель. От письма до письма проходило все больше времени, каждое было суше и пренебрежительнее предыдущего, однако стоило мне пропустить почту, как он упрекал меня за невнимание к нему. Если я писала строго и холодно — как, признаюсь, в последние месяцы его отсутствия случалось не так уж редко, он сетовал на мою суровость и утверждал, что просто боится вернуться домой. Когда же я только ласково ему пеняла, он отвечал почти ласково и обещал вскоре приехать, но я наконец научилась не ставить его обещания ни во что.

Какие тягостные были эти четыре месяца! Меня попеременно терзали мучительная тревога, отчаяние и негодование. Жалость к нему и жалость к себе. Однако мрак все же не был беспросветным — я находила утешение в моем милом, безгрешном, ласковом малютке. Однако и это утешение отягощала мысль: «Как сумею я научить моего мальчика уважать своего отца, но не брать с него примера?»

Но я ни на минуту не забывала, что все эти горести в какой-то мере навлекла на себя сама в слепом упрямстве, и твердо решила переносить их, не ропща. И еще я решила, что не буду терзать себя за поступки другого, и пыталась находить всяческие отвлечения. Кроме общества моего ребенка и милой верной Рейчел, которая, несомненно, догадывается о моих печалях и жалеет меня, хотя достаточно тактична, чтобы никак этого не показывать, у меня ведь есть книги и карандаши, домашние дела, а также бедные арендаторы и работники Артура, чью жизнь я призвана облегчить в доступной мне мере. А порой я искала и находила развлечение в обществе моей юной подружки Эстер Харгрейв. Обычно я отправлялась верхом навестить ее, но раза два она гостила у меня по целому дню. На этот сезон миссис Харгрейв в столицу не поехала. Дочери на выданье у нее пока еще нет, и она сочла за благо остаться в деревне и поберечь деньги, и — чудо из чудес! — в начале июня домой приехал Уолтер и пробыл там почти до конца августа.

В первый раз я увидела его в теплый, душистый вечер, когда прогуливалась в парке с маленьким Артуром и Рейчел, старшей няней и камеристкой в одном лице. Ведь в моем уединении мне, во всем предпочитающей самостоятельность, постоянные услуги горничной не требуются, она же, вынянчив меня, мечтала пестовать и моего ребенка, и, зная ее надежность, я предпочла возложить эту важную обязанность на нее, взяв ей в помощь молоденькую девушку, что, кстати, позволило сэкономить некоторую сумму — обстоятельство, которому я с тех пор, как ознакомилась с делами Артура, придаю большое значение. Ведь по моему желанию весь доход, который приносит мне состояние, уходит на покрытие его долгов — в Лондоне он умудряется проматывать невообразимые суммы! Но вернусь к мистеру Харгрейву. Я стояла с Рейчел на берегу и забавляла смеющегося малютку у нее на руках, покачивая перед ним золотые сережки на веточке ивы, как вдруг, к большому моему удивлению, увидела, что в воротах парка появился мистер Харгрейв на вороном гунтере, который, как я знала, обошелся ему недешево. Он свернул на лужайку, подъехал ко мне и поздоровался, одарив меня изящнейшим комплиментом, который, несмотря на скромную непринужденность тона, несомненно, долго придумывал и оттачивал по дороге. Затем объяснил, что его матушка, узнав, что он едет в эту сторону, поручила ему передать мне ее просьбу — пожаловать к ним завтра на тихий семейный обед.

— Никого, кроме вас, мы не зовем, — продолжал он. — Но Эстер очень по вас соскучилась, а маменька боится, что в этом большом опустелом доме вы порой чувствуете себя одиноко и грустите. Ей очень хотелось бы уговорить вас почаще доставлять ей удовольствие своим присутствием и чувствовать себя в нашей смиренной обители как у себя дома, пока возвращение мистера Хантингдона вновь не вернет прежнюю привлекательность вашему семейному очагу.

— Она очень добра, — ответила я — но, как видите, я вовсе не одинока, а тем, чьи дни заняты подобными хлопотами, грустить некогда.

— Так вы завтра не приедете? Она будет очень огорчена, если вы откажетесь!

Мне не слишком понравилось это непрошеное сострадание к моему одиночеству, но тем не менее я обещала приехать.

— Какой чудный вечер! — заметил мистер Харгрейв, обводя взглядом раззолоченный заходящим солнцем парк, красивый пригорок, зеркальные воды озера и купы величавых деревьев. — И в каком раю вы живете!

— Да, вечер прелестный, — ответила я со вздохом, думая, как мало радует меня его прелесть и как прекрасный Грасдейл обернулся вовсе не раем не только для меня, но, видимо, и для добровольного изгнанника из его кущей. Не знаю, прочел ли мистер Харгрейв мои мысли или нет, но после короткого колебания он с мягким сочувствием осведомился, давно ли писал мне мистер Хантингдон.

— Довольно давно, — ответила я.

— Иначе и быть не могло, — произнес он словно про себя, задумчиво опуская глаза.

— Но вы ведь из Лондона недавно? — в свою очередь спросила я.

— Я приехал только вчера.

— И вы виделись с ним там?

— Да... виделся.

— Он здоров и весел?

— Да... то есть, — продолжал он с нарастающей нерешительностью и словно подавляя негодование, — то есть настолько, насколько... насколько он того заслуживает, хотя в подобных обстоятельствах просто невозможно понять человека, столь взысканного судьбой! — И он, подняв глаза, завершил свою фразу почтительным поклоном в мою сторону. (Мое лицо, полагаю, стало пунцовым.)

— Простите меня, миссис Хантингдон, — продолжал он, — но мне трудно сдержать возмущение, когда я вижу столь слепое увлечение и извращенность вкуса... Но быть может, вам не известно... — Он смолк на полуслове.

— Мне известно, сэр, только то, что он задерживается в Лондоне дольше, чем я предполагала. И если он сейчас предпочитает общество друзей обществу жены и рассеянность столичной жизни мирному сельскому уединению, то, полагаю, благодарить за это я должна их же. Ну, а вкусы и развлечения у них такие же, как у него, и не понимаю, почему его поведение может их удивлять или возмущать.

— Вы ко мне жестоко несправедливы, — возразил он. — Последние недели я с мистером Хантингдоном совсем не встречался, а что до его вкусов и занятий, они чужды мне, бедному одинокому скитальцу. Там, где я лишь пробовал, лишь делал один глоток, он выпивал чашу до последней капли вместе со всем, что оседало на дне. И если я все же пытался порой заглушить голос рассудка шумом веселья в вихре безумств, если я потратил слишком много своего времени и способностей в кругу распущенных и легкомысленных приятелей, Бог свидетель, я с восторгом отрекся бы от них сразу и навеки, если бы судьба одарила меня хотя бы *половиной* того, чем этот человек столь неблагодарно пренебрегает! Да, хотя бы *половиной* того, чем был бы он вознагражден, если бы обратился к добродетели, семейным радостям, упорядоченным привычкам! Но обладая *таким* домом и *такой* подругой жизни, чтобы делить его с ней, о, это... это... мерзко! — пробормотал он сквозь стиснутые зубы. — Только не думайте, миссис Хантингдон, — продолжал он уже громко, — что на мне лежит хоть доля вины за его нынешнее поведение. Напротив, я вновь и вновь пытался заставить его опомниться. Я часто выражал ему свое удивление, негодующе напоминал ему о его долге, о дарованном ему счастье, но тщетно! Он лишь...

— Довольно, мистер Харгрейв! Неужели вы не понимаете, что каковы бы ни были поступки моего мужа, зло только усугубится, если я узнаю о них из чужих уст?

— Так я чужой? — произнес он печальным голосом. — Я ваш ближайший сосед, крестный вашего сына, друг вашего мужа — так неужели я не могу быть и вашим другом?

— Истинная дружба невозможна без близкого знакомства, а я вас знаю очень мало, мистер Харгрейв, и то больше понаслышке.

— Так, значит, вы забыли те шесть-семь недель, которые я прошлой осенью провел под вашим кровом? Но я, я их не забыл! И я знаю вас так хорошо, миссис Хантингдон, что не могу не считать вашего мужа первым счастливцем в мире, а я стал бы вторым, если бы вы сочли меня достойным вашей дружбы.

— Если бы вы меня и правда знали, то не думали бы так, и, уж во всяком случае, не сказали бы этого, полагая, будто я буду польщена.

Договорив, я сделала шаг назад. Он понял, что продолжать разговор я не хочу, не стал дожидаться еще одного намека, но учтиво поклонился, пожелал мне доброго вечера и направил своего коня к воротам. Казалось, он был огорчен и обижен тем, как сурово я встретила его сочувственные поползновения. Я не была вполне убеждена, что поступила верно, столь резко его оборвав, но его поведение меня раздражило, почти оскорбило. Словно то обстоятельство, что мой муж не возвращается и даже почти не пишет, он стремился использовать в каких-то своих целях и темными намеками старался внушить мне недостойные подозрения.

Во время нашей беседы Рейчел отошла в сторону, и теперь мистер Харгрейв, подъехав к ней, попросил показать ему младенца. Осторожно подхватив его на руки, он поглядел на него почти с отцовской улыбкой, и, подходя к ним, я услышала его слова:

— И *этим* он тоже пренебрег!

Затем, нежно поцеловав малютку, мистер Харгрейв вернул его польщенной нянюшке.

— Вы любите детей, мистер Харгрейв? — спросила я, несколько смягчаясь.

— Вообще, пожалуй, нет, — ответил он. — Но это такое прелестное дитя... и к тому же портрет своей матери, — добавил он, понижая голос.

— Вы ошибаетесь, сэр. Он похож на отца.

— А по-моему, прав я, верно, няня? — воззвал он к Рейчел.

— Я думаю, сэр, он в них обоих пошел, — ответила она.

Затем он ускакал, а Рейчел сказала: «Такой добрый джентльмен!» Однако я все еще не слишком в этом уверена.

Когда на другой день я встретилась с ним под его кровом, он ни разу не оскорбил меня вспышкой добродетельного негодования против Артура или непрошеного сочувствия ко мне. Напротив, когда его матушка принялась обиняками выражать, как огорчает и поражает ее поведение моего мужа, он, заметив мою досаду, тотчас поспешил ко мне на выручку и тактично переменил разговор, взглядом предупредив ее, чтобы она больше этой темы не касалась. Он словно положил себе рьяно соблюдать законы радушия и прилагал все силы, чтобы гостья не скучала, но каждую минуту убеждалась, какой он безукоризненный хозяин дома, джентльмен и собеседник — и действительно сумел быть очень милым... хотя чуть-чуть уж слишком приторно-любезным. Тем не менее, мистер Харгрейв, вы мне не слишком нравитесь. Есть в вас какое-то притворство, глубоко мне неприятное, а за всеми превосходными вашими качествами прячется себялюбие, про которое я забывать не намерена. Да, я не стану преодолевать легкое предубеждение против вас, как несправедливое, а наоборот, буду его лелеять, пока не удостоверюсь, что у меня нет причин не доверять этой заботливой, вкрадчивой дружбе, которую вы столь настойчиво мне навязываете.

В течение следующих шести недель я виделась с ним несколько раз, но — за одним исключением —

только в обществе его матери или сестры, или их обеих. Когда я приезжала к ним с визитом, он всегда умудрялся быть дома, а когда они приезжали ко мне, привозил их он в своем фаэтоне. Нетрудно было заметить, как радовала его матушку такая сыновняя внимательность и новообретенный вкус к домашней жизни.

Единственная наша встреча наедине случилась в безоблачный, но невыносимо жаркий день в начале июля. Я ушла с маленьким Артуром в лес, который примыкает к парку, и усадила его среди мшистых корней старого дуба. Нарвав колокольчиков и шиповника, я встала перед ним на колени и один за другим вкладывала цветки в его пальчики, наслаждаясь небесной их красотой, глядя в его улыбающиеся глазки, забыв на мгновение все свои заботы и тревоги, смеясь его веселому смеху и радуясь его радости. Вдруг солнечное кружево на траве скрыла тень, и, повернув голову, я увидела, что рядом стоит Уолтер Харгрейв и смотрит на нас.

— Простите меня, миссис Хантингдон, — сказал он, — но я был заворожен! У меня не хватило духу ни сделать еще один шаг и помешать вам, ни оторваться от созерцания этой чарующей картины и тихо уйти! Каким крепышом становится мой маленький крестник и какой он сегодня веселый!

Тут он нагнулся к мальчику и хотел взять его за руку, но, заметив, что его ласка вместо приветливой улыбки вот-вот вызовет слезы и вопли, благоразумно попятился.

— Какой радостью и каким утешением должен служить вам, миссис Хантингдон, ваш прелестный малыш, — заметил он с легкой грустью в голосе, не спуская с малютки восхищенного взора.

— Да, вы правы, — ответила я и справилась о здоровье его матушки и сестры.

Он вежливо ответил и вернулся к теме, от которой я пыталась уклониться, — однако с некоторой робостью, словно опасаясь рассердить меня.

— У вас давно не было известий от Хантингдона?

— На этой неделе нет, — ответила я, хотя точнее было бы сказать: «Вот уже три недели!»

— Утром я получил от него письмо. Жалею только, что не такое, какое мог бы показать его супруге! — Тут он наполовину вытащил из жилетного кармана письмо с адресом, начертанным все еще любимой рукой Артура, хмуро глянул на него, засунул обратно и добавил: — Но он извещает меня, что приедет на будущей неделе.

— Мне он это сообщает в каждом своем письме!

— Ах, вот как! Что же, совсем в его духе! Однако *мне* он с самого начала сказал, что намерен пробыть в Лондоне до этого месяца.

Такое доказательство предумышленного обмана и непрерывного пренебрежения истиной было как пощечина.

— Это вполне согласуется со всем его поведением, — заметил мистер Харгрейв, внимательно глядя на меня и, полагаю, верно истолковав выражение на моем лице.

— Так, значит, он действительно приедет на следующей неделе? — сказала я, прерывая молчание.

— О, не сомневайтесь... Если подобная уверенность может быть вам приятна. Но неужели же, миссис Хантингдон, вы способны радоваться его возвращению? — воскликнул он, вновь пристально вглядываясь в мое лицо.

— Разумеется, мистер Харгрейв. Ведь он мой муж, не так ли?

— Ах, Хантингдон, ты не ведаешь, *чем* ты пренебрегаешь! — с чувством прошептал он.

Я взяла моего малютку на руки и, пожелав мистеру Харгрейву доброго утра, вернулась домой, чтобы предаться своим мыслям без чьего-либо надзора.

Правда ли, что я рада? Да. И безумно. Хотя и сержусь на Артура за его поведение, хотя и чувствую, что он поступал со мной дурно, и намереваюсь дать почувствовать это и ему.

Глава XXX

СЕМЕЙНЫЕ СЦЕНЫ

На следующее утро я тоже получила от него несколько строк, подтверждавших то, что сказал мне Харгрейв о его возвращении. И он действительно приехал на следующей неделе — но в состоянии и телесном, и душевном даже еще худшем, чем в прошлом году. Однако на этот раз я не собиралась молча спустить ему его проступки — опыт убедил меня в ошибочности такой снисходительности. Только в первый день он очень устал с дороги, а я так ему обрадовалась, что у меня не хватило духу встретить его упреками, и я отложила этот разговор на следующий день. Утром он все еще не отдохнул, и я решила подождать еще немного. Однако, когда во время обеда, позавтракав в двенадцать часов бутылкой содовой с чашкой крепкого кофе и удовлетворившись в два часа за вторым завтраком еще одной бутылкой содовой, но на этот раз с коньяком, он принялся придираться ко всему, что подавалось на стол, и потребовал, чтобы мы переменили кухарку, я подумала, что настала подходящая минута.

— До твоего отъезда, Артур, — заметила я, — ты был ею доволен и нередко ее хвалил.

— Так, значит, в мое отсутствие ты позволила ей совсем распуститься. Такой отвратительной стряпней можно только отравиться! — Он капризно оттолкнул тарелку и с унылым видом откинулся на спинку стула.

— По-моему, изменился ты, а не она, — сказала я, но очень мягко, потому что не хотела его раздражать.

— Может быть, может быть! — ответил он небрежно, схватил рюмку с вином, плеснул в нее воды, выпил залпом и продолжал: — Только в жилах у меня пылает адский огонь, который не могут угасить все воды океана!

«Но что его разожгло?» — собралась я спросить, но тут вошел дворецкий и начал убирать со стола.

— Побыстрее, Бенсон! Да прекратите же этот адский грохот! — воскликнул хозяин дома. — И унесите сыр, если не хотите, чтобы меня сразу стошнило!

Бенсон с некоторым удивлением унес сыр и продолжал убирать со стола, стараясь делать все поскорее, но тихо. К несчастью, когда хозяин дома резко отодвинул стул, на ковре образовалась складка, и он споткнулся, поднос с посудой в его руках угрожающе накренился, но все обошлось довольно благополучно, только соусница упала и разбилась. Тем не менее, к моему невыразимому стыду, Артур в ярости обернулся и с простонародной грубостью выругал дворецкого. Тот побледнел, а когда нагнулся подобрать осколки, я заметила, что руки у него дрожат.

— Он ни в чем не виноват, Артур, — сказала я. — Нечаянно зацепился ногой за ковер. И ведь ничего серьезного не случилось. Идите, Бенсон! Уберете потом.

Обрадованный моим разрешением, Бенсон быстро подал десерт и вышел.

— Что это значит, Хелен? — крикнул Артур, едва за ним закрылась дверь. — Ты заодно со слугой против меня, когда знаешь, как я расстроен!

— Я не знала, что ты расстроен, Артур, а бедный Бенсон был напуган и обижен твоей неожиданной вспышкой.

— Бедный, как бы не так! И по-твоему, я должен считаться с обидами такого бесчувственного скота, хотя его проклятая неуклюжесть совсем истерзала мои нервы?

— В первый раз слышу, что ты жалуешься на нервы.

— А почему у меня не может быть нервов, как у тебя?

— Я вовсе не оспариваю твое право иметь нервы, но я никогда на свои не жалуюсь.

— Конечно! С какой стати тебе на них жаловаться, если ты их бережешь?

— Но почему же ты не бережешь свои, Артур?

— По-твоему, у меня только и дела, что сидеть дома и беречь себя, точно я женщина?

— А беречь себя, как мужчина, уезжая из дома, ты не можешь? Ведь ты меня уверял в обратном. И ты обещал...

— Ах, Хелен, будет! Избавь меня хоть сейчас от этого вздора. Нестерпимо!

— Что нестерпимо? Напоминание об обещаниях, которые ты не сдержал?

— Хелен, до чего ты жестока! Если бы ты знала, какой болью каждое твое слово отдается у меня в голове, как напрягается каждый мой нерв, ты бы меня пощадила! Ты способна пожалеть болвана-слугу, бьющего посуду, но тебе ничуть не жаль *меня,* хотя моя голова раскалывается и я весь горю от лихорадки.

Он опустил голову на руки и тяжело вздохнул. Я подошла к нему, положила ладонь на его лоб, который действительно пылал.

— Ну так пойди со мной в гостиную, Артур, и больше не пей вина. Ты уже выпил после обеда несколько рюмок на совсем пустой желудок. Ведь так тебе станет только хуже!

Упрашивая, ласково настаивая, я сумела увести его и попробовала развлечь, распорядившись, чтобы в гостиную принесли нашего малютку. Но у бедного маленького Артура резались зубки, и он жалобно заплакал, чего его отец стерпеть не смог, и малыш был тут же изгнан. Когда же некоторое время спустя я ушла на небольшой срок разделить его ссылку, меня по возвращении осыпали упреками за то, что я предпочитаю своего ребенка своему мужу, который возлежал на диване в той же позе, в какой я его оставила.

— Что же! — воскликнул оскорбленный страдалец фальшивым тоном, изображая покорность судьбе. — Я решил не посылать за тобой. Я хотел убедиться, как долго ты пожелаешь оставить меня одного!

— Но ведь я отсутствовала не так уж долго, Артур, правда? Во всяком случае, меньше часа.

— Ну разумеется, тебе за приятными занятиями час показался пустяком, но для *меня*...

— Какие приятные занятия? — перебила я. — Мне надо было покормить нашего бедного малютку, а он нездоров, и я не могла уйти, пока его не убаюкала.

— О, конечно, твоей доброты и жалости хватает на всех, кроме меня!

— Но почему я должна тебя жалеть? Что с тобой?

— Нет, это уж слишком! После стольких трудов и хлопот я, измученный и больной, возвращаюсь домой в поисках покоя и утешения, жду от своей жены хоть каплю внимания и доброты, а она спрашивает, что со мной случилось!

— Да потому что с тобой *ничего* не случилось! — возразила я. — Кроме того, что ты сам упрямо навлек на себя, как я ни просила тебя, ни уговаривала...

— Вот что, Хелен, — объявил он, приподнимаясь на локте, — если я услышу от тебя еще хоть слово, то позвоню, прикажу подать шесть бутылок вина... и, клянусь Небом, не встану с этого дивана, пока не осушу до дна последнюю.

Я промолчала, села к столу и взяла книгу.

— Если ты отказываешь мне в каком бы то ни было утешении, то хотя бы оставь меня в покое, — продолжал он, а затем принял прежнюю позу с нетерпеливым не то вздохом, не то стоном и томно смежил веки, словно намереваясь уснуть.

Не знаю, какая книга лежала передо мной открытая, — я не прочла ни единого слова. Опершись о стол локтями по ее сторонам и опустив лоб на сплетенные пальцы, я беззвучно плакала. Но Артур вовсе не спал, и, когда мне не удалось подавить всхлипывание, он поднял голову, повернул ко мне лицо и раздраженно воскликнул:

— Какого дьявола ты плачешь, Хелен? Что еще стряслось?

— Я плачу по тебе, Артур, — ответила я, поспешила утереть слезы, быстро подошла к дивану, опустилась на колени и, сжав в ладонях его вялую руку, продолжала: — Разве ты не знаешь, что ты — часть меня? Так неужели ты думаешь, что можешь вредить себе, ронять себя и я этого не приму к сердцу?

— Ронять себя, Хелен?

— Да, ронять. Что ты делал все это время?

— Лучше не спрашивай, — сказал он со слабой улыбкой.

— А ты лучше не говори! Но ты не можешь отрицать, что пал, и очень низко. Ты позорно губишь свое тело, свою душу... и меня! Я не могу сносить это спокойно. И не буду!

— Только не сжимай мою руку так отчаянно и, во имя всего святого, не терзай меня так! Ах, Хэттерсли! Ты был прав: эта женщина с ее утонченными чувствами и редкой силой характера сведет меня в могилу! Ну, будет, будет! Пощади меня хоть немножко!

— Артур, ты должен, должен раскаяться! — вскричала я вне себя от отчаяния, обнимая его и пряча лицо у него на груди. — Нет, ты скажешь, что жалеешь о том, что сделал!

— Ну, хорошо, ну, я жалею.

— Нет, ничуть ты не жалеешь! И опять будешь делать то же.

— Где уж мне! Ты прежде убьешь меня своим варварским обращением! — возразил он, отталкивая меня. — Ты же меня совсем задушила... — Он прижал руку к сердцу, и вид у него правда был больной и измученный.

— А теперь дай мне рюмку вина, — сказал он, — исправь то, что натворила, тигрица! Я вот-вот потеряю сознание.

Я бросилась за требуемым лекарством. Оно, казалось, заметно его подбодрило.

— Как стыдно такому сильному, молодому мужчине, как ты, — сказала я, забирая у него пустую рюмку, — доводить себя до подобного состояния!

— Знай ты все, деточка, то сказала бы: «Какое чудо, что ты еще так хорошо держишься»! За эти четыре месяца, Хелен, я пережил больше, чем ты за всю прошлую свою жизнь и всю будущую, доскрипи ты хоть до ста лет! Вот и расплачиваюсь.

— Если ты не поостережешься, то должен будешь платить цену куда большую, чем думаешь, — полностью утратить здоровье и мою любовь тоже, если она для тебя чего-то стоит.

— Как? Ты опять принимаешься грозить мне утратой твоей любви? Если ее так легко уничтожить, значит, она никогда не была настоящей! Если ты не остережешься, моя прелестная тиранка, то вынудишь меня серьезно пожалеть о своем выборе и позавидовать Хэттерсли. Его кроткая, тихая женушка — просто украшение своего пола, Хелен. Он привез ее с собой в Лондон на весь сезон, и она ни в чем не была ему помехой. Он мог развлекаться, как ему хотелось, словно беззаботный холостяк, и она и не думала жаловаться, будто ею пренебрегают. Домой возвращается хоть ночью, хоть под утро, хоть вовсе не возвращается, мыкается трезвый или славно напивается, делает глупости или безумствует, как его душе угодно, без всякой докуки. Ни единого упрека, ни единой жалобы, что бы он ни вытворял. Он говорит, что во всей Англии не найти другой такой жемчужины, и клянется, что не променял бы ее на целое королевство.

— И превращает ее жизнь в муку.

— Да ничего подобного! Она хочет только того, что хочет он, и всегда довольна и счастлива, если ему весело.

— В таком случае она глупа не меньше его! Но только это не так. Я получила от нее несколько писем: его поведение внушает ей мучительную тревогу, и она жалуется, что ты подстрекаешь его не знать ни в чем удержу. В одном она даже умоляла меня, чтобы я воспользовалась своим влиянием на тебя и заставила уехать из Лондона. По ее словам, он был совсем другим, пока туда не приехал ты, и, конечно, не станет позволять себе ничего подобного, если вновь будет руководиться собственным здравым смыслом.

— Дрянная предательница! Дай мне это письмо, и он его прочтет, ручаюсь жизнью!

— Без ее согласия — никогда. Но если бы он и прочел, то не нашел бы никаких причин сердиться на нее. Ни в этом письме, ни в других. Она ни разу не сказала о нем ни единого дурного слова и пишет только о своей тревоге *за* него. О его поведении упоминает в самых мягких выражениях и находит для него всяческие оправдания. А что до ее горя, то я просто его чувствую без каких-либо ее жалоб.

— Но *меня* она поносит, и, конечно, не без твоего содействия.

— Нет. Я написала ей, что она преувеличивает мое влияние на тебя; что я была бы рада оторвать тебя от столичных соблазнов, если бы могла, но вряд ли мне это удалось бы; и что, по-моему, она ошибается, полагая, будто ты совращал мистера Хэттерсли или еще кого-нибудь с праведного пути; что одно время сама я придерживалась прямо противоположного убеждения, но теперь полагаю, вы взаимно развращаете друг друга, и что если бы она попробовала попенять мужу, ласково, но твердо, это, может быть, принесло бы некоторую пользу: ведь хотя он изваян грубее, чем мой, но все-таки не из такого несокрушимого материала.

— Ах, так вот, значит, как у вас заведено: подстрекаете друг друга к бунту, поносите каждая чужого мужа, а своего исподтишка черните, к собственному взаимному удовольствию!

— По твоим же словам, она осталась глуха к моим дурным советам. А что до поношений и прочего, то обе мы так глубоко стыдимся распущенности и пороков наших половин, что в своей переписке очень редко касаемся этой темы. Хотя мы и подруги, но рады были бы скрыть ваши недостатки от всего мира и даже от себя самих, но, закрывая глаза на правду, помочь вам исправиться нельзя.

— Ну, ну! В таком случае не приставай ко мне с ними! Пользы это не принесет ни малейшей. Наберись терпения, не дуйся на мою слабость и раздражение, а когда я избавлюсь от этой проклятой изнурительной лихорадки, то стану таким же веселым и ласковым, как прежде, вот увидишь. Почему ты не можешь быть нежной и доброй, как в прошлом году? Помню, до чего я был тебе благодарен!

— Но какую пользу принесла тебе эта благодарность? Я обманывалась мыслью, что ты устыдился своего поведения и ничего подобного больше никогда не допустишь. Но теперь ты отнял у меня эту надежду.

— А, так я безнадежен? Ну что же, совсем неплохо, если я таким образом буду избавлен от мучений, какие причиняют мне старания милой, заботливой женушки вернуть меня на путь истинный, а она — от тяжких и напрасных усилий, которые только пагубно сказываются на ее милом личике и серебряном голосе. Хелен, взрыв гнева иногда очищает воздух, а потоки слез неизъяснимо трогают сердце, но лишь изредка. Если же превращать и то и другое в привычку, нет вернее способа испортить собственную красоту и надоесть своим друзьям.

С тех пор я сдерживаю слезы и гнев, как могу. Также я избавила его от моих увещеваний и бесплодных попыток воззвать к лучшим качествам его натуры, потому что убедилась в тщетности всего этого. Господь мог бы пробудить это отупелое сердце, усыпленное себялюбием, и снять пелену чувственной тьмы с его глаз, но мне это не дано. Его несправедливости и дурному обхождению с людьми, которые от него зависят и не могут сами себя защитить, я все еще противилась, но, когда, как часто случалось, свое дурное настроение он срывал на мне одной, я терпела со спокойной снисходительностью, кроме тех случаев, когда, не выдержав непрерывных однообразных придирок или, наоборот, какого-нибудь нового безрассудства, я невольно теряла власть над собой и давала повод для обвинений в дурном характере, жестокости и сварливости. Я старательно заботилась о его удобствах и развлечениях, но, признаюсь, без прежней горячей нежности, так как она во мне угасла. А кроме того, теперь я должна была делить свое время и заботы между ним и моим прихварывающим малюткой, ради которого я часто навлекала на себя придирки и жалобы его безрассудно требовательного отца.

Однако Артур по натуре вовсе не кислый брюзга, и эта наносная ворчливость и нервная раздражительность были бы даже забавны, если бы не сопровождались чрезвычайно тягостными настроениями, которые неотъемлемы от подобных симптомов телесного расстройства. Но по мере того как к нему возвращалось здоровье, он обретал прежнюю веселость. Ускорилось это благодаря моим неусыпным заботам — было одно, с чем я все-таки продолжала бороться ради его спасения, не позволяя себе в отчаянии опустить руки. Как я, увы, предвидела, его потребность в бодрящем действии вина заметно возросла. Вино перестало быть для него просто приятной принадлежностью обедов, особенно званых, а превратилось в важный источник удовольствия само по себе. И в эти недели слабости и уныния он готов был сделать из вина лекарство и опору, утешение и развлечение, лучшего своего друга и, мало-помалу все все больше опускаясь, должен был бы навеки увязнуть в трясине, которую по легкомыслию не желал замечать. Но я твердо положила не допустить этого, пока у меня сохраняется хотя бы капля влияния на него. И хотя мне не удавалось вернуть его к умеренности, однако настойчивостью, лаской, упорством, бдительностью, улещивая, взывая к его гордости и лучшим намерениям, я все же помешала ему стать рабом этой омерзительной привычки, столь незаметно подчиняющей человека, столь неумолимой в своей власти, столь губительной в своих последствиях.

И здесь следует упомянуть, что своим успехом я немало обязана его другу, мистеру Харгрейву. Он постоянно наезжал в Грасдейл и часто оставался обедать, Артур же, боюсь, охотно забыл бы свои обещания, а с ними и чувство собственного достоинства, ради возможности «весело провести вечерок» столько раз, сколько его другу было бы угодно разделить с ним это похвальное времяпрепровождение. И уступи тот его желанию, он за один-два вечера свел бы на нет усилия многих недель и смел бы, как пушинку, непрочный барьер, воздвигнуть который мне стоило стольких забот и труда. Вначале я так этого страшилась, что унизилась даже до того, чтобы в разговоре наедине намекнуть мистеру Харгрейву о моих опасениях и выразить надежду, что склонность Артура к подобным излишествам не найдет в нем поддержки. Он обрадовался этому доверию и, бесспорно, не предал его. В тот раз и во все последующие его присутствие не только не толкало хозяина дома дать волю своему пристрастию, но, напротив, содействовало обузданию злосчастной слабости — ему неизменно удавалось увести Артура из столовой в гостиную довольно скоро и во вполне пристойном состоянии. Если он пропускал мимо ушей намеки вроде: «Ну, я не хочу долее разлучать тебя с твоей супругой» или «Не следует все-таки забывать, что миссис Хантингдон скучает там одна», то его гость просто вставал из-за стола и направлялся к двери, вынуждая хозяина волей-неволей следовать его примеру.

И я уже встречала мистера Харгрейва как истинного друга нашей семьи, чье общество Артуру неопасно, а лишь поддерживает в нем бодрость духа и развеивает томительную скуку полного безделья и вносит приятное разнообразие в нашу уединенную жизнь. Я видела в нем полезного союзника и не могла не испытывать к нему благодарности, которую и выразила при первом же удобном случае. Но тут же сердце шепнуло мне, что все не так уж хорошо, и мысль эта вызвала краску на моем лице, которая стала еще гуще под его пристальным взглядом. А то, как он принял мои слова, только удвоило эти дурные предчувствия. Он в восторге оттого, что мог оказать мне услугу, но его радость умеряется сочувствием ко мне и жалостью к себе... Не знаю из-за чего, так как я не осведомилась о причине и не допустила, чтобы он излил мне свои печали, а поспешила уйти. Его вздохи и другие намеки на скрытое горе, казалось, исходили из самой глубины его сердца, но либо ему придется удерживать их при себе, либо изливать в другие уши, только не в мои — наши отношения и так уже излишне доверительны. Я вдруг подумала, насколько дурно, что между другом моего мужа и мной существует какой-то сговор, ему неизвестный и прямо с ним связанный. Но потом я подумала: «Если это и дурно, то ведь виноват Артур, а вовсе не я».

И, право, не знаю, не за него ли я тогда покраснела! Ведь мы с ним — одно, и я настолько это ощущаю, что его падение, его слабости, его проступки становятся как бы моими. Я краснею за него, я боюсь за него, я раскаиваюсь за него, плачу, молюсь и страдаю за него, как за себя. Но действовать за него я не могу, а потому не могу не быть униженной, запачканной этим единством как в собственных моих глазах, так и на самом деле. Я полна такой решимости любить его, с таким волнением ищу извинения его ошибкам, что все время о них думала и пыталась оправдывать наиболее безнравственные его взгляды и худшие его поступки, пока не свыклась с пороком и чуть ли не стала соучастницей его грехов. Вещи, которые прежде возмущали меня и преисполняли отвращения, теперь кажутся всего лишь естественными. Я знаю, насколько они дурны, ибо рассудок и Божьи заповеди подтверждают это, но постепенно утрачиваю тот безотчетный ужас и омерзение перед ними, которые вложила в меня природа или же воспитала тетя своими наставлениями и примером. А может быть, прежде я была слишком сурова в своих суждениях, так как питала отвращение не только к грехам, но и к грешникам, теперь же, льщу себя мыслью, я стала более милосердной и терпимой... Но разве я к тому же не становлюсь более равнодушной, более бесчувственной?

Какой дурочкой была я, мечтая, что моих сил и моей

чистоты будет достаточно, чтобы спасти и себя и его! Столь тщеславные претензии заслуживают того, чтобы я погибла вместе с ним в пропасти, от которой тщилась его уберечь. Да спасет меня от нее Господь! И его тоже! Бедный Артур, я ведь все еще надеюсь, все еще молюсь о тебе. Хотя я пишу так, словно ты — нераскаянный негодяй, для которого уже нет ни спасения, ни прощения, причина только в моей мучительной тревоге, в страстном желании, чтобы это было не так! Люби я тебя меньше, то не была бы столь ожесточенной, столь взыскательной.

Его поведение в последнее время свет назвал бы безукоризненным, но я-то знаю, что сердце его не переменилось. А весна близка, и я дрожу при мысли о том, что она сулит.

Едва его измученный организм начал обретать прежние силы и настрой, как ему стали тягостны уединенность и покойное однообразие нашей жизни, а потому я предложила съездить к морю, чтобы он развлекся и еще более окреп, — и ради здоровья нашего малютки. Но нет! Воды и курорты невыносимо скучны, а к тому же один друг пригласил его на месяц-другой в Шотландию, где можно отлично развлекаться охотой на рябчиков и оленей, и он обещал, что обязательно приедет.

— Так, значит, ты снова меня покинешь, Артур?

— Да, радость моя. Но только лишь, чтобы любить тебя еще сильнее, когда вернусь и искуплю все прошлые свои обиды и недостатки! И можешь за меня не опасаться — в горах нет никаких соблазнов. А ты тем временем, если пожелаешь, можешь погостить в Стейнингли: твои дядя и тетка уже давно, как тебе известно, нас ждут, но между мной и почтенной дамой существует такое сильное взаимное отталкивание, что я никак не могу собраться с духом.

Я охотно воспользовалась этим разрешением, хотя несколько побаивалась расспросов тети и ее взгляда на мою семейную жизнь, о которой я писала довольно сдержанно, так как ничего особенно радостного сообщить не могла.

На третьей неделе августа Артур отбыл в Шотландию, куда с ним отправился и мистер Харгрейв, о чем я узнала с большим облегчением. А затем я с маленьким Артуром и Рейчел уехала в Стейнингли, мой милый прежний дом — его и обитавших в нем дорогих моему сердцу людей я вновь увидела с радостью и грустью, настолько слившимися воедино, что мне уже не удавалось их различить. И я не могла бы сказать, были счастливыми или горькими слезы, улыбки, вздохи, которые вызывали у меня эти родные милые лица, и голоса, и даже самые стены и мебель. Еще и двух лет не прошло с тех пор, как я видела и слышала их в последний раз, но каким долгим казался теперь этот срок. Еще бы! Ведь как неизмеримо изменилась я сама. Чего только я не увидела, не перечувствовала и не узнала с тех пор? Впрочем, изменились и они: дядя заметно постарел и одряхлел, да и тетя стала еще более печальной и серьезной. Мне кажется, она не сомневается, что я горько раскаиваюсь в своей опрометчивости, хотя она ни словом на это не намекнула и не стала с торжеством напоминать мне о своих отвергнутых мною советах, чего, признаюсь, я опасалась. Но она наблюдала за мной очень внимательно (куда внимательнее, чем мне хотелось бы!) и словно не доверяла моей веселости, с излишней проницательностью замечала каждый намек на грусть или тягостные мысли, ловила любую мою неосторожную фразу и толковала их на свой лад, пусть молча. Время от времени она нежданно подвергала меня очень мягкому, но настойчивому допросу и таким образом узнала много подробностей, о которых я не собиралась говорить, и, сопоставляя эти отрывочные сведения, сумела, боюсь, получить достаточно ясное представление о недостатках моего мужа и моих горестях, хотя и не узнала почти ничего о еще остающихся мне источниках надежды и утешения. Ведь, как убедительно ни старалась я описывать лучшую сторону натуры Артура, нашу взаимную привязанность и множество причин, по которым мне должно быть счастливой и благодарной судьбе, она выслушивала эти признания с холодным спокойствием, словно мысленно делала из них собственные выводы. Я убеждена, что выводы эти чаще бывали заметно хуже истинного положения вещей. Но, бесспорно, описывая свое счастье, я слегка преувеличивала. Гордость ли заставляла меня с таким упорством делать вид, будто я во всем довольна своим жребием? Или только благородная решимость нести свой добровольно возложенный на себя крест без единой жалобы и не допустить, чтобы любящая меня душа даже слегка соприкоснулась с бедами, от которых она так старалась меня уберечь? Возможно, тут было и то и другое, но главную роль играло второе соображение.

Гостила я у них недолго. Не только потому, что тяготилась постоянным наблюдением и недоверием, которые ощущала, как суровый упрек, ранивший меня куда больнее, чем она догадывалась, но еще и потому, что маленький Артур утомлял своего двоюродного деда, хотя и нравился ему, а также доставлял много хлопот двоюродной бабушке, которая полюбила малютку и постоянно тревожилась о его здоровье.

Милая тетя! Неужели вы так ласково пестовали меня во младенчестве, так заботливо воспитывали и наставляли в детстве и ранней юности для того лишь, чтобы я обманула ваши надежды, пошла наперекор вашим желаниям, презрела ваши предостережения и советы, а затем омрачила вашу жизнь страхом и тревогами из-за страданий, которые вам не дано облегчить? Эта мысль надрывала мне сердце, и я вновь и вновь пыталась убедить ее, что очень счастлива и довольна своим жребием. Но когда я садилась в карету, после того как она обняла меня на прощание и поцеловала малютку, ее напутственные слова были:

— Хорошенько заботься о своем сыне, Хелен, и, быть может, у тебя еще будут счастливые дни. Я прекрасно понимаю, какое он для тебя сейчас сокровище и утешение. Но если ты избалуешь его, уступая нынешним своим чувствам, раскаиваться в этом, когда он разобьет твое сердце, будет уже поздно.

Артур вернулся в Грасдейл только через несколько недель после меня, но я особенно не тревожилась. Охота и другие мужественные развлечения в диких горах Шотландии ведь далеко не то же, что столичные пороки и соблазны, а потому на душе у меня было гораздо спокойнее. И его письма, хотя по-прежнему короткие и мало похожие на послания пылкого влюбленного, тем не менее приходили гораздо чаще. Когда же он вернулся, то, к огромной моей радости, не выглядел хуже, чем до отъезда, но был даже бодрее, веселее и во всех отношениях лучше. Он все еще не избавился от злосчастного пристрастия к застольным радостям, и мне приходится бдительно следить за ним и всячески его удерживать, но он начал привязываться к сыну, и теперь у него появились новые развлечения в стенах дома. А остальное его время занимают лисья травля и конные состязания, если только землю не сковывает мороз, так что ему не приходится довольствоваться одним моим обществом. Но сейчас на дворе уже январь, близится весна, и, повторяю, я дрожу при мысли о том, что она сулит. Чудное время, которое я некогда встречала как светлую пору надежд и радости, теперь пробуждает во мне совсем иные предчувствия.

Глава XXXI
СВЕТСКИЕ ДОБРОДЕТЕЛИ

20 марта 1824 года. Зловещий срок наступил, и Артур уехал, как я и предполагала. На этот раз он предупредил, что в Лондоне останется совсем недолго, а отправится на континент, где, возможно, пробудет две-три недели. Но ждать его я начну, когда их минет уже много: теперь ведь я знаю, что для него дни означают недели, а недели — месяцы.

Я должна была сопровождать его, но незадолго до нашего отъезда он разрешил... нет, даже настаивал самым жертвенным тоном, чтобы я поехала навестить моего бедного отца, который очень болен, и моего брата, глубоко удрученного этим недугом и его причиной. Его я не видела с крестин нашего мальчика, — он был его восприемником вместе с мистером Харгрейвом. Восприемницей была тетя. Не желая злоупотреблять добротой мужа, столь нехотя расставшегося со мной, я постаралась вернуться в Грасдейл побыстрее, но его там уже не застала.

Меня ждала только записка: ему пришлось спешно уехать, так как одно нежданное обстоятельство потребовало его немедленного присутствия в Лондоне, а потому он не мог меня дождаться. И мне лучше не ехать следом за ним — он пробудет в отсутствии так мало, что я только утомлюсь без всякой пользы. Он же потратит в дороге даже меньше половины того, что израсходовали бы мы вдвоем. Вот почему разумнее будет перенести путешествие на следующий год, когда он приведет наши дела в порядок, чем сейчас и думает заняться.

Так ли это? Или же он пустился на хитрость, чтобы отправиться на поиски удовольствий без помехи, какой оказалось бы мое присутствие? Очень больно сомневаться в искренности тех, кого мы любим, но после стольких доказательств лживости и полного пренебрежения нравственными принципами как могу я поверить столь мало правдоподобным заверениям?

У меня остается только одно утешение: некоторое время тому назад он заверял меня, что непременно будет соблюдать умеренность в своем пристрастии, если вновь попадет в Лондон или Париж, — чтобы не лишить себя всех прочих удовольствий. У него нет желания дотянуть до глубокой старости, но он хочет взять всю свою долю радостей жизни, не потеряв способности наслаждаться ими до самого конца. А ради этого надо немножко сдерживать себя — ведь, как ни горько, он, кажется, уже несколько утратил свою красоту и, хоть еще совсем молод, успел обнаружить седые волосы среди каштановых кудрей, предмета его особой гордости. И как будто он несколько располнел — однако причина только в праздности и слишком обильном столе. В остальном же, ему хочется надеяться, он здоров и силен, как прежде. Тем не менее невозможно предсказать, в какое состояние его может привести *еще один* сезон, столь же полный всяких безумств и проказ, как прошлый. Да, он сказал это *мне* с веселым бесстыдством и теми шаловливыми искорками в глазах, которые прежде так мне нравились, с тем негромким лукавым смехом, от которого раньше у меня всегда теплело на сердце.

Что же, такие опасения, несомненно, могут оказать на него больше сдерживающего влияния, чем все мои доводы и просьбы. Увидим, помогут ли они ему сохранить здоровье, раз уж никакой другой надежды не остается.

30 *июля*. Он вернулся три недели тому назад, бесспорно, более здоровым, чем в прошлом году, но в куда более раздраженном состоянии духа. А впрочем, возможно, я ошибаюсь — просто я уже не так терпелива и снисходительна, как раньше. Мне претят его несправедливость, эгоизм и безнадежная *порочность*. Как жаль, что слово мягче не подойдет. Я далеко не ангел, и все худшее во мне восстает против этого. Мой бедный отец скончался на прошлой неделе. Артуру это известие досадило: он увидел, как я горюю, и испугался за свой покой и удобства. Когда я сказала, что должна заказать траур, он воскликнул:

— Терпеть не могу черный цвет! Но, разумеется, приличия ради траур тебе некоторое время носить придется. Однако, надеюсь, Хелен, ты не сочтешь себя обязанной строить скорбные мины под стать своему похоронному одеянию? С какой стати должна ты вздыхать и ахать, а я терпеть неудобства, оттого лишь, что в ...шире старик, совершенно чужой тебе и мне, счел за благо допиться до смерти? Как, ты плачешь? Помилуй, это одно притворство!

Он и слышать не пожелал, чтобы я поехала на похороны и осталась бы на день-два скрасить бедному Фредерику его одиночество. Он объявил, что это совершенно лишнее и с моей стороны глупо даже думать об этом. Что для меня мой отец? Ведь я видела его всего один раз с тех пор, как рассталась с ним еще во младенчестве, и прекрасно знаю, что совершенно его не интересовала. И мой брат тоже совсем мне чужой человек.

— А кроме того, милая Хелен, — добавил он, обнимая меня с лестной нежностью. — Я не могу расстаться с тобой даже на день!

— Но как же ты обходился без меня *столько* дней? — спросила я.

— А! Так я же тогда бродил по свету! Но теперь я у себя дома, а он без тебя, богини моего семейного очага, был бы невыносимым!

— Да! Пока я необходима, чтобы тебя покоить. Но ты ведь говорил совсем другое, убеждая меня навестить отца, когда задумал потихоньку уехать из своего дома без меня! — возразила я и пожалела о своих словах, еще не договорив. Такое тяжкое обвинение! Если несправедливое, то невыносимо оскорбительное, а если справедливое, то слишком унизительное, чтобы бросить его прямо ему в лицо! Но я совершенно напрасно рассердилась на себя. Мой упрек не вызвал у него ни стыда, ни возмущения. Он только радостно хихикнул, точно речь шла об удивительно остроумной шутке, которую он со мной сыграл. Нет, он добьется, что я почувствую к нему неприязнь.

Не забудь, красавица девица,
Что ты сваришь, то и будешь пить!

Да. И я выпью всю чашу до дна, и только одна буду знать, как она горька!

20 августа. Мы оба более или менее вернулись к прежнему. Артур совсем здоров и возобновил все свои привычки, а я убедилась, что умнее всего забыть прошлое, не заглядывать в будущее, но жить только этим днем — во всяком случае, во всем, что касается его. Любить, когда мне это удается, улыбаться (если сумею), когда он улыбается, быть веселой, когда он весел, быть довольной, когда он в хорошем настроении, а если в дурном, то стараться, чтобы оно опять стало хорошим. Если же последнее оказывается мне не по силам, то терпеть, находить ему извинения и прощать его, насколько это в моей власти, сдерживать собственные дурные чувства, чтобы он меньше давал волю своим таким же. Но, уступая ему, потакая наиболее безобидным его прихотям, всячески стараться спасти его от худшего.

Впрочем, нам недолго осталось быть вдвоем. Вскоре мне предстоит принимать тех же гостей, что и позапрошлой осенью с добавлением мистера Хэттерсли, а также — по особому моему приглашению — его жены и дочурки. Мне так хочется увидеть Милисент и ее девочку! Ей теперь уже больше года, и она будет очаровательной товаркой для моего маленького Артура.

30 сентября. Наши гости здесь уже вторую неделю, но у меня только теперь выпала свободная минута написать о них. Не могу побороть своей антипатии к леди Лоуборо. Нет, причина не в каких-то моих обидах. Просто она мне глубоко неприятна, потому что я не нахожу в ней ни единой хорошей черты. Я стараюсь избегать ее общества, насколько это допускают законы гостеприимства. Но когда мы обмениваемся двумя-тремя словами или даже беседуем, то всегда с величайшей вежливостью, а с ее стороны — так словно с сердечностью. Но оборони меня Бог от такой сердечности! Словно рвешь шиповник и боярышник — цветы ласкают взор, стебли на вид безобидны, но ты-то знаешь, что под листьями прячутся шипы. А иной раз и уколешься и тогда в досаде обламываешь их, пока они не станут совсем безопасными, — но только пальцы твои при этом все же в царапинах.

Последнее время, однако, в ее поведении с Артуром я не замечаю ничего, что могло бы рассердить или встревожить меня. В первые дни мне казалось, что она всячески старается вызвать его восхищение. И ее усилия не остались незамеченными: я часто наблюдала, как он улыбается про себя ее хитрым уловкам, но надо отдать ему должное: все ее стрелы отскакивали от него, не причинив никакого вреда. Самые обворожительные ее улыбки, самые надменные взоры принимались с одной и той же неизменной беззаботной веселостью. Внезапно, словно убедившись, что он и правда неуязвим, она оставила свои усилия и с тех пор смотрит на него словно бы с тем же равнодушием, что и он. Я не замечаю никаких признаков того, что его это задело или что она опять взялась за прежнее.

Казалось бы, прекрасно, но Артур словно нарочно не допускает, чтобы я оставалась им довольна. Ни единого часа после того, как я вышла замуж, мне не довелось изведать того, что сулят чудесные слова: «В тишине и уповании крепость ваша». Эта отвратительная пара — Гримсби и Хэттерсли — возбудила в нем прежнюю страсть к вину, которую мне с таким трудом удалось умерить. Каждый день они подстрекают его перейти границу разумного, и уже не раз он позорно забывал всякую меру. Я не скоро забуду второй вечер после их приезда. Когда я с другими дамами выходила в гостиную, то, прежде чем дверь за ними затворилась, услышала возглас Артура:

— А ну-ка, молодцы, не попраздновать ли нам как следует?

Милисент посмотрела на меня с легким упреком, словно я могла этому помешать, но тут же переменилась в лице, потому что сквозь закрытую дверь до нас донесся голос Хэттерсли:

— Можешь на меня положиться! Только пошли-ка еще за вином. Тут не хватит даже глотку промочить по-настоящему!

Мы не успели сесть, как к нам присоединился лорд Лоуборо.

— С какой стати ты так поторопился? — воскликнула его супруга весьма недовольным тоном.

— Ты ведь знаешь, что я не пью, Аннабелла, — ответил он очень серьезно.

— Но ты мог бы немного посидеть с ними для приличия! До чего глупо, что ты тащишься следом за женщинами. Просто не понимаю, как ты можешь!

Он бросил на нее взгляд, в котором мешались упрек, горечь и недоумение, опустился в кресло, закусил бледную губу, подавляя тяжелый вздох, и уставился в пол.

— Вы правильно поступили, что ушли от них, лорд Лоуборо, — сказала я. — Надеюсь, вы и дальше будете оказывать нам ту же честь. Чем раньше вы захотите разделить наше общество, тем нам приятнее. А если бы Аннабелла знала цену истинной мудрости, горестные последствия неразумия и... и невоздержанности, она не стала бы болтать такой вздор... даже в шутку.

Пока я говорила, он поднял на меня глаза с рассеянным удивлением, а затем обратил их на жену.

— Во всяком случае, — сказала та, — я хорошо знаю цену горячему сердцу и смелому, мужественному духу!

И она посмотрела на меня с торжеством, словно говорила: «В отличие от тебя!», затем перевела взгляд на мужа с презрением, ранившим его в самое сердце. Я еле сдержалась. Но не могла же я выразить ей свое негодование или сочувствие ее мужу, не оскорбив его. Однако, подчиняясь внутреннему порыву, я налила и сама подала ему кофе раньше, чем дамам, чтобы хотя бы так выразить ему свое уважение в противовес ее насмешкам. Он машинально принял от меня чашку, слегка наклонил голову в знак благодарности, а затем поднялся и, даже не пригубив, поставил ее на стол, не сводя глаз с жены.

— Что же, Аннабелла, — произнес он низким, глухим голосом, — если мое присутствие так тебе неприятно, я избавлю тебя от него.

— А, так ты вернешься к ним? — небрежно бросила она.

— Нет! — воскликнул он с внезапной резкостью. — К ним я не вернусь! И впредь не останусь с ними ни на секунду долее, чем сам сочту нужным. Вопреки и тебе и другим искусителям! Но пусть тебя это не заботит. Больше я никогда не буду навязывать тебе мое общество столь преждевременно.

Он вышел из комнаты. Я услышала, как открылась и захлопнулась входная дверь, и, приподняв занавеску на окне, увидела, что он стремительно идет по саду под пасмурным небом в сырой полумгле.

Присутствовать при подобных сценах всегда тяжело. Некоторое время наше маленькое общество хранило полное молчание. Милисент с ошеломленным, расстроенным видом вертела в пальцах ложечку. Но Аннабелла если и почувствовала стыд или неловкость, то поспешила скрыть их коротким злым смешком и поднесла к губам чашку.

— Вы получили бы по заслугам, Аннабелла, — сказала я наконец, — если бы лорд Лоуборо вернулся к былым привычкам, которые чуть не привели его к гибели и от которых он избавился с таким трудом. Тогда бы вы раскаялись в подобном своем поведении.

— Вот уж нет, милочка! Если его милость благоволит напиваться каждый день, я ничего против иметь не буду. Тем скорее я от него избавлюсь!

— Ах, Аннабелла! — воскликнула Милисент. — Как ты можешь говорить такие страшные вещи! Да если бы это касалось только тебя, ты понесла бы заслуженную кару, услышь Провидение твои слова. Ведь тогда тебе пришлось бы почувствовать то же, что другие... — Она смолкла, потому что из столовой до нас донеслись возгласы и оглушительный хохот, и даже мой непривычный слух сразу распознал голос Хэттерсли.

— ...что ты чувствуешь в эту минуту, я полагаю! — договорила леди Лоуборо со злорадной усмешкой, поглядывая на опечаленное лицо кузины.

Та ничего не ответила, но отвернулась, украдкой смахивая слезы. В это мгновение дверь распахнулась, и в гостиную вошел мистер Харгрейв, чуть-чуть раскрасневшийся и с непривычно веселым блеском в темных глазах.

— Как я рада, что ты пришел, Уолтер! — вскричала его сестра. — Жаль только, что ты не увел Ральфа!

— Милая Милисент, это был бы нечеловеческий подвиг, — ответил он шутливо. — Мне самому удалось вырваться с превеликим трудом. Ральф пытался остановить меня силой, Хантингдон угрожал навеки порвать со мной дружбу, а Гримсби превзошел их обоих, стараясь ядовитыми намеками и сарказмами побольнее уязвить меня и заставить устыдиться своей добродетели. Как видите, прекрасные дамы, вы должны быть со мною особенно приветливы, раз уж я выдержал столько опасностей и перенес столько страданий ради вашего прекрасного общества! — При последних словах он с улыбкой и поклоном повернулся в мою сторону.

— Как он красив, правда, Хелен? — шепнула мне Милисент, забывая на миг все остальное и с сестринской гордостью любуясь им.

— Был бы красив, — возразила я, — если бы этим сиянием в глазах, румянцем и алостью губ его одарила природа. Но погляди на него через несколько часов!

Тут предмет нашего разговора придвинул стул ко мне и умоляюще попросил налить ему кофе.

— Вот так, наверно, штурмуют Небеса, — заметил он, беря чашку. — Сейчас я в раю. Но чтобы достигнуть его, мне пришлось преодолеть потоп и пламя. Исчерпав все остальные средства, Ральф Хэттерсли уперся спиной в дверь и поклялся, что я открою ее только вместе с ним (а он, надо признаться, довольно-таки тяжел!). К счастью, у вас в столовой есть другие двери, и мне удалось спастись через буфетную — к большому изумлению Бенсона, который занят там чисткой серебра.

Мистер Харгрейв засмеялся, как и его кузина. Но мы с его сестрой промолчали.

— Извините мою болтовню, миссис Хантингдон, — сказал он более серьезным тоном, поглядев на мое лицо. — Вы ни к чему подобному не привыкли, и ваша тонкая чувствительность страдает. Но в этой буйной компании я все время помнил о вас и пытался добиться того же от мистера Хантингдона, только тщетно. Боюсь, он твердо намерен провести этот вечер на свой лад, и оставлять кофе для него и остальных нет смысла. В лучшем случае они присоединятся к нам за чаем. Пока же я больше всего на свете хотел бы изгнать их из ваших мыслей и моих собственных, потому что мне противно о них думать... Да-да, даже о моем дорогом друге Хантингдоне. Ведь стоит мне вспомнить, какой властью он обладает над счастьем той, что неизмеримо выше его, и я... я, право, начинаю испытывать к нему отвращение.

— В любом случае говорить это не следует, — сказала я. — Как он ни плох, но он часть меня и поносить его, не оскорбив меня, невозможно.

— Простите меня! Ведь мне легче умереть, чем вас оскорбить. Но, если можно, не будем больше говорить о нем.

Он тотчас переменил разговор и постарался развлечь наш маленький кружок, рассуждая на различные темы даже более интересно и красноречиво, чем обычно, обращаясь то ко мне одной, то к нам троим. Аннабелла весело вносила свою лепту в беседу, но мое сердце мучительно сжималось, особенно когда мой слух поражали и отзывались пронзительной болью в висках раскатистый хохот и бессвязные обрывки песен, доносившиеся через три пары дверей: столовой, передней и малой гостиной. Милисент во многом разделяла мои чувства, а потому нам вечер казался нескончаемо долгим, несмотря на рьяные усилия мистера Харгрейва скрасить его для нас.

Наконец они появились, но уже после десяти, когда мы допивали чай, который я распорядилась подать на полчаса позже обычного. Как я ни ждала их, при их шумном приближении у меня оборвалось сердце, а Милисент побледнела и чуть было не вскочила на ноги, когда в комнату ввалился мистер Хэттерсли, изрыгая проклятия, которые Харгрейв попытался оборвать, напомнив ему о присутствии дам.

— А, ты вовремя о них заговорил, гнусный дезертир, — воскликнул его зять, помахивая у него перед носом внушительным кулаком. — Не то я бы изничтожил тебя во мгновение ока, а тело твое выбросил птицам небесным и лилиям полей!

Затем, со стуком поставив стул возле леди Лоуборо, он уселся на него и принялся изливать на нее потоки болтовни, в которой нелепости мешались с развязной наглостью, но ее все это, видимо, нисколько не возмущало, а только забавляло, хотя она делала вид, будто сердится на его нахальство, и мстила ему остроумными колкостями.

Тем временем мистер Гримсби сел рядом со мной на стул, с которого мистер Харгрейв поднялся при их появлении, и с чувством произнес, что был бы весьма мне благодарен за чашечку чая. Артур же расположился перед бедняжкой Милисент и развязно наклонился к самому ее лицу, она испуганно откинулась, но он только придвинулся еще ближе. Он не кричал, как Хэттерсли, но совсем побагровел и непрестанно смеялся. Краснея от стыда за него, я тем не менее была рада, что он хотя бы понизил голос и никто, кроме его собеседницы, не мог расслышать его слов. Ведь в лучшем случае он нес несусветную дичь; сначала на ее лице отразилась досада, и оно стало пунцовым, затем она негодующе отодвинулась и в конце концов пересела на диван в безопасный уголок у меня за спиной. Видимо, Артур только этого и добивался: он безудержно захохотал, потом придвинул свой стул к столу, оперся на него локтями и продолжал содрогаться в припадке глупого хриплого смеха. Отсмеявшись, он поднял голову, громко окликнул Хэттерсли, и они во весь голос заспорили, я так и не поняла, на какую тему.

— Ну, и дураки же! — протянул мистер Гримсби, который все это время с большой серьезностью рассуждал о чем-то у меня под ухом, но я его не слушала, так как все мое внимание было занято прискорбным состоянием двоих — и особенно Артура.

— Вы когда-нибудь слышали подобный вздор, миссис Хантингдон? — протянул Гримсби теперь. — Право, мне стыдно за них: не успеют распить вдвоем и одной бутылки, как им обязательно втемяшивается...

— Вы льете сливки на блюдечко, мистер Гримсби.

— А, да! И правда. Но тут так темно! Харгрейв, снимите-ка нагар со свечей, будьте так добры.

— Свечи восковые, и в этом не нуждаются, — заметила я.

— «Светильник для тела есть око, — с саркастической улыбкой произнес мистер Харгрейв. — Если око твое будет чисто, то все тело твое будет светло».

Гримсби величественно отмахнулся от него, вновь повернулся ко мне и продолжал, все так же растягивая слова с какой-то странной неуверенностью и торжественной серьезностью:

— Как я уже упомянул, миссис Хантингдон, крепости у них в головах нет ни малейшей. И полбутылки не выпьют, а уже сами не знают, что творят. Тогда как я... Например, нынче я выпил втрое больше, чем они, и, как видите, трезв как стеклышко. Быть может, вас это поражает, но я вам растолкую, в чем тут суть. Видите ли, у них головы... Имен я не называю, вы и так поймете, о ком я... Так вот, головы у них пусты, а пары крепких напитков сразу их наполняют, вызывая полную легкость мыслей, головокружение и, короче говоря, опьянение. Я же, не будучи пустоголовым, способен противостоять винным парам, и они не могут возыметь надо мной никакого чувствительного действия.

— Боюсь, как бы чувствительного действия не возымело то количество сахара, который вы положили в чай! — прервал его мистер Харгрейв. — Обычно вы обходитесь одним кусочком, но сейчас бросили в чашку шестой.

— Да неужели? — возразил философ, пошарил ложечкой по дну чашки и извлек несколько нерастворившихся кусочков сахара. — Хм, и правда. Вы зрите, сударыня, плоды рассеянности, опасность глубоких размышлений, отвлекающих от простых дневных забот. Если бы, подобно заурядным людям, я смотрел по сторонам, а не внутрь себя как философ, то не пересластил бы этот чай и не был бы вынужден побеспокоить вас просьбой налить мне свежего. С вашего разрешения я вылью его в полоскательницу.

— Это сахарница, мистер Гримсби. И вы испортили весь сахар. Будьте добры, позвоните, чтобы принесли другую сахарницу. Я вижу, лорд Лоуборо вернулся, и надеюсь, его милость соблаговолит разделить наше общество, какое уж оно ни есть, и разрешит мне предложить ему чаю.

Его милость поклонился в ответ на мои слова, но ничего не сказал. Тем временем Харгрейв позвонил, чтобы подали сахар, а Гримсби продолжал извиняться за свою ошибку и доказывать, что свечи еле горят и в такой тьме отличить сахарницу от полоскательницы очень трудно.

Лорд Лоуборо вошел несколько раньше, но заметила его только я, и он минуты две стоял у двери, мрачно оглядывая комнату. Теперь он направился к Аннабелле, которая сидела спиной к нему все так же рядом с Хэттерсли, но тот, забыв про нее, уже всячески высмеивал и поносил хозяина дома.

— Скажи, Аннабелла, — спросил ее муж, облокачиваясь о спинку ее кресла, — у кого из этих троих мне, по-твоему, следует позаимствовать «смелый, мужественный дух»?

— У нас всех, клянусь небом и землей! — возопил Хэттерсли, вскакивая и грубо вцепляясь ему в локоть. — Эй, Хантингдон! Я его держу. Да помоги же мне! И пусть ч-т меня поберет со всеми потрохами, если я не напою его в стельку! Уж он искупит все свои прошлые увертки, можешь на меня положиться!

Последовала очаровательная сцена. Лорд Лоуборо, бледный от гнева, молча пытался высвободиться из сильных рук одурманенного вином пьяницы, который вознамерился вытащить его из комнаты. Я сказала Артуру, что он должен прийти на помощь своему оскорбленному гостю, но он только хохотал.

— Хантингдон, дурень! Иди же помоги мне! — позвал Хэттерсли, уже сильно устав.

— Желаю тебе всяческого успеха, Хэттерсли! — крикнул в ответ Артур. — И молю о нем Бога. Но встать я не в силах, даже для спасения собственной жизни. У меня никаких сил не осталось... Хо-хо-хо! — Он откинулся на спинку стула и застонал, держась за бока.

— Аннабелла, дай мне свечу! — сказал Лоуборо, чей противник ухватил его теперь поперек живота и старался оторвать от дверного косяка, за который он держался.

— Избавь меня от участия в ваших грубых забавах! — ответила она холодно, отходя в сторону. — Не понимаю, как ты можешь просить об этом!

Но я схватила свечу и подала ему. Он поднес язычок пламени к рукам Хэттерсли и не отнимал, пока тот, не взревев, точно дикий зверь, не разжал их. Лорд Лоуборо тут же исчез, — видимо, он поднялся к себе в спальню, потому что я увидела его только на следующее утро. А Хэттерсли, сыпя проклятиями, как безумец, бросился на оттоманку у окна. Милисент, не в силах долее терпеть омерзительного поведения мужа, хотела было воспользоваться тем, что никто больше не загораживал дверь, и ускользнуть из гостиной, но он ее окликнул и потребовал, чтобы она подошла к нему.

— Что тебе, Ральф? — тихо спросила она, с неохотой ему подчинившись.

— Я хочу знать, что с тобой, — объявил он, сажая ее к себе на колени, точно ребенка. — Почему ты плачешь, Милисент? Ну-ка, ответь?

— Я не плачу.

— Нет, плачешь! — крикнул он, грубо отгибая руки, которыми она старалась закрыть лицо. — Как ты смеешь лгать?

— Но я больше не плачу! — возразила она.

— Не плачешь, так плакала! И всего секунду назад! Так я желаю знать почему. Ответишь ты или нет?

— Отпусти меня, Ральф. Вспомни, мы ведь не у себя дома.

— Что за важность! Отвечай! — крикнул ее мучитель, принимаясь ее трясти и безжалостно сжимая ее хрупкие плечи сильными пальцами.

— Как вы можете позволить ему так обходиться с вашей сестрой! — сказала я мистеру Харгрейву.

— Послушай, Хэттерсли, подобного я допустить не могу! — воскликнул этот джентльмен, подходя к злополучной паре. — Будь добр, отпусти мою сестру! — И он попытался разжать пальцы негодяя, но отлетел в сторону и чуть не упал от неожиданного удара в грудь, сопровождавшегося следующим предупреждением:

— Получай за дерзость! И научись не вмешиваться между мной и тем, что мое!

— Не будь ты так мерзко пьян, я бы потребовал у тебя удовлетворения за это! — с трудом выговорил Харгрейв, побелев больше от гнева, чем от боли.

— Проваливайте к дьяволу! — отозвался его зять. — А теперь, Милисент, скажи мне, почему ты плакала.

— Я потом отвечу, — пробормотала она. — Когда мы будем одни.

— Нет, теперь! — рявкнул он, снова встряхивая ее и сжимая ей плечи так, что она ахнула и закусила губу, чтобы сдержать крик боли.

— Я отвечу вам, мистер Хэттерсли, — сказала я. — Она плакала от унижения и от стыда за вас, потому что не в силах была вынести вашего омерзительного поведения.

— Да провалитесь в тартарары, сударыня! — буркнул он, глядя на меня в тупом изумлении, ошеломленный моей «наглостью». — Ничего подобного, верно, Милисент?

Она промолчала.

— Да отвечай же, детка!

— Сейчас я не могу, — возразила она с рыданием в голосе.

— Так ведь проще сказать «да» или «нет», чем «не могу»! Ну, отвечай же!

— Да! — прошептала она, опуская голову и заливаясь краской при столь мучительном признании.

— Так будь же проклята, наглая тварь! — крикнул он и оттолкнул ее от себя с такой силой, что она упала, но тут же вскочила на ноги, прежде чем я и ее брат успели прийти к ней на помощь, и поспешила покинуть комнату — чтобы укрыться у себя в спальне, я полагаю.

Тут нападению подвергся Артур, который сидел напротив и, видимо, получал от происходящего большое удовольствие.

— Э-эй, Хантингдон! — воскликнул его необузданный приятель. — Я не потерплю, чтобы ты сидел тут и ржал, как идиот!

— Хэттерсли, ты меня убьешь? — отозвался тот, утирая слезы смеха.

— И убью, только не так, как ты воображаешь! Вырву у тебя сердце из груди, если ты не перестанешь злить меня своим слабоумным хохотом. Как? Ты еще не кончил? Так, может, вот это заткнет тебе глотку? — И, ухватив пуфик, Хэттерсли запустил его в голову хозяина дома, но промахнулся, и тот все так же содрогался от неудержимого смеха, а по щекам у него катились слезы. Зрелище действительно прискорбное.

Хэттерсли продолжал сыпать проклятиями и ругательствами, а когда они не помогли, схватил со столика рядом с собой стопку книг и принялся одну за другой метать их в предмет своего гнева. Однако Артур только пуще хохотал, и Хэттерсли, впав в исступление, кинулся на него, схватил за плечи и принялся трясти, так что к смеху примешался еще и визг.

Но я больше ничего не видела и не слышала. Зрелище моего мужа в подобном состоянии было для меня более чем достаточно, и, предоставив Аннабелле и прочим самим решать, когда им настанет время удалиться ко сну, я поднялась к себе, но не легла, а отослала Рейчел и принялась расхаживать по спальне, мучительно стыдясь того, что произошло, страшась дальнейшего, не зная, когда и в каком виде он явится сюда.

Наконец он медленно, спотыкаясь, поднялся по лестнице, поддерживаемый с обоих боков Гримсби и Хэттерсли. Они тоже держались на ногах не очень твердо, но оба хохотали и вопили так, что их, конечно, слышали слуги на своей половине. А он больше не смеялся, но совсем отупел и испытывал дурноту... Но об *этом* я писать не стану!

Такие же (или почти такие же) гнусные сцены повторялись снова и снова. С Артуром я об этом не говорю — ведь подобный разговор принес бы больше вреда, чем пользы, но даю ему понять, как глубоко неприятны мне такие выходки, и каждый раз он обещает, что эта была последней. Но, боюсь, он теряет даже ту малую власть над собой и то самоуважение, которые у него все-таки были. Прежде он устыдился бы такого поведения — то есть в присутствии кого-нибудь, кроме своих собутыльников и им подобных. Его друг Харгрейв с благоразумием и осторожностью — ах, если бы он обладал ими в такой же степени! — ни разу не покрыл себя стыдом, строго ограничивается тем, что лишь чуть-чуть «поднимает бодрость своего духа», и неизменно встает из-за стола первым за лордом Лоуборо, который, еще более благоразумно, покидает столовую следом за нами. Правда, после того как Аннабелла так больно его оскорбила, в гостиную он приходит только после остальных, проводя время до этого либо в библиотеке, где по моему распоряжению ради его удобства всегда горят свечи, либо в ясные лунные ночи прогуливаясь по саду и парку. Но, по-моему, она сожалеет о своей грубости, потому что больше ничего подобного не допускала, а последнее время вообще ведет себя с ним безупречно — я никогда еще не видела, чтобы она была с ним так мила и внимательна. Началось это, насколько могу судить, с того дня, когда она утратила надежду покорить Артура и прекратила свои старания понравиться ему.

Глава XXXII

СРАВНЕНИЯ. ОТВЕРГНУТОЕ ПРИЗНАНИЕ

5 октября. Эстер Харгрейв обещает стать во всех отношениях прелестной девушкой. Она еще не покинула классную комнату, но мать часто привозит ее к нам по утрам, когда джентльмены на охоте, и она проводит час-другой с сестрой, со мной и с детишками. А когда мы отправляемся в Грув, я всегда ищу ее общества и разговариваю с ней больше, чем с остальными, потому что очень полюбила мою юную подружку, а она меня. Право, не понимаю, что привлекательного находит она во мне: ведь я уже не та веселая, живая натура, какой была когда-то. Впрочем, она ведь больше никого не видит, кроме своей черствой матери и гувернантки (такой чопорной блюстительницы приличий, какую только удалось предусмотрительной маменьке отыскать, чтобы она сделала из своей ученицы образчик светской пустоты), а теперь еще и тихой, сломленной старшей сестры. Я часто задумываюсь, какой жребий в жизни выпадет ей, — и она тоже. Но ее мечты о будущем исполнены радужных надежд — как некогда мои. Я содрогаюсь при мысли, что и ей выпадет убедиться на опыте в их тщете и обманчивости. У меня такое ощущение, что ее разочарование ранит меня даже больнее, чем мое собственное. Я уже почти верю, что была рождена для этой судьбы, но Эстер так весела и непосредственна, так беззаботна и своевольна, так бесхитростна и простодушна! Как это будет жестоко, если и она когда-нибудь почувствует то, что чувствую сейчас я, и узнает все то, что узнала я!

Сестра также полна страха за нее. Вчера утром (день выдался удивительно ясным и теплым для октября) мы с Милисент вышли в сад, чтобы полчасика отдохнуть там в обществе друг друга и наших детей, пока Аннабелла на кушетке в гостиной дочитывала модный роман. Мы резвились с нашими малютками, почти не уступая им в живости, а потом отошли под сень старого бука, чтобы поправить волосы, растрепанные беготней и шаловливым ветерком. Дети пошли вперед по широкой, залитой солнцем дорожке, — мой Артур поддерживал под локоток ее маленькую Хелен, которая еще не совсем уверенно держится на пухлых ножках, и с умным видом показывал ей всякие достопримечательности бордюра, лепеча что-то не слишком вразумительное, но ее вполне удовлетворяющее. Эта милая картина вызвала у нас умиленный смех, и мы поневоле заговорили об их будущем, после чего погрузились в задумчивость и дальше шли молча, каждая размышляя о своем. Видимо, ход мыслей Милисент заставил ее вспомнить о сестре.

— Хелен, — вдруг сказала она, — ты ведь часто видишься с Эстер?

— Ну, не очень часто.

— Однако все же чаще, чем теперь я, и она тебя любит, я знаю и просто перед тобой благоговеет. Ни с чьим мнением она так не считается и говорит, что ты гораздо умнее мамы.

— Просто она упряма, и мое мнение чаще совпадает с ее собственным в отличие от мнения вашей матушки. Но что, собственно, из этого следует, Милисент?

— Видишь ли, раз ты имеешь на нее такое влияние, то, прошу тебя, внуши ей, что она, как бы ее ни убеждали, ни заставляли, ни соблазняли, ни в коем случае не должна выходить замуж ради денег, или титула, или положения в свете, или из-за каких-то еще суетных соображений, но только по любви, сочетающейся с обоснованным уважением.

— В этом нет нужды, — ответила я. — Мы уже обсуждали с ней подобные темы, и могу тебя заверить, ее представления о любви и браке как нельзя более романтичны.

— Нет, романтичные понятия тут только вредны. Я хочу, чтобы она представляла себе истинное положение вещей.

— Ты права. Однако то, что свет клеймит как романтичность, нередко, по-моему, куда ближе к истине, чем принято считать. Хотя высокие мечты юности слишком часто сменяются пошлым практицизмом зрелости, это ведь еще не делает их ложными.

— Что же, если ты считаешь ее представления верными, то укрепи ее в них, хорошо? Поддерживай их, насколько возможно. Ведь и у меня когда-то были самые романтические понятия... Нет, я вовсе не хочу сказать, что сожалею о своей судьбе, нет-нет, и тем не менее...

— Понимаю, — сказала я. — Для себя ты своим жребием довольна, но не хотела бы, чтобы твоя сестра страдала так же, как ты.

— Да. Или даже хуже. Ей будет гораздо тяжелее, чем мне, Хелен, потому что я-то, правда, довольна, хотя, быть может, ты и думаешь иначе. Я готова принести самую торжественную клятву, что не променяла бы моего мужа ни на какого другого, даже если бы для этого мне достаточно было сорвать вон тот лист!

— Я тебе верю. Теперь *его* ты ни на кого не променяешь, однако некоторые его качества предпочла бы обменять на лучшие.

— Да. Как и некоторые из моих собственных. Ведь и он, и я равно несовершенны, и я желаю ему стать лучше, точно так же, как себе. Ведь он станет лучше, Хелен, не правда ли? Ему же только двадцать шесть лет!

— Возможно, — ответила я.

— Станет, ведь правда? — повторила она.

— Прости, что я соглашаюсь с тобой без особого жара, Милисент. Мне ни в коем случае не хотелось бы обескураживать тебя, но мои собственные надежды столько раз бывали обмануты, что я стала столь же холодна и недоверчива в своих ожиданиях, как самая сварливая старуха.

— И все-таки не теряешь надежды? Что даже мистер Хантингдон способен исправиться?

— Да, признаюсь, я еще храню ее и верю, что *даже* он... Видимо, надежда гибнет вместе с жизнью. А он намного хуже мистера Хэттерсли, Милисент?

— Если хочешь услышать мое откровенное мнение, то, по-моему, их даже сравнивать нельзя. Только не обижайся, Хелен! Ты же знаешь, я не умею кривить душой. И тоже говори все, что думаешь. Я не обижусь.

— Милочка, я нисколько не обиделась. И сама считаю, что такое сравнение во многом было бы в пользу Хэттерсли.

Нежное сердце Милисент сказало ей, как дорого мне стоило подобное признание, и она выразила мне сочувствие совсем по-детски, — молча чмокнула меня в щеку, а потом отвернулась, подхватила на руки свою крошку и спрятала лицо в ее платьице. Как странно, что мы так часто плачем из жалости к друг другу, а о себе не проливаем ни единой слезы! Ее душа достаточно обременена собственными печалями, но она не выдержала мысли о моих! И от ее сочувствия я тоже всплакнула, хотя уже давным-давно не оплакивала своей судьбы.

Однако Милисент действительно не очень притворяется, утверждая, что не жалеет о своем выборе. Она искренне любит мужа, а он, к сожалению, и правда нисколько не проигрывает в сравнении с моим. То ли он не столь безудержно предается излишествам, то ли благодаря более крепкому телесному здоровью они влияют на него не столь губительно — во всяком случае, он никогда не доводит себя до состояния, сходного с идиотизмом, и после разгульной ночи бывает лишь чуть более вспыльчивым или, в худшем случае, проводит утро в угрюмом раздражении. Но и оно лучше апатичной слабости и уныния, капризной мелочной сварливости, сносить которую особенно трудно, так как стыдишься за него. Но, с другой стороны, прежде с Артуром этого не случалось — просто теперь он стал менее вынослив, чем был в возрасте Хэттерсли. И если последний не исправится, то его здоровье не выдержит столь долгих испытаний. Он на пять лет моложе своего друга, и его пороки еще не взяли над ним полную власть. Он не сросся с ними, не превратил их в часть самого себя. Они пока льнут к нему не более, чем плащ, который он может сбросить в любую минуту, если захочет. Но как долго еще останется у него этот выбор? Хотя он игрушка своих страстей и чувств, хотя пренебрегает долгом и высочайшими привилегиями разумных существ, он вовсе не сластолюбец и предпочитает более здоровые и деятельные животные удовольствия тем, которые расслабляют и истощают человека. Он не превращает удовлетворение своих потребностей в целую науку, идет ли речь о радостях стола или о чем-либо другом. Он с аппетитом ест то, что ему подают, не унижая себя гурманством, той недостойной прихотливостью, которая так неприятна в тех, кого мы хотим уважать. Артур, боюсь, совсем предался бы ублажению плоти и дошел бы в этом до всевозможных злоупотреблений, если бы не страх непоправимо притупить вкус к подобным удовольствиям, что лишило бы его возможности и дальше ими наслаждаться. Для Хэттерсли, какой он ни отчаянный гуляка, все-таки, по-моему, надежда еще есть, и не такая уж малая. Нет, конечно, мне и в голову не придет винить бедняжку Милисент за его распущенность, однако я убеждена, что достань у нее мужества и желания откровенно высказать ему свое мнение о его поведении, а потом не отступать, это способствовало бы его исправлению, он начал бы обходиться с ней лучше и больше ее любить. Отчасти меня убедил в этом разговор с ним несколько дней тому назад. Я намерена ей кое-что посоветовать, но пока колеблюсь, зная, насколько это чуждо и ее понятиям, и ее характеру. А если мои советы не принесут пользы, то неизбежно сделают ее еще более несчастной.

Случилось это на прошлой неделе, когда из-за проливного дождя общество коротало время в бильярдной, и мы с Милисент увели маленьких Артура и Хелен в библиотеку, надеясь приятно провести утро с нашими детишками, книгами и друг с другом. Однако менее чем через два часа наше уединение нарушил мистер Хэттерсли. Полагаю, проходя по коридору, он услышал голос дочки, которую просто обожает, как и она его.

От него разило конюшней, где он наслаждался обществом себе подобных — то есть лошадей — с самого завтрака. Но моя маленькая тезка не обратила на этот аромат ни малейшего внимания: едва в дверях появилась могучая фигура ее папеньки, как она взвизгнула от восторга, покинула материнские колени, с радостным воркованием побежала к нему, протягивая ручонки, чтобы удержать равновесие, обняла его ногу, откинула головку и разразилась счастливым смехом. Неудивительно, что на его губах заиграла нежная улыбка, едва он посмотрел сверху вниз на прелестное личико, сияющее невинным весельем, на ясные голубые глаза и мягкие льняные кудри, упавшие на беленькую шейку и плечи. Но подумал ли он, как мало достоин подобного сокровища? Боюсь, такая мысль ему в голову не пришла. Он подхватил девочку на руки, и несколько минут продолжалась довольно буйная возня, но трудно сказать, кто громче смеялся и кричал — отец или дочь. Однако, как и следовало ожидать, этим грубым забавам настал конец: он ненароком сделал малютке больно, она заплакала и была посажена на колени матери с приказанием «разобраться с ней». Девочка вернулась к своей ласковой утешительнице с той же радостью, с какой убежала от нее, прильнула к ней, сразу же успокоилась, опустила утомленную головку на материнское плечо и вскоре уснула.

А мистер Хэттерсли направился к камину, своей широкой фигурой заслонил от нас огонь, упер руки в бока, выпятил грудь и обвел комнату хозяйским взглядом, словно и она, и все в ней, и весь дом принадлежали ему.

— Дьявольски скверная погода! — начал он. — Поохотиться нынче не придется, как погляжу.

Затем внезапно и весьма громогласно он развлек нас куплетом разудалой песенки, промычал несколько тактов, присвистнул и продолжал:

— Послушайте, миссис Хантингдон, а ваш муженек держит отличную конюшню. Не то чтобы большую, но превосходную. Нынче я побывал там, и, честное слово, мне давненько не приходилось видеть лошадок лучше Серого Тома, Черной Бесс и этого жеребчика... как его там?.. А, Нимврода! — Затем последовало подробное описание их статей, перешедшее вскоре в изложение великих свершений на ниве коннозаводства, которым он думает заняться, когда его папаша сочтет за благо отправиться в мир иной. — Не то чтобы я желал ему поскорее упокоиться, — добавил он. — По мне, пусть старикан коптит небо, пока ему самому не надоест.

— Еще бы, мистер Хэттерсли!

— Ну да. Такая уж у меня манера выражаться. Этого же не миновать, вот я и ищу, чем утешиться. Ведь так оно и следует, э, миссис Х.? Но вы-то что тут вдвоем поделываете? А... леди Лоуборо где?

— В бильярдной.

— Вот уж красавица так красавица! — продолжал он, устремляя взгляд на жену, которая, по мере того как он говорил, все больше бледнела и менялась в лице. — Как великолепно сложена! А черные жгучие глаза! А норов! Да и язычок тоже, когда она решает пустить его в ход! Она просто мое божество. Но ты не огорчайся, Милисент, я бы никогда на ней не женился, даже если бы за ней в приданое давали целое королевство. Мне мою женушку подавай. Ну же, ну! Чего ты куксишься? Или ты мне не веришь?

— Нет, я тебе верю, — прошептала она грустно, с тоскливой покорностью судьбе и отвернулась погладить по головке спящую дочурку, которую положила на кушетку рядом с собой.

— Так чего же ты злишься? Ну-ка, Милли, подойди сюда и объясни, почему тебе мало моего слова!

Она подошла, положила миниатюрную руку на его локоть и, поглядев ему в лицо, сказала негромко:

— Но что, собственно, это означает, Ральф? Только то, что, безмерно восхищаясь Аннабеллой — и за качества, которых я лишена, — своей женой ты предпочитаешь иметь меня, а не ее. Однако это же просто доказывает, что ты не считаешь нужным любить свою жену. Тебе довольно, если она ведет твой дом и нянчит твоего ребенка. Но я не злюсь, мне только очень грустно. Ведь, — прибавила она дрожащим голосом совсем тихо, снимая руку с его руки и устремляя взгляд на ковер, — если ты меня не любишь, то не любишь, и тут ничего изменить нельзя.

— Верно. Но кто тебе сказал, что я тебя не люблю? Разве я говорил, что люблю Аннабеллу?

— Ты сказал, что она твое божество.

— Верно. Но божеству можно только поклоняться. И я поклоняюсь Аннабелле, но я ее не люблю, а вот тебя, Милисент, люблю, но не поклоняюсь тебе! — В доказательство своей любви он ухватил густую прядь ее светло-каштановых волос и принялся немилосердно ее дергать.

— Правда, Ральф? — прошептала его жена, пытаясь улыбнуться сквозь слезы, и лишь погладила его по руке, показывая, что ей немножко больно от такой ласки.

— Чистая правда, — ответил он. — Только ты иногда очень уж меня допекаешь!

— Я? Допекаю тебя? — воскликнула она в понятном удивлении.

— Вот именно ты. Вечной своей заботливостью и уступчивостью. Если мальчишку весь день пичкают изюмом и засахаренными сливами, ему захочется лимона, это уж как пить дать. И еще, Милли, ты же видела пляжи на морском берегу? Песок такой чистый, такой ровный на вид, такой мягкой под ногами! Но если тебе доведется полчаса брести по этому мягонькому ковру, в котором при каждом шаге ноги вязнут и тем глубже, чем сильнее ты на него наступишь, — то тебе это скоро надоест, и ты обрадуешься, выбравшись на каменную землю, которая под тобой ни на дюйм не провалится, хоть стой на ней, хоть гуляй, хоть прыгай! И будь она тверже мельничного жернова, идти тебе по ней будет куда легче!

— Я понимаю, что ты имеешь в виду, Ральф, — ответила она, нервно теребя часовую цепочку и обводя кончиком маленькой ножки узор на ковре. — Я понимаю... Но мне казалось, ты любишь, чтобы тебе во всем уступали. И я не могу теперь перемениться.

— Очень нравится, — сказал он, притягивая ее к себе все за ту же злополучную прядь. — Не обращай внимания на то, что я болтаю, Милли. Мужчине нужно на что-нибудь ворчать, и если он не может жаловаться на то, как жена изводит его своими капризами и упрямством, ему остается только жаловаться на то, как она допекает его добротой и кротостью!

— Но зачем же жаловаться, если я тебе не надоела и ты мной доволен?

— Ну, чтобы оправдать собственные недостатки, а то зачем же? Или ты думаешь, я буду таскать на своих плечах все бремя моих грехов, если рядом есть женушка, готовая помочь мне, а на плечах у нее ни единого собственного греха?

— Таких на земле не найти! — ответила она серьезно, высвободила злополучную прядь из его пальцев, поцеловала их с искренней нежностью и порхнула к двери.

— Что еще случилось? — спросил он. — Куда ты?

— Причесаться, — ответила она сквозь спутанные локоны. — Ты ведь меня совсем растрепал.

— Ну, беги, беги! Чудная женщина, — добавил он, когда она скрылась за дверью. — Только слишком уж податлива, прямо-таки тает под рукой. Кажется, я, когда хвачу лишнего, обхожусь с ней скверно, но что я могу поделать? Она ведь ничего мне не говорит, ни тогда, ни потом. Наверное, ей это все равно.

— Тут я в силах вам помочь, мистер Хэттерсли, — перебила я. — Ей это далеко не все равно! Как и еще многое другое, о чем она вам ничего не говорит.

— А вы откуда знаете? Она что, вам жаловалась? — крикнул он с яростью, которая вспыхнула бы пожаром, если бы я ответила «да».

— Нет. Но я знаю ее дольше, чем вы, и лучше вас научилась ее понимать. Так вот, мистер Хэттерсли: Милисент любит вас куда больше, чем вы того заслуживаете, и в вашей власти сделать ее очень счастливой. Вы же предпочитаете быть ее злым гением, и, смею сказать, не проходит дня, чтобы вы не сделали ей больно, хотя вполне могли бы этого избежать, если бы пожелали.

— Ну, я тут ни при чем, — ответил он, небрежно глядя на потолок и засовывая руки в карманы. — Если ей мое поведение не по нутру, она могла бы мне об этом сказать!

— Но ведь именно такую жену вы хотели! Разве вы не говорили мистеру Хантингдону, что вам требуется жена, которая будет подчиняться вам безропотно и никогда не упрекать, что бы вы ни вытворяли?

— Верно. Но кто сказал, что мы всегда должны получать все, чего хотим? Так можно испортить и самого хорошего человека! Как я могу удержаться от разгула, когда вижу, что ей все едино, веду ли я себя, как добродетельный христианин или как отпетый шалопай, каким меня создала природа? И как я могу удержаться и не дразнить ее, если она так соблазнительно покорна и покладиста? Когда она ластится у моих ног, точно спаниель, и даже взглядом не покажет, что с нее хватит?

— Если вы по натуре такой тиран, то удержаться трудно, я согласна. Но благородный дух никогда не находит удовольствия в том, чтобы мучить слабых, а, напротив, стремится помочь и оберечь.

— Я ее вовсе не мучаю! Но все время помогать и оберегать дьявольски скучно! Да и откуда мне знать, мучаю я ее или нет, если она молчит и даже бровью не поведет? Иной раз мне сдается, что она совсем бесчувственная, и тогда я продолжаю свое, пока она не расплачется, а тогда успокаиваюсь.

— Значит, вам все-таки нравится ее мучить?

— Да говорят же вам, ничего подобного! Разве что, когда я в очень скверном расположении духа или, наоборот, в очень хорошем и рад уколоть, чтобы потом утешить. Или когда она повесит нос, и хочется ее встряхнуть хорошенько. А иногда она меня злит — вдруг расплачется ни с того ни с сего и не отвечает почему. Вот тогда, признаюсь, я и правда на стенку лезу. Особенно если не в твердой памяти.

— Видимо, так почти всегда и бывает, — заметила я. — Но в будущем, когда увидите, что она «повесила нос» или плачет «ни с того ни с сего», как вы выразились, ищите причину в себе. Поверьте, либо вы сделали ей очень больно, либо ваше обычное дурное поведение стало ей на миг невыносимо.

— Что-то не верится! А если так, то она должна мне прямо сказать! А дуться, злиться и играть в молчанку, по-моему, нечестно и мне не по вкусу. Как же она хочет, чтобы я исправился?

— Возможно, она приписывает вам больше здравого смысла, чем вы обладаете на самом деле, и обманывает себя надеждой, что в один прекрасный день вы сами увидите свои прегрешения и откажетесь от них.

— Нельзя ли без ваших шпилек, миссис Хантингдон? У меня хватает здравого смысла понять, что я не всегда веду себя как должно. Но порой мне представляется, что это пустяки, пока я не причиню вреда никому, кроме себя...

— Вовсе не пустяки! — перебила я. — И для вас самого (как вы на горе себе убедитесь в мире ином!), и для всех ваших близких, и особенно для вашей жены. И вздор, будто можно никому не вредить, кроме себя. Невозможно повредить себе — и особенно такими поступками, которые вы имеете в виду, — не причинив при этом того или иного вреда сотням, если не тысячам людей, либо творя зло, как вы его творите, либо не делая добра, как вы его не делаете!

— Как я говорил, — продолжал он, — а вернее, сказал бы, если бы вы меня не оборвали, мне иногда кажется, что я стал бы лучше, будь у меня жена, которая всегда указывала бы мне на мои дурные поступки и своим одобрением или неодобрением побуждала бы меня искать добра и избегать зла.

— Если у вас не будет побуждений выше, чем одобрение такой же простой смертной, как вы сами, пользу вам это принесет весьма малую.

— Нет, все-таки найди я подругу жизни, которая не была бы неизменно уступчивой и ласковой, а порой набиралась бы мужества настоять на своем и всегда прямо и честно говорила бы то, что думает, — вот такая, как вы, например... Да если бы я обращался с вами так же, как с ней, когда мы в Лондоне, то, хоть присягну, вы бы мне жару задавали!

— Вы ошибаетесь, я совсем не строптивая ведьма.

— Тем лучше, потому что я не терплю возражений... то есть при обычных обстоятельствах, и свободу свою люблю не меньше всякого другого, только, мне кажется, избыток ее никому не полезен.

— Ну, без всяких причин я бы вам возражать не стала, и, бесспорно, я всегда прямо говорила бы вам, что думаю о вашем поведении. А если бы вы вздумали меня тиранить — телесно, духовно или материально, то, во всяком случае, у вас не было бы оснований полагать, будто мне «это все равно».

— Не сомневаюсь, сударыня. И, по-моему, если бы моя жена решила поступать так же, это было бы лучше для нас обоих.

— Я ей скажу.

— Нет, нет, не надо. Собственно говоря, тут есть многое и против. Я вот вспомнил, что Хантингдон, негодяй, иногда жалеет, что вы мало на нее похожи. И вы ведь убедились, что при всем при том исправить его вам не удается. Он же вдесятеро хуже меня. Конечно, он вас боится, то есть при вас он старается вести себя как можно лучше, но...

— Что же тогда, «как можно хуже»? — не удержавшись, спросила я.

— Да правду сказать, скверно, дальше некуда, верно, Харгрейв? — спросил он у этого джентльмена, который вошел в комнату незаметно для меня, так как я стояла теперь у камина спиной к двери. — Ведь Хантингдон, — продолжал он, — на редкость нераскаянный грешник, а?

— Его супруга не позволит так говорить о нем безнаказанно, — ответил мистер Харгрейв, подходя к нам. — Но должен сказать, я благодарю Бога, что я все-таки не таков.

— Быть может, вам больше подобало бы, — заметила я, — взглянуть на себя со стороны и сказать: «Боже, смилуйся надо мной, грешным!»

— Вы очень строги, — ответил он, чуть поклонившись и выпрямляясь с гордым, но слегка обиженным видом.

Хэттерсли засмеялся и хлопнул его по плечу. Мистер Харгрейв с миной оскорбленного достоинства бросил его руку и отошел на другой конец коврика.

— Нет, вы только подумайте, миссис Хантингдон! — вскричал его зять. — Я стукнул Уолтера Харгрейва, когда напился во второй наш вечер у вас, и с тех пор он не желает со мной разговаривать, хотя я попросил у него прощения на следующее же утро!

— То, как вы его попросили, и ясность, с которой вы помнили все, что происходило накануне, показали, что вы хоть и были пьяны, но отдавали себе полный отчет в своих поступках.

— Так ты ведь попробовал встать между мной и моей женой, — проворчал Хэттерсли, — а кто же это стерпит?

— Так, значит, вы оправдываете свое поведение? — спросил мистер Харгрейв, бросая на зятя злобный взгляд.

— Да нет же, говорят тебе, я бы никогда этого не сделал, не будь я под парами. А если ты желаешь злиться после всех извинений, которые я тебе принес, так злись, сколько твоей душе угодно, и будь проклят!

— Я бы воздержался от таких выражений, хотя бы в присутствии дамы, — заметил мистер Харгрейв, пряча ярость под маской отвращения.

— А что я такого сказал? — возразил Хэттерсли. — Святую истину, только и всего. Он же будет проклят, миссис Хантингдон, если не простит брату своему согрешения его, ведь верно?

— Вам следует его простить, мистер Харгрейв, — сказала я, — раз он просит у вас прощения.

— Вы так считаете? Ну, так я его прощаю! — И с почти дружеской улыбкой он шагнул вперед, протягивая руку, которую его зять тут же горячо пожал, и примирение выглядело вполне сердечным с обеих сторон.

— Обида, — продолжал Харгрейв, оборачиваясь ко мне, — казалась особенно горькой, потому что была нанесена в вашем присутствии. Но раз вы приказали простить ее, то я ее тотчас забуду.

— Видно, лучше всего я могу отплатить тебе, убравшись подальше, — заметил Хэттерсли, ухмыляясь, и, получив ответную улыбку шурина, вышел из библиотеки. Это меня насторожило. А мистер Харгрейв шагнул ко мне и заговорил крайне серьезным тоном:

— Дорогая миссис Хантингдон, как я мечтал об этой минуте и как ее страшился! Не тревожьтесь, — перебил он себя, увидев, что я покраснела от гнева. — Я не собираюсь оскорблять вас бесполезными мольбами или сетованиями. И не дерзну беспокоить вас упоминаниями о моих чувствах или ваших совершенствах, но я должен открыть вам одно обстоятельство, о котором вам необходимо знать, но мне невыразимо тяжело...

— Ну, так не трудитесь его открывать!

— Но это крайне важно...

— В таком случае я все скоро узнаю сама, тем более если это что-то дурное, как вы, видимо, считаете. А сейчас я должна отвести детей в детскую.

— Но не могли бы вы распорядиться, чтобы их увела горничная?

— Нет. Я хочу поразмяться, поднявшись на верхний этаж. Идем, Артур.

— Но вы вернетесь?

— Не сразу. Не ждите меня.

— Когда же я смогу вас увидеть?

— За вторым завтраком, — ответила я через плечо, держа на одной руке крошку Хелен, а другой ведя Артура.

Харгрейв отвернулся, что-то сердито пробормотав, не то порицая, не то жалуясь, но я расслышала только одно слово — «бессердечность».

— Что это еще за вздор, мистер Харгрейв? — спросила я, останавливаясь в дверях. — О чем вы?

— Ни о чем... Я вовсе не хотел, чтобы вы услышали мой монолог. Но дело в том, миссис Хантингдон, что я обязан открыть вам нечто, о чем говорить мне столь же тягостно и больно, как вам — слушать, и я хотел бы, чтобы вы подарили мне несколько минут разговора наедине, где и когда вам будет удобно. Я прошу об этом не из эгоистических побуждений и не по причине, которая могла бы оскорбить вашу нечеловеческую чистоту, а потому вам незачем убивать меня этим взглядом ледяного и безжалостного презрения. Мне известно, какие чувства обычно вызывают те, кто сообщает дурные вести, не говоря уж...

— Но что это за поразительные сведения? — нетерпеливо перебила я. — Если они так уж важны, то изложите их в двух словах, и я пойду.

— В двух словах я не могу. Отошлите детей и выслушайте меня.

— Нет. Оставьте ваши дурные вести себе. Я знаю, это что то, чего я слышать не хочу, и что-то, что вам неприятно мне сообщить.

— Ваша догадка, увы, слишком верна. Но раз уж мне это стало известно, я почитаю своим долгом открыть вам...

— Ах, избавьте нас обоих от такого испытания! Я освобождаю вас от этого долга. Вы предложили рассказать, я отказалась выслушать. И вы не будете повинны в моем невежестве.

— Пусть так! От меня вы этого не узнаете. Но когда удар поразит вас нежданно, помните, я пытался смягчить его!

Я ушла, твердо решив, что его слова меня не тревожат. Что *он* мог открыть такого *мне*? Без сомнения, какие-то преувеличенные сплетни о моем злополучном муже, которые он хотел использовать для собственных скверных целей.

Шестое. Он больше не упоминал эту важнейшую тайну. И я не вижу причин раскаиваться в том, что отказалась его выслушать. Пресловутый удар меня еще не поразил, да я его и не опасаюсь. Сейчас я довольна Артуром. Уже две недели, как он ведет себя почти благопристойно. А последнюю неделю был так умерен за столом, что я уже замечаю, насколько лучше стали его настроение и внешний вид. Осмелюсь ли я надеяться, что так будет и дальше?

Глава XXXIII

ДВА ВЕЧЕРА

Седьмое. Да, я буду надеяться! Нынче вечером я услышала, как Гримсби и Хэттерсли ворчали на недостаточное радушие своего хозяина. Они не заметили меня, так как я стояла в оконной нише за занавеской, любуясь луной, выплывавшей из-за купы высоких темных вязов по ту сторону лужайки, и удивляясь непривычной сентиментальности Артура — он застыл возле крайней колонны портика, не прислоняясь к ней, видимо, тоже залюбовавшись луной.

— Так, значит, больше нам в этом доме не веселиться, — сказал мистер Хэттерсли. — Я предполагал, что он недолго будет бражничать с друзьями. Но, — добавил он со смехом, — никак не думал, что по такой причине. Я ждал, что наша хорошенькая хозяйка ощетинится всеми своими иглами, как дикобраз, и пригрозит выгнать нас из дома, если мы не образумимся.

— А, так ты этого не предвидел? — спросил Гримсби с утробным смешком. — Но он опять переменится, чуть она ему надоест. Если мы приедем сюда через год-другой, все будет по-нашему, вот увидишь!

— Ну, не знаю, — ответил его собеседник. — Она не из тех женщин, которые быстро надоедают. Но как бы то ни было, сейчас-то тут дьявольская скучища, раз уж мы не можем отвести душу, потому что ему вздумалось следить за своим поведением!

— Все ч-вы бабы! — буркнул Гримсби. — Они просто проклятие какое-то. Где они ни появятся со своими лживыми смазливыми физиономиями и коварными языками, так жди всяких пакостей и тревог!

Тут я вышла из своего убежища, и, улыбнувшись на ходу мистеру Гримсби, покинула комнату, и отправилась искать Артура. Увидев, что он направился в сторону парка, я последовала за ним и нагнала его в начале тенистой боковой аллеи. Мое сердце так ликовало и было полно такой нежности, что я бросилась ему на шею, не произнеся ни слова. Столь необычное мое поведение подействовало на него как-то странно. Сначала он шепнул «моя прелесть!» и обнял меня с былой пылкостью, а потом вздрогнул и вскричал голосом, полным ужаса:

— Хелен! Что за дьявол... — И я увидела в слабом лунном свете, пробивавшемся сквозь древесные ветки, что он просто побелел от испуга.

Как странно, что сначала он поддался инстинктивному порыву нежности и только потом растерялся от неожиданности! Во всяком случае, это свидетельствует, что нежность была искренней. Нет, я ему еще не надоела!

— Прости, Артур, я тебя напугала! — сказала я, смеясь от радости. — Каким нервным ты стал!

— Какого дьявола ты это устроила? — воскликнул он словно с раздражением, высвободился из моих рук и вытер лоб носовым платком. — Вернись в дом, Хелен. Сию же минуту вернись! Ты насмерть простудишься.

— Нет. Сначала я объясню тебе, почему я тут. Они бранят тебя, Артур, за твою сдержанность и трезвость, и я пришла поблагодарить тебя. Они говорят, что во всем виноваты «проклятые бабы» и что от нас ничего нет, кроме пакостей и тревог. Но не позволяй, чтобы их ворчание и насмешки заставили тебя отступить от благих решений и охладили твою нежность ко мне!

Он засмеялся, а я снова обняла его и вскричала почти со слезами:

— Только не отступай! И я буду любить тебя даже сильнее, чем прежде.

— Хорошо, хорошо, не отступлю! — сказал он, торопливо меня целуя. — Ну а теперь беги назад. Сумасшедшая! Да как ты могла выскочить из дома в легком вечернем платье, когда на дворе осенняя холодная ночь?

— Чудесная ночь! — воскликнула я.

— Ночь, которая тебя убьет через минуту-другую. Беги же домой!

— Ты, кажется, видишь мою смерть за этими деревьями, Артур? — спросила я, потому что он внимательно вглядывался в кусты, словно следя за ее приближением, а мне очень не хотелось расставаться с ним в ту минуту, когда я вновь обрела счастье, когда воскресли надежды на любовь. Но он рассердился, что я мешкаю, и, поцеловав его, я вернулась в дом.

Весь вечер я была в чудесном настроении. Милисент сказала мне, что я — душа общества, а потом шепнула, что еще никогда не видела меня такой обворожительной. Да, я правда болтала за десятерых и улыбалась им всем. Гримсби, Хэттерсли, Харгрейв и леди Лоуборо — я их всех любила нежной сестринской любовью. Гримсби глядел на меня с недоумением; Хэттерсли смеялся и шутил (хотя вина успел выпить совсем мало), но вел себя настолько безупречно, насколько умел; Харгрейв и Аннабелла из разных побуждений и по-разному следовали моему примеру и, полагаю, превзошли меня: первый — в искусстве поддерживать остроумную светскую беседу, а вторая — в смелости и живости, если еще не в чем-нибудь. Милисент, бесконечно радуясь тому, что ее муж, ее брат и ее подруга, которую она столь незаслуженно высоко ценит, так блистают, тоже была мила и оживлена на свой тихий лад. Даже лорд Лоуборо заразился общим настроением, темные зеленоватые глаза под сумрачными бровями смеялись, суровое лицо украшала улыбка, обычная угрюмая, то гордая, то холодная сдержанность исчезла, и он изумлял нас всех не только своей веселостью, но проблесками истинной силы и остроумия. Артур говорил мало, но смеялся, с интересом слушал остальных и был в превосходном расположении духа, причем не подогретом вином. Короче говоря, вечер прошел удивительно приятно и интересно.

Девятое. Вчера, когда Рейчел пришла помочь мне переодеться к обеду, я заметила на ее лице следы слез и спросила, почему она плакала, но ей словно не хотелось отвечать. Она нездорова? Нет. Получила дурные известия о ком-нибудь из своих друзей? Нет. Кто-то из слуг ее обидел?

— Да нет, сударыня! — ответила она. — Я не о себе.

— Так в чем же дело, Рейчел? Или ты читала роман с печальным концом?

— Куда там! — сказала она, грустно покачав головой, а затем продолжала со вздохом: — Сказать по правде, сударыня, не нравится мне, как себя хозяин ведет.

— О чем ты, Рейчел? Он ведет себя как подобает — то есть теперь.

— Что же, сударыня, коли вы так думаете, то и ладно.

И она продолжала меня причесывать с лихорадочной торопливостью, совсем не похожей на ее обычную спокойную сдержанность. Я расслышала, как она бормочет что-то о моих прекрасных волосах — «пусть-ка попробует с ними потягаться!». Кончив, она ласково их погладила.

— Эти похвалы относятся только к моим волосам или и ко мне самой, нянюшка? — со смехом спросила я, оборачиваясь к ней, и увидела на ее глазах слезы.

— Что все это значит, Рейчел? — воскликнула я.

— Так что же, сударыня, я уж не знаю. Вот если бы...

— Если бы что?

— Если бы я была на вашем месте, так не потерпела бы эту леди Лоуборо в своем доме ни единой лишней минуты... ни единой!

Меня словно громом поразило, но прежде, чем я успела опомниться и потребовать объяснения, вошла Милисент — она часто заглядывает ко мне, если успевает первой закончить свой туалет, — и пробыла со мной, пока не настало время спуститься в столовую. Вероятно, на этот раз она нашла меня очень рассеянной собеседницей, потому что в ушах у меня продолжали звучать последние слова Рейчел. И все-таки я надеялась, я уповала, что это не более чем пустые сплетни слуг, заметивших, как держалась леди Лоуборо в том месяце, или же вспомнивших, как она кокетничала с их хозяином во время прошлого своего визита. За обедом я внимательно наблюдала за ней и за Артуром, но не заметила ничего особенного в поведении обоих, ничего такого, что могло бы возбудить сомнения в уме, свободном от подозрительности. Моей же натуре подозрительность чужда, и потому я ничего не заподозрила.

Почти сразу после обеда Аннабелла выразила желание сопровождать мужа в его обычной прогулке при луне — вечер был столь же чудесный, как накануне. Мистер Харгрейв вошел в гостиную чуть раньше остальных мужчин и предложил мне сыграть с ним партию в шахматы. В его манере не было и следа скорбного, но гордого смирения, с каким он обычно обращается ко мне, кроме тех случаев, когда возбужден вином. Я посмотрела на него, проверяя, не в этом ли причина. Он встретил мой взгляд прямо и спокойно. В нем чудилось что-то непривычное, но он был достаточно трезв. Не испытывая никакого желания играть с ним, я предложила ему вместо себя Милисент.

— Она играет очень плохо, — ответил он, — а мне хотелось бы помериться своим искусством с вашим. Не отказывайте мне! И не ссылайтесь на свое рукоделие, я ведь знаю, что вы беретесь за него только, когда вам нечем больше скоротать праздный час.

— Но шахматы игра не для общества, — возразила я. — Партнеры не замечают никого, кроме друг друга.

— Так ведь здесь нет никого, кроме Милисент, а ей...

— Мне будет очень интересно следить за вами! — воскликнула она. — За такими искусными игроками. Это же огромное удовольствие. Я даже представить себе не могу, кто выиграет.

Я согласилась.

— А знаете, миссис Хантингдон, — расставляя фигуры на доске, сказал Харгрейв раздельно, с каким-то особым выражением, словно его слова прятали второй смысл, — вы играете хорошо, но я играю лучше вас. Партия у нас будет долгая, и вы доставите мне немало хлопот. Но я умею быть терпеливым не меньше вас, и в конце концов победа останется за мной! — Он устремил на меня взгляд, который мне очень не понравился, — острый, хитрый, дерзкий, почти наглый, уже торжествующий в предвкушении успеха.

— Надеюсь, что нет, мистер Харгрейв! — ответила я со страстностью, которая, наверное, привела Милисент в недоумение. Но ее брат только улыбнулся и произнес негромко:

— Время покажет.

Партия началась. Он был сосредоточен, но спокоен и бесстрашен в сознании своего превосходства. Как я хотела обмануть его ожидания! Мне ведь казалось, что он вкладывает в это состязание более серьезный смысл, и я испытывала почти суеверный страх при мысли, что проигрываю. Во всяком случае, меня сердило, что этот успех укрепит в нем сознание своей власти (его наглую самоуверенность, следовало бы мне написать) или хотя бы на миг придаст силу его мечтам о будущем завоевании. Играл он осторожно и хитро, но я отчаянно сопротивлялась. Некоторое время исход выглядел неясным, но затем, к моей радости, победа, казалось, начала клониться на мою сторону. Я взяла несколько важных фигур и как будто успевала вовремя разрушать его замыслы. Он прижал ладонь ко лбу в видимом затруднении. Я про себя ликовала, но пока опасалась выдать свою радость. Наконец он поднял голову, неторопливо сделал ход, посмотрел на меня и сказал невозмутимо:

— Вы, наверное, полагаете, что выиграете, не так ли?

— Надеюсь, — ответила я, беря его пешку, которую он подставил моему офицеру с таким беззаботным видом, что я приняла его за недосмотр, но не нашла в себе благородства указать ему на ошибку и второпях не проверила, к чему может привести мой ход.

— Очень мне мешают офицеры! — сказал он. — Однако могучий конь легко перепрыгнет даже через генерала (и взял моего второго офицера). А теперь, избавившись от господ военных, я сокрушу все, что мне противостоит.

— Ну, Уолтер, что такое ты говоришь! — вскричала Милисент. — У нее все равно больше фигур, чем у тебя!

— Я намерена доставить вам еще кое-какие хлопоты, — заметила я. — И быть может, сэр, вы получите мат прежде, чем думаете! Приглядывайте за своей королевой!

Игра обострилась. Партия правда оказалась долгой, и я правда доставила ему много хлопот, но он правда играл лучше меня.

— Какие вы азартные! — сказал мистер Хэттерсли, который уже несколько минут, как вошел в гостиную. — Миссис Хантингдон, ваша рука дрожит, словно вы поставили на карту все свое достояние! Уолтер, плут, а у тебя такой невозмутимый вид, как будто ты не сомневаешься в победе, и такой жадный и жестокий, будто ты готов высосать ее кровь до последней капли. Но на твоем месте я не стал бы у нее выигрывать из чистого страха. Она же тебя возненавидит как пить дать. По ее глазам вижу.

— Да замолчите же! — сказала я, потому что его болтовня мешала мне сосредоточиться в очень тяжелом положении. Еще несколько ходов, и я окончательно запуталась в сетях, расставленных мне моим противником.

— Шах! — воскликнул он, а затем, когда я так и не сумела найти выход, добавил он негромко, но с явным торжеством: — И мат.

Он помедлил с произнесением последнего рокового слова, чтобы подольше наслаждаться моим огорчением. Как ни глупо, но я расстроилась по-настоящему. Хэттерсли захохотал, Милисент была удручена тем, как я приняла к сердцу мое поражение. Харгрейв накрыл ладонью мою руку, которая лежала на столе, пожал ее крепко, но ласково, шепнул: «Побита, побита!» — и посмотрел на меня взглядом, в котором злорадство мешалось со страстью и нежностью, что делало его еще более оскорбительным.

— Нет, мистер Харгрейв, — воскликнула я, отдергивая руку. — И этого не будет никогда!

— Вы отрекаетесь? — с улыбкой спросил он, указывая на доску.

— Конечно, нет, — ответила я, спохватываясь. (Каким странным могло показаться мое поведение!) — В этой партии вы меня побили.

— Хотите взять реванш?

— Нет.

— Значит, вы признаете мое превосходство?

— Да. В шахматах.

Я встала и вернулась к своему рукоделию.

— Но где Аннабелла? — озабоченным тоном спросил Харгрейв, после того как обвел комнату долгим взглядом.

— Пошла погулять с лордом Лоуборо, — ответила я, потому что он посмотрел прямо на меня.

— И еще не вернулась? — осведомился он еще более озабоченно.

— Видимо, нет.

— А где Хантингдон? — Он снова посмотрел вокруг.

— Вышел с Гримсби... как тебе известно, — ответил Хэттерсли, подавляя смешок.

Почему он засмеялся? Почему Харгрейв связал их имена подобным способом? Так, значит, это правда? И этот ужасный секрет он и намеревался мне открыть? Нет, необходимо удостовериться! И как можно быстрее. Я тотчас вышла из гостиной, намереваясь найти Рейчел и потребовать от нее ясного ответа, но мистер Харгрейв последовал за мной в малую гостиную и, прежде чем я успела открыть дверь, мягко положил ладонь на ее ручку.

— Могу ли я сказать вам нечто, миссис Хантингдон? — спросил он тихо, глядя в пол.

— Если оно заслуживает интереса, — ответила я, стараясь выглядеть спокойной, потому что меня била дрожь.

Он заботливо пододвинул мне стул, но я только оперлась о спинку и попросила его продолжать.

— Не тревожьтесь, — сказал он. — Само по себе это сущий пустяк, и истолковать его вы можете как угодно. Вы полагаете, что Аннабелла еще не вернулась?

— Да-да... Продолжайте же! — нетерпеливо потребовала я, так как боялась, что мое волнение вырвется наружу прежде, чем он сообщит свои сведения, в чем бы они ни заключались.

— И вы слышали, что Хантингдон вышел с Гримсби?

— Так что же?

— Я слышал, как Гримсби сказал вашему мужу... человеку, который так себя называет...

— Говорите же, сэр!

Он поклонился в знак покорности и продолжал:

— Я слышал, как он сказал: « Я все устрою, не беспокойся. Они пошли к озеру. Я их там перехвачу и скажу ему, что мне надо поговорить с ним наедине, а она скажет, что вернется в дом, чтобы нам не мешать, я рассыплюсь в извинениях и кивну на боковую аллею. Ему я подробно изложу то дельце и все, что мне в голову придет, а потом поведу его кружным путем, любуясь деревьями, лугами и останавливаясь на каждом шагу». — Мистер Харгрейв умолк и посмотрел на меня.

Ничего не сказав, не задав ни единого вопроса, я выбежала в прихожую и выскользнула в сад. У меня больше не было сил терпеть муки неопределенности. Позволить, чтобы этот человек своими обвинениями внушил мне недостойные подозрения против моего мужа? Никогда! Но я уже не могу слепо ему доверять... Нет, необходимо немедленно узнать правду! Я бросилась к кустам, окаймлявшим аллею. И тут звук голосов заставил меня остановиться.

— Мы задержались слишком долго. Он, наверное, уже вернулся, — произнес голос леди Лоуборо.

— Да нет же, радость моя, — ответил *он*, — но на всякий случай перебеги через лужайку незаметно и войди в дом потихоньку.

У меня подогнулись колени, голова закружилась. Мне казалось, что я лишаюсь сознания. Но ведь она меня увидит! Я метнулась в кусты и прислонилась к древесному стволу.

— О Хантингдон! — сказала она с упреком, останавливаясь там, где накануне вечером я обняла его. — Тут ты целовал эту женщину!

Она поглядела в глубокую тень под деревьями. Он ответил с небрежным смехом:

— Так что же мне оставалось делать, радость моя? Тебе ли не знать, что я должен отводить ей глаза, покуда могу? И разве я не видел десятки раз, как ты целовала своего болвана-муженька? И разве я жаловался?

— Но признайся, ты ведь ее еще любишь? Ну, самую чуточку? — спросила она, кладя руку ему на локоть и заглядывая ему в лицо. (Как ясно были теперь видны мне они оба в лунных лучах, струившихся сквозь ветви дерева, у которого я притаилась!)

— Да нисколько, клянусь всеми святыми, — ответил он, целуя ее пылающую щеку.

— О-о! Мне надо спешить! — воскликнула она, внезапно отстраняясь от него, и поспешила прочь.

А он стоял в двух шагах от меня, но у меня не было сил обличить его теперь же. Мой язык словно прилип к гортани, я цеплялась за дерево, чтобы не упасть, и меня почти удивляло, что он не слышит, как колотится мое сердце, заглушая посвист ветра и шорох опавшей листвы. Мне казалось, что я слепну и глохну, но все-таки я увидела, как он прошел мимо, и сквозь шум в ушах ясно расслышала, как он произнес, остановившись и глядя в сторону лужайки:

— А вон и дуралей! Беги, Аннабелла, беги! Быстрее в дверь! А-а, он ничего не заметил. Молодец Гримсби, задержи его еще! — И с легким смешком он скрылся из виду.

— Господи, помоги мне! — прошептала я, опускаясь на колени среди мокрых кустов и глядя сквозь поредевшие листья на лунное небо. Оно казалось смутным и дрожащим моему потемневшему взору. Мое разбитое измученное сердце тщилось излить свои жгучие страдания Богу, но они никак не облекались в слова молитвы. Потом сильный порыв ветра подхватил сухие листья и разметал их, как обманутые надежды, но он остудил мой горящий лоб и чуть-чуть оживил мое изнемогающее тело. И вот, пока я влагала всю душу в безмолвную, бесславную мольбу, меня словно коснулась укрепляющая небесная сила. Мне стало легче дышать, глаза прояснились, я вновь увидела чистое лунное сияние и легкие облачка, плывущие в темной чистой глубине у меня над головой. А потом я увидела мерцающие там вечные звезды. Я знала, что их Бог — мой Бог, что он крепость моего спасения и всегда преклонит ко мне слух. «Я не отвергну тебя и не оставлю», — словно донеслось до меня из-за бесчисленных небесных светочей. Да-да! Я всем своим существом поняла, что он не оставит меня безутешной, что, земле и аду вопреки, я найду силы для всех поджидающих меня испытаний, а потом обрету несказанный покой.

И я поднялась с земли, чувствуя себя обновленной, преодолевшей смертную слабость, но преодолеть волнение мне все же не удалось. Должна признаться, едва я переступила порог дома, оставив позади свежий ветер и дивное небо, новообретенные силы и смелость почти меня покинули. Все, что я видела и слышала вокруг, угнетало мое сердце — передняя, люстра, лестница, двери комнат, доносившиеся из гостиной веселые голоса и смех. Как вынесу я жизнь, которая ожидает меня теперь? В этом доме, среди этих людей, о, как смогу я жить? В переднюю вошел Джон и, увидев меня, сказал, что его послали за мной: он уже подал чай, и хозяин желает узнать, приду ли я.

— Спросите миссис Хэттерсли, Джон, не будет ли она так добра и не заварит ли чай, — ответила я. — Скажите, что мне нездоровится, и я прошу меня извинить.

Я ушла в большую пустую столовую, полную тишины и мрака, — только за окнами чуть слышно вздыхал ветер да сквозь ставни и занавески кое-где пробивались лунные лучики. Я расхаживала взад и вперед, предаваясь своим горьким мыслям. Как не похож этот вечер на вчерашний! На последний проблеск счастья в моей жизни! Жалкая, слепая дурочка — я могла быть счастлива! Теперь я поняла, почему Артур так странно повел себя в саду. Прилив нежности предназначался любовнице, испуганная растерянность — жене. Стал понятным и разговор Хэттерсли с Гримсби, — разумеется, они говорили про его любовь к ней, а не ко мне.

Дверь гостиной открылась, в малой гостиной послышались легкие быстрые шаги и затихли на лестнице. Милисент, бедняжка Милисент, побежала справиться, как я себя чувствую. Больше никому не было до меня дела, но ей доброта не изменила. До сих пор мои глаза были сухи, но теперь слезы хлынули потоком. Так она помогла мне, даже не увидев меня. Я услышала, как, не найдя меня, она медленно спускается по лестнице. Неужели она войдет сюда и увидит меня в таком состоянии? Нет, она пошла в другую сторону и вернулась в гостиную. Я обрадовалась — я не представляла себе, как встречусь с ней, что ей скажу. В моем горе наперсницы мне были не нужны. Я не заслуживала участия и не хотела его. Я сама возложила на себя это бремя, мне его и нести совсем одной.

Когда приблизился обычный час отхода ко сну, я вытерла глаза и попыталась успокоиться, чтобы голос мой не дрожал, а мысли обрели ясность. Я решила теперь же поговорить с Артуром, но хладнокровно! Чтобы у него не было повода жаловаться своим приятелям или хвастаться перед ними, чтобы он не мог смеяться надо мной с дамой своего сердца. Но вот наконец гости пожелали друг другу доброй ночи, я приотворила дверь и, когда Артур проходил мимо, сделала ему знак войти.

— Ну что мне с тобой делать, Хелен? — сказал он. — Почему ты не пожелала напоить нас чаем? И какого дьявола ты сидишь тут в темноте? Да что с тобой, моя милая? Ты бледна как покойница! — добавил он, подняв повыше свою свечу.

— Тебя это не касается, — ответила я. — Ведь я теперь тебе безразлична, как и ты мне.

— О-хо! Это что еще за новости? — пробормотал он.

— Я завтра же уехала бы от тебя и больше никогда не переступила бы твоего порога, если бы не мой сын. — Я смолкла, чтобы овладеть своим голосом.

— Что, во имя дьявола, это означает, Хелен? — крикнул он. — К чему ты клонишь?

— Вы сами прекрасно знаете, — ответила я. — Не надо тратить время на бесполезные обвинения, но позвольте сказать вам...

Он яростно выругался: он ничего не понимает и требует, чтобы я объяснила, как эта ядовитая старуха очернила его имя и какой гнусной лжи я по глупости поверила.

— Избавьте себя от труда давать лживые клятвы и придумывать, какой очередной ложью подменить правду, — перебила я холодно. — Никто посторонний не сумел бы меня ни в чем убедить. Сегодня вечером я была в боковой аллее и все видела и слышала сама.

Этого оказалось достаточно. Он испустил приглушенное восклицание, в котором досада мешалась с растерянностью, пробормотал: «Ну, сейчас мне достанется!», поставил свечу на ближайший стул, прислонился к стене и, скрестив руки на груди, смерил меня взглядом.

— Ну и что же? — спросил он с холодной наглостью, рожденной бесстыдством и сознанием безвыходности своего положения.

— Ничего, — бросила я. — Только одно: отдадите ли вы мне нашего ребенка и остатки моего состояния с тем, чтобы я уехала от вас?

— Куда?

— Да куда угодно, лишь бы он был избавлен от вашего губительного влияния, а я от вашего присутствия... Как и вы от моего.

— Ну нет, ч-т побери!

— А только с сыном без денег?

— Нет. И его не отпущу, и тебя, даже без него. Или, по-твоему, я позволю, чтобы из-за твоего ханжества все графство начало обо мне сплетничать?

— Значит, я должна остаться здесь, чтобы меня ненавидели и презирали. Однако с этой минуты мы муж и жена только по имени.

— Вот и превосходно!

— Я мать вашего ребенка и ваша экономка. Но не более. Поэтому не затрудняйтесь впредь изображать любовь, которой не испытываете. Я больше не жду от вас ласк и нежности, не буду ни предлагать их вам, ни терпеть от вас. Мне не нужна пустая шелуха, раз чувство вы отдали другой.

— Отлично, если вам так угодно. Посмотрим, кто первый не выдержит, сударыня!

— Если я и не выдержу, то лишь от необходимости жить в одном мире с вами, но не от тоски по вашей притворной любви. Вот когда вы не сможете более выдерживать своего греховного существования и искренне раскаетесь, я вас прощу и, может быть, попытаюсь опять полюбить, хотя это будет очень трудно.

— Хм! А пока вы отправитесь к миссис Харгрейв и будете с ней перемывать мои косточки и писать длинные письма тетушке Максуэлл, жалуясь на грешного негодяя, за которого вышли замуж?

— Жаловаться я никому не буду. До сих пор я всячески старалась скрывать ваши пороки от всех и наделяла вас добродетелями, которых у вас никогда не было. Но теперь заботьтесь о своей репутации сами.

Он снова вполголоса выругался, но я повернулась и ушла к себе.

— Вам дурно, — с тревогой сказала Рейчел, едва увидела меня.

— Все это правда, Рейчел, — ответила я больше на ее взгляд, чем на слова.

— Я знала, не то никогда и словечком не заикнулась бы.

— Но ты из-за этого не беспокойся, — произнесла я, целуя ее бледную иссушенную временем щеку. — Я сумею это перенести гораздо лучше, чем ты думаешь.

— Да, переносить-то вы умеете. А вот я на вашем месте терпеть не стала бы. И как следует выплакалась бы! И я бы не промолчала, нет уж! Так бы ему и отпечатала...

— Я не промолчала, — перебила я. — И сказала вполне достаточно.

— А я бы все равно поплакала, — не отступала она. — Дала бы сердцу волю и не сидела бы вся белая, не напускала бы на себя спокойствия.

— Но я выплакалась, — заметила я, невольно улыбнувшись. — И теперь я правда спокойна. А потому, няня, не расстраивай меня снова. Не надо больше говорить об этом, и ни слова слугам. А теперь иди. Спокойной ночи, и не тревожься за меня, спи. Я тоже постараюсь уснуть покрепче.

Однако вопреки моим добрым намерениям, я долго ворочалась на постели, а в два часа поднялась, зажгла свечу от ночника, который еще теплился, и села в халате к столу, чтобы записать события прошедшего вечера. Все-таки это было лучше, чем метаться без сна, мучая свой бедный мозг воспоминаниями о былом и мыслями о страшном будущем. Я нашла облегчение, описывая те самые обстоятельства, которые погубили мой душевный мир, и мельчайшие подробности того, как я сделала это открытие. Никакой сон не дал бы мне такое успокоение, не помог бы мне собраться с силами для наступающего дня... Так мне, во всяком случае, кажется. И все же стоит мне положить перо, как виски сжимает невыносимая боль, а поглядев в зеркало, я пугаюсь своего измученного, осунувшегося лица.

Только что ушла Рейчел, которая помогла мне одеться и сказала, что видит, как я всю ночь маялась. Потом ко мне заглянула Милисент узнать, как я себя чувствую. Я ответила, что лучше, но — чтобы объяснить свой вид — добавила, что провела бессонную ночь. Ах, скорее бы кончился этот день! Я содрогаюсь при мысли, что мне надо спуститься к завтраку. Как я посмотрю на них всех! Но мне следует помнить, что виновата не я, что у меня нет причин чего-то бояться. И если они презирают меня, жертву их греха, то я могу пожалеть их за безумие и презреть их презрение.

Глава XXXIV

ОБЕЩАНИЕ

Вечер. Завтрак прошел благополучно. Я была спокойна и невозмутима, непринужденно отвечала на вопросы о моем здоровье; и перемену в моей внешности, разумеется, должны были приписать легкому недомоганию, которое принудило меня накануне подняться к себе столь рано. Но как вынести десять — двенадцать дней, остающихся до их отъезда? Только почему желать его? Ведь после того, как они уедут, мне предстоят месяцы... годы жизни рядом с этим человеком — моим величайшим врагом, так как никто другой не мог бы нанести мне такого беспощадного удара! О-о! Стоит мне вспомнить, как горячо, как беззаветно я его любила, как глупо ему верила, как преданно трудилась и старалась, молилась и пеклась о его благе и как бессердечно он попрал мою любовь, предал мое доверие, презрел мои молитвы, слезы и усилия помочь ему, как он сокрушил мои надежды, погубил мои лучшие юные чувства и обрек на целую жизнь нескончаемой печали, насколько это вообще в человеческих силах, — стоит мне вспомнить все это, и я уже не могу просто сказать, что больше не люблю моего мужа, я его НЕНАВИЖУ! Только что написанное слово притягивает мой взгляд, как признание в черном грехе, но это правда: я ненавижу его... Я ненавижу его! Но да смилуется Бог над его гибнущей душой! Да откроет ему его вину. Иного отмщения я не ищу! Если бы только он мог понять и почувствовать всю полноту причиненного мне зла, я была бы отомщена. И простила бы всем сердцем. Но он так закоснел в своей бездушной порочности, что в этой жизни, мне кажется, он уже ничего не поймет. Впрочем, думать об этом бесполезно. Лучше я вновь отвлекусь на мелкие подробности происходящего.

В течение всего дня мистер Харгрейв досаждал мне своим скорбным сочувствием и (как ему представлялось) ненавязчивой заботливостью. Будь она более навязчивой, то менее меня раздражала бы, — ведь я могла бы дать ему отповедь. Но он умудряется выглядеть таким истинно добрым и предупредительным, что всякая моя попытка избавиться от него выглядела бы грубой неблагодарностью. Иногда мне кажется, что следует поверить в искренность чувств, которые он так правдоподобно изображает, но затем я начинаю думать, что подозревать его — мой долг, что этого требует нынешнее мое особое положение. Возможно, эта доброта во многом искренна, и все же нельзя допустить, чтобы благодарность заставила меня забыться. Нет, я сохраню в памяти партию в шахматы и те его слова и неподдающиеся описанию взгляды, которые он на меня бросает, вызывая у меня заслуженное негодование, и, полагаю, тогда никакая опасность мне грозить не будет. Нет, я хорошо сделала, что так подробно записывала все эти мелкие происшествия.

По-моему, он ищет случая поговорить со мной наедине и весь день высматривал такую возможность. Но я приняла свои меры. Нет, я не боялась того, что он мне скажет, но мне достаточно всяких горестей без его оскорбительных утешений, соболезнований или еще чего-нибудь, что он может придумать. А ради Милисент я не хочу с ним ссориться. Он не отправился сегодня на охоту под предлогом, что ему надо писать письма, но не уединился для этого в библиотеке, а приказал принести его бювар в утреннюю гостиную, где я сидела с Милисент и леди Лоуборо. Они занимались рукоделием, а я запаслась книгой, не столько для рассеяния, сколько для того, чтобы уклониться от разговоров. Милисент заметила, что я хочу, чтобы меня оставили в покое, и исполнила мое желание. Не могла не понять этого и Аннабелла, но не увидела никаких причин для того, чтобы замкнуть свои уста или сдержать веселость. И она болтала без умолку, обращаясь почти только ко мне с дружеской фамильярностью, и чем короче и суше были мои ответы, тем оживленнее и самоувереннее становился ее тон. Мистер Харгрейв увидел, как мне это невыносимо, и, отрываясь от письма, отвечал на ее вопросы и замечания вместо меня, насколько это было в его силах, и всячески старался занять ее беседой, но у него ничего не получалось. Возможно, она думала, что у меня болит голова и мне трудно говорить. Но, бесспорно, она понимала, что ее бойкая болтовня мне досаждает, — ее злорадная настойчивость никаких сомнений в этом не оставляла. Однако я положила решительный конец ее маневрам, раскрыв перед ней книгу, на титульном листе которой я, оставив тщетные попытки читать, торопливо нацарапала:

«Я так хорошо знаю ваш характер и поведение, что не могу питать к вам хоть малейшее расположение, и, не обладая вашим талантом притворяться, вынуждена просить вас впредь не делать больше вида, будто между нами существует дружеская близость. Если я и дальше буду обходиться с вами, как с женщиной, заслуживающей уважения и вежливости, то лишь щадя чувства вашей кузины Милисент, а вовсе не ваши. Будьте добры понять это».

Читая, она багрово покраснела и закусила губу. Потом сделала вид, будто просматривает книгу, украдкой вырвала титульный лист, смяла, бросила его в топящийся камин и продолжала перелистывать страницы, словно — а может быть, и на самом деле — заинтересовавшись ее содержанием. Несколько минут спустя Милисент сказала, что поднимается в детскую, и спросила, не пойду ли я с ней.

— Аннабелла нас извинит, — сказала она. — Ей достаточно книги.

— Ну нет! — воскликнула Аннабелла, внезапно поднимая голову и швыряя книгу на стол. — Мне надо поговорить с Хелен. А ты иди, Милисент, я задержу ее ненадолго. — Милисент послушно ушла. — Вы мне не откажете, Хелен? — добавила она.

Ее бесстыдство меня поразило, но я кивнула и последовала за ней в библиотеку. Она затворила дверь и встала у камина.

— Кто вам это сказал?

— Никто. Я способна и сама заметить.

— А-а! Только ваша подозрительность! — произнесла она с надеждой. До этой минуты в ее наглости проглядывало какое-то отчаяние, но теперь она облегченно улыбнулась.

— Будь я и правда подозрительна, — ответила я, — то открыла бы вашу гнусность уже давно. Нет, леди Лоуборо, мое обвинение опирается не на подозрение.

— Так на что же? — парировала она и, бросившись в кресло, вытянула ноги к огню в старании выглядеть непринужденно.

— Прогулки при луне мне нравятся так же, как и вам, — ответила я, глядя ей прямо в лицо. — И особенно — по боковой аллее.

Вновь по ее щекам разлилась краска. Она молча прижала палец к зубам и устремила глаза на огонь. Несколько секунд я смотрела на нее с каким-то злорадством, а потом сделала несколько шагов к двери и спросила, хочет ли она еще что-нибудь сказать.

— Да-да! — вскричала она, поспешно выпрямляясь. — Мне надо знать, будете ли вы говорить с лордом Лоуборо.

— А если буду?

— Ну если вы намерены разблаговестить об этом всем и каждому, не мне, конечно, вас отговаривать. Но поднимется ужасный скандал. Если же вы промолчите, то покажете себя великодушнейшей из женщин, и если в моих силах хоть чем-нибудь вас отблагодарить... то есть кроме... — Она замялась.

— ...кроме отказа от греховной связи с моим мужем. Вы это подразумеваете?

Она промолчала в видимой растерянности, к которой примешивалась злоба, но дать волю ей не осмеливалась.

— Отказаться от того, что мне дороже жизни, я не в силах, — торопливо пробормотала она. А потом резко подняла голову, обратила на меня взгляд сверкающих глаз и продолжала умоляюще: — Но, Хелен... миссис Хантингдон... как мне вас называть?.. Скажете ли вы ему? Если вы благородны, вот вам случай показать свое великодушие. Если вы горды, то вот я, ваша соперница, готова признать себя вашей вечной должницей за величайшую снисходительность.

— Я не скажу ему.

— Да? — воскликнула она с восторгом. — Так примите самую искреннюю мою благодарность.

Она вскочила с кресла и протянула мне руку. Я попятилась.

— Не благодарите меня. Я промолчу не ради вас. И не из великодушия. У меня нет желания разглашать ваш позор. И мне было бы грустно причинить боль вашему мужу.

— А Милисент... ей вы скажете?

— Нет. Напротив, я приложу все силы, чтобы скрыть это от нее. Я готова дорого заплатить, лишь бы она не узнала о гнусностях и позоре своей родственницы.

— Вы употребляете оскорбительные слова, миссис Хантингдон... Но я вас прощаю.

— А теперь, леди Лоуборо, — продолжала я, — советую вам как можно скорее покинуть этот дом. Вы не можете не понимать, как тягостно мне ваше пребывание тут... Нет, не из-за мистера Хантингдона, — перебила я себя, заметив, что ее губы складываются в злорадную улыбку. — Забирайте его, если хотите, мне это безразлично. Но очень трудно все время прятать свое истинное отношение к вам, соблюдая правила вежливости и видимость уважения, когда его в моей душе нет и тени. Кроме того, если вы задержитесь, то ваше поведение не может не стать явным для тех двоих в доме, кто еще о нем не знает. И ради вашего мужа, Аннабелла, и даже ради вас самих, я бы хотела... я искренне советую вам и *умоляю* вас порвать эту позорную связь немедленно и вернуться к исполнению своего долга прежде, чем ужасные последствия...

— Да, да, да, разумеется! — перебила она, нетерпеливо пожимая плечами. — Но, Хелен, я не могу уехать прежде назначенного срока. Как я сумела бы это объяснить? Предложу ли я уехать одна — но об этом Лоуборо и слушать не пожелает! — или увезу его с собой, такой преждевременный отъезд уже вызовет подозрения... И ведь нам так недолго тут оставаться! Чуть более недели. Неужели вы не сумеете стерпеть мое присутствие какие-то несколько дней? И я не стану досаждать вам дружескими вольностями.

— Мне вам больше нечего сказать.

— А вы говорили об этом с Хантингдоном? — спросила она мне вслед.

— Как вы смеете упоминать о нем мне! — Вот все, что я ей ответила.

С тех пор мы не обменялись с ней ни единым словом, если не считать тех фраз, которых требовала внешняя вежливость или крайняя необходимость.

Глава XXXV

ИСКУШЕНИЯ

Девятнадцатое. По мере того как леди Лоуборо убеждается, что ей не нужно меня опасаться, а время их отъезда приближается, она ведет себя все более дерзко и нагло. Без малейшего стыда разговаривает при мне с моим мужем очень нежно, — конечно, когда рядом нет никого еще, и ей особенно нравится с заботливым вниманием расспрашивать его о здоровье, расположении духа, занятиях — ну, словом, обо всем, что его касается, — словно для того, чтобы противопоставить свой живой интерес моему холодному безразличию. А он вознаграждает ее такими улыбками и взглядами, таким нежным шепотом, такими выражениями благодарности, намекающими на ее доброту и мою черствость, что кровь кидается мне в голову вопреки всем моим усилиям. Да, я предпочла бы ничего не замечать, быть слепой и глухой ко всему, что происходит между ними! Ведь чем больше я показываю, как мне больно от их мерзостей, тем больше она упивается своей победой, тем больше он укрепляется в лестном для себя убеждении, будто я еще преданно его люблю, а равнодушной только притворяюсь. И несколько раз я с ужасом чувствовала, что он по-дьявольски тонко толкает меня доказать ему обратное, поощрив ухаживания Харгрейва. Но я отгоняю подобные мысли с отвращением и раскаянием и ненавижу его вдесятеро больше за то, что он доводит меня до подобного! Да простит мне это Господь и все грешные мои мысли! Несчастья не только не смирили мой дух и не очистили его, но обращают самую мою натуру в желчь. И в этом, конечно, я повинна не менее моих обидчиков. Истинное христианство несовместимо с теми злыми чувствами, которые я питаю к нему и к ней — особенно к ней! Его, мне кажется, я еще могу простить, — от души, с радостью — если бы только заметила в нем хоть малейшие признаки раскаяния. Но *она*... у меня нет слов, чтобы выразить всю полноту моего омерзения. Рассудок противится, но гнев рвется наружу, и только долгими молитвами и борьбой удается мне обуздать его.

Как хорошо, что она уезжает завтра! Еще одного дня в ее обществе я бы не вынесла. Нынче утром она встала раньше обычного — я застала ее в столовой одну, когда спустилась к завтраку.

— А, Хелен, это вы? — сказала она, обернувшись на звук моих шагов.

Я невольно вздрогнула при виде ее, и она сказала с коротким смешком:

— По-моему, мы *обе* разочарованы!

Я подошла к буфету и начала накладывать себе еду.

— Ну, сегодня я злоупотребляю вашим гостеприимством последний день, — заметила она, усаживаясь за стол. — А вот и тот, кого это вовсе не обрадует! — произнесла она словно про себя, увидев, что в столовую вошел Артур.

Он пожал ей руку, пожелал доброго утра, поглядел на нее с любовью и, не выпуская ее руки, произнес жалобно:

— Последний... последний день!

— Да, — ответила она раздраженно. — И я встала пораньше, чтобы не потерять ни единой его минуты. Я уже полчаса здесь, а вы, ленивец...

— Я думал, что тоже встал спозаранку, — перебил он. — Но (его голос понизился до шепота) ты же видишь, что мы здесь не одни!

— А когда мы бываем одни? — парировала она.

Но они были теперь почти одни, потому что я отошла к окну и, следя за облаками, пыталась справиться со своим негодованием.

Они продолжали переговариваться, только, к счастью, я больше ничего не расслышала. Однако у Аннабеллы хватило наглости подойти ко мне, встать рядом и даже положить руку мне на плечо! Она сказала ласково:

— Не огорчайтесь, что он предпочел меня, Хелен! Ведь я люблю его так, как вы любить не способны.

Это вывело меня из себя. Я схватила ее руку и сбросила со своего плеча, не сумев скрыть гадливости и возмущения. Удивленная, почти испуганная этой вспышкой, она молча попятилась. И наверное, я дала бы волю гневу и выговорилась бы, если бы смешок Артура не заставил меня опомниться. Я оборвала еще не начатое обличение и презрительно отвернулась, жалея, что доставила ему такое развлечение. Он все еще не кончил смеяться, когда вошел мистер Харгрейв. Не знаю, видел ли он то, что произошло, — дверь была не притворена. Он одинаково холодно поздоровался с хозяином дома и со своей кузиной, а меня одарил взглядом, который должен был выражать глубочайшее сочувствие, почтительнейшее восхищение и благоговейное уважение.

— Неужели этот человек имеет право на вашу верность, вашу преданность? — спросил он шепотом, подойдя ко мне и делая вид, будто обсуждает погоду.

— Ни малейшего, — ответила я, тотчас вернулась к столу и начала заваривать чай. Он последовал за мной, намереваясь продолжить этот разговор, но в столовую уже входили остальные гости, и я повернулась к нему, только чтобы предложить кофе.

После завтрака, твердо решив оставаться в обществе леди Лоуборо как можно меньше, я тихонько ускользнула в библиотеку. Но мистер Харгрейв не замедлил последовать за мной туда — якобы в поисках нужной ему книги. Действительно, он начал с того, что снял с полки какой-то том, а потом нетерпеливо, но без малейшей робости, подошел ко мне, положил ладонь на спинку моего кресла и сказал тихо:

— Так, значит, вы наконец считаете себя свободной?

— Да, — ответила я, не шевельнувшись и не отрывая глаз от книги. — Свободной поступать, как нахожу нужным, если это не оскорбляет Бога и мою совесть.

Воцарилось недолгое молчание.

— Прекрасное решение, — сказал он затем, — но при условии, что совесть ваша не страдает болезненной чувствительностью и что Божественные заветы вы не толкуете слишком узко и сурово. Неужели вы полагаете, что Всемилостивейший будет оскорблен, если вы одарите счастьем того, кто готов отдать за вас жизнь? Спасете преданное сердце от мук Чистилища и наполните его райским блаженством? Причем не причинив ни малейшего вреда ни себе, ни кому-либо другому?

Он нагибался надо мной все ниже, а голос его становился все нежнее и слаще. Тут я подняла голову от страницы и, невозмутимо глядя ему в глаза, сказала спокойно:

— Мистер Харгрейв, вы хотите меня оскорбить?

Этого он не ждал. Мгновение поколебавшись, он убрал руку со спинки кресла, выпрямился и ответил с грустным достоинством:

— Такого намерения у меня не было.

Я только посмотрела на дверь, чуть кивнув головой, и вновь уставилась в книгу. Он тотчас удалился. Хорошо, что я не поддалась порыву ярости и сумела сдержать рвавшиеся с языка гневные слова. Нет, владеть собой — это чудесно! Надо будет развить в себе столь бесценную способность. Только Богу известно, как часто буду я в ней нуждаться на темном тяжком пути, который лежит передо мной.

Утром же я переехала в Грув с моими гостями, чтобы Милисент могла попрощаться с матерью и сестрой. Они уговорили ее побыть у них до вечера, — миссис Харгрейв обещала, что привезет ее сама и останется у нас до утра, когда все разъедутся. Таким образом мы с леди Лоуборо имели удовольствие возвращаться домой вдвоем. Первые две мили мы хранили молчание: я смотрела в окошко кареты, а она откинулась на спинку сиденья в своем углу. Впрочем, я не собиралась из-за нее причинять себе лишние неудобства, и когда устала наклоняться, созерцая бурые живые изгороди и мокрую спутанную траву у их подножия, и подставлять лицо холодному сырому ветру, то переменила позу и тоже откинулась на спинку. Моя спутница с обычной своей наглостью попыталась завязать разговор, но на все ее замечания я отвечала только «да», «нет», «а»! В конце концов, когда она осведомилась о моем мнении о каком-то вздорном пустяке, я спросила ее:

— Почему вам непременно хочется говорить со мной, леди Лоуборо? Вы же не можете не знать, какого я о вас мнения.

— Ну разумеется, если вам угодно питать против меня злобу, я ничего поделать не могу, но хмуриться я не намерена ради кого бы то ни было.

Тут мы подъехали к дому, и едва лакей открыл дверцу, как леди Лоуборо выпорхнула наружу и направилась навстречу возвращавшимся охотникам. Разумеется, я вошла прямо в дом.

Но мне и дальше пришлось терпеть ее наглость. После обеда я, как обычно, удалилась в гостиную, а со мной и она. Но я тут же распорядилась, чтобы ко мне привели детей, и занялась ими, твердо решив не расставаться с ними до тех пор, пока мужчины не встанут из-за стола или не приедут Милисент и миссис Харгрейв. Однако крошка Хелен вскоре утомилась и уснула у меня на коленях. Артур сел на диван рядом со мной и тихонько играл ее мягкими льняными волосами, но тут леди Лоуборо подошла и преспокойно опустилась на диван по другую мою руку.

— Завтра, миссис Хантингдон, — сказала она, — вы избавитесь от моего присутствия. И порадуетесь, что вполне понятно. Но знаете ли вы, что я оказала вам весьма важную услугу. Сказать какую?

— С удовольствием послушаю, какую услугу вы мне оказали, — ответила я невозмутимо, по ее тону догадавшись, что ей хочется вывести меня из себя.

— Но вы же, несомненно, сами заметили, насколько мистер Хантингдон переменился к лучшему! Неужели вы не видите, каким чинным трезвенником он стал? Я знаю, как вас огорчала прискорбная привычка, которой он все больше поддавался, и я знаю, что вы прилагали все силы, чтобы отучить его от нее, — но без малейшего успеха, пока я не пришла к вам на помощь. Я в двух-трех словах объяснила ему, что мне невыносимо смотреть, как он роняет себя, и что я перестану... впрочем, не важно. Но вы видите, как он преобразился с моей помощью. И вам следует быть мне благодарной.

Я встала и позвонила, чтобы няня увела детей.

— Но я благодарностей не хочу, — продолжала она. — И прошу взамен лишь одного: поберегите его, когда я уеду, пренебрежением и суровостью не вынуждайте его вернуться к прежнему.

Мне было почти дурно от гнева, но тут вошла Рейчел, и я кивнула на детей: голос мне изменил. Она увела их из комнаты, и я последовала за ними.

— Так вы исполните мою просьбу, Хелен? — продолжала она.

Я бросила на нее взгляд, который стер с ее губ злорадную усмешку, — во всяком случае на несколько минут — и ушла. В малой гостиной стоял мистер Харгрейв, но, увидев, что разговаривать я ни с кем не хочу, дал мне молча пройти мимо. Однако когда через несколько минут я в уединении библиотеки сумела справиться с собой и решила вернуться в гостиную встретить миссис Харгрейв и Милисент, чьи голоса услышала внизу, то застала его на прежнем месте в полутьме — он, очевидно, дожидался меня.

— Миссис Хантингдон, — произнес он, когда я проходила мимо, — разрешите сказать вам одно слово.

— О чем? Но, пожалуйста, поторопитесь.

— Утром я вас обидел, а я не могу жить, если вы на меня сердитесь.

— Тогда идите и больше не грешите, — ответила я и отвернулась.

— Нет-нет! — воскликнул он, становясь передо мной. — Умоляю вас! Я должен получить ваше прощение. Завтра я уезжаю, и, возможно, мне больше не представится случай поговорить с вами. Я неизвинительно забылся и не подумал о вас. Но сжальтесь, забудьте и простите мне мою опрометчивую смелость, думайте обо мне так, будто слова эти никогда не были сказаны. Потому что, поверьте, я всей душой о них сожалею, и утрата вашего уважения — кара слишком тяжкая, я ее не вынесу.

— Забыть по желанию невозможно, а питать уважение ко всем, кто его ищет, я не могу — только к тем, кто его заслуживает.

— Я с радостью готов всю жизнь посвятить тому, чтобы его заслужить, только простите меня! Вы даруете мне свое прощение?

— Да.

— Да? Но вы так холодно это сказали! Протяните мне руку, и я поверю. Но нет? Значит, миссис Хантингдон, вы меня не простили?

— Вот моя рука и с ней — мое прощение, но только *больше не грешите*.

Он пожал мои холодные пальцы с сентиментальной пылкостью, однако промолчал и посторонился, пропуская меня в гостиную, где тем временем собралось все общество. Мистер Гримсби сидел возле двери. Заметив, что Харгрейв вошел почти следом за мной, он ухмыльнулся и бросил на меня взгляд, полный нестерпимой многозначительности. Но я посмотрела ему прямо в лицо, и он вынужден был хмуро отвести глаза, если не устыдившись, то, во всяком случае, растерявшись. А Хэттерсли ухватил Харгрейва за плечо и принялся ему что-то нашептывать, — вероятно, какую-то очень грубую шутку, так как его собеседник не засмеялся и ничего ему не ответил, а, чуть искривив губы, высвободил руку и отошел к своей матушке, которая как раз объясняла лорду Лоуборо, сколько у нее причин гордиться своим сыном.

Благодарение Небу, завтра они все уедут!

Глава XXXVI
ОДИНОЧЕСТВО ВДВОЕМ

20 декабря 1824 года. Третья годовщина нашего счастливого союза. Уже два месяца, как гости оставили нас наслаждаться обществом друг друга, и девять недель я познаю новую ступень супружеской жизни, когда два человека живут вместе, как хозяин и хозяйка дома, как отец и мать очаровательного веселого мальчугана, и оба понимают, что между ними нет ни любви, ни дружбы, ни взаимной симпатии. Насколько это в моих силах, я стараюсь поддерживать между нами мир — неизменно вежлива с ним, поступаюсь своими удобствами ради него, когда это совместимо с требованиями рассудка, и советуюсь о домашних делах, считаясь с его желаниями и мнением, даже если оно уступает в разумности моему.

Ну, а он первые недели две был уныл и раздражителен — полагаю, из-за отъезда своей дражайшей Аннабеллы — и особенно капризен со мной; я все делаю не так; я холодна, черства, бессердечна; на мою бледную кислую физиономию противно смотреть; от моего голоса его дрожь берет; он просто не понимает, как сумеет прожить целую зиму бок о бок со мной; я его исподтишка убиваю. Вновь я предложила разъехаться, но тщетно; он не собирается стать притчей во языцех у здешних старых сплетниц, он не желает, чтобы его объявили зверем, от которого сбежала жена, — нет, уж придется ему как-нибудь терпеть меня!

— То есть мне терпеть вас, — возразила я. — Ведь пока я исполняю обязанности управляющего и экономки добросовестно и хорошо, не получая ни жалованья, ни благодарности, расстаться со мной вам слишком невыгодно. А потому, когда мое рабство станет совсем невыносимым, я их с себя сложу! (Такая угроза, подумала я, все-таки, возможно, заставит его присмиреть.)

Мне кажется, ему очень досаждало, что его оскорбительные замечания так мало меня ранят, — во всяком случае, сказав что-нибудь, особенно рассчитанное на то, чтобы задеть мои чувства, он внимательно вглядывался в мое лицо и принимался поносить мое «каменное сердце» и «тупую бесчувственность». Если бы я горько рыдала и оплакивала утрату его любви, он, быть может, так уж и быть, пожалел бы меня и вернул бы мне свою милость, разрешив скрашивать его одиночество и утешать его, пока он вновь не свидится со своей возлюбленной Аннабеллой или не найдет ей достойной замены. Благодарения Небу, я не настолько слабодушна! Прежде меня одурманивала глупая слепая влюбленность, отказывавшаяся замечать всю его никчемность, но теперь она иссякла — сокрушена и убита, и винить он может только себя.

Вначале (вероятно, памятуя о наставлениях дамы своего сердца) он с поразительной стойкостью избегал искать утешения от своих горестей в вине, но затем начал порой чуть-чуть отступать от столь добродетельного воздержания, — что и продолжает делать, временами уже далеко не чуть-чуть. Пока излишние возлияния его возбуждают, он превращается в настоящее животное, и я больше не стараюсь прятать презрение и брезгливость. Когда же возбуждение это сменяется тяжелым похмельем, он принимается оплакивать свои страдания и прегрешения, виня в них меня. Он знает, что такая неуверенность портит его здоровье и приносит ему больше вреда, чем радости, но утверждает, что это все из-за меня — из-за моего противоестественного (неженского) поведения! Да, в конце концов вино его погубит, но только по моей вине! Тут иногда я не выдерживаю и отвечаю упреками на упреки. Покорно такую несправедливость снести трудно! Разве я не прилагала все силы месяц за месяцем, чтобы избавить его от этого порока? И разве не продолжала бы делать то же и теперь, если бы могла? Но как мне умолять его и ухаживать за ним, когда я знаю, что он меня презирает? И виновата ли я, что потеряла влияние на него и что он утратил какое бы то ни было право даже на мое уважение? И должна ли я искать примирения, когда чувствую, что он мне противен, когда он открыто пренебрегает мной и переписывается с леди Лоуборо, как мне хорошо известно? Нет, никогда, никогда, никогда! Он может допиться до смерти, но моей вины в этом не будет ни малейшей!

И все же я делаю, что могу. Я даю ему понять, что от вина глаза его все больше тускнеют, лицо оплывает, что оно расслабляет и его тело и ум, что, если бы Аннабелла видела бы его сейчас, как вижу я, она не замедлила бы разочароваться в нем и что она, несомненно, лишит его своих милостей, если он будет продолжать так и дальше. Эти предостережения только навлекают на меня грубую брань, и, признаюсь, мне кажется, почти заслуженно, — настолько мне отвратительно прибегать к подобным доводам. И все же они проникают в его одурманенный мозг и заставляют задуматься и даже воздерживаться, как никакие другие из имеющихся в моем распоряжении. А сейчас я наслаждаюсь возможностью временно отдохнуть от него: он уехал с Харгрейвом на охоту к каким-то далеким соседям и должен вернуться не раньше завтрашнего вечера. Да, прежде разлука вызывала у меня совсем иные чувства!

Мистер Харгрейв все еще в Груве. Они с Артуром постоянно встречаются для подобных сельских развлечений, он часто навещает нас, а Артур не так уж редко отправляется верхом нанести визит ему. Не думаю, что эти два soi-disant* друга связаны столь уж горячей любовью, но коротать время легче вдвоем, а я радуюсь, что на несколько часов

* Так называемых *(фр.)*.

избавляюсь от необходимости терпеть общество Артура и что он находит занятие более достойное, чем скотское ублажение животных пристрастий. И я скорее была бы довольна тем, что мистер Харгрейв не уехал, если бы опасения встретиться с ним в Груве не мешали нам видеться с его сестрой так часто, как я желала бы. Впрочем, все это время он держится со мной столь безупречно, что его недавнее поведение почти изгладилось из моей памяти. Вероятно, он пытается вернуть мое «уважение». И это ему, пожалуй, удастся, если он и впредь будет столь же корректен. Но что тогда? Чуть только он посягнет на нечто большее, как снова его утратит.

10 февраля. Так тяжело и горько, когда тебе в лицо швыряют твои же лучшие намерения и доброту! Во мне начало пробуждаться сожаление к спутнику моей жизни — к одинокому, тоскливому существованию, не скрашиваемому ни умственными занятиями, ни сознанием, что его совесть чиста перед Богом. И я уже подумывала, что должна пожертвовать гордостью, должна вновь попытаться сделать дом приятным для него и вернуть его на праведный путь не лживыми заверениями в любви или притворным раскаянием, но смягчив свою ледяную вежливость, сменив сухую сдержанность на ласковое внимание, как только тому представится случай. И не только подумывала, но даже перешла от мыслей к делу. И что же? Ни малейшей ответной ласки, ни тени раскаяния, но непреходящее раздражение и тираническая требовательность, которую кротость только распаляет, а также — самодовольное злорадство при каждой моей уступке, заставляющее меня вновь каменеть. А нынче утром он положил решительный конец всем таким попыткам. Мне кажется, я теперь настолько оледенела, что больше никогда ни на йоту не растаю. Одно из вскрытых за завтраком писем он прочел с необычайным удовольствием, а потом перебросил через стол мне с назиданием:

— Ну-ка, прочти и извлеки из этого урок!

Я узнала размашистый почерк леди Лоуборо и пробежала глазами первую страницу. Бурные заверения в неугасимой нежности, необузданные мечты о скорой встрече, кощунственное пренебрежение Божьими заветами и упреки Провидению, разлучившему их и связавшему ненавистными узами с теми, кого они не могут любить. Заметив, как я переменилась в лице, он хихикнул.

Я сложила письмо, встала и вернула ему, сказав лишь:

— Благодарю вас, урок я из этого извлеку!

Мой маленький Артур стоял у него между коленями и с восторгом разглядывал рубиновый перстень на его пальце. Подчинившись внезапному необоримому желанию избавить моего сына от этой заразной близости, я подхватила его на руки и унесла из комнаты. Мальчику не понравилось столь внезапное похищение, он насупился и заплакал. Еще один удар ножом в мое истерзанное сердце! Я поспешила с ним в библиотеку, закрыла за собой дверь, поставила его на пол, обняла, страстно расцеловала и заплакала. Все это, разумеется, не только не успокоило его, но испугало: отвернув от меня личико, он начал вырываться и громко звать папу. Я разжала руки, и слезы, горше которых я еще не знавала, скрыли его от моих ослепших, словно обожженных глаз. На крики малыша в библиотеку явился его отец, и я отвернулась, не желая, чтобы он заметил мои слезы и неверно их истолковал. Выругав меня, он унес успокоившегося мальчика.

Как тяжко, что мой светик любит его больше, чем меня! Ведь я живу только ради сына, ради того, чтобы воспитать его достойным человеком. И мне невыносимо видеть, как меня лишает влияния на него тот, чья эгоистическая привязанность гораздо опаснее самого холодного равнодушия, самой суровой тирании! Если я ради его же пользы отказываюсь потакать какому-нибудь капризу малыша, он бежит к отцу, который, несмотря на эгоизм и лень, обычно бывает готов исполнить его прихоть. Если я пытаюсь обуздать его своеволие или укоризненным взглядом порицаю за непослушание, он знает, что папа только улыбнется и заступится за него. И вот я должна не только бороться с духом отца в сыне, выискивать и уничтожать в зародыше унаследованные дурные свойства, заранее предупреждать губительное воздействие общения с ним и его примера, но он *уже* сводит на нет все мои усилия, разрушает мое влияние на детский ум, отнимает у меня любовь сына. Это моя последняя надежда, а он с поистине дьявольской радостью лишает меня и ее!

Но отчаиваться грешно, и я буду помнить вдохновенный совет тому, кто «боится Господа, слушается гласа Раба Его, кто ходит во мраке без света, да уповает на имя Господа и да утверждается в Боге своем».

Глава XXXVII

СНОВА ЛЮБЕЗНЫЙ СОСЕД

20 декабря 1825 года. Миновал еще год. О, как я устала от этой жизни! И все же мечтать расстаться с ней не могу. Какие горести ни подстерегают меня здесь, как мне покинуть мое дитя в этом черном грешном мире одного? Без друга, который научил бы его находить верный путь в темных лабиринтах земной юдоли, предостерег бы против тысячи ловушек, охранил бы от гибельных опасностей, подстерегающих его на каждом шагу? Я знаю, что не совсем гожусь быть его единственным проводником, но заменить меня некем. Я слишком серьезна, чтобы развлекать его и принимать участие в детских забавах и играх, как следует матери или няне, и нередко вспышки его шаловливой веселости тревожат и пугают меня. Узнавая в них отцовский дух и характер, я трепещу и слишком часто кладу им конец вместо того, чтобы присоединиться к его невинному смеху. Отца же, напротив, не удручает грусть, не терзают страх и тревоги за будущее сына, и по вечерам (именно тогда, когда мальчик видит его чаще и подолгу) он особенно благодушен и весел, готов хохотать и шутить с чем и с кем угодно — кроме меня. Я же в эти часы особенно молчалива и печальна. Разумеется, ребенок обожает своего шутливого, веселого, доброго папу и всегда готов убежать от меня к нему. Это меня очень пугает — из опасения лишиться не столько привязанности моего сына (хотя она для меня драгоценна, хотя и считаю, что имею на нее право, и знаю, что сделала много, чтобы ее заслужить), сколько того влияния, которое я тщусь приобрести над ним и сохранить ради него же самого, а его отец наперекор мне всячески с восторгом ослабляет и от безделья себялюбиво пытается присвоить для того лишь, чтобы мучить меня и губить мальчика. Единственным утешением мне служит то, что дома он живет довольно мало и за те месяцы, пока развлечения удерживают его в Лондоне или где-нибудь еще, я получаю возможность вернуть утраченное и добром побороть зло, которое он посеял своим безрассудным баловством. И какая мука наблюдать после его возвращения, сколько усилий он тратит, лишь бы свести на нет все мои труды и превратить моего невинного привязчивого мальчика в эгоистичного и взбалмошного шалуна, тем самым подготовляя почву для тех пороков, которые он столь успешно взлелеял в собственной извращенной душе!

К счастью, прошлой осенью никто из его «друзей» приглашен в Грасдейл не был — он предпочел сам погостить у некоторых из них. Ах, если бы всегда так! Если бы у него было столько преданных друзей, что он переезжал бы от одного к другому круглый год! К большой моей досаде, мистер Харгрейв его не сопровождал, впрочем, полагаю, я наконец-то навсегда избавилась от этого господина.

Семь-восемь месяцев он вел себя так безупречно и с такой ловкостью, что я перестала быть настороже, и не только начала видеть в нем друга, но уже обходилась с ним по-дружески (с некоторыми благоразумными ограничениями), как вдруг, по-своему истолковав мою доверчивую непринужденность, он решил, что настало время преступить границы приличия и благопристойности, которые столь долго соблюдал. Случилось это в чудесный вечер на исходе мая. Я прогуливалась по парку, а он проезжал мимо и, увидев меня, осмелился спешиться, привязать лошадь у ворот и подойти ко мне. Впервые с тех пор, как я осталась в одиночестве, он вошел в его ограду один, а не провожатым матери и сестры или хотя бы вестником с поручением от них, однако он сумел придать себе такой спокойный, дружеский вид, держался с таким невозмутимым самообладанием и почтительностью, что столь необычная вольность хотя несколько меня и удивила, но не встревожила и не оскорбила, и, когда он пошел со мной через вязовую рощу к озеру, оживленно, занимательно и с тонким вкусом рассуждая о многих предметах, я даже не сразу начала раздумывать, как бы избавиться от него. Некоторое время мы молча стояли, глядя на тихие голубые воды, — я, отыскивая способ, как наиболее вежливо распрощаться с моим спутником, а он, без сомнения, оттачивая замыслы, еще более чуждые окружающей красоте, птичьему пению и легкому шелесту листьев. И тут он вдруг заставил меня содрогнуться, принявшись каким-то особым нежным, тихим, но совершенно внятным голосом изливать в самых недвусмысленных выражениях пылкую и страстную любовь со всем дерзким, но искусным красноречием, на какое только был способен. Я тотчас его оборвала с такой безоговорочной решимостью, с таким презрительным негодованием (правда, несколько смягченным грустной и холодной жалостью к его непростительному заблуждению), что он удалился удивленный, растерянный и пристыженный, а через несколько дней, как мне сказали, уехал в Лондон. Впрочем, через два месяца он возвратился, и хотя особенно не старался избегать меня, однако держался со мной столь странно, что его наблюдательная сестра не преминула это заметить.

— Что вы такое сделали Уолтеру, миссис Хантингдон? — спросила она, когда однажды утром я приехала в Грув, а он, поздоровавшись со мной тоном ледяной учтивости, поспешил выйти из гостиной. — Последнее время он стал таким церемонным и чопорным, что я нахожу этому лишь одно объяснение: вы чем-то его глубоко обидели. Объясните же мне, что произошло, я намерена стать посредницей между вами и помирить вас.

— Насколько мне известно, я не давала ему никакого повода обижаться, — ответила я. — А потому объяснить, в чем дело, может только он сам.

— Так я спрошу его! — воскликнула неугомонная девчонка, вскочила и высунулась в окно. — Вон он в саду. Уолтер, Уолтер!

— Нет-нет, Эстер! Я очень рассержусь, сразу же уеду, и вы меня не увидите несколько месяцев, а то и несколько лет!

— Ты меня звала, Эстер? — осведомился ее брат, подходя к окну снаружи.

— Да. Я хочу спросить...

— До свидания, Эстер, — перебила я, беря ее руку и больно сжимая.

— ...не принесешь ли ты мне розу для миссис Хантингдон? — Он отошел от окна, а она повернулась ко мне, в свой черед сжала мне руку и воскликнула: — Миссис Хантингдон! Вы меня очень огорчили! Вы такая же сердитая, чопорная и холодная, как он. Но я твердо решила, что сегодня вы расстанетесь прежними добрыми друзьями!

— Эстер, как ты груба! — вскричала миссис Харгрейв, усердно вязавшая в покойном кресле. — Неужели ты никогда не научишься вести себя благовоспитанно?

— Так, мама, вы же сами сказали... — Тут барышня умолкла, повинуясь укоризненному мановению материнского пальца, которое сопровождалось строгим покачиванием головы, и шепнула мне: — Какая она ворчунья!

Но прежде чем я успела тоже попенять ей, к окну снова подошел мистер Харгрейв с чудесной розой в руке.

— Вот, Эстер, роза, которую ты просила.

— Да сам отдай ей, олух! — воскликнула она и отпрыгнула, оставив нас лицом к лицу.

— Миссис Хантингдон предпочтет получить ее из твоих рук, — ответил он скорбным голосом, но так, чтобы мать не расслышала его слова.

Эстер взяла у него розу и протянула мне.

— С величайшим почтением от моего брата, миссис Хантингдон, и с его упованием, что недоразумение между вами со временем уладится. Так хорошо, Уолтер? — добавила проказница и обняла брата за шею, воспользовавшись тем, что он оперся локтем о подоконник. — Или мне следовало сказать, что ты просишь прощения за свою обидчивость? И надеешься, что она извинит твой проступок?

— Дурочка, ты не понимаешь, о чем ты говоришь, — ответил он мрачно.

— Конечно! Ни малейшего представления не имею.

— Эстер, Эстер! — вмешалась миссис Харгрейв. Хотя она тоже не знала причины нашего отчуждения, но все-таки поняла, что ее дочь ведет себя неприлично. — Я вынуждена потребовать, чтобы ты немедленно вышла из комнаты!

— Прошу вас, миссис Харгрейв, не отсылайте ее, ведь мне уже пора, — сказала я и тотчас распрощалась с ними.

Примерно через неделю мистер Харгрейв привез ко мне в гости свою сестру. Вначале он держался с уже привычной холодной отчужденностью, и лицо его хранило величаво-меланхоличное и очень обиженное выражение. Но Эстер этого теперь словно не замечала. Несомненно, ей строго внушили вести себя как подобает. Она болтала со мной, смеялась и играла с Артуром, ее любимым и любящим маленьким дружком. Потом к некоторой моей досаде, он утащил ее из комнаты побегать в передней, а оттуда они отправились в сад. Я встала помешать в камине. Мистер Харгрейв осведомился, не холодно ли мне, и затворил дверь. Непрошеная услужливость! Ведь я намеревалась последовать за резвящейся парочкой, опасаясь, что они вернутся не скоро. Затем он позволил себе подойти к камину и спросить, знаю ли я, что мистер Хантингдон сейчас гостит в родовом поместье лорда Лоуборо, где, вероятно, останется еще долго.

— Нет, но меня это не занимает, — ответила я небрежно. Если щеки мои и запылали, то из-за самого вопроса, а не из-за сведений, в нем содержащихся.

— Вы не против? — продолжал он.

— Ничуть, если лорду Лоуборо нравится его общество.

— Так, значит, вы его больше не любите?

— Нисколько.

— Я знал это. Я знал, что вы слишком возвышенны и чисты, чтобы и дальше питать к столь лживому, погрязшему во всех пороках человеку иные чувства, кроме негодования и презрительного отвращения.

— Разве он не ваш друг? — спросила я и подняла глаза от огня на его лицо, быть может, с легким оттенком тех чувств, которые, по его мнению, мне следовало питать не к нему.

— *Был* другом, — ответил он все с той же спокойной решимостью. — Но не оскорбляйте меня предположением, что я мог сохранить дружбу и уважение к тому, кто способен столь бессовестно, столь кощунственно покинуть и тяжело ранить ту, что несравненно... Нет, я не стану говорить об этом! Но скажите мне, вы никогда не думали о мести?

— О мести? Нет. Какую пользу она принесла бы? Он не стал бы лучше, а я — счастливее.

— Право, я не знаю, как мне с вами говорить, миссис Хантингдон! — заметил он с улыбкой. — Вы ведь женщина лишь наполовину. Ваша природа, несомненно, лишь наполовину человеческая, а наполовину — ангельская. Подобное благородство ввергает меня в благоговейный трепет. Мне трудно его постигнуть.

— В таком случае, сэр, боюсь, вы очень дурной человек, если уж я, простая смертная, по вашему собственному признанию, представляюсь вам столь недосягаемым образчиком добродетели. Но раз между нами столь мало общего, нам лучше поискать других собеседников! — И, отойдя к окну, я поискала взглядом сына и его веселую подружку.

— Нет, это я простой смертный, — возразил мистер Харгрейв. — И не согласен быть хуже себе подобных. Вот вам, сударыня, вам подобных нет, это я утверждаю столь же категорически. Но счастливы ли вы? — добавил он серьезным тоном.

— Не меньше, чем многие другие, я полагаю.

— Вы счастливы настолько, насколько могли бы пожелать?

— Ну, такое счастье по эту сторону вечности не даруется никому.

— Одно я знаю твердо, — произнес он с тяжелым вздохом, — вы неизмеримо счастливее меня!

— В таком случае мне вас очень жаль, — ответила я, не удержавшись.

— Неужели? Но нет! Будь это так, вы были бы рады мне помочь.

— Да, конечно. Но только, если бы при этом я не причинила вреда себе или кому-нибудь еще.

— Как вы можете даже подумать, будто бы я позволил вам причинить себе вред! Нет, напротив, я вашего счастья жажду куда больше, чем своего. Вы несчастны, миссис Хантингдон, — продолжал он, бесцеремонно заглядывая мне в глаза. — Вы не жалуетесь, но я вижу, чувствую, знаю, что вы несчастны... И так будет, пока ваше живое горячее сердце останется замурованным в несокрушимых ледяных стенах, которыми вы его окружили. И я несчастен. Но стоит вам одарить меня улыбкой, и уже я счастлив. Доверьтесь мне и познайте счастье. Ведь если вы все-таки женщина, я сумею сделать вас счастливой... И сделаю! — пробормотал он сквозь зубы. — Что до других, то решаем лишь мы двое. Как вам известно, причинить вред вашему мужу вы не можете, а больше это никого не касается.

— У меня есть сын, мистер Харгрейв, а у вас — мать, — ответила я, отходя от окна, так как он последовал туда за мной.

— Зачем им знать?.. — начал было он, но тут вернулись Артур и Эстер, положив решительный конец этому разговору.

Эстер поглядела на покрасневшее возбужденное лицо брата, а затем на мое — тоже, полагаю, не слишком бледное и спокойное, хотя совсем по иной причине. Наверное, она подумала, что мы жестоко поссорились, и это, видимо, поставило ее в тупик и смутило. Но она промолчала, то ли из вежливости, то ли опасаясь рассердить брата, села на диван, откинула упавшие на лицо пышные золотые локоны и тотчас принялась говорить что-то про сад, про милые проказы ее маленького товарища — и продолжала болтать так, пока брат не объявил, что им пора ехать.

— Если я был излишне пылок, простите меня, — сказал он мне тихо. — Иначе я себе никогда не прощу!

Эстер улыбнулась и покосилась на меня. Но я только чуть поклонилась в ответ, и лицо у нее сразу вытянулось. Видимо, по ее мнению, благородное признание Уолтера в том, что он был не прав, заслуживало более ласкового ответа, и она разочаровалась в своей подруге. Бедная девочка, как мало знает она свет, в котором живет!

После этого у мистера Харгрейва несколько недель не было случая поговорить со мной наедине, но когда мы встречались, в его манере держаться поубыло гордости и прибавилось трогательной грусти. А как он меня раздражал! В конце концов я была вынуждена почти отказаться от визитов в Грув, как ни опасалась обидеть миссис Харгрейв и серьезно огорчить бедняжку Эстер, которая искренне ценит мое общество — за неимением лучшего. Но неутомимый враг все еще отказывался признать, что потерпел поражение. Он словно бы все время готовился возобновить нападение. Я часто видела, как он проезжал мимо, медленно, внимательно оглядываясь по сторонам. А если не я, то Рейчел. Эта зоркая женщина вскоре догадалась, как обстоят дела, и следила за маневрами врага со своей сторожевой вышки — из окна детской. Если она замечала его, когда я собиралась выйти погулять, то немедленно давала мне знать, что он рыщет поблизости и либо встретит, либо нагонит меня на дороге, по которой я предполагала пойти. И я отказывалась от прогулки или же до конца дня не выходила за пределы сада, а если не могла остаться дома — например, когда мне надо было навестить больных или удрученных горем, я брала с собой Рейчел, и это оказывалось достаточной охраной.

Однако в начале ноября в теплый солнечный день, возвращаясь одна после того, как посетила деревенскую школу и двух-трех бедняков, я с тревогой услышала у себя за спиной топот лошади, приближающейся быстрой рысью. В изгороди не было ни перелаза, ни пролома, так что ускользнуть на луг я не могла, а потому невозмутимо продолжала идти, не оглядываясь и убеждая себя:

«Ведь это вовсе не обязательно он. А если так, и он вновь начнет мне докучать, я позабочусь, чтобы это был последний раз, лишь бы слова и взгляды смогли возобладать над хладнокровной наглостью и сладенькими сантиментами, такими неистощимыми, как у него!»

Лошадь вскоре нагнала меня, и всадник натянул поводья. Да, это был мистер Харгрейв! Он приветствовал меня улыбкой — нежной и меланхоличной, как он полагал. Но ее портило самодовольное торжество — все-таки он меня поймал! Коротко поздоровавшись с ним и осведомившись о здоровье его матушки и сестры, я повернулась и пошла дальше, но он пустил лошадь рядом со мной, как будто намереваясь сопровождать меня до дома.

«Что же! — подумала я. — Мне все равно. Если вам угодно, чтобы вас поставили на место еще раз, то извольте! Так что дальше, сэр?»

Последний вопрос, хотя и не был задан вслух, вскоре получил ответ. После нескольких пустых фраз он торжественным тоном воззвал к моей человечности:

— В следующем апреле исполнится четыре года с тех пор, как я впервые увидел вас, миссис Хантингдон! Вы, возможно, забыли этот день, но в моей памяти он запечатлен навеки. Тогда я преклонялся перед вами, но не смел вас любить. Осенью я видел вас часто и так восхищался вашими совершенствами, что не мог вас не полюбить, однако не смел показать это. Более трех лет мой жребий был жребием мученика. Пытка подавляемых чувств, глубокого, но бесплодного томления, безмолвной печали, растоптанных надежд и попираемой любви — мои страдания я не в силах описать, а вы — вообразить. Причина же их — вы. И не совсем невольная причина! Моя молодость пропадает втуне, мое будущее омрачено, моя жизнь — унылая пустыня. Я не знаю покоя ни днем ни ночью, я стал в тягость себе и другим. Вы же могли бы спасти меня одним словом, одним взглядом, но не хотите! Великодушно ли это?

— Во-первых, я вам не верю, — ответила я. — А во-вторых, если вы настолько глупы, я тут ничем помочь не могу.

— Если вы делаете вид, — возразил он пылко, — будто считаете глупостью самые лучшие, самые необоримые, самые Божественные порывы человеческой натуры, то в этом я вам не верю! Я знаю, вы вовсе не ледяная, бессердечная статуя, какой притворяетесь. Некогда у вас было сердце, и вы подарили его своему мужу. Убедившись же, что он глубоко недостоин такой драгоценности, вы взяли ее назад. Вы ведь не станете притворяться, будто любили этого чувственного, пошлого распутника столь глубоко, столь преданно, что больше уже никого никогда не полюбите? Я знаю, в вас таятся чувства, которые еще не были пробуждены, и знаю, как сейчас вы несчастны — одинокая, брошенная! Иначе быть не может! Но в вашей власти избавить два существа от страданий, вознести их на вершину невыразимого счастья, какое может дать только великодушная, благородная, самоотверженная любовь — ведь вы способны полюбить меня, если бы только захотели! Вы можете ответить, что презираете и не выносите меня, но вы сами дали мне пример откровенности, и я скажу, что *не верю вам!* Но вы не хотите воспользоваться этой властью! Вы предпочитаете обрекать нас обоих на безысходную печаль. И невозмутимо объявляете мне, что такова воля Божья. Возможно, *вы* называете подобное верой, но, *по-моему,* это — безрассудный фанатизм.

— И вас и меня ждет жизнь иная, — возразила я. — Если Богу угодно, чтобы сейчас мы сеяли в слезах, то для того лишь, чтобы там мы пожинали в радости. Он заповедал, что мы не должны причинять вред другим ради удовлетворения собственных земных страстей. А у вас есть мать, сестры, друзья, которым вы, покрыв себя позором, причините тяжкий вред. И у меня есть друзья, чей душевный мир никогда с моего согласия не будет принесен в жертву моему эгоистическому благополучию — и вашему тоже. Но даже будь я совсем одна на свете, со мной — мой Бог и моя вера, и я скорее умру, чем предам свою покорность Небесам и опозорю веру ради кратких лет ложного и мимолетного счастья, которое даже здесь неминуемо обернется горем... и для меня, и для других.

— Но ведь позор, горести, жертвы не угрожают никому, — убеждал он меня. — Я не прошу вас покинуть свой дом или бросить вызов мнению света...

К чему повторять тут все его доводы? Я опровергала их, насколько было в моих силах. Только, к сожалению, в ту минуту силы эти оказались не очень большими, — гнев (и даже стыд), что он посмел так говорить со мной, лишал меня ясности мысли и речи, и я не находила достаточно сокрушительных ответов на его изощренные софизмы. Обнаружив, что он не только глух к логическим возражениям, но с тайным ликованием полагает, будто верх остался за ним, и дерзает высмеивать истины, доказывать которые у меня не хватало хладнокровия, я переменила тактику и испробовала другой план.

— Вы меня правда любите? — спросила я самым серьезным тоном, умолкла и посмотрела ему прямо в глаза.

— Люблю ли я вас?! — вскричал он.

— По-настоящему?

Его лицо просияло: он уверовал в свою победу и принялся страстно заверять меня в искренности и пылкости своего чувства, но я перебила эти излияния новым вопросом:

— Но это не эгоистическая любовь? Готовы ли вы пожертвовать своим благом ради моего?

— Я жизнь отдам ради вас!

— Ваша жизнь мне не нужна. Но достанет ли у вас истинного сострадания к моим несчастьям, чтобы облегчить их ценой некоторых неудобств для себя?

— Испытайте меня и увидите!

— Если так, то *больше никогда не говорите ни о чем подобном!* Любое ваше возвращение к этой теме удваивает горести, которым вы так чувствительно сострадаете. У меня не осталось иных утешений, кроме чистой совести и упований на Бога, а вы всячески стараетесь отнять их у меня. И если не перестанете, я вынуждена буду считать вас самым заклятым своим врагом.

— Но выслушайте меня...

— Нет, сэр! Вы сказали, что готовы отдать жизнь, лишь бы услужить мне. Я же прошу у вас всего лишь молчания. Я говорю с вами прямо, и слово у меня не расходится с делом. Если вы опять начнете терзать меня подобным образом, мне останется только заключить, что все ваши заверения были ложью и вы питаете ко мне вовсе не пылкую любовь, как клянетесь, но только пылкую ненависть.

Он закусил губу и некоторое время молчал, уставившись в землю.

— Тогда мы должны расстаться! — сказал он наконец, впиваясь взглядом в мое лицо, словно надеясь уловить в нем выражение нестерпимой муки или отчаяния, вызванных этими роковыми словами. — Мы должны расстаться. Я не способен жить здесь и хранить молчание о том, что владеет всеми моими мыслями и желаниями.

— Если не ошибаюсь, — ответила я, — прежде вы редко живали здесь подолгу. И вряд ли вам так уж тяжело вновь уехать отсюда на время, если это необходимо.

— Если это *возможно!* — пробормотал он. — И вы способны так спокойно советовать, чтобы я уехал! Неужели вы правда этого хотите?

— И очень. Раз уж вам обязательно меня терзать, как случалось при каждой нашей встрече в последнее время, то я с радостью распрощаюсь с вами навсегда.

Он ничего не ответил и, нагнувшись с седла, протянул мне руку. Я посмотрела ему в лицо и увидела выражение такой истинной муки, что не стала задумываться, порождена ли она горьким разочарованием, оскорбленной гордостью, безответной любовью или жгучей яростью, но без колебаний пожала ее, словно прощаясь с другом. Он в ответ крепко стиснул мои пальцы, пришпорил лошадь и унесся прочь галопом. А вскоре я узнала, что он уехал в Париж, где находится и сейчас. И чем дольше он там останется, тем лучше для меня.

Я благодарю Бога за такое избавление.

Глава XXXVIII
ОСКОРБЛЕННЫЙ МУЖ

20 декабря 1826 года. Пятая годовщина моей свадьбы и, надеюсь, последняя, которую я проведу под этой крышей. Решение принято, план составлен, и надо привести его в исполнение. Совесть не упрекает меня, но пока все приготовления еще не окончены, попробую скоротать эти долгие зимние вечера, записывая для себя все происшедшее, — удовольствие довольно горькое, но похоже на полезное занятие и больше отвечает моему настроению, чем более веселые развлечения.

В сентябре тихий Грасдейл вновь оживили своим присутствием те же дамы и джентльмены (так называемые!), что и в позапрошлом году, а также несколько новых приглашенных, в том числе миссис Харгрейв и ее младшая дочь. Джентльмены и леди Лоуборо были приглашены по воле и желанию хозяина дома, остальные дамы, я полагаю, приличия ради. И еще для того, чтобы вынудить меня строго соблюдать все правила вежливости и гостеприимства. Но дамы погостили у нас лишь три недели. Джентльмены же за двумя исключениями задержались более чем на два месяца, потому что их радушный хозяин никак не желал распрощаться с ними и остаться наедине со своим блистательным умом, незапятнанной совестью, не говоря уж о любимой и любящей жене.

В день приезда леди Лоуборо я вошла следом за ней в ее комнату и без обиняков предупредила, что если она даст мне причины полагать, что не прервала преступную связь с мистером Хантингдоном, моим долгом будет сообщить об этом ее мужу или хотя бы пробудить в нем подозрения, как бы тяжело мне это ни было и к каким бы страшным последствиям ни привело. В первую минуту она растерялась от неожиданности, пораженная спокойной решимостью, с какой я это сказала, но затем взяла себя в руки и невозмутимо ответила, что разрешает мне сообщить его милости все, если я увижу хоть что-нибудь недостойное или подозрительное в ее поведении. Этого мне было достаточно, и должна сказать, что ничего подозрительного в том, как она держалась с хозяином дома, обнаружить было нельзя. Впрочем, я должна была заниматься другими гостями и особенно за ними не наблюдала. Ведь, если сказать всю правду, я *боялась* что-нибудь заметить. Меня это более не касалось, а долг открыть глаза лорду Лоуборо был очень тяжким, и я приходила в ужас при мысли, что мне придется его исполнить.

Но моим страхам был положен конец, какого я никак не предвидела. Однажды вечером, через полмесяца после прибытия гостей, я сидела в библиотеке, куда скрылась, чтобы немного отдохнуть от необходимости притворяться веселой и от утомительной болтовни, — ведь после долгого уединения, каким бы докучным оно ни казалось, мне не всегда удавалось успешно насиловать свои чувства, вынуждать себя непринужденно беседовать, улыбаться, слушать, разыгрывая внимательную хозяйку дома или даже просто приятную собеседницу. Я как раз устроилась в оконной нише и смотрела на запад, где темнеющая гряда холмов четко рисовалась в прозрачном янтарном вечернем свете, выше по небосводу незаметно переходившем в чистую бледную синеву, в которой уже горела единственная яркая звезда, словно обещая: « Когда угаснет этот умирающий свет, мир не останется во мраке, а те, кто уповает на Бога, чей дух не омрачен черными туманами неверия и греха, всегда обретают утешение». Внезапно я услышала быстрые шаги, и в библиотеку вошел лорд Лоуборо. Она по-прежнему оставалась его любимым приютом. Он захлопнул дверь с ненужной силой и швырнул шляпу, не глядя, куда она упадет. Что могло случиться? Лицо его было мертвенно-бледным, глаза устремлены в пол, зубы стиснуты, лоб покрывала испарина смертной муки. Я догадалась, что наконец ему стала известна его беда.

Не замечая меня, он начал расхаживать по комнате в страшном волнении, ломая руки, стеная, невнятно бормоча. Я повернулась, желая дать ему понять, что он не один здесь, но он ничего не видел вокруг. Так, может быть, когда он повернется ко мне спиной, я успею тихонько выскользнуть из комнаты? Я поднялась с дивана, но тут он меня заметил, остановился как вкопанный, вытер мокрый лоб, с каким-то противоестественным спокойствием приблизился ко мне и глухим, почти гробовым голосом произнес:

— Миссис Хантингдон, я вынужден завтра же покинуть ваш дом.

— Завтра! — повторила я. — О причине мне спрашивать не надо.

— А, так вы ее знаете! И способны сохранять такое равнодушие! — сказал он, глядя на меня с глубоким изумлением, к которому, как мне почудилось, примешивалось горькое возмущение.

— Мне уже давно известно... — Я вовремя спохватилась и договорила: — ...что за человек мой муж, и поразить меня более ничто не может.

— Но *это*... как давно вам известно это? — сурово спросил он, стискивая кулаки и внимательно всматриваясь в мое лицо.

Я почувствовала себя преступницей, застигнутой на месте преступления.

— Не очень давно.

— Вы знали! — вскричал он с гневом. — И не сказали мне! Вы помогали обманывать меня.

— Милорд, обманывать вас я не помогала.

— Так почему же вы мне не сказали?

— Потому что знала, как вам это будет тяжело. Я надеялась, что она вспомнит о своем долге, и тогда не будет надобности причинять вам...

— Боже мой! Так сколько же это продолжалось, миссис Хантингдон? Сколько? Скажите же! Мне *необходимо* знать правду! — воскликнул он с неистовством.

— Мне кажется, два года.

— О Господи! И она столько времени меня обманывала? — Он отвернулся, подавляя мучительный стон, и вновь заметался по комнате в страшном волнении. У меня сжалось сердце, и я попыталась его утешить, хотя и не знала как.

— Она дурная женщина, — сказала я. — Она низко обманывала и предавала вас, и столь же недостойна ваших сожалений, как была недостойна вашей любви. Так не допустите же, чтобы она и дальше вас ранила. Порвите с ней, отриньте ее...

— Но вы, сударыня, — гневно перебил он меня, — вы тоже меня ранили, столь бессердечно пряча от меня правду.

Во мне внезапно вспыхнул гнев. Такой ответ на мое искреннее сочувствие! Мне невыносимо захотелось сказать что-то резкое в свою защиту. Но, к счастью, я удержалась. Он с такой мукой вдруг ударил себя по лбу, отвернулся к окну и, подняв глаза к безмятежному небу, пробормотал:

— Господи, хоть бы умереть!

И я почувствовала, что добавить еще хоть каплю горечи к и без того переполненной чаше было бы и правда верхом бессердечности. Но, боюсь, в моем голосе было больше холодности, чем участия, когда я сказала негромко:

— У меня нашлось бы много весомых оправданий, но я не стану их перечислять...

— Знаю! — перебил он поспешно. — Вы скажете, что вас это не касалось, что мне самому следовало бы заботиться о себе, что, по собственной слепоте попав в ад, я не имею права винить других за то, что они считали меня разумнее, чем я оказался...

— Да, я готова признать, что виновата перед вами, — продолжала я, словно не услышала этих горьких слов, — но было ли причиной малодушие или искреннее заблуждение, мне кажется, вы меня судите слишком сурово. Две недели назад в первые же минуты после вашего приезда я сказала леди Лоуборо, что сочту своим долгом рассказать вам обо всем, если она и дальше будет вас обманывать, и она ответила, что дает мне полное право поступить так, если я замечу в ее поведении что-нибудь недостойное или подозрительное, но я ничего не замечала и полагала, что она переменилась.

Пока я говорила, он продолжал смотреть в окно и ничего мне не ответил, но мои слова болезненно отозвались в его душе: он топнул ногой, стиснул зубы и нахмурился, как человек, испытывающий физические страдания.

— Виноваты... да, виноваты... — пробормотал он наконец. — Этому нет извинений, и искупить это нельзя ничем, потому что ничто не может вернуть годы проклятой доверчивости, ничто не может стереть их. Ничто, ничто! — повторял он шепотом с таким невыразимым отчаянием, что я не могла счесть его слова обидными.

— Теперь я вижу, что поступала дурно, — ответила я. — И могу только пожалеть, что прежде этого не понимала и что, как вы сказали, вернуть прошлое невозможно.

Что-то в моем голосе или тоне моего ответа, казалось, повлияло на него. Обернувшись ко мне и вглядевшись в сумеречном свете в мое лицо, он сказал гораздо мягче, чем раньше:

— Вы ведь тоже, полагаю, очень страдали!

— Да. Вначале — очень.

— Когда это было?

— Два года назад. И через два года вы тоже будете столь же спокойны, как я теперь... и, надеюсь, гораздо, гораздо счастливее: вы ведь мужчина и можете поступать так, как вам заблагорассудится.

По его губам скользнула улыбка, но бесконечно горькая.

— Так, значит, последнее время вы не чувствовали себя счастливой? — спросил он, с видимым усилием стараясь взять себя в руки и оборвать разговор о своем горе.

— Счастливой? — повторила я, почти задетая таким вопросом. — Как можно быть счастливой с подобным мужем?

— Да, я обратил внимание, насколько вы переменились по сравнению с первыми годами вашего брака, — продолжал он. — Что и сказал этому... этому исчадию ада, — пробормотал он сквозь стиснутые зубы. — А он объяснил, что только ваш кислый нрав заставляет до срока увядать вашу юность, старит и обезображивает вас и уже превратил его домашний очаг в подобие монастырской кельи... Вы улыбаетесь, миссис Хантингдон! Вас ничто не трогает. Как я жалею, что не обладаю вашим хладнокровием!

— По натуре я вовсе не хладнокровна, — возразила я. — Однако ценой нелегких уроков и непрестанных усилий научилась казаться такой.

Тут в комнату влетел мистер Хэттерсли.

— Э-эй, Лоуборо! — начал было он, но тут же воскликнул, заметив меня: — А-а! Прошу прощения, что прервал ваш тет-а-тет... Да ободрись же, дружище! — продолжал он, хлопая лорда Лоуборо по спине, даже не заметив, как тот отшатнулся с отвращением и досадой. — Мне бы надо поговорить с тобой.

— Ну так говори!

— Только я не знаю, по душе ли это придется миссис Хантингдон.

— Тогда это не по душе и мне, — сказал лорд Лоуборо и направился к двери.

— Да нет же, нет! — вскричал Хэттерсли, бросаясь за ним в переднюю. — Если ты мужчина, так будет по душе. Дело вот в чем, милый мой, — продолжал он, понижая голос, но не настолько, чтобы его слова не доносились до меня, тем более что дверь осталась непритворенной. — С тобою, как я смотрю, обошлись по-свински... Да погоди ты, не бесись, я же тебя не оскорбляю, а что по-простецки говорю, так не взыщи. Ты ведь знаешь, я экивоков не люблю и либо прямо все выложу, либо промолчу. Так я пришел... Да постой, дай мне объяснить!.. Я пришел предложить тебе свои услуги: Хантингдон, конечно, мой друг, но дьявольский шалопай, как нам всем известно, так я тебе по-дружески услужу. Я ведь знаю, что тебе надо, чтобы поправить дело, — обменяешься с ним выстрелом, и сразу все как рукой снимет. Ну, а если неровен час... тоже, думается, не страшно при твоей-то отчаянности. Ну, давай же руку и не хмурься так. Назови только время и место, а остальное беру на себя.

— Да, это как раз то, чего требует мое сердце... или дьявол в нем, — произнес более тихий и размеренный голос лорда Лоуборо. — Встретиться с ним и не расходиться, пока не прольется кровь. Я ли паду, он ли, или мы оба, для меня было бы неизъяснимым облегчением.

— А я что говорю? Ну, так...

— Нет! — воскликнул его собеседник с неколебимой решимостью. — Хотя я и ненавижу его всей душой и был бы рад любому его несчастью, но мщение оставлю Богу. И хотя моя жизнь мне противна, я и ее предам на волю Того, Кем она мне дана.

— Но ты же понимаешь, что в подобном случае... — умоляюще начал Хэттерсли.

— Я не желаю тебя слушать! — перебил лорд Лоуборо, отворачиваясь. — Ни слова больше. Довольно с меня демона в моем сердце.

— Ну, так ты заячья душа и дурень, и больше я для тебя палец о палец не ударю, — буркнул искуситель, повернулся на каблуках и ушел.

— Прекрасно, лорд Лоуборо, прекрасно! — вскричала я, выбегая в переднюю и пожимая его лихорадочно горячую руку, когда он уже сделал шаг к лестнице. — Я начинаю думать, что вы слишком хороши для этой юдоли.

Не поняв причины таких излияний, он обратил на меня угрюмо-недоумевающий взгляд, и я устыдилась своего внезапного порыва, но его лицо уже приняло более человеческое выражение, и прежде чем я успела отдернуть руку, он ласково ее пожал, и в глазах его блеснуло искреннее сочувствие.

— Да поможет Господь нам обоим, — сказал он тихо.

— Аминь! — ответила я, и мы расстались.

Я решила вернуться в гостиную, где, без сомнения, почти все меня ожидали, а две сестры с горячим нетерпением. В малой гостиной мистер Хэттерсли поносил трусость лорда Лоуборо перед избранными слушателями — мистером Хантингдоном, который, небрежно опершись на столик, упивался собственной подлой гнусностью и презрительно потешался над своей жертвой, а рядом с ним мистер Гримсби весело потирал руки и хихикал с дьявольским злорадством. Проходя мимо, я посмотрела на них так, что Хэттерсли сразу умолк и уставился на меня, как глупый бычок, Гримсби злобно ухмыльнулся, мой же супруг пробормотал грубое проклятие.

В гостиной леди Лоуборо явно не в очень завидном расположении духа всячески старалась скрыть это вымученной и чрезмерной живостью и веселостью, к тому же весьма неуместными, так как она сама сообщила обществу, что ее муж получил крайне неприятное известие из дома, требующее его незамедлительного отъезда, и от огорчения у него началась желчная мигрень, а ему еще надо заняться сборами, и потому они, по ее мнению, вряд ли будут иметь удовольствие видеть его тут нынче вечером. Однако виной всему лишь какие-то скучные дела, и ей, заверила она их, незачем удручаться из-за подобных пустяков. Я вошла как раз в эту минуту, и она бросила на меня взгляд, столь бесстыдный и вызывающий, что он не только возмутил меня, но и поразил.

— И все же я очень удручена, — продолжала она, — и еще больше раздосадована, потому что долг жены вынуждает меня сопровождать его милость, а мне так не хочется столь скоро и столь внезапно расставаться с моими милыми друзьями.

— Но, Аннабелла, — заметила сидевшая рядом с ней Эстер, — ты сегодня весела, как никогда.

— Совершенно верно, душечка. Раз уж одному Небу известно, когда я вновь увижусь с вами всеми после этого вечера, то мне хочется напоследок во всю меру насладиться вашим обществом и оставить о себе самую лучшую память. — Тут она обвела взглядом комнату, и, наверное, ей почудилось, что ее тетушка слишком уж внимательно на нее смотрит. Во всяком случае, она тотчас встала со словами: — И потому я вам спою. Что скажете, тетушка? Что скажете, миссис Хантингдон? Что скажете, любезные дамы и господа? Превосходно! Я постараюсь развлечь вас, насколько это в моих силах.

Комнаты ее и лорда Лоуборо примыкали к моим. Не знаю, как она провела ночь, но я почти все время лежала без сна, прислушиваясь, как за стеной он тяжелыми шагами расхаживает по своей гардеробной. Вдруг они замерли, и он со стоном выбросил что-то в окно. Утром, уже после их отъезда, садовник подобрал на лужайке внизу наточенный складной нож, а глубоко в золе камина горничная нашла сломанную пополам бритву, кое-где потемневшую от жара углей. Так сильно было искушение положить конец своей несчастной жизни, и с такой решимостью он ему противился!

Я слушала, как он меряет шагами комнату, и мое сердце надрывалось от жалости к нему. Прежде я думала почти только о себе, а не о нем. Теперь же я забыла о собственных бедах и думала лишь о постигшем его невыносимо тяжком ударе — о глубокой любви, расточавшейся напрасно, о нежном доверии, столь жестоко преданном, о... Нет, я не стану перечислять все его кровоточащие раны, но никогда еще меня не душила такая ненависть к его жене и моему мужу, и не из-за себя, но из-за него.

«Этого человека, — подумала я, — обливают презрением его друзья и взыскательный свет. К изменнице-жене и предателю-другу они куда более снисходительны, а он очернен и унижен. Отказ отомстить за оскорбление совсем отнял у него право на сочувствие и покрыл его имя еще большим позором. Он же понимает все, и бремя горя становится тяжким вдвойне. Он видит всю несправедливость этого, но не в силах ей противостоять. Его дух не укреплен самоуважением, дающим силу тому, кто уверен в собственной чести, бросить вызов злобе и клевете врагов, ответить презрением на их презрение... Нет-нет! Даже лучше: возносящим его высоко над гнусными, клубящимися туманами земли к вечному сиянию Небес! Он знает, что Господь справедлив, но сейчас не способен узреть эту справедливость; он знает, как коротка эта жизнь, и все же смерть мнится ему невыносимо далекой; он верит в жизнь грядущую, но здешние его страдания так велики, что не дают ему постигнуть ее неизреченную безмятежность. Он лишь может склонить голову перед бурей и в слепом отчаянии держаться заветов, веруя в их святость. Точно ослепленный, оглушенный, полубесчувственный моряк, который после кораблекрушения из последних сил цепляется за плот, он чувствует, как его захлестывают волны, не чает спасения и все же знает, что эта опора — его единственная надежда и, пока жизнь еще не угасла в нем вместе с сознанием, он должен сосредоточивать все силы на том, чтобы не лишиться ее. Ах, если бы у меня было дружеское право утешить его и сказать, что я никогда не уважала его так глубоко, как в эту ночь!

Они уехали очень рано, когда все, кроме меня, еще спали. Отворив дверь своей комнаты, я увидела, что лорд Лоуборо направляется к лестнице один (супруга его уже сидела в карете), но тут Артур (впрочем, я предпочитаю называть его «мистер Хантингдон», а не именем, которое носит мой сын!) с невыносимой наглостью вышел в халате из спальни, чтобы пожелать своему «другу» счастливого пути.

— Как? Ты уже едешь, Лоуборо! — воскликнул он, с улыбкой протягивая ему руку. — Ну так до свидания.

Мне кажется, лорд Лоуборо сбил бы его с ног, если бы он инстинктивно не отшатнулся при виде этого дрожащего от ярости костлявого кулака, сжатого с такой силой, что пальцы совсем побелели, а натянутая на суставах кожа тускло заблестела. Лорд Лоуборо смерил моего мужа взглядом, полным смертельной ненависти, пробормотал сквозь стиснутые зубы ругательство, которое, конечно, не произнес бы, если бы был в состоянии выбирать слова, и спустился вниз.

— Разве это по-христиански? — произнес вслед ему нераскаянный негодяй. — Вот я бы никогда не отрекся от старого друга из-за какой-то там жены! Можешь забрать мою, если желаешь! Это ведь по-благородному. Предложить более полное возмещение я же не могу, верно?

Но лорд Лоуборо уже шел от лестницы к входной двери. Мистер Хантингдон перегнулся через перила и крикнул:

— Передай Аннабелле самый любящий мой привет, и желаю вам обоим счастливого пути!

Затем он со смехом удалился назад в спальню.

Позднее выяснилось, что он только обрадовался ее отъезду.

— Очень уж ей нравится командовать и требовать! — сказал он. — А теперь я опять сам себе хозяин, и можно передохнуть.

О том, что дальше делал лорд Лоуборо, я знаю только от Милисент, которая рассказывала мне, что он разъехался с ее кузиной (хотя причина осталась ей неизвестной), что она ведет веселую светскую жизнь в столице и в деревне, а он уединился в своем старинном замке на севере. Двоих детей он оставил при себе. Его сын и наследник, умненький бойкий мальчик, чуть помладше моего Артура, без сомнения, может служить отцу некоторым утешением и надеждой, но о полуторагодовалой малютке-девочке с голубыми глазами и светло-каштановыми кудряшками он, наверное, заботится только из чувства долга, так как совесть не позволяет ему обречь ребенка наставлениям и примеру такой женщины, как ее мать. Детей эта мать никогда не любила, и к собственным она испытывает так мало естественного чувства, что, пожалуй, разлука с ними для нее лишь облегчение. Она ведь избавлена от докучной необходимости затруднять себя заботами о них.

Вскоре после отъезда лорда Лоуборо остальные дамы тоже лишили Грасдейл света своего присутствия.

Быть может, они остались бы подольше, но ни хозяин, ни хозяйка дома не уговаривали их остаться, а первый так даже недвусмысленно давал понять, что не чает, как от них избавиться, а потому миссис Харгрейв с обеими дочерьми и всеми внуками (их теперь у нее трое) отбыла к себе в Грув. Но джентльмены все остались: мистер Хантингдон, как я упоминала раньше, твердо намеревался не отпускать их, пока будет возможно, и, освободившись от необходимости сдерживаться, они дали полную волю врожденной буйности, необузданности и грубости, из вечера в вечер устраивая шумные пирушки и превращая дом в бедлам. Кто из них вел себя хуже всех, а кто лучше, право, не знаю: едва я поняла, чего можно ждать, как твердо решила сразу же после обеда подниматься к себе или запираться в библиотеке, а потому вновь видела их только на другой день за завтраком. Однако следует отдать должное мистеру Харгрейву: насколько я все-таки могла судить, он был образцом благопристойности, трезвости и джентльменских манер — *по сравнению* с остальными.

Он приехал только дней через десять после прибытия остальных, так как еще не вернулся с континента, когда рассылались приглашения, и я лелеяла надежду, что он предпочтет отказаться. Но ошиблась. Однако первые недели он держался со мной именно так, как я хотела бы: учтиво, почтительно, без следа наигранного уныния или отчаяния и хотя несколько отчужденно, но не с чопорным или ледяным высокомерием, которое могло бы удивить или испугать его сестру, а то и побудить его мать к попытке выяснить, чем оно вызвано.

Глава XXXIX

ПЛАН СПАСЕНИЯ

В эти тяжкие дни особенную тревогу внушал мне мой сын. Отец и его приятели находили особое удовольствие в том, чтобы поощрять все зародыши порока, которые могут таиться в маленьких детях, и прививать ему всевозможные дурные привычки — короче говоря, любимой их забавой было «делать из него заправского мужчину». Даже сказанного вполне достаточно, чтобы оправдать мои опасения за него и мою решимость любой ценой вырвать мальчика из рук подобных наставников. Сперва я пыталась не отпускать его от себя или оставляла в детской, предупредив Рейчел, чтобы она ни в коем случае не позволяла ему спускаться в столовую к десерту, пока там сидят эти «джентльмены». Но такая предосторожность оказалась бесполезной. Его отец тотчас отменил все мои распоряжения — он не разрешит, чтобы старуха нянька и проклятая дура мать уморили малыша скукой. И потому малыш каждый вечер назло своей ведьме-мамаше отправлялся в столовую, где учился осушать рюмку лихо, как папа, ругаться, как мистер Хэттерсли, ставить на своем, как заправский мужчина, и посылать мамашу к дьяволу, чуть только она пыталась его угомонить. Наблюдать, как подобные вещи с лукавой шаловливостью проделывает прелестный маленький мальчик, слушать, как подобные слова произносит звонкий детский голосок — о, какой пикантной и невыразимо смешной забавой было это для них и каким страшным горем для меня! Когда после его очередной выходки веселые собутыльники держались за животы, он с гордой радостью оглядывал стол и его тоненький смех сливался с их хриплым хохотом. Но если сияющие голубые глазки останавливались на моем лице, восторг в них на миг угасал и мальчик огорченно спрашивал: «Мамочка, а ты почему не смеешься? Папа, ну заставь ее засмеяться, хоть разочек!»

И я вынуждена была оставаться среди этих скотов в человечьем обличье, выжидая удобного случая спасти от них своего ребенка, а не удалялась сразу же, едва слуги убирали скатерть, как сделала бы, не покинь он детской. А он не желал уходить, и мне часто приходилось уносить его силком, так что я казалась ему злой и несправедливой. Иногда отец требовал, чтобы он остался за столом, и тогда я бывала вынуждена бросать его на попечение веселой компании, а сама в одиночестве предавалась горю и отчаянию или тщетно старалась придумать, как спастись от такой страшной беды.

И вновь мне следует отдать должное мистеру Харгрейву: я ни разу не слышала, чтобы он засмеялся этим обезьяньим выходкам или похвалой поощрил малыша и дальше подражать подвигам взрослых. Но когда малолетний кутила проделывал или произносил что-то уж слишком гадкое, я порой замечала на лице мистера Харгрейва странное выражение, которое не могла ни истолковать, ни определить, — легкое подергивание губ, внезапный блеск в глазах, на мгновение вдруг переведенных с ребенка на меня. И тут мне чудилось в них жестокое, угрюмое, жадное торжество, рожденное тем, что ему, видимо, удалось подглядеть на моем лице тень бессильного гнева и муки. Но однажды, когда Артур вел себя особенно скверно, а мистер Хантингдон и его гости подстрекали его особенно невыносимым и оскорбительным для меня образом и я уже готова была унизить себя непростительной гневной вспышкой, лишь бы вырвать его у них, мистер Харгрейв вдруг вскочил, с суровой решимостью подхватил мальчика, который, совсем опьянев, сидел на коленях у отца, наклонив головку, и смеялся надо мной, понося меня словами, смысла которых не понимал, вынес его в переднюю, поставил там на пол, придержал дверь, с безмолвным поклоном пропустил меня туда и закрыл ее. Я услышала, как он обменялся сердитыми замечаниями со своим полупьяным хозяином, и поспешила увести моего огорченного недоумевающего сына.

Но так продолжаться не может. Я обязана избавить моего ребенка от этого развращающего влияния. Пусть уж лучше он живет в бедности и безвестности с беглянкой матерью, чем в богатстве и роскоши с таким отцом! Да, эти гости должны вскоре уехать, но они вернутся. Он же, самый опасный из всех, самый страшный враг собственного сына, он останется! Сама я могла бы терпеть и дальше, но ради своего ребенка должна восстать! Я обязана пренебречь мнением света и чувствами моих друзей, и, уж во всяком случае, не допустить, чтобы подобные соображения воспрепятствовали исполнению материнского долга! Но где я найду убежище? Как буду снискивать пропитание для нас обоих? На ранней заре ускользну с порученным мне бесценным сокровищем, дилижансом доберусь до М., оттуда поспешу в ...порт, пересеку Атлантический океан и отыщу смиренный приют в Новой Англии, где буду содержать его и себя трудами рук своих. Мольберт и палитра, прежде милые товарищи моего досуга, должны теперь стать усердными соучастниками моих дневных забот. Но достаточно ли я умелая художница, чтобы заработать себе на жизнь в чужой стране без друзей, без рекомендаций? Нет, я должна отложить исполнение своего плана, серьезно заняться развитием своего таланта, чтобы создать что-то, достойное внимания, что-то, свидетельствующее в мою пользу, и как художницы, и как учительницы рисования. Блестящего успеха я, разумеется, не ожидаю, но какая-то защита от полной неудачи необходима, — не могу же я увезти сына и обречь его на голод и нищету! Деньги нужны мне и на то, чтобы добраться до порта, чтобы заплатить за каюту и как-то существовать, если на первых порах дела у меня пойдут плохо. Причем не такая уж маленькая сумма, ибо кто знает, сколько времени мне придется преодолевать равнодушие и пренебрежение других или собственную неопытность и неумение угождать их вкусам?

Так что же мне делать? Обратиться к брату, объяснить, как я живу и на что решилась? Нет, нет! Даже если бы я открыла ему все мои горести, а этого мне вовсе не хочется, он, несомненно, моего плана не одобрит и сочтет его безумием, как сочли бы дядя с тетей и Милисент. Нет, мне надо хранить терпение и самой скопить необходимую сумму. Доверюсь же я одной Рейчел. Наверное, мне удастся уговорить ее, и она поможет мне сперва найти торговца картинами в каком-нибудь далеком отсюда городе, а затем и продать втайне наиболее подходящие для этой цели из уже написанных мною и часть тех, которые я буду писать теперь. И еще я постараюсь продать свои драгоценности — не родовые, но те немногие, которые привезла из дома, а также подаренные дядей. Подобная цель даст мне силы для нескольких месяцев неустанного труда, а вред, уже причиненный моему сыну, за такой срок особенно усугубиться не может.

Приняв решение, я тотчас приступила к его выполнению. Пожалуй, я мало-помалу остыла бы к нему или продолжала бы взвешивать все «за» и «против», пока вторые соображения не перевесили бы первые и я не была бы вынуждена оставить свой план или отложить его исполнение на неопределенное время, если бы в моем намерении меня окончательно не укрепило одно событие. Да, я не только от него не отказалась, но хвалю себя за такую мысль и похвалю еще больше, когда приведу ее в исполнение.

После отъезда лорда Лоуборо я считала библиотеку только моей — тайным убежищем в любые часы дня. Никто из наших джентльменов не числил вкус к чтению среди своих достоинств, кроме мистера Харгрейва, а он пока вполне довольствовался свежими газетами и журналами. К тому же я не сомневалась, что, случайно заглянув туда и увидев меня, он не замедлит удалиться — ведь после отъезда матери и сестер он не только не потеплел ко мне, но, напротив, стал даже еще более холодным и отчужденным, чего я и желала. А потому я поставила свой мольберт в библиотеке и там работала над моими картинами с рассвета и до сумерек, отвлекаясь лишь ради какого-нибудь неотложного дела или маленького Артура, — я по-прежнему считаю необходимым каждый день отводить какое-то время на то, чтобы развлекать его и наставлять. Но вопреки моим ожиданиям на третье утро, когда я трудилась над холстом, в библиотеку *действительно* заглянул мистер Харгрейв, но при виде меня удалиться *не поспешил*. Он извинился за свое вторжение и сказал, что хочет только взять книгу. Однако, взяв ее, соблаговолил посмотреть мою картину. Как человек со вкусом, он немного разбирается в живописи, в числе прочих подобных предметов, и, высказав несколько скромных рассуждений, без особого моего поощрения принялся рассуждать об искусстве вообще. Но я продолжала отмалчиваться, и он оставил эту тему, однако не ушел.

— Вы мало радуете нас своим обществом, миссис Хантингдон, — начал он после краткой паузы, пока я продолжала невозмутимо смешивать краски, — и меня это не удивляет: ведь мы все должны были вам смертельно надоесть. Я и сам так стыжусь этой компании, так устал от бессмысленной болтовни и глупых развлечений, — ведь останавливать и очеловечивать их с тех пор, как вы с полным на то правом предоставили нас самих себе, больше некому, — что подумываю расстаться с ними, и, пожалуй, на этой же неделе. Впрочем, полагаю, вас это особенно не огорчит.

Он смолк, но я ничего не сказала.

— Вероятно, — добавил он с улыбкой, — если вы и огорчитесь, то потому лишь, что я не увезу с собой всех остальных. Порой я льщу себя мыслью, что хотя и нахожусь среди них, но к ним не принадлежу. Все же, вполне естественно, что вы будете рады избавиться от меня. Я могу скорбеть об этом, но только не винить вас.

— *Ваш* отъезд ликовать меня не заставит, потому что вы умеете вести себя как джентльмен, — ответила я, считая лишь справедливым одобрить его достойное поведение, — но, признаюсь, я с большой радостью распрощаюсь со всеми остальными, пусть это выглядит и очень негостеприимно.

— Никто не вправе упрекнуть вас за такое признание, — произнес он с чувством. — Даже, наверное, они сами. Я расскажу вам, — продолжал он, словно поддаваясь внезапному порыву, — о чем вчера говорилось в столовой, когда вы нас оставили. Быть может, вы не примете этого к сердцу, раз уж столь философски смотрите на некоторые вещи. (Тут в его голосе прозвучала легкая усмешка.) Они беседовали о лорде Лоуборо и его восхитительной супруге, прекрасно зная причину их внезапного отъезда. И они так хорошо осведомлены о ее поведении, что, несмотря на наше близкое родство, я не мог встать на ее защиту... Разрази меня Бог, — добавил он, словно в скобках, — если я не отомщу за это! Негодяю мало опозорить семью, он еще должен хвастать этим перед самыми низкими мерзавцами среди своих знакомых!.. Простите мою вспышку, миссис Хантингдон. Ну, и кто-то из них упомянул, что теперь, когда она живет отдельно от мужа, он может видеться с ней, сколько пожелает. «Вот уж спасибо! — ответил он. — Я ею по горло сыт и видеться с ней не намерен, разве что она сама будет меня искать».

«Так чем же ты займешься, Хантингдон, когда мы уедем? — спросил Ральф Хэттерсли. — Свернешь на путь истинный, станешь добрым мужем, добрым отцом и все такое прочее, как я, когда расстаюсь с тобой и всеми этими забулдыгами, которых ты величаешь своими приятелями? На мой взгляд, самая пора, да и твоя жена в пятьдесят раз лучше, чем ты заслуживаешь. Как тебе известно...»

И тут он добавил несколько похвал вам, но вы меня вряд ли поблагодарили бы, если бы я их повторил, — как и его за то, что он без малейшей деликатности или сдержанности не поскупился на них перед теми, в чьем присутствии произнести ваше имя — уже кощунственно, тем более что сам он не в состоянии ни понять, ни оценить ваши истинные совершенства. Хантингдон же спокойно потягивал вино, с улыбкой заглядывал в свою рюмку и не думал ни перебивать, ни отвечать, пока Хэттерсли не закричал:

«Да ты меня слушаешь?»

«Конечно. Продолжай, старина», — ответил тот.

«Я уже все сказал, — парировал Хэттерсли. — И только хочу знать, последуешь ты моему совету или нет?»

«Какому совету?»

«Начать новую страницу, лицемер ты проклятый! — крикнул Ральф. — Вымолить прощение у своей жены и быть с этих пор примерным семьянином!»

«У моей жены? Какой жены? У меня нет жены, — как ни в чем не бывало, сказал Хантингдон, поднимая глаза от рюмки. — А если и есть, так я, господа, ценю ее столь высоко, что, дьявол мне свидетель, любой из вас, кому она по вкусу, может ее забрать, и с моим благословением в придачу!»

Мистер Харгрейв вздохнул и продолжил:

— Я... э... кто-то спросил, серьезно ли он это говорит, а он в ответ торжественно поклялся, что совершенно серьезно, и более того...

— Так что вы об этом думаете, миссис Хантингдон? — добавил мистер Харгрейв после короткой паузы, вероятно, впиваясь глазами в мое полуотвернутое от него лицо.

— Ну, — ответила я невозмутимо, — ему недолго останется владеть тем, что он ценит столь невысоко.

— Неужели вы подразумеваете, что ваше сердце разорвется и вы умрете из-за гнусного поведения такого отпетого негодяя?

— Вовсе нет. Сердце у меня достаточно окаменело, и разбить его не очень легко, и жить я намерена так долго, как мне будет дано.

— Значит, вы его оставите?

— Да.

— Когда же?.. И как? — спросил он настойчиво.

— Когда буду готова. И как сочту наиболее разумным.

— Но ваш сын?

— Сына я возьму с собой.

— Он этого не позволит.

— Я не буду спрашивать его позволения.

— О, так вы замышляете тайное бегство! Но с кем, миссис Хантингдон?

— С моим сыном... И, может быть, с его няней.

— Одна... Без всякой защиты! Но куда вы можете уехать? Что будете делать? Он последует за вами и привезет назад.

— Такую возможность я предусмотрела. Дайте мне только благополучно покинуть Грасдейл, и я сочту себя в полной безопасности.

Мистер Харгрейв шагнул вперед, посмотрел мне в лицо и глубоко вздохнул, намереваясь что-то сказать. Но этот взгляд, эта прихлынувшая к его щекам краска, этот внезапно вспыхнувший огонь в его глазах заставили мою кровь закипеть от гнева. Я резко отвернулась, схватила кисть и принялась накладывать мазки с быстротой и энергией, не слишком полезными для картины.

— Миссис Хантингдон, — произнес он с горькой торжественностью, — вы жестоки... Жестоки к себе... Жестоки ко мне!

— Мистер Харгрейв, вспомните свое обещание!

— Нет, я должен говорить, или мое сердце разорвется! Я слишком долго молчал, и вы должны, должны меня выслушать! — с жаром воскликнул он, дерзко становясь между мной и дверью. — Вы говорите мне, что не считаете себя обязанной верностью своему мужу; он во всеуслышание объявляет, что вы ему надоели, и хладнокровно предлагает вас всякому, кто пожелает вас взять; вы намерены его оставить, а ведь никто не поверит, что вы сбежали одна, и все станут говорить: «Наконец-то она ушла от него, да и что удивительного? Винить ее трудно, и еще труднее — жалеть его. Но с кем она бежала?» Вашу добродетельность (если вы так это называете) никто не поймет, в нее не поверят даже ваши ближайшие друзья, ибо она противоестественна, и поверить в нее могут лишь те, кому она причиняет столь жестокие муки, что им волей-неволей приходится признать ее существование. И что вы будете делать одна в холодном суровом мире? Вы — молодая неопытная женщина, бережно взлелеянная и совершенно не...

— Короче говоря, вы рекомендуете мне по-прежнему жить здесь, — перебила я. — Хорошо, я подумаю.

— Да нет же, нет! Оставьте его! — вскричал он. — Но ТОЛЬКО не одна. Хелен, разрешите мне быть вашим защитником!

— Никогда! Пока по милости Небес я сохраняю здравый рассудок! — воскликнула я, отдергивая руку, которую он посмел сжать в своих. Но его уже нельзя было остановить: вне себя он решил рискнуть всем ради победы.

— Я не принимаю вашего ответа! — яростно крикнул он, схватил меня за обе руки, стиснул их, упал на колени и снизу вверх устремил на мое лицо полуумоляющий, полувластный взгляд. — У вас больше нет для него причин.

Вы идете наперекор воле Небес. Господь назначил мне стать вашим утешителем и защитником... Я чувствую... Я знаю это столь же твердо, как если бы небесный голос возгласил: «Отныне вы одна плоть!» А вы отталкиваете меня!..

— Отпустите мои руки, мистер Харгрейв, — потребовала я гневно, но он лишь сжал их сильнее.

— Да отпустите же! — повторила я, вся дрожа от негодования.

На колени он рухнул лицом к окну, и тут я увидела, как он вздрогнул, обратил туда глаза, и тотчас в них вспыхнуло злорадное торжество. Оглянувшись через плечо, я увидела исчезающую за углом чью-то тень.

— Это Гримсби, — произнес он многозначительно. — Он не замедлит рассказать о том, что увидел, Хантингдону и всей компании с такими приукрашениями, какие взбредут ему в голову. Он не питает ни любви к вам, миссис Хантингдон, ни уважения к вашему полу, не верит в добродетель и не почитает ее. Он представит все в таком свете, что никто из слушающих ни на миг не усомнится в вашей виновности. Ваша репутация погибла, и спасти ее не могут ни ваши, ни мои возражения. Но дайте мне право защищать вас, а потом покажите мне негодяя, который посмеет нанести вам оскорбление!

— Никто еще никогда не оскорблял меня так, как вы сейчас! — воскликнула я, наконец-то высвободив свои руки и отшатываясь от него.

— Я вас не оскорбляю! — вскричал он. — Я преклоняюсь перед вами. Вы — мой ангел, мое божество. Я кладу к вашим ногам все мои силы, и вы должны их принять! — властно объявил он, поднимаясь на ноги. — Я должен быть и буду вашим утешителем и защитником! А если вас упрекнет совесть, ответьте ей, что я победил вас и вам оставалось только уступить.

Никогда еще я не видела человека в подобном исступлении. Он кинулся ко мне, но я схватила мастехин и выставила перед собой. Это его остановило, и он ошеломленно уставился на меня. Вероятно, вид у меня был не менее решительный и яростный, чем у него. Я попятилась к звонку и схватила сонетку, это усмирило его еще больше. Он попытался мне воспрепятствовать жестом, не столько гневным, сколько просительным.

— В таком случае отойдите! — сказала я, и он отступил назад. — А теперь выслушайте меня. Вы мне не нравитесь, — продолжала я медленно, со всей внушительностью, на какую была способна, чтобы сделать свои слова убедительными. — Если бы я развелась с мужем или если бы он умер, замуж за вас я бы никогда не вышла. Ну вот. Надеюсь, вам этого достаточно.

Лицо его побелело от ярости.

— Да, достаточно, — ответил он с горькой язвительностью, — чтобы понять, что более холодной, противоестественной, неблагодарной женщины, чем вы, мне еще видеть не приходилось.

— Неблагодарной, сэр?

— Неблагодарной.

— Нет, мистер Харгрейв, вы ошибаетесь. За все хорошее, что вы когда-нибудь для меня делали или хотели сделать, я искренне вас благодарю, а за все дурное, что вы мне сделали или хотели сделать, молю Бога простить вас и очистить вашу душу.

Тут распахнулась дверь, и мы узрели господ Хантингдона и Хэттерсли. Второй остался за порогом, возясь с оружием и шомполом, а первый прошел к камину, повернулся к огню спиной и обратил на мистера Харгрейва и на меня взгляд, сопровождавшийся нестерпимой нагло-многозначительной улыбкой и злорадным блеском в бесстыдных глазах.

— Так что же, сэр? — сказал Харгрейв вопросительно с видом человека, приготовившегося защищаться.

— Так что же, сэр? — повторил его собеседник.

— Мы только хотим узнать, Уолтер, есть ли у тебя свободная минута поохотиться с нами на фазанов, — вмешался Хэттерсли из-за двери. — Пошли. Попотчуем дробью зайчишку-другого, и не больше, уж за это я ручаюсь...

Уолтер промолчал и отошел к окну собраться с мыслями. Артур присвистнул и уставился на него. Легкий румянец гнева окрасил щеки мистера Харгрейва, но мгновение спустя он спокойно обернулся и небрежно объяснил:

— Я зашел сюда попрощаться с миссис Хантингдон и предупредить ее, что вынужден завтра уехать.

— Хм! Ты что-то очень быстр в своих решениях. Могу ли я спросить, откуда такая спешка?

— Дела, — был короткий ответ, а недоверчивая ухмылка вызвала только пренебрежительно-презрительный взгляд.

— Превосходно! — отозвался мистер Хантингдон, а когда Харгрейв удалился, закинул фалды сюртука на локти, уперся плечами в каминную полку, обернулся ко мне и тихим голосом, почти шепотом, обрушил на меня залп грубейших и гнуснейших ругательств, какие только способен изобрести мозг и произнести язык. Я не пыталась его оборвать, но во мне поднялся гнев, и, когда он умолк, я ответила:

— Будь даже ваши обвинения верны, мистер Хантингдон, как смеете *вы* порицать *меня?*

— В самый лоб! — воскликнул Хэттерсли, прислоняя ружье к стене. Войдя в комнату, он взял своего прелестного друга за локоть и попытался увести. — Верно, не верно, — бормотал он, — да только не тебе, сам знаешь, обвинять ее, да и его тоже, после того, что ты наболтал вчера вечером. Ну, так идем же!

Снести его намека я никак не могла.

— Вы смеете меня в чем-то подозревать, мистер Хэттерсли? — спросила я вне себя от бешенства.

— Да нет же, нет, никого я не подозреваю. Все хорошо, очень хорошо. Так пойдешь ты, Хантингдон, скотина эдакая?

— Отрицать она этого не посмеет! — вскричал джентльмен, к которому обратились таким образом, и ухмыльнулся в злорадной ярости. — Не посмеет для спасения своей жизни! — И, добавив несколько ругательств, вышел в переднюю и взял со стола свою шляпу и ружье.

— Я не уроню себя, оправдываясь перед вами, — сказала я и повернулась к Хэттерсли. — Но если у вас хватает смелости в чем-то сомневаться, то спросите у мистера Харгрейва.

Тут оба разразились грубым хохотом, от которого меня пронзило гневом до самых кончиков пальцев.

— Где он? Я сама его спрошу! — воскликнула я, подходя к ним.

Подавив новый взрыв хохота, Хэттерсли указал на входную дверь. Она была полуоткрыта. Его шурин стоял у крыльца.

— Мистер Харгрейв, будьте так добры, вернитесь сюда! — сказала я.

Он посмотрел на меня с мрачным недоумением.

— Будьте так добры! — повторила я столь решительно, что он вольно или невольно мне подчинился, с некоторой неохотой поднялся по ступенькам и переступил порог.

— Скажите этим джентльменам... — продолжала я, — ...этим господам, уступила я или нет вашим настояниям?

— Я вас не понимаю, миссис Хантингдон.

— Нет, вы прекрасно меня понимаете, сэр, и я взываю к вашей чести джентльмена (если она у вас есть): ответьте правду. Уступила я или нет?

— Нет, — пробормотал он, отворачиваясь.

— Говорите громче, сэр, они вас не слышат. Я сдалась на ваши мольбы?

— Нет.

— Верно, — вскричал Хэттерсли. — Коли бы сдалась, он бы так не супился!

— Я готов дать вам удовлетворение, Хантингдон, как положено между благородными людьми, — сказал мистер Харгрейв спокойным голосом, но с выражением глубочайшего презрения на лице.

— А, провались ты к дьяволу! — ответил тот, досадливо мотнув головой.

И Харгрейв, смерив его взглядом, полным холодного пренебрежения, удалился со словами:

— Вы знаете, где меня найти, если вам будет угодно прислать ко мне кого-нибудь из ваших приятелей.

Ответом был только новый взрыв бессвязных ругательств.

— Ну, Хантингдон, теперь видишь? — сказал Хэттерсли. — Все ясно как Божий день.

— Мне безразлично, что видит он, — перебила я, — или что он воображает. Но вы, мистер Хэттерсли, если при вас будут чернить мое имя, вступитесь ли вы за него?

— Всенепременно! Разрази меня Бог, если не вступлюсь.

Я тотчас вернулась в библиотеку и заперла дверь. В каком помрачении я обратилась с такой просьбой к такому человеку? Право, не знаю, но утопающие хватаются за соломинку, а они общими усилиями довели меня до отчаяния. Я перестала понимать, что говорю. Но как еще могла я оберечь мое имя от клеветы и поношений этой шайки пьяных гуляк, которые не посовестятся сделать их достоянием всего света? К тому же в сравнении с низким мерзавцем, моим мужем, с подлым, злобным Гримсби и лицемерным негодяем Харгрейвом этот невоспитанный невежа при всей своей тупой грубости сияет, как ночью светляк среди прочих червей.

Какая невыносимая, какая отвратительная сцена! Могла ли я даже вообразить, что буду вынуждена терпеть подобные оскорбления в моем собственном доме, слушать, как подобные вещи говорятся в моем присутствии — более того, говорятся мне самой и обо мне людьми, которые осмеливаются называть себя джентльменами? И могла ли я вообразить, что сумею перенести подобное спокойно и ответить столь смело и твердо, как ответила? Такой ожесточенности чувств могут научить только тяжкий опыт и отчаяние.

Вот какие мысли вихрем проносились в моем мозгу, пока я расхаживала по библиотеке, томясь — о, как томясь! — желанием сейчас же бежать от них с моим ребенком, не помедлив и часа. Но это было невозможно. Прежде мне предстояла еще большая и нелегкая работа.

— Ну так берись за нее! — произнесла я вслух. — Оставь бесполезные сетования и тщетные жалобы на свою судьбу и тех, от кого она зависит! К чему бесплодно тратить драгоценные минуты?

И неимоверным усилием воли успокоив свои расстроенные чувства, я тотчас взялась за дело и до конца дня не отходила от мольберта.

Мистер Харгрейв уехал утром, как сказал, и с тех пор я его не видела. Остальные гостили у нас еще две-три недели, но я старалась бывать в их обществе елико возможно меньше и прилежно трудилась, — как продолжаю и сейчас с почти не меньшим усердием. Я не замедлила рассказать Рейчел о моих планах, открыла ей все мои намерения и причины их, и, к моему приятному удивлению, мне почти не пришлось ее уговаривать. Она благоразумная и осторожная женщина, но так ненавидит хозяина дома, так любит свою хозяйку и маленького питомца, что после нескольких восклицаний, двух-трех возражений для очистки совести, а также обильных слез и сетований на судьбу, принуждающую меня к подобному шагу, она горячо одобрила мое решение и согласилась помогать мне, насколько это в ее силах — но при одном непременном условии: она разделит мое изгнание. Ехать мне одной с маленьким Артуром — чистое безумие, и этого она никогда не допустит. С трогательной заботливостью она робко предложила мне все свои скромные сбережения, выразив надежду, что я «извиню ей такую вольность, но я очень бы ее осчастливила, если бы снизошла взять у нее эти деньги взаймы». Разумеется, я и слышать об этом не захотела, однако, благодарение Небесам, я уже сама кое-что накопила и почти все подготовила для скорого моего освобождения. Пусть только минуют зимние холода, и тогда в одно прекрасное утро мистер Хантингдон спустится к завтраку в пустую столовую, и, возможно, начнет рыскать по дому в поисках невидимых жены и сына, а они к тому времени уже проделают первые пятьдесят миль на своем пути в Западное полушарие — или даже больше: ведь мы покинем дом задолго до зари, он же, вероятно, спохватится далеко за полдень.

Я вполне отдаю себе отчет во всех опасных последствиях, которые может и должен иметь задуманный мною шаг. Но мое решение непоколебимо: я все время думаю о благе моего сына. Не далее как сегодня утром, когда я работала, а он сидел у моих ног, играя с полосками холста, которые я бросила на ковер, какая-то неотвязная мысль заставила его грустно посмотреть мне в глаза и спросить с глубокой серьезностью:

— Мама, почему ты плохая?

— Кто тебе сказал, что я плохая, милый?

— Рейчел.

— Нет, Артур. Рейчел этого сказать не могла, я знаю.

— Ну так, значит, папа сказал, — произнес он задумчиво и после некоторых размышлений добавил: — Нет, я сам догадался, и вот почему. Когда я говорю папе «мама не позволяет» или «мама не любит, если я сделаю то, что ты велишь мне сделать», он всегда отвечает: «Будь она проклята!» А Рейчел говорит, что прокляты бывают только плохие люди. Вот почему, мамочка, я и подумал, что ты плохая. А мне этого не хочется.

— Голубчик мой, я вовсе не плохая. Это гадкие слова. И дурные люди часто говорят так про тех, кто лучше их. Подобные слова никого не делают проклятыми и плохими тоже. Господь судит нас по нашим мыслям и делам, а не по тому, что о нас говорят другие. И еще одно, Артур: услышав такие слова, никогда их не повторяй. Плохо говорить такие вещи о других, а если о тебе их говорят без причины, они ничего не значат.

— Тогда, значит, папа плохой, — печально заметил он.

— Папа поступает плохо, когда говорит такие вещи, и ты будешь очень плохим, если станешь подражать ему теперь, когда знаешь, какие они дурные.

— Что такое «подражать»?

— Поступать, как поступает он.

— А он знает, какие они дурные?

— Может быть. Но тебя это не касается.

— Если он не знает, ты объясни ему, мама.

— Я объясняла.

Маленький моралист задумался. Я попыталась отвлечь его, но тщетно.

— Мне очень грустно, что папа плохой, — наконец сказал он тоскливо. — Я не хочу, чтобы он попал в ад! — И из его глаз хлынули слезы.

Глава XL

РОКОВАЯ НЕОСТОРОЖНОСТЬ

10 января 1827 года. Все это я писала вчера вечером в гостиной, где был и мистер Хантингдон, который, как я полагала, спал на диване у меня за спиной. Однако он неслышно встал и, подстрекаемый гнусным любопытством, заглядывал через мое плечо, уж не знаю сколько времени. Во всяком случае, когда я отложила перо и хотела закрыть дневник, он внезапно прижал страницу ладонью, сказал «с вашего разрешения, радость моя, я это почитаю», вырвал его из моих рук, придвинул стул к столику и спокойно принялся пролистывать назад страницы в поисках объяснения того, что он уже успел узнать. На мое несчастье, вчера он оказался много трезвее, чем обычно бывает в этот час.

Разумеется, я не позволила ему мирно предаваться этому шпионству, но он слишком крепко держал тетрадь, и отнять ее мне не удалось. Я с презрением и ядовитой насмешкой упрекала его за такое бесчестное и низкое поведение, но он оставался глух к моим словам, и в конце концов я погасила обе свечи. Однако он просто придвинул стул к камину, разворошил огонь и невозмутимо продолжал листать мой дневник. Я было подумала принести кувшин воды и залить этот источник света, однако вряд ли с пламенем угасло бы и его любопытство — оно было слишком возбуждено. И чем больше я старалась помешать его розыскам, тем с большей настойчивостью он им предавался. К тому же все равно было слишком поздно.

— Очень, очень интересно, любовь моя, — сказал он, поднимая голову и глядя, как я заламываю руки в безмолвном, бессильном гневе. — Но длинновато. Почитаю как-нибудь в другой раз, а пока, моя милая, я затрудню тебя просьбой дать мне твои ключи.

— Какие ключи?

— От твоих шкафов, бювара, ящиков комода и все прочие, какие у тебя имеются, — сказал он, вставая со стула и протягивая руку.

— Их у меня нет, — ответила я. (Ключ от бювара торчал в замке, а все остальные свисали с продетого в него кольца.)

— Ну так пошли за ними, — приказал он. — А если старая дрянь, Рейчел, их тотчас не принесет, завтра она уберется отсюда со всеми своими потрохами.

— Она не знает, где ключи, — ответила я негромко, сжала их в руке и незаметно, как мне казалось, вытащила из замка. — Знаю только я, но не отдам без веской причины.

— И я знаю! — крикнул он, схватил меня за руку, грубо разжал мои пальцы и завладел ключами. Потом взял погашенную свечу и зажег, сунув в огонь.

— Теперь, — объявил он с насмешкой, — мы займемся конфискацией имущества. Но прежде заглянем-ка в мастерскую!

Сунув ключи в карман, он направился в библиотеку. Я пошла за ним, сама не знаю почему, — то ли помешать его бесчинству, то ли просто сразу узнать худшее. Все принадлежности лежали на угловом столике, приготовленные для завтрашней работы и только прикрытые полотном. Он не замедлил их обнаружить и, поставив свечу, начал швырять их в горящий камин — палитру, краски, карандаши, кисти, лак. Я увидела, как все они сгорели, как были сломаны пополам мастехины, как с шипением вспыхнули жидкое масло и скипидар и ревущим языком пламени унеслись в трубу.

Затем он позвонил.

— Бенсон, уберите все это, — приказал он, кивая на мольберт, холсты и подрамник. — И скажите горничной, что она может пустить их на растопку. Вашей госпоже они больше не понадобятся.

Бенсон растерянно посмотрел на меня.

— Унесите их, Бенсон, — сказала я, а его хозяин пробормотал ругательство.

— И это тоже, — подтвердил мистер Хантингдон, подождал, пока все не было унесено, и отправился наверх.

Теперь я не последовала за ним, но осталась сидеть в кресле, молча, с сухими глазами, застыв без движения. Примерно через полчаса он вернулся, подошел ко мне и, держа свечу возле моего лица, заглянул мне в глаза с таким оскорбительным смехом, что я быстрым ударом сбросила свечу на пол.

— О-го-го! — буркнул он, попятившись. — Сущая дьяволица! Доводилось ли хоть одному смертному увидеть такие глаза? Они сверкают в темноте, точно кошачьи! Ах ты, моя кроткая прелесть!

С этими словами он поднял подсвечник и свечу, которая не только погасла, но и переломилась, и снова позвонил.

— Бенсон, наша госпожа сломала свечу. Принесите целую.

— В прекрасном свете вы себя показываете, — заметила я, когда дворецкий вышел.

— Так ведь свечу сломал не я, что ему и сказал! — парировал он, бросая мне на колени мои ключи. — Получай обратно. Все осталось на месте, кроме денег, драгоценностей и еще кое-каких пустячков, которые я счел необходимым взять на сохранение, пока твоя алчная натура не возжаждала превратить их в золото. В кошельке я оставил несколько соверенов, их тебе должно хватить до конца месяца. Если же понадобится больше, будь добра представить мне отчет, как ты потратила эти. Теперь ты будешь ежемесячно получать на собственные расходы небольшую сумму, а моими делами можешь больше себя не утруждать. Я подыщу управляющего, моя милая, чтобы не подвергать тебя искушению. А что до ведения хозяйства, миссис Гривс придется очень аккуратно записывать все свои траты. С этих пор у нас все пойдет по-новому.

— Какое еще великое открытие вы сделали теперь, мистер Хантингдон? Я вас обкрадывала?

— В смысле денег пока еще, видимо, нет, но к чему лишний соблазн?

Тут вернулся Бенсон со свечами, и между нами воцарилось молчание. Я все еще сидела в кресле, а он, стоя спиной к камину, злорадно смаковал мое отчаяние.

— Так, значит, — сказал он наконец, — ты вздумала опозорить меня: сбежать и, малюя картины, содержать себя трудами рук своих, э? И ты задумала лишить меня сына, вырастить из него грязного торгаша-янки или нищего голодранца-художника?

— Да. Лишь бы он не вырос таким джентльменом, как его отец.

— Хорошо, что ты не сумела сохранить собственную тайну, ха-ха-ха! Хорошо, что бабам обязательно надо все выболтать, — если не подруге, так нашептать рыбам, написать на песке или еще как-нибудь. И пожалуй, очень кстати, что я сегодня не перепил лишнего, а то бы храпел себе и даже не подумал поглядеть, чем это занимается моя любезная супруга. Или же у меня недостало бы ума либо сил, чтобы поставить на своем, как подобает мужчине, и как я все и устроил.

Покинув его кичиться своей доблестью, я встала, чтобы забрать дневник, который, как мне вспомнилось, остался лежать на столике в гостиной. Снова испытать унижение, увидев его в этих руках? Нет, ни за что! Позволить ему глумиться над моими тайными мыслями и воспоминаниями? Впрочем, если не считать начала, он нашел бы там мало для себя лестного, но уж лучше сжечь тетрадь своими руками, чем допустить, чтобы он прочел то, что я писала, когда была такой дурочкой, что любила его!

— Да, кстати! — воскликнул он, когда я была уже в дверях. — Предупреди-ка твою ч-тову шпионку-няньку, чтобы она день-другой не попадалась мне на глаза. Я бы завтра же выдал ей жалованье и выгнал в три шеи, да только снаружи она, конечно, натворит больше пакостей, чем внутри.

Выходя, я слышала, как он продолжал проклинать и поносить моего друга, мою верную няню словами, которыми не стану грязнить эти страницы. Спрятав дневник, я пошла к ней и рассказала, что наш план рушился. Она пришла в такой же ужас и была столь же удручена, как и я, — а в те минуты даже больше меня, потому что я еще была оглушена внезапным ударом и пылала гневом, спасавшим меня от полного отчаяния. Но сегодня утром, когда я проснулась, лишенная надежды, которая столько времени служила мне сокровенным утешением и поддержкой, а потом весь день, пока я бесцельно бродила по комнатам, избегая мужа, избегая даже сына, в убеждении, что не гожусь ни быть его наставницей, ни хотя бы разделять его забавы, что в будущем мне от него не следует ждать ничего хорошего, что мне остается только горько жалеть о его появлении на свет, — вот тогда я поняла всю меру моего несчастья, и чувство это не оставляет меня и теперь. Изо дня в день меня будут терзать все те же мысли. Я рабыня, я пленница — но это пустяки. Будь речь только обо мне, я бы не жаловалась. Но у меня отнята возможность спасти от гибели моего сына, и то, что прежде было самым большим моим утешением, теперь стало главным источником моего отчаяния!

Или я не верую в Бога? Я стараюсь устремлять мой взор на Него, возносить мое сердце к Нему, но оно льнет к праху. Я способна лишь повторить за пророком: «Он окружил меня стеною, чтобы я не вышел, отяготил оковы мои. Он пресытил меня горечью, напоил меня полынью». И забываю добавить: «Но послал горе и помилует по великой благости Своей. Ибо Он не по изволению сердца своего наказывает и огорчает сынов человеческих». А мой маленький Артур — ужели нет у него никого, кроме меня? Кто рек: «Так нет воли Отца вашего Небесного, чтобы погиб один из малых сих»?

Глава XLI

«В СЕРДЦЕ ЧЕЛОВЕЧЬЕМ СВЕТ НАДЕЖДЫ ВЕЧЕН»

20 марта. Столичный сезон надолго избавил меня от мистера Хантингдона, и я мало-помалу воспрянула духом. Он уехал в начале февраля, и едва я осталась одна, как мне сразу стало легче дышать, и я почувствовала, что ко мне возвращается жизненная энергия. Не благодаря надежде на спасение — он принял все меры, чтобы не дать ей осуществиться, — но благодаря твердой решимости сделать все, что возможно, в нынешних обстоятельствах. Наконец-то Артур вновь оказался только под моим влиянием, и, преодолев унылую апатию, я посвятила все мои силы тому, чтобы, выкорчевав плевелы, заполонившие его детскую душу, вновь взрастить в ней добрые семена, которые они заглушили. Благодарение Небу, почва эта не бесплодна и не камениста! Если бурьян поднялся на ней быстро, то благие зерна взошли еще быстрее. Он много более восприимчив и несравненно более привязчив сердцем, чем когда-либо был его отец. Поэтому возродить в нем послушание, завоевать его любовь, научить видеть, кто ему истинный друг, оказалось вовсе не такой уж безнадежной задачей, когда некому было препятствовать моим стараниям.

Вначале дурные привычки, привитые ему отцом и приятелями отца, доставляли мне очень много хлопот. Но трудность эта уже почти позади. Непристойные выражения все реже грязнят его невинные уста, и мне удалось внушить ему величайшее омерзение ко всем опьяняющим напиткам, которые, надеюсь, ни его отец, ни отцовские собутыльники преодолеть не сумеют. Он проникся к ним противоестественным для его нежных лет пристрастием, и, памятуя не только об его, но и о моем собственном злополучном отце, я трепетала от ужаса при мысли, к чему оно может привести. Но если бы я уменьшила обычную его порцию или вовсе запретила ему пить вино, то лишь поддержала бы в нем эту пагубную склонность, укрепила бы убеждение, будто пить — это особое и редкостное удовольствие. И он продолжал с моего разрешения пить столько же, сколько обычно наливал ему отец, или даже столько, сколько требовал, но в каждую рюмочку я незаметно подмешивала рвотного — самую чуточку, чтобы вызвать неизбежную тошноту и подавленное настроение, но не более. Когда он убедился на опыте, что от любимых напитков ему всегда становится очень скверно, они быстро ему опостылели, но чем больше он старался уклониться от недавно столь желанного угощения, тем настойчивее я наполняла его рюмку, так что былая страсть не замедлила смениться стойким отвращением. Когда все вина ему окончательно опротивели, я по его настоянию позволила ему перейти на коньяк с водой, а потом и на джин с водой — маленький пьяница перепробовал их все, и все они, насколько зависело от меня, должны были стать ему равно ненавистными. И я этого уже достигла! Он твердит, что вкус, запах и вид крепких напитков вызывают в нем тошноту, а потому я более не ставлю перед ним рюмки и упоминаю о них, лишь угрожая ему наказанием за дурное поведение: «Артур, если ты не будешь слушаться, то я налью тебе вина!» или «Артур, если ты еще раз повторишь эти слова, то получишь коньяка с водой!» Такие предупреждения оказывают незамедлительное действие. Кроме того, раза два, когда он был болен, я заставила бедняжку выпить немного вина с водой как лекарство (*без рвотного!*). Так я собираюсь делать и впредь, не потому, что разделяю веру в целебные свойства вина, но для того лишь, чтобы оно вызывало у Артура как можно больше неприятных ассоциаций. Пусть это отвращение станет частью его натуры, чтобы оно вовек осталось неизгладимым.

Так, льщу себя мыслью, я навсегда обезопасила его хотя бы от этого порока, а что до остальных... Если после возвращения его отца у меня возникнут основания опасаться, что все мои добрые уроки будут сведены на нет, если мистер Хантингдон вновь примется ради забавы обучать ребенка ненависти и презрению к матери, внушать ему желание подражать отцовским скверностям, я все-таки вырву моего сына из его рук! На этот случай я уже придумала план, в успехе которого не сомневаюсь, если только смогу заручиться согласием и помощью брата. Старый дом, в котором мы с ним родились, давно уже стоит пустой, но, насколько мне известно, еще не пришел в полную негодность. Если я сумею уговорить его привести в порядок две-три комнаты и сдать их мне, словно совсем посторонней жилице, я могла бы поселиться там с моим мальчиком под каким-нибудь вымышленным именем и зарабатывать себе на жизнь любимым искусством, как и намеревалась раньше. На первых порах он одолжит мне необходимые деньги, а я буду постепенно их ему отдавать, живя независимо, хотя и бедно, в строжайшем уединении — дом ведь расположен в глухом уголке тихой сельской местности. А продажу моих картин можно поручить ему. Я обдумала этот план до мельчайших подробностей, и мне остается только убедить Фредерика. Он скоро приедет погостить у меня, и тогда я обращусь к нему с этой просьбой, предварительно рассказав ему обо всех обстоятельствах ровно столько, чтобы сделать ее извинительной.

Мне кажется, он уже знает о моем положении гораздо больше, чем я ему говорила. Об этом свидетельствует грустная нежность, которой дышат его письма, и тот факт, что он редко упоминает моего мужа, а если все-таки упоминает, то с какой-то скрытой горечью. Ну и приезжает он ко мне, только когда мистер Хантингдон покидает Грасдейл на сезон. Однако открыто он ни малейшего неодобрения ему не выражает, как и сочувствия мне, не задает лишних вопросов, не старается вызвать меня на откровенность. Иначе, полагаю, я от него мало что скрыла бы. А может быть, его ранит моя сдержанность. Он ведь странный человек. Жаль, что мы так мало знаем друг друга. До того как я вышла замуж, он каждый год гостил в Стейнингли, но после кончины нашего отца я видела его всего раз, когда он заехал сюда на несколько дней во время отсутствия мистера Хантингдона. Но теперь он погостит подольше, и мы возродим откровенность и дружбу дней нашего детства. Мое сердце тянется к нему, как никогда раньше, моя душа изныла от одиночества.

16 апреля. Он приехал... и уже уехал, не пожелав остаться долее чем на две недели. Дни пролетели очень быстро, но очень-очень приятно, и во многом мне помогли. Вероятно, у меня вообще тяжелый характер, но несчастья необыкновенно меня ожесточили и озлобили — незаметно для себя я прониклась весьма недружелюбными чувствами ко всем прочим смертным, а особенно к мужской их части. Каким же утешением было убедиться, что среди мужчин есть хотя бы один, достойный всякого доверия и уважения! И, конечно, найдется еще много других таких, только мне не довелось с ними встречаться, если только не сделать исключения для бедного лорда Лоуборо, — но, впрочем, он в свое время был достаточно дурен. С другой стороны, каким бы стал Фредерик, если бы жил в свете и с детства его окружали люди вроде моих знакомых? И каким станет Артур, несмотря на всю природную чистоту своей натуры, если я не укрою его от света и таких знакомств? Я призналась в своих страхах Фредерику и заговорила о плане спасения в тот же вечер, когда он приехал, и я представила своего маленького сына его дяде.

— Некоторыми чертами характера, — сказала я, — он напоминает тебя, Фредерик. Иногда мне кажется, что он вообще больше походит на тебя, нежели на своего отца, и я этому рада.

— Ты льстишь мне, Хелен, — ответил он, поглаживая шелковистые кудри мальчика.

— Нет. И ты не счел бы это комплиментом, если бы я добавила, что радовалась бы, будь он похож даже на Бенсона или на кого угодно еще, лишь бы не на своего отца.

Он чуть поднял брови, но промолчал.

— Ты знаешь, что за человек мистер Хантингдон? — спросила я.

— Мне кажется, некоторое представление я об этом имею.

— Настолько ясное, что без удивления и без неодобрения услышишь, что я хочу скрыться с этим ребенком в каком-нибудь тайном убежище, где мы могли бы мирно жить и никогда его больше не видеть?

— Это правда так?

— Если же ты осведомлен недостаточно, — продолжала я, — то я кое-что тебе о нем расскажу.

И я коротко описала его поведение, а особенно — его манеру обходиться с сыном, а потом объяснила, как я боюсь за мальчика и как твердо намерена спасти его от отцовского влияния.

Фредерик воспылал негодованием против мистера Хантингдона и от всего сердца сочувствовал мне. Тем не менее мой план представился ему безумным и неисполнимым. Мои страхи за судьбу Артура он счел преувеличенными, нашел столько возражений против моего замысла и придумал столько способов улучшить мое положение, что я вынуждена была добавить новые подробности, убеждая его, что мой муж неисправим, что он ни под каким видом не отдаст мне сына, чего бы я ни сделала, что он столь же твердо решил держать Артура при себе, как я — не расставаться с ним, и что, короче говоря, у меня нет иного выбора, если только не бежать тайком из страны согласно с первоначальным моим намерением. Чтобы избавить меня от такой необходимости, он в конце концов на крайний случай согласился произвести необходимые починки в одном крыле старого дома. Однако выразил надежду, что я этим не воспользуюсь, пока обстоятельства окончательно не принудят меня искать такого выхода. Я охотно обещала исполнить его желание — ведь хотя самой мне жизнь отшельницы кажется райской в сравнении с той, что я обречена вести здесь, но ради моих близких — ради Милисент и Эстер, на которых я гляжу как на любимых сестер, ради бедных грасдейлских арендаторов и, главное, ради моей тети, я не стану приводить свой план в исполнение, пока это будет возможно.

29 июля. Миссис Харгрейв и Эстер вернулись из Лондона. Эстер полна своим первым сезоном в столице, но сердце ее по-прежнему свободно, и она ни с кем не помолвлена. Матушка подыскала для нее превосходную партию и даже принудила жениха сложить к ее ногам сердце и прекрасное состояние, но Эстер имела дерзость отвергнуть эти щедрые дары. Он принадлежит к благородному роду и богат, но гадкая девчонка объявила, что ветхостью он равен Адаму, страшен, как смертный грех, и гнусен, как сам... как тот, чье имя да не загрязнит христианские уста.

— Но, право, мне это дорого обошлось, — сказала она. — Мама очень огорчилась, что ее заветный план не осуществился, и очень, очень разгневалась на упрямство, с каким я воспротивилась ее воле, — и все еще гневается. Но что я могу поделать? Уолтер тоже весьма недоволен моей взбалмошностью и глупым капризом, как он изволил выразиться, — настолько, что, боюсь, он мне этого никогда не простит. Я бы прежде просто не поверила, что он способен быть таким недобрым, каким показал себя последнее время. Но Милисент умоляла меня не уступать, и, полагаю, миссис Хантингдон, если бы вы видели того, кого они мне навязывают, вы бы тоже посоветовали мне не соглашаться.

— Я бы сделала это, даже не видя его, — ответила я. — Вполне достаточно, что он вам неприятен.

— Я знала, знала, что вы так скажете! Как бы мама ни уверяла, что вас безмерно шокирует моя дочерняя непочтительность. Вы даже вообразить не можете, какие нотации она мне читает! Я и непокорная, и неблагодарная, и перечу ее желаниям, и дурно поступила с братом, и камнем вишу у нее на шее. Порой мне становится страшно, что она все-таки возьмет надо мной верх. Воля у меня сильная, но и у нее не слабее. И когда она говорит подобные вещи, я прихожу в такое состояние, что меня тянет уступить ей, а потом, когда мое сердце разобьется, сказать ей: «Ну вот, мама, это все ваша вина!»

— Пожалуйста, не надо! — воскликнула я. — Послушание, опирающееся на такие побуждения, — просто грешно и, конечно, будет наказано. Держитесь твердо, и ваша матушка, несомненно, оставит свои настояния, да и ваш поклонник перестанет допекать вас предложениями руки и сердца, если убедится, что его не ждет ничего, кроме постоянных отказов.

— Ах нет! Мама всех вокруг замучит прежде, чем утомится сама! Ну, а мистеру Олдфилду она дала понять, что я ему отказала вовсе не потому, что он мне не нравится. Просто я, мол, еще слишком молода и легкомысленна, и пока даже думать не хочу о замужестве. А к следующему сезону я, разумеется, остепенюсь и оставлю свои девичьи фантазии. Вот она и увезла меня домой, чтобы вышколить и вернуть на стезю дочернего долга, пока не поздно. Я даже думаю, что она не станет больше тратиться и возить меня в Лондон, если я не сдамся. По ее словам, у нее нет денег на то, чтобы жить в столице ради моих развлечений и всякого вздора, а далеко не *всякий* богатый джентльмен соблаговолит взять меня без приданого, какого бы высокого мнения я ни была о своей привлекательности.

— Что же, Эстер, мне вас очень жаль. И все же я могу только повторить: будьте тверды. Уж лучше просто продать себя в рабство, чем выйти за человека вам неприятного. Если ваша мать и брат обходятся с вами дурно, вы можете их покинуть, но не забывайте, что с мужем вас свяжут нерушимые узы до конца ваших дней.

— Но я могу их оставить, только если выйду замуж, а как я выйду замуж, если меня никто не видит? В Лондоне я встретила двух-трех джентльменов, которые могли бы мне понравиться, но все они — младшие сыновья, и мама слышать о них не хотела, особенно об одном, которому, по-моему, я очень нравилась, и она всячески препятствовала более близкому знакомству между нами. Просто ужасно, правда?

— Только естественно, что вы так думаете, но, возможно, выйди вы за него, потом у вас было бы даже больше причин жалеть об этом, чем если бы вы дали согласие мистеру Олдфилду. Когда я советую вам не вступать в брак без любви, то вовсе не имею в виду, что замуж следует выходить лишь ради одной любви. Тут необходимо взвесить очень, очень многое. Не отдавайте ни руки, ни сердца, пока не найдете веской причины расстаться с ними. Если же не найдете, то утешьтесь вот такой мыслью: пусть одинокая жизнь приносит мало радостей, зато в ней нет и невыносимых горестей. Брак, бесспорно, *может* переменить вашу жизнь к лучшему, но я про себя убеждена, что обратный результат куда более вероятен.

— Так думает и Милисент, но я, простите меня, думаю иначе. Если бы я поверила, что обречена быть старой девой, то перестала бы ценить жизнь. Год за годом жить безвыездно в Груве прихлебательницей мамы и докучной обузой (теперь-то я знаю, что они смотрят на меня именно так!) — даже мысль об этом нестерпима! Уж лучше я сбегу с дворецким.

— Не спорю, ваше положение не из легких, но наберитесь терпения, милочка, не будьте опрометчивы. Помните, вам только-только исполнилось девятнадцать, и пройдет еще много лет, прежде чем кто-нибудь посмеет назвать вас старой девой. Знать, что уготовано вам Провидением, вы ведь не можете. А пока не забывайте, что у вас есть *право* получать от ваших матери и брата защиту и помощь, как бы ни казалось, что это им досаждает.

— Вы говорите так серьезно, миссис Хантингдон! — заметила Эстер после некоторой паузы. — Когда Милисент вот так же предостерегала меня против замужества, я спросила, счастлива ли она, и услышала в ответ «да». Но поверила ей лишь наполовину. А теперь я должна задать тот же вопрос вам.

— Молоденькой девушке, — сказала я со смехом, — задавать такой вопрос замужней женщине много старше ее непростительная дерзость. И в наказание я не отвечу.

— Прошу у вас прощения, милостивейшая моя государыня! — воскликнула она, весело обняла меня и поцеловала с шаловливой нежностью. Потом прижалась головой к моему плечу — и на шею мне капнула слеза, а Эстер продолжала тоном, в котором странно мешались грусть и шутливость, робость и дерзость: — Я ведь знаю, что вы не так счастливы, как намерена быть я. Вы же половину жизни проводите в Грасдейле совсем одна, пока мистер Хантингдон разъезжает в поисках удовольствий, где и как ему заблагорассудится. Нет, у *моего* мужа не будет удовольствий, кроме тех, которые он сможет разделять со мной. Если же величайшим из них он не научится считать мое общество, то... то тем хуже для него, вот и все.

— Раз, Эстер, таковы ваши взгляды на замужество, то и правда вам следует быть осторожной, когда вы будете выбирать, кому отдать свою руку. И самое благоразумное для вас — вовсе ее не отдавать.

Глава XLII

ИСПРАВЛЕНИЕ

1 сентября. От мистера Хантингдона все еще никаких известий. Может быть, он останется гостить у своих друзей до Рождества, а с началом весны вновь уедет? Если и дальше будет так, я смогу жить в Грасдейле без особых тревог... вернее, я *смогу* жить тут, довольно и этого. Даже нашествие его приятелей в охотничий сезон я перенесу, лишь бы повторялось это не слишком часто, а привязанность Артура ко мне настолько окрепла бы и он настолько утвердился бы в благих принципах и разумности, что мне без труда удавалось бы оберегать его от их тлетворного влияния. Боюсь, что тешу себя тщетными надеждами! Однако пока я избавлена от подобных испытаний и время еще не приспело, я не стану думать о моем желанном убежище — любимом старом доме на холме!

Вот уже две недели в Груве гостят мистер и миссис Хэттерсли. Мистер Харгрейв все еще блистает своим отсутствием, погода же стоит великолепная, и я каждый день вижусь с моими дорогими Милисент и Эстер — либо там, либо здесь. Один раз, когда мистер Хэттерсли привез их в Грасдейл в фаэтоне вместе с маленькой Хелен и ее младшим братцем Ральфом и мы весело проводили время в саду, мне довелось несколько минут побеседовать с этим джентльменом наедине, пока его жена и свояченица забавляли детей на лужайке.

— Не хотите ли справиться о своем муже, миссис Хантингдон? — спросил он.

— Нет. Разве что вы можете сказать мне, когда его следует ждать сюда.

— Чего не могу, того не могу. Так вы же его и не очень-то ждете, а? — добавил он с широкой усмешкой.

— Да.

— Вот я и думаю, что вам без него только лучше. Признаться, мне и самому он поперек горла встал. Я ему прямо сказал, что брошу иметь с ним дело, если он не образумится, а он и не подумал, вот мы и расстались. Как видите, я лучше, чем вы меня считаете, и вообще я подумываю вовсе с ним порвать, да и со всей их честной компанией, и прямо с этого дня вести себя трезво и пристойно, как положено доброму христианину и отцу семейства! Ну-ка, что вы на это скажете?

— Подобное решение вам следовало принять уже очень давно.

— Так мне еще и тридцати нет! Разве это поздно?

— Нет. Исправиться вообще никогда не поздно, лишь бы было искреннее желание и нашлась бы сила воли привести свое намерение в исполнение.

— Ну, признаться, я и прежде частенько собирался, да только Хантингдон дьявольски приятный малый, что там ни говори. Вы и вообразить не можете, какой он душа общества, когда не то чтобы пьян, а так немножко подшофе, ну, под хмельком! Мы все питаем к нему сердечную слабость, хоть уважать и не можем.

— Но быть таким, как он, вы хотели бы?

— Нет уж. Лучше я буду таким, как я сам, какой бы я ни был скверный.

— Но ведь вы не можете оставаться таким скверным, какой вы есть, не становясь хуже... более скотоподобным... а значит, и все более похожим на него.

Я невольно улыбнулась сердитой растерянности, которая отразилась на его лице при обращенных к нему столь непривычных словах.

— Извините мою прямоту, — продолжала я. — Поверьте, мной руководят самые лучшие побуждения. Но ответьте: хотите ли вы, чтобы ваши сыновья уподобились мистеру Хантингдону... или даже вам самому?

— Прах его побери, нет.

— Хотите вы, чтобы ваша дочка вас презирала или, во всяком случае, не испытывала бы к вам уважения, а к ее любви неизменно примешивалась бы горечь?

— А, дьявол, нет! Этого бы я не вынес.

— И последнее: хочется вам, чтобы ваша жена краснела от стыда, услышав, как называют ваше имя? Чтобы даже звук вашего голоса вызывал у нее отвращение? Чтобы она содрогалась при вашем приближении?

— Ну, вот уж этого не будет никогда! Она на меня не надышится, что бы я там ни делал!

— Так быть не может, мистер Хэттерсли! Вы принимаете ее кроткую покорность за выражение любви.

— Гром и молния...

— Не впадайте в бешенство! Я же вовсе не утверждаю, будто она вас не любит. Нет, мне известно, что она вас любит... и гораздо сильнее, чем вы того заслуживаете. Только я твердо убеждена, что она будет любить вас еще больше, если вы будете вести себя лучше; если вы будете становиться все хуже, ее любовь пойдет на убыль, пока совсем не угаснет в страхе, отвращении и горечи душевной, а может быть, даже сменится тайной ненавистью и презрением. Но оставим любовь. Ответьте просто, хочется ли вам тиранически сгубить ее жизнь? Лишить ее существование даже проблесков света и сделать ее бесконечно несчастной?

— Конечно, нет. Я вовсе ее не гублю. И не собираюсь!

— Однако вы уже сделали для этого куда больше, чем полагаете!

— А, чепуха! Просто она вовсе не такая чувствительная и пугливая неженка, какой вы ее воображаете, а добросердечная, тихая, любящая малютка. Правда, есть у нее привычка иногда дуться, но характер у нее безмятежный и покладистый.

— Вспомните, какой она была пять лет назад, когда вы венчались с ней, и какой стала теперь!

— Ну, я знаю: тогда она была пухленькой девочкой с хорошеньким бело-розовым личиком, а теперь от нее мало что осталось — вянет и тает, как снежинка, прямо на глазах... Но, дьявол, тут я не виноват, прах меня побери!

— Так в чем же причина? Не в ее же возрасте — ведь ей всего двадцать пять лет!

— Ну, здоровье у нее плохое и... А, дьявол! За кого вы меня считаете, сударыня? А дети? Они же ее до смерти изводят!

— Нет, мистер Хэттерсли, дети приносят ей много больше радости, чем тревог и страданий. Здоровые, ласковые малыши...

— Да я сам знаю, отличные ребятки!

— Так почему же возлагать вину на них? Я вам объясню, в чем причина: безмолвная тревога и вечное беспокойство из-за вас, боюсь, не без примеси телесного страха за себя. Когда вы держитесь разумно, она радуется, но и трепещет, потому что не может полагаться на ваши принципы, на ваше суждение, не решается доверять им, а только боится, что недолговечное счастье вот-вот оборвется. Когда же вы ведете себя скверно, то лишь ей одной известно, какой ужас, какие муки она испытывает. Терпеливо снося зло, она забывает, что наш долг — предупреждать ближних об их прегрешениях. Раз уж вы принимаете ее молчание за безразличие, идемте со мной, и я покажу вам одно... нет, два ее письма. Надеюсь, я не предаю ее доверия — ведь вы же вторая ее половина.

Он последовал за мной в библиотеку. Я достала и протянула ему два письма Милисент: одно, присланное из Лондона в дни, когда он предавался особенно безудержному разгулу, а другое — из деревни, когда он на время образумился. Первое было исполнено страхов и боли. Ни единого упрека ему, а лишь горькие сожаления, что его влечет общество распутных приятелей, возмущение мистером Гримсби и прочими, а между строк — ожесточенные обвинения по адресу мистера Хантингдона и простодушное перекладывание грехов мужа на чужие плечи. Второе письмо дышало надеждой, радостью... и боязнью, что счастье это долго не продлится. Его доброта и благородство превозносились до небес, но в похвалах пряталось полувысказанное сожаление, что у них нет основы более твердой, чем естественные душевные порывы, и таился почти пророческий страх, что дом этот, воздвигнутый на песке, не замедлит рассыпаться — как вскоре и случилось, о чем Хэттерсли не мог не вспомнить, читая эти строки.

Едва он развернул первое письмо, как, к моему

приятному изумлению, начал краснеть, но тут же повернулся спиной ко мне и продолжал чтение у окна. Когда же он принялся за второе, то раза два торопливо провел ладонью по лицу... Неужели смахивая слезы? Потом он несколько минут смотрел в окно, откашлялся, насвистел несколько тактов модной песенки и, наконец, обернувшись, отдал мне письма с безмолвным рукопожатием.

— Я был отпетым мерзавцем, Бог свидетель! — сказал он затем и снова потряс мою руку. — Но вы увидите, я все поправлю, ч-т меня побери! Да прокляни меня Бог, если...

— Не проклинайте себя так, мистер Хэттерсли. Если бы Господь внял хотя бы половине ваших призывов, вы бы давным-давно горели в аду. И вы не можете поправить прошлое, исполняя в будущем свой долг, — ведь исполнение долга — это *обязанность,* которую возложил на вас Творец, и вы можете лишь *не нарушать* ее, но не более. Поправлять же что-либо во искупление ваших прошлых грехов вам не дано. Это лишь в Его власти. И если вы намерены исправиться, то просите у Бога благословения, милосердия, помощи, а не проклятия.

— Помоги мне, Бог! Да, я нуждаюсь в Его помощи. А где Милисент?

— Вот она. Возвращается в дом с Эстер.

Он вышел в стеклянную дверь и направился к ним навстречу. Я последовала на некотором расстоянии. К изумлению его жены, он схватил ее в объятия и одарил крепким поцелуем, а потом положил обе руки ей на плечи и, видимо, сообщил о своих великих решениях, потому что она внезапно обняла его за шею и расплакалась, восклицая:

— Да, Ральф, да! Мы будем тогда так счастливы! Какой ты чудесный, какой добрый!

— Я тут ни при чем, — ответил он, поворачивая ее и подталкивая ко мне. — Ей скажи спасибо. Это все она!

Милисент кинулась с жаром благодарить меня. Но я поспешила сказать, что ни малейшей моей заслуги в этом нет: ее муж был уже готов перемениться еще до того, как я внесла свою лепту убеждений и одобрения, и я сделала лишь то, что могла бы — и должна была! — сделать она сама.

— Ах нет! — вскричала Милисент. — Никакие мои слова на него не повлияли бы, я уверена. Я только раздражала бы его своими неловкими уговорами.

— Но ты ведь никогда даже не пробовала испытать меня, Милли! — заметил ее муж.

Вскоре они распрощались со мной. А теперь гостят у отца Хэттерсли, откуда уедут к себе в поместье. Я надеюсь, он не отступит от своих благих намерений, и бедняжка Милисент будет избавлена от тяжкого разочарования. Ее последнее письмо озарено радостью: не только настоящее, но и будущее видится ей в самом розовом свете. Пока, правда, его добродетель не подверглась ни единому испытанию. Однако с тех пор, надо полагать, Милисент будет уже не такой робкой и сдержанной, как прежде, а он станет более ласковым и заботливым. Следовательно, ее надежды не столь уж безосновательны, и у меня есть хоть что-то, о чем радостно вспомнить.

Глава XLIII

ПОСЛЕДНЯЯ КАПЛЯ

10 октября. Мистер Хантингдон вернулся недели три тому назад. Не стану затруднять себя, описывая его вид, поведение, манеру выражаться, как и мои чувства к нему. Однако на следующий день после приезда он весьма меня удивил, объявив, что намерен подыскать маленькому Артуру гувернантку. Я ответила, что это совершенно лишнее, а уж в такое время года и вовсе нелепо. Я вполне способна учить его сама — во всяком случае, в ближайшие годы. Воспитывать и учить своего ребенка — единственное мое удовольствие, единственное оставшееся у меня занятие, и раз уж он отстранил меня от всех остальных дел, то хоть это все-таки мог бы мне оставить!

Он ответил, что я не гожусь ни учить его, ни даже быть с ним — я уже почти превратила мальчика в механическую фигуру, придирчивой строгостью сломила его бойкий характер и, конечно, выжму из его сердца всю солнечную веселость, превращу в угрюмого аскета по своему образу и подобию, если его тотчас не вырвать из моих рук. Бедняжка Рейчел тоже получила обычную долю поношений — он ее не терпит, так как не сомневается, что она знает ему истинную цену.

Я спокойно объяснила ему, почему могу утверждать, что мы с ней обладаем всеми качествами, необходимыми хорошим няням и гувернанткам, и продолжала возражать против такого добавления к нашему домашнему кругу. Но он оборвал меня, буркнув, что обсуждать тут нечего, так как гувернантку он уже нанял, и она приедет на следующей неделе, а от меня требуется только подготовить все к ее прибытию. Новость эта меня несколько ошеломила. Я позволила себе спросить, как ее фамилия, где она живет, кем рекомендована и почему он остановил свой выбор именно на ней.

— Это весьма достойная и благочестивая молодая особа, — ответил он, — и ты напрасно опасаешься. Фамилия ее, если не ошибаюсь, Майерс, а рекомендовала мне ее одна вдовствующая графиня, известная в церковных кругах своим примерным благочестием. Сам я ее не видел, а потому ничего не могу сказать тебе о ее внешности, манерах и прочем, но, если почтенная дама в своих восхвалениях не очень преувеличивала, ты найдешь в ней все необходимые и желательные для гувернантки качества, включая и необыкновенную любовь к детям.

Все это говорилось серьезным спокойным тоном, но в его смотревших чуть в сторону глазах прятался хохочущий демон, что не сулило ничего хорошего. Однако я вспомнила о своем убежище в ...шире и перестала возражать.

Тем не менее я вовсе не была склонна встретить мисс Майерс с особой сердечностью. Внешность ее, когда она приехала, с первого же взгляда произвела на меня неблагоприятное впечатление, а ее манеры и поведение тоже не способствовали тому, чтобы мое предубеждение против нее рассеялось. Образование ее оказалось довольно убогим, а ум самым заурядным. Голос у нее правда был прекрасный, пела она, как соловей, и умела довольно недурно аккомпанировать себе на фортепьяно, но этим исчерпывались все ее таланты. В выражении ее лица было что-то фальшивое и хитрое, и та же фальшивость слышалась в ее голосе. Меня она словно побаивалась и вздрагивала, если я заставала ее врасплох. Держалась она почтительно и услужливо до угодливости. Вначале она пыталась льстить мне и заискивать передо мной, но я быстро положила этому конец. Нежность ее к маленькому ученику казалась вымученной и слишком слащавой, и мне пришлось сделать ей выговор за потакание его капризам и неразумные похвалы. Впрочем, понравиться ему ей не удалось. Благочестие ее исчерпывалось вздохами, возведением глаз к потолку и несколькими ханжескими фразами. По ее словам, она была дочерью священника, но еще совсем малюткой осталась круглой сиротой. К счастью, ее взяло на попечение очень благочестивое семейство. И она с такой благодарностью заговорила о доброте и ласке, которую видела от всех его членов, что мне стало стыдно за мои нелестные мысли и сухость, и на какое-то время я смягчилась. Впрочем, ненадолго. Слишком уж весомыми были причины моей неприязни, слишком уж основательными мои подозрения. Я знала, что мой долг требует следить, замечать и обдумывать, пока эти подозрения либо не найдут убедительного опровержения, либо не подтвердятся.

Я осведомилась о фамилии и месте жительства благочестивого семейства. Она назвала одну из фамилий, встречающихся очень часто, и какой-то удаленный и никому не известный уголок страны, добавив, что они давно путешествуют по Европе и нынешний их адрес ей неизвестен. Я ни разу не видела, чтобы они с мистером Хантингдоном вели между собой долгие разговоры, но у него появилось обыкновение заходить в классную комнату, когда меня там не было, — чтобы понаблюдать за успехами маленького Артура. По вечерам она сидела с ним в гостиной, пела и играла, чтобы развлечь его, то есть *нас,* как делала она вид, была очень внимательна к его желаниям и старалась их предупредить, хотя разговаривала только со мной. Впрочем, он редко бывал в состоянии, когда с ним вообще можно было разговаривать. Будь она кем-нибудь другим, ее присутствие, нарушавшее наш тет-а-тет, меня только радовало бы, хотя мне и было бы стыдно, что порядочные люди видят его таким, каким он бывал слишком часто.

Я ни словом не обмолвилась с Рейчел о моих подозрениях, но она за пятьдесят лет пребывания в этой юдоли греха и скорби научилась быть подозрительной и чуть ли не в первый день сказала, что «эта новая гувернантка ее не проведет», и вскоре мне стало ясно, что она следит за ней ничуть не менее пристально, чем я. Но это меня лишь обрадовало, потому что я жаждала узнать правду — воздух Грасдейла казался мне невыносимым, и жила я только мыслью об Уайлдфелл-Холле.

Но вот Рейчел вошла ко мне в спальню с таким известием, что мое решение было принято прежде, чем она договорила. Пока она меня одевала, я рассказала ей о своем намерении, о том, в какой ее помощи я нуждаюсь, какие мои вещи она должна упаковать, а что оставить для себя — ведь у меня нет иного средства возместить ей внезапное увольнение после долгих лет верной службы, — как ни горько, но ничего другого мне не оставалось.

— А что ты будешь делать, Рейчел? — спросила я. — Вернешься к себе домой или устроишься на другое место?

— Дома у меня, сударыня, нет, а на другое место, если я от вас уйду, устраиваться не стану.

— Но мне теперь нельзя жить на прежнюю ногу. Я должна быть и собственной горничной, и няней моего сына, — сказала я.

— Вот важность-то! — ответила она в волнении. — А убирать, стирать, стряпать сами будете? Нет уж, без меня вам не обойтись. Про жалованье и не думайте — у меня какие-никакие сбережения, а есть. Коли ж вы меня не возьмете, придется мне их тратить на жилье и еду, не то идти на чужих людей работать. Только к этому я непривычная. Вот вы и решайте, сударыня! — Голос у нее задрожал, на глаза навернулись слезы.

— Мне бы, Рейчел, этого хотелось больше всего на свете, и я бы платила тебе, сколько могла, столько, сколько платила бы простой служанке, если бы ее взяла. Но разве ты не понимаешь, что я потащу тебя за собой вниз, хотя ты этого ничем не заслужила!

— Полно вздор-то городить! — перебила она.

— Ну, и, наверное, жить мне придется совсем по-другому, совсем не так, как вы все привыкли...

— Вы что же, сударыня, думаете, мне того не стерпеть, что моя хозяйка терпит? Да неужто я такая разборчивая и привереда? Даже барчук наш не такой, благослови его Господь.

— Но ведь я молода, Рейчел. Мне привыкнуть будет нетрудно, а Артуру тем более.

— А мне и подавно. Не такая я уж старуха, чтоб бояться простой еды да работы, когда могу помочь тем, кого, как родных детей, люблю. Старовата я, чтобы их бросить в беде, а самой по чужим людям мыкаться.

— Так и не надо, Рейчел! — воскликнула я, обнимая и целуя моего верного друга. — Поедем все вместе, а потом ты посмотришь, как тебе подойдет новая жизнь.

— Да благословит тебя Бог, деточка! — сказала она, ласково целуя меня в ответ. — Дай только нам выбраться из этого скверного дома, и мы на славу заживем, вот сама увидишь.

— И я так думаю, — поддержала я ее, и все было решено.

В то же утро с первой почтой я отправила Фредерику несколько торопливых строк с просьбой тотчас приготовить убежище для моего приезда, так как, возможно, письмо это опередит меня всего на день, и в двух словах объяснила ему причину такой внезапности. Затем я написала три прощальных письма. Первое — Эстер Харгрейв. Я сообщила ей, что не нахожу возможным ни жить в Грасдейле, ни оставить моего сына на попечение отца, а так как крайне необходимо, чтобы наш будущий приют остался неизвестен ему и его приятелям, я открою эту тайну только моему брату, с чьей помощью, надеюсь поддерживать переписку с друзьями. И, приложив адрес Фредерика, умоляла ее писать почаще, затем повторила прежние советы касательно собственной ее судьбы и с нежностью простилась с ней.

Второе письмо предназначалось Милисент, и хотя содержало примерно то же самое, но с подробностями, какие более долгая наша дружба, ее больший жизненный опыт и осведомленность о моей жизни позволили мне доверить ей.

Третье я написала тетушке. Было это очень тяжело и трудно — потому-то я и отложила его на конец. Однако оставить ее без объяснения, почему я решилась на такой неслыханный шаг, было ни в коем случае нельзя — как и медлить с ним: ведь они с дядей, несомненно, узнают о том, что произошло, на первый или второй день после моего исчезновения. Вполне вероятно, что мистер Хантингдон поспешит навести обо мне справки именно у них. В конце концов я заставила себя признаться ей, что понимаю теперь всю полноту своей ошибки, не жалуюсь на постигшую меня кару и горько сожалею, что последствия ее причиняют тревогу и боль моим близким. Однако мой долг перед моим сыном не позволяет мне долее смиряться: его необходимо безотлагательно оградить от тлетворного влияния отца.

Назвать место, где мы будем искать убежища, я не могу даже ей, чтобы они с дядей были избавлены от необходимости кривить душой, когда будут отрицать, что оно им известно. Однако письмо ко мне, отправленное на адрес брата, будет мне переслано. Я выразила надежду, что она и дядя простили бы мне столь отчаянный шаг, если бы знали все. И не стали бы меня винить. Далее я умоляла их не огорчаться из-за меня — ведь если я благополучно доберусь до своего убежища и сумею сохранить его в тайне, то буду совершенно счастлива... То есть была бы, когда б не мысли о них. А в остальном я буду довольна жить в безвестности, посвятив себя воспитанию моего сына, которого постараюсь научить, как избежать ошибок обоих его родителей.

Написала я и отправила эти письма вчера — так как отвела на приготовления к нашему отъезду двое суток, чтобы у Фредерика было больше времени привести в окончательный порядок предназначенные нам комнаты, а у Рейчел — на сборы, заниматься которыми ей приходится украдкой и без чьей-либо помощи: я могу только достать нужные вещи, но упаковать их в сундуки так, чтобы они заняли как можно меньше места, я не умею. А ведь ей надо позаботиться не только о вещах Артура и моих, но и своих собственных. Но считать что-то лишним нельзя, так как у меня есть лишь несколько гиней. К тому же, как ворчит Рейчел, все, что я не возьму с собой, достанется мисс Майерс, а это меня вовсе не восхищает.

Но как трудно было мне целых два дня казаться спокойной и невозмутимой, встречаться с ним и с ней, словно ничего не произошло (когда мне не удавалось избегать таких встреч), и оставлять маленького Артура ее заботам на несколько часов! Надеюсь, все эти испытания уже позади. Спать его я для пущей безопасности уложила в свою кровать и хочу верить, что больше никогда его невинные губки не будут оскверняться их тлетворными поцелуями, а его юный слух — загрязняться их словами. Но удастся ли нам спастись благополучно? Ах, скорее бы утро, чтобы мы уже отправились в путь! Вечером, когда я кончила помогать Рейчел и мне оставалось только ждать, гадать и дрожать, меня начало душить такое волнение, что я просто не знала, куда деваться. К обеду я вышла, но не могла заставить себя проглотить ни куска. Мистер Хантингдон не преминул это заметить.

— Ну, что еще с тобой? — осведомился он, когда унесли второе и он оторвался от своей тарелки.

— Мне нездоровится, — ответила я. — Пожалуй, мне следует лечь. Вы обойдетесь без меня?

— Наипревосходнейшим образом. Твой пустой стул вполне тебя заменит, — пробурчал он, когда я направилась к двери. — Ведь я могу воображать, что на нем сидит кто-нибудь другой!

«Так, наверное, и будет завтра!» — подумала я, но промолчала. Однако, закрыв за собой дверь, не удержалась и прошептала:

— Ну вот! Больше я вас, надеюсь, не увижу никогда!

Рейчел уговаривала меня немедля лечь, чтобы сохранить силы для завтрашнего путешествия, — мы ведь должны покинуть дом еще до рассвета. Но я была в таком нервном возбуждении, что и помыслить об этом не могла. Однако я не могла ни сидеть, ни расхаживать по спальне, считая часы и минуты, остающиеся до назначенного времени, напрягая слух и вздрагивая при малейшем звуке, воображая в страхе, будто кто-то догадался о нашем намерении и предал нас. Поэтому я взяла книгу и попыталась читать. Мои глаза пробегали страницу за страницей, но мне не удавалось сосредоточить свои мысли на содержании романа. Так почему не прибегнуть к испытанному средству и не довести эту летопись до последнего дня? И, достав дневник, я открыла его и записала последние события вплоть до этой минуты. Сначала рассеянность мешала мне, но затем мысли мои несколько успокоились и пришли в порядок. Так я скоротала несколько часов. Ждать остается уже недолго. И вот теперь веки у меня отяжелели, а руки опускаются от усталости... Поручу себя Богу и прилягу на час-другой. А *потом*...

Маленький Артур сладко спит. В доме стоит глубокая тишина. Нет, никто нас не подстерегает. Бенсон перевязал все сундуки веревками, поздно вечером тихонько отнес их вниз и на тележке отправил в контору дилижансов в М. На ярлыках написано «миссис Грэхем». Теперь я буду называться так. Моя мать была урожденная Грэхем, и я имею некоторое право на эту фамилию, которую предпочитаю всем другим... кроме моей девичьей, но вернуться к ней я не осмеливаюсь.

Глава XLIV

ТАЙНОЕ УБЕЖИЩЕ

24 октября. Благодарение Небу! Наконец-то я свободна и в безопасности! Мы встали в предрассветном сумраке, быстро, но тихо оделись, медленно, осторожно спустились в переднюю, где уже дожидался Бенсон со свечой, чтобы открыть дверь и запереть ее за нами. Нам пришлось довериться ему из-за багажа и прочего. Все слуги даже слишком хорошо знали, как ведет себя их хозяин, и я не сомневалась, что и Бенсон, и Джон будут только рады услужить мне. Но первый более надежен, как всякий человек в годах, а к тому же давний приятель Рейчел, и потому я, естественно, сказала, чтобы в помощники и наперсники она выбрала его, открыв ему только то, что совершенно необходимо. Надеюсь, что это не навлечет на него беды, и жалею, что никак не могу вознаградить его за помощь, которую он столь охотно оказал мне, не думая, насколько это опасно для него. Я только сунула ему в руку на память две гинеи, когда он остановился в дверях, подняв повыше свечу, и в его честных серых глазах на невозмутимом лице блеснули слезы, а губы словно безмолвно шептали добрые напутствия. Увы! Больше я ему дать не могла — оставшейся в кошельке суммы должно было только-только хватить на дорожные расходы.

Какой трепетный восторг охватил меня, когда мы закрыли за собой маленькую калитку в ограде парка! На мгновение я остановилась, глубоко вдохнула прохладный, бодрящий воздух и осмелилась поглядеть на дом. Он стоял темный, тихий. Ни единый огонек не мерцал в окнах, ни единый клуб дыма не заслонял сверкающие звезды в холодном небе. Навеки прощаясь с этим местом, окутанным мраком вины и стольких горестей, я почувствовала радость, что не покинула его раньше: ведь теперь в моей душе не было ни малейших сомнений в правильности такого решения. Ни тени жалости к тому, кто остался там, никаких угрызений. Мою радость туманил лишь страх, что он нас настигнет, но с каждым шагом вероятность этого уменьшалась.

Когда поднялось круглое красное солнце, поздравляя нас с избавлением, между нами и Грасдейлом пролегло уже много миль, и если кто-нибудь из обитателей его окрестностей увидел бы, как мы покачиваемся на крыше дилижанса, он вряд ли даже заподозрил бы, кто мы такие. Решив выдавать себя за вдову, я сочла разумным приехать в мое новое жилище в трауре, а потому надела простое черное шелковое платье, пелерину, черную вуаль (которую первые двадцать — тридцать миль ни разу не откинула) и черную шелковую шляпку — ее мне пришлось взять у Рейчел, так как своего подходящего головного убора у меня не нашлось. Была она не слишком модной, что при данных обстоятельствах оказалось вполне кстати. Артура мы одели в самый скромный его костюмчик и завернули в шерстяной платок, а Рейчел куталась в серую накидку с капюшоном, видавшую лучшие дни, и походила более на бедную, хотя и почтенную, крестьянку, чем на камеристку.

Ах, какое это было наслаждение, покачиваясь, плыть над широкой, залитой солнцем дорогой, подставляя лицо свежему, ласковому ветерку, глядя на незнакомые, улыбающиеся пейзажи вокруг — да, весело, чудесно улыбающиеся в этих ранних золотых лучах! И мой любимый сын у меня на коленях, почти столь же счастливый, как я, и верная Рейчел рядом, тюрьма же и отчаяние остались позади и с каждым ударом лошадиных копыт о землю отодвигаются все дальше и дальше, а впереди ждут свобода и надежда! Я еле удерживалась, чтобы вслух не возблагодарить Бога за мое избавление или не удивить других пассажиров внезапным взрывом блаженного смеха.

Однако путь был долгим, и к концу мы все очень устали. Когда мы добрались до городка Л., давно уже наступила ночь, а нам до нашей цели оставалось еще целых семь миль! Причем не по тракту. Городок уже спал, и нанять хороший экипаж было невозможно, так что нам пришлось удовольствоваться фермерской тележкой. И заключительная стадия нашего путешествия оказалась довольно мучительной: усталые, замерзшие, мы сидели на наших сундуках, и нам не за что было держаться, не к чему прислониться. Лошадь еле брела, а тележка подпрыгивала на ухабах и рытвинах холмистой дороги, но Артур уснул на коленях Рейчел, и вдвоем мы сумели надежно уберечь его от холода.

В конце концов каменистая дорога начала круто подниматься вверх между двумя стенками, сменившими живые изгороди, и Рейчел вдруг сказала, что узнает ее, несмотря на темноту. Сколько раз гуляла она тут, держа меня на руках, и ей даже в голову прийти не могло, что она вернется сюда через столько лет, да еще при таких обстоятельствах! Толчки и частые остановки разбудили Артура, и мы все трое спрыгнули на землю, чтобы остальной путь проделать пешком. Идти нам предстояло немного, но что, если Фредерик не получил моего письма? Или не успел приготовить комнаты к нашему приезду, и они встретят нас темнотой, сыростью, холодом — ни еды, ни огня, ни мебели? А мы так измучены!

Наконец впереди показалось угрюмое, темное здание. Дорога огибала его сзади. Мы вошли в пустой двор и с испугом оглядели осыпающиеся стены. Неужели ничего, кроме мрака и запустения? Но нет, в одном окне с целыми стеклами мы с радостью заметили красноватый отблеск. Дверь была заперта, однако на наш стук через некоторое время из окна второго этажа отозвался чей-то голос, и после недолгих переговоров старуха, которой было поручено до нашего приезда следить за порядком, впустила нас в уютную кухоньку, которую Фредерик устроил для нас в бывшей посудомойной. Старуха зажгла свечу, раздула огонь, пока он весело не запылал, и принялась стряпать нехитрый ужин, а мы тем временем разоблачались и знакомились с нашим новым жилищем. Оно, кроме кухни, состояло из двух спален, просторной гостиной и другой, поменьше, где я тут же решила устроить свою мастерскую. Все комнаты были хорошо проветрены и подновлены, но мебели было мало и та почти вся старинная, тяжеловесная, из мореного дуба — та самая, которая стояла тут прежде, а потом сохранялась в новом доме, как любопытное наследие старины, и теперь была поспешно поставлена обратно.

Старуха подала ужин мне и Артуру в гостиную и по всем правилам доложила, что «хозяин кланяется миссис Грэхем и комнаты приготовил, насколько позволила спешка, но будет иметь удовольствие завтра же самолично засвидетельствовать ей почтение и узнать, какие у нее еще будут распоряжения».

Я была рада подняться по угрюмой каменной лестнице и лечь спать на столь же угрюмой старомодной кровати рядом с моим маленьким Артуром. Он немедленно уснул, меня же возбуждение и беспокойные мысли заставили бодрствовать усталости вопреки, пока ночной мрак не сменился серым предрассветным сумраком, но сон, когда он наконец пришел, был сладок и освежающ, а пробуждение — неописуемо приятным. Разбудил меня Артур нежными поцелуями. Так он правда здесь, в моих объятиях, в безопасности, далеко-далеко от своего недостойного отца! Комната была залита светом, потому что солнце поднялось уже высоко, однако его затягивали клубы осеннего тумана.

Правду сказать, все вокруг — и снаружи и внутри — выглядело не слишком бодрящим. Большая, почти пустая комната с мрачной старой мебелью, за частым переплетом узких окон видно тускло-серое небо вверху, а ниже унылость запустения. Лишь темная каменная ограда с чугунными воротами, заросли бурьяна и диких трав да вечнозеленые тисы и лавры фантастических форм напоминают, что тут когда-то был сад, а дальше тянутся голые, тоскливые поля... Наверное, в другое время все это поразило бы меня своей угрюмостью, но не теперь: напротив, мой взгляд всюду словно бы находил подтверждение пьянящему чувству надежды и свободы, которое владело мной, каждый предмет либо навевал неясные грезы прошлого, либо обещал светлое будущее. О, конечно, мое ликование было бы более безоблачным, если бы между моим нынешним и моим прежним домом катил бы волны безбрежный океан, но неужели в столь уединенном месте я не сумею остаться безвестной? А что до уединения, разве мой брат не будет мне его скрашивать, время от времени навещая меня?

Он приехал в то же утро, и с тех пор я виделась с ним несколько раз, но ему нелегко выбирать время для своих визитов, которые необходимо тщательно скрывать. Ни его ближайшие друзья, ни даже слуги не должны знать, что он бывает в Уайлдфелле, — за исключением тех случаев, когда владелец дома может навестить по делу свою жилицу. Ведь всякое подозрение окажется для меня губительным, будет ли оно близко к истине или порождено лживыми измышлениями.

Я живу здесь уже почти полмесяца, и если бы не одна неотвязная забота, не томительный страх, что убежище мое будет обнаружено, то мне не на что было бы жаловаться. Я уютно устроилась в своем новом доме: Фредерик снабдил меня всей необходимой мебелью, а также красками, холстами и прочим; Рейчел продала почти все мои платья в отдаленном городке и приобрела для меня гардероб, более подходящий моему нынешнему положению; в гостиной у меня стоят старенькое фортепьяно и книжный шкаф с недурным подбором книг, а малая гостиная уже обрела совсем профессиональный вид. Я усердно тружусь, чтобы вернуть моему брату все, что он израсходовал на меня, — не то чтобы в этом была хоть малейшая необходимость, но мне так приятнее. Мой труд, мой заработок, домашняя экономия и скромный стол будут особенно меня радовать, если я буду знать, что честно содержу себя сама, что мое безрассудство никому не причинило ущерба — во всяком случае, в денежном смысле. Я верну ему свой долг до последнего пенни, если только сумею сделать это, не ранив его слишком больно. У меня есть несколько законченных картин — я ведь просила Рейчел упаковать их все до единой. Однако она выполнила мое поручение с излишней точностью, уложив вместе с прочими и портрет Хантингдона, который я написала в первый год нашего брака. Мне стало почти дурно, когда я вынула его из ящика и увидела эти глаза, устремленные на меня с веселой насмешкой, словно он все еще упивался своей властью над моей судьбой и высмеивал мою попытку спастись.

Как не похожи были мои чувства, когда я писала этот портрет, на те, с какими я глядела на него сейчас! Как я всматривалась, как трудилась, чтобы создать нечто, по моему мнению, достойное оригинала! Когда же кончила, то испытала удовольствие, смешанное с досадой, — удовольствие, потому что мне удалось схватить сходство, а досадовала я на то, что не сумела сделать его еще красивее. Теперь я не вижу в нем никакой красоты, ни тени прелести в выражении, и все же на холсте он гораздо красивее и несравненно привлекательнее — далеко не такой отвратительный следовало бы мне сказать! — чем стал теперь. Ибо эти шесть лет изменили его облик не меньше, чем мои чувства к нему. Рама, однако, недурна и подойдет для другой картины. Портрет же я не уничтожила, как решила сначала, а спрятала. Но, думаю, не потому, что в каком-то уголке сердца еще теплится память о былой любви, и не для того, чтобы он напоминал мне о прошлом безумии, но для того, чтобы я могла сравнивать лицо и выражение моего подросшего сына с портретом и проверять, насколько он становится похож — или не похож — на отца. Конечно, если мне будет дано не разлучаться с ним и больше никогда не видеть его отца, — но на такое счастье я все еще почти не осмеливаюсь уповать.

Мистер Хантингдон, как выяснилось, всячески старается узнать, куда я скрылась. Он явился в Стейнингли собственной персоной, ища возмещения своим обидам, в надежде что-нибудь узнать о своих жертвах, а то и найти их там, и с бесстыдной невозмутимостью наговорил столько лжи, что дядя почти ему поверил и настойчиво советует мне вернуться к нему и от души помириться с ним. Но тетушка не столь легковерна. Она слишком трезва, слишком осторожна, слишком хорошо знает характер моего мужа и мой, чтобы ее могла ввести в заблуждение самая хитрая ложь, какую он способен сочинить. Впрочем, он вовсе не хочет, чтобы я вернулась к нему, ему нужен мой сын, и он ясно дает понять моим друзьям, что готов уступить моему капризу, оставить меня в покое и даже назначить мне приличное содержание при условии, что я немедленно отошлю к нему мальчика. Да смилуется надо мною Небо! Я не продам моего сына за золото, даже если бы оно спасло и его, и меня от голодной смерти! Лучше ему умереть со мной, чем жить с отцом.

Фредерик показал мне письмо, которое получил от этого джентльмена, столь бесстыдно наглое, что оно ошеломило бы всякого, кто его не знает, но, по моему твердому убеждению, никто не сумел бы ответить на него лучше, чем мой брат. Своего ответа Фредерик мне не показал, однако, по его словам, он умолчал о том, известно ли ему или нет, где я нахожусь, но дал возможность заключить, будто ничего об этом не знает, написав следующее: обращаться за такими сведениями к нему и к другим моим родственникам бесполезно, поскольку я, очевидно, доведена до такой крайности, что скрываюсь даже от своих друзей, но если бы ему было (или стало) это известно, то мистер Хантингдон, во всяком случае, был бы последним, кому он сообщил бы мой адрес. И ему не стоит причинять себе лишние хлопоты, пытаясь торговаться из-за мальчика, ибо он (Фредерик) достаточно хорошо знает свою сестру и может с полной уверенностью утверждать, что, где бы она ни находилась и в каком бы положении ни была, никакие соображения не заставят ее расстаться с сыном.

Тридцатое. Увы! Мои добрые соседи не желают оставить меня в покое. Каким-то образом они прознали про мое существование, и мне пришлось вытерпеть визиты трех семейств.

Все всячески хотели вызнать, кто я такая, каково мое положение, откуда я приехала и почему выбрала такое жилище. Общество их мне, мягко выражаясь, совсем не нужно, а их любопытство раздражает и пугает меня. Если я его удовлетворю, это может обернуться гибелью для моего сына, если же я буду казаться слишком таинственной, это даст пищу для подозрений, всяческих предположений и только заставит их удвоить усилия, так что молва обо мне будет передаваться от прихода к приходу, пока не достигнет ушей того или той, кто сообщит ее владельцу Грасдейл-Мэнора.

Разумеется, они полагают, что я верну им визиты. Но я наведу справки, и тем, кто живет так далеко, что Артур не сможет сопровождать меня, придется подождать, так как я и помыслить не могу расстаться с ним хотя бы ненадолго — разве только для того, чтобы пойти в церковь, но посещение ее я все еще откладываю. Пусть это глупая слабость, но я живу в постоянном страхе, что его у меня похитят, я всегда волнуюсь, если не вижу его рядом. И я боюсь, как бы нервный ужас не помешал моим молитвам, а тогда к чему идти в церковь? Однако в следующее воскресенье я все же попытаюсь и заставлю себя поручить его Рейчел на два-три часа. Мне будет очень тяжело, но, конечно же, это безопасно, а у меня уже побывал священник и бранил за то, что я не соблюдаю свой религиозный долг. Никаких веских возражений я привести не могла и обещала, что в следующее воскресенье, если ничего не случится, он увидит меня на моей скамье. Я не хочу, чтобы меня считали неверующей, а к тому же посещение церкви утешит и укрепит мой дух, если только у меня достанет веры и твердости привести мои мысли в соответствие с высокой торжественностью службы и не допустить, чтобы они каждую минуту обращались к моему сыну и ужасной возможности, что я вернусь домой и не найду его там! Но конечно же, конечно, Господь в неизреченном своем милосердии избавит меня от столь страшного испытания — ради моего ребенка, если уж не меня самой. Он не допустит, чтобы его отняли у матери.

3 ноября. Круг моих знакомств здесь становится шире. Признанный лев и первый красавец в приходе и его окрестностях (во всяком случае, в собственных глазах), молодой...

. . . .

На этом записи в дневнике обрывались. Остальные страницы были изъяты. Как жестоко! На том самом месте, где она что-то написала обо мне. Ведь без всяких сомнений речь дальше шла о твоем покорном слуге, хотя и навряд ли я был представлен в очень лестном свете. Такое заключение проистекало не только из этой недоконченной фразы, но и из воспоминаний о том, как она держалась и говорила со мной в начале нашего знакомства. Ну, что же! Я охотно простил ей предубеждение против меня и суровое осуждение нашего пола в целом, когда узнал, какими блистательными его образчиками ограничивалось ее знакомство с ним.

Ну, а что до меня, так она уже давно поняла свою ошибку. И если тогда ее мнение обо мне было ниже, чем я заслуживал, то теперь, подумал я, оно высоко не по моим заслугам. И если первые из оторванных страниц были изъяты, чтобы не обидеть меня, то остальные, конечно, та же участь постигла из опасения, что они слишком укрепят мое самомнение. Но в любом случае я дорого дал бы, чтобы прочесть их все, чтобы проследить, как произошла эта перемена, как мало-помалу в ней пробудились ко мне уважение, дружба и... и то более горячее чувство, какое могло ею овладеть. Узнать, сколько в нем любви и как эта любовь росла вопреки всем ее благоразумным решениям и твердым намерениям не... Но нет! У меня нет права читать эти строки. Они слишком священны для любых глаз, кроме ее собственных, и она поступила правильно, что скрыла их от меня.

Глава XLV
ПРИМИРЕНИЕ

Ну, Холфорд, что ты обо всем этом скажешь? А пока ты читал, думал ли о том, какие чувства обуревали меня, когда я переворачивал страницу за страницей? Вероятно, нет, но я не собираюсь их тут расписывать. Признаюсь лишь в одном (хотя это делает мало чести человеческой природе вообще и мне в частности): первая половина дневника причинила мне куда больше боли, чем вторая. Не то чтобы я оставался равнодушен к тому, что пришлось претерпеть миссис Хантингдон, и не был тронут ее страданиями, но, не скрою, я испытывал эгоистическую радость, следя за тем, как ее муж постепенно утрачивает ее любовь, и убедившись под конец, что он убил в ней всякое чувство к нему, кроме отвращения. И, несмотря на всю мою жалость к ней, на мою ярость против него, закрыл я дневник с невыразимым восторгом — с моей души свалилась нестерпимая тяжесть, словно какой-то друг пробудил меня от мучительного кошмара.

Было уже почти восемь часов утра. Моя свеча догорела еще глубокой ночью, оставив меня перед выбором либо спуститься за новой и, возможно, разбудить весь дом, либо лечь в постель и ждать рассвета. Из-за матушки я предпочел второе, но предоставляю тебе самому вообразить, с какой охотой я так поступил и как долго и крепко спал!

Едва забрезжил первый свет, как я вскочил и кинулся с рукописью к окну, однако различить буквы было еще невозможно, и я потратил полчаса на то, чтобы одеться, а потом вернулся к ней. Теперь уже можно было что-то разобрать, и я поглощал оставшиеся страницы с нетерпеливым интересом и жадностью. Но вот последняя дочитана, и, кончив жалеть, что запись оборвалась столь внезапно, я открыл окно и высунулся из него, чтобы охладить голову под рассветным ветерком и глубже вдохнуть чистый утренний воздух. А утро было великолепное: траву еще одевал иней, сменявшийся капельками росы, у меня над головой щебетали ласточки, где-то каркала ворона, а в отдалении мычала корова. Ранний морозец мешался с совсем летним солнечным светом, и воздух, казалось, был напоен их сладостью. Но я ничего не замечал и рассеянно взирал на чудный лик природы, весь поглощенный бушевавшей во мне бурей мыслей и чувств: невыразимый восторг, что моя обожаемая Хелен именно та, какой я ее считал, что сквозь ядовитые туманы мирской клеветы и моих собственных нелепых измышлений ее характер сияет во всей своей светлой чистоте и незапятнанности, как солнце, чьего блеска не выдерживает мой взгляд, и еще смешанный с глубоким раскаянием стыд, что я оказался способен так мерзко себя вести.

Сразу же после завтрака и поспешил в Уайлдфелл-Холл. Со вчерашнего дня Рейчел неизмеримо поднялась в моем уважении, и я готов был поздороваться с ней, как с давней приятельницей, но мой порыв тотчас увянул под взглядом холодного недоверия, каким она смерила меня, открыв дверь. Старая дева, несомненно, считала себя хранительницей чести своей госпожи, а меня — вторым мистером Харгрейвом, только более опасным из-за доверия и уважения, какими меня одаряла та.

— Хозяйка сегодня никого не принимает, сэр... Нездоровится ей, — сказала она, когда я осведомился о миссис Грэхем.

— Но мне необходимо увидеть ее, Рейчел, — возразил я, упираясь ладонью в дверь, чтобы она ее не захлопнула перед моим носом.

— Нет, сэр, это никак невозможно, — отрезала она, и лицо ее стало еще более чугунно-суровым.

— Будьте так добры доложить обо мне!

— Да ни к чему, мистер Маркхем, говорят же вам, ей нездоровится!

Тут, как раз вовремя, чтобы помешать мне взять крепость штурмом и ворваться к хозяйке дома без доклада, распахнулась внутренняя дверь, и из нее выбежал маленький Артур со своим неразлучным четвероногим приятелем. Он ухватил меня за руку и с улыбкой потащил в переднюю.

— Мама велела сказать, чтобы вы вошли, мистер Маркхем, — объявил он, — а мне позволила пойти в сад поиграть с Дружком.

Рейчел, горестно вздохнув, удалилась, а я вошел в гостиную и закрыл за собой дверь. Там перед камином стояла высокая строгая красавица, измученная бесконечными страданиями. Я положил дневник на стол и посмотрел на обращенное ко мне бледное, тревожное лицо. Ее ясные темные глаза глядели в мои таким всепроникающим взором, что я был словно околдован им.

— Так вы прочли? — спросила она тихо, и чары рассеялись.

— С начала и до конца, — ответил я, делая шаг к ней, — и хочу услышать, простите ли вы меня? Можете ли вы меня простить?

Она не ответила, но ее глаза заблестели, щеки и губы чуть порозовели, и, резко отвернувшись от меня, она отошла к окну. Не в гневе, понял я, но чтобы скрыть или побороть свои чувства, а потому я осмелился последовать за ней и встать рядом — но не нарушил молчания. Не обернувшись, она протянула мне руку и голосом, дрогнувшим, несмотря на все ее усилия, спросила тихо:

— А вы? Можете ли вы простить меня?

Поднести эту лилейную ручку к губам значило бы нарушить обещание, но, вовремя спохватившись, я только нежно сжал ее в своих и сказал с улыбкой:

— Право, не знаю. Вам следовало бы рассказать мне все это раньше. Такой знак недоверия...

— Ах нет! — вскричала она, перебив меня. — Совсем не поэтому... Не потому, что я вам не доверяла! Но ограничиться лишь частью моей истории было бы нельзя: чтобы извинить свои поступки, мне пришлось бы рассказать вам все, а только крайняя необходимость могла вырвать у меня такое признание. Но вы меня прощаете? Я поступила очень, очень дурно, я знаю, но, как обычно, лишь пожинаю горькие плоды собственной ошибки... И буду пожинать их до конца жизни.

Произнесено это было решительным тоном, не скрывшим, однако, горькую муку. Теперь я прижал ее руку к губам и осыпал лихорадочными поцелуями — слезы не давали мне говорить. Она сносила эти бурные ласки без сопротивления или досады, а потом внезапно отняла руку и несколько раз прошлась по комнате. Сдвинутые брови, плотно сжатые губы, судорожно переплетенные пальцы сказали мне, что в ее груди идет безмолвная борьба между рассудком и страстью. Наконец она остановилась перед пустым камином и, обернувшись ко мне, сказала спокойно — если можно назвать спокойствием то, что далось ей лишь ценой невероятного усилия:

— А теперь, Гилберт, вы должны уйти... Нет, не сию минуту, но скоро. И вы никогда больше *не должны приходить сюда!*

— Никогда, Хелен? Теперь, когда я люблю вас даже сильнее, чем раньше?

— Как раз по этой причине. Если так, мы больше не должны встречаться. Наше нынешнее свидание я сочла необходимым... Во всяком случае, я убедила себя, что оно необходимо, что мы должны просить и получить друг у друга прощение за прошлое. Извинений, чтобы встречаться и дальше, у нас никаких нет. Я уеду отсюда, как только смогу подыскать другое убежище, но наше знакомство кончается здесь и сейчас!

— Сейчас? — повторил я, подошел к камину, положил руку на резной завиток высокой полки и прижался к ней лбом в угрюмом безмолвном отчаянии.

— Вы больше не должны бывать здесь, — продолжала она, и хотя в ее голосе слышалась легкая дрожь, показалась мне невыносимо спокойной — с таким хладнокровием произнесла она этот страшный приговор. — Вы не можете не понимать, почему я говорю вам это, — продолжала она, — и не можете не видеть, что нам лучше расстаться сразу. И если проститься навеки так тяжело, то вы обязаны помочь мне! — Она умолкла, но я ничего не сказал. — Так вы обещаете мне больше не приходить? Если нет, если вы снова придете, то заставите меня бежать отсюда прежде, чем я найду другой приют или хотя бы узнаю, как его искать...

— Хелен! — воскликнул я, в волнении глядя на нее. — Я не способен говорить о вечной разлуке невозмутимо и бесстрастно, как вы. Для меня речь идет не о том, что разумнее, а о жизни и смерти!

Она молчала. Ее бледные губы подергивались, пальцы дрожали, и она нервно перебирала волосяную цепочку своих золотых часиков — единственная ценная вещь, которую она позволила себе сохранить. То, что я сказал, было несправедливо, жестоко, но я не удержался и от худшего.

— Хелен, — начал я тихим, вкрадчивым тоном, не осмеливаясь смотреть ей в лицо, — этот человек вам более не муж. В глазах Небес он лишил себя всякого права...

Она сжала мой локоть с силой отчаяния.

— Гилберт, не надо! — вскричала она голосом, который проник бы и в каменное сердце. — Ради Бога, не прибегайте хоть вы к этим доводам! Никакой демон не мог бы мучить меня сильнее!

— Не буду, не буду! — покорно сказал я, накрывая ее руку своей. Испуганный ее вспышкой, я уже испытывал невыносимый стыд за свою непростительную несдержанность.

— Вместо того чтобы показать себя истинным моим другом, — продолжала она, вырвав у меня руку и бросившись в старое кресло, — и помочь мне, насколько это в ваших силах... То есть вместо того, чтобы помочь добродетели и в себе одержать верх над страстью, вы сбрасываете все бремя борьбы на меня. И, не довольствуясь этим, сами боретесь против меня, хотя и знаете, что я... — Она смолкла и спрятала лицо в носовом платке.

— Простите меня, Хелен, — сказал я умоляюще. — Я больше не позволю себе ни одного лишнего слова. Но неужели мы не можем встречаться просто как друзья?

— Из этого ничего не выйдет, — грустно ответила она, покачав головой, а потом с упреком подняла на меня глаза, словно говоря: «Вы все понимаете сами не хуже меня!»

— Так что же нам делать? — вскричал я в отчаянии, но тут же добавил более спокойным голосом: — Я исполню любую вашу волю, но только не говорите, что это наша последняя встреча.

— Но почему? Разве вы не понимаете, что всякий раз, когда мы будем видеться, мысли о неизбежной вечной разлуке будут становиться еще более невыносимыми? Разве вы не чувствуете, что с каждой новой встречей мы становимся дороже друг другу?

Последний вопрос был задан торопливо и очень тихим голосом, а опущенные глаза и заалевшие щеки неопровержимо доказывали, что сама она это чувствует. Вряд ли было благоразумно признаваться в подобном, а тем более добавлять после некоторой паузы:

— Сейчас у меня хватит силы проститься с вами, но в следующий раз... не знаю...

Однако у меня недостало низости воспользоваться ее откровенностью.

— Но мы могли бы писать друг другу? — спросил я робко. — Вы ведь не откажете мне хоть в таком утешении?

— Мы можем получать вести друг от друга через моего брата.

— Через вашего брата! — Меня охватили раскаяние и стыд. Она ведь не знала, что он болен и по моей вине, а мужества сказать ей об этом я в себе не нашел. — Он нам не поможет и постарается положить конец всякому общению между нами.

— И будет прав, я полагаю. Как друг нас обоих он должен принимать к сердцу наше благо, а все, кому мы дороги, скажут, что забыть — не только наш долг, но и наилучший выход для нас самих же, пусть мы этого и не видим. Но не бойтесь, Гилберт, — с грустной улыбкой продолжала она, заметив, что я готов вспыхнуть от возмущения, — забыть вас я вряд ли сумею. Впрочем, я говорила вовсе не о том, что Фредерик будет пересылать наши письма, а имела в виду лишь возможность узнавать через него о судьбе друг друга, не более. Вы молоды, Гилберт, и вам следует жениться... Рано или поздно так оно и будет, пусть сейчас это представляется вам немыслимым. И хотя было бы ложью сказать, что мне хотелось бы, чтобы вы меня забыли, я знаю, это нужно и должно сделать ради вашего счастья и счастья вашей будущей жены. Вот почему я должна — и буду — желать этого! — докончила она решительным тоном.

— Но ведь и вы молоды, Хелен! — смело возразил я. — И когда этот распутный негодяй пройдет свой порочный путь до конца, вы отдадите свою руку мне. Я буду ждать.

Но она не пожелала оставить мне даже это утешение. Разумеется, было бы глубоко безнравственно возлагать наши надежды на смерть человека, который пусть и мало годится для этого света, еще меньше подходит для того, так что исправление его стало бы для нас проклятием, а торжество греха — исполнением заветной мечты! По ее убеждению, такое ожидание было бы еще и величайшим безумием. Ведь очень многие люди с теми же пристрастиями, какие управляют мистером Хантингдоном, доживали до глубокой, пусть и малопочтенной старости.

— А я, — заключила она, — хотя и молода годами, но изнурена несчастьями, и даже если горе не успеет убить меня до того, как пороки сведут в могилу его, то, доживи он хотя бы до пятидесяти, вам придется пятнадцать — двадцать лет — то есть весь расцвет своей жизни — провести в неопределенном ожидании неясности, для того лишь, чтобы жениться на увядшей, замученной старухе, какой я стану тогда, ни разу даже не увидевшись со мной с этого дня и до того. Нет, вы не сможете выдержать такого ожидания, — перебила она мои заверения в вечной верности. — И, во всяком случае, это было бы очень дурно. Поверьте мне, Гилберт, тут я опытнее вас. Вы считаете меня холодной, с каменным сердцем, и с полным на то правом...

— Нет же, Хелен, нет!

— Не важно. В всяком случае, основания для этого у вас есть. Но мое уединение не мешало мне размышлять, и я говорю теперь не под влиянием минуты, как вы. Все это я обдумывала много раз, спорила с собой, подробно рисовала себе наше прошлое, наше настоящее, наше будущее и, поверьте, пришла к единственному верному выводу. Положитесь на мое суждение, каковы бы ни были ваши чувства, и через несколько лет вы убедитесь в его правильности, хотя сейчас даже мне самой трудно в это поверить, — добавила она тихо, со вздохом опуская голову на руку. — И больше не возражайте мне. Все ваши доводы уже приводило мое сердце и опроверг мой рассудок. Мне трудно было бороться с ними, когда их нашептывал внутренний голос. А в ваших устах они вдесятеро хуже, и знай вы, какую боль они мне причиняют, то, конечно, сразу умолкли бы. Знай вы, какие чувства я сейчас испытываю, вы бы постарались их облегчить, даже жертвуя собой.

— Я уйду... скоро уйду, если вам от этого станет легче, и *больше не вернусь!* — произнес я с горькой выразительностью. — Но пусть нам нельзя видеться и даже уповать на будущую встречу, неужели такое преступление — изредка обмениваться письмами? Неужели родственные души не могут встречаться, не могут искать единения вопреки внешним обстоятельствам и судьбе их земных оболочек?

— О, могут, могут! — вскричала она со страстностью. — Я думала об этом, Гилберт, но не решалась заговорить из опасения, что вы полагаете иначе. Я боюсь этого и теперь. Боюсь, что любой заботливый друг сказал бы нам, что мы оба обманываем себя иллюзией духовного общения без надежды и упования на что-либо иное, что это может породить лишь тщетные сожаления, опасные мечты и послужить пищей для мыслей, которые следует строго и безжалостно обречь беспощадному забвению...

— Ах, оставьте наших заботливых друзей! Достаточно и того, что они не позволяют нам видеться. Богом заклинаю, не позволяйте им разлучить и наши души! — вскричал я вне себя от ужаса, что она сочтет своим долгом лишить нас и этого последнего утешения.

— Но здесь мы обмениваться письмами не можем, если не хотим дать свежую пищу сплетням, а место своего нового приюта я намерена скрыть от вас, как и от всего света. Не потому, что усомнюсь в вашем слове, если вы обещаете не приезжать ко мне туда, но, по-моему, лишившись такой возможности, вы обретете больше душевного спокойствия и вам будет легче отгонять мысли обо мне, не зная, где я. Но вот что, — добавила она, с улыбкой подняв руку, чтобы оборвать мои нетерпеливые возражения, — через полгода Фредерик сообщит вам мой адрес, и если ваше желание писать мне еще не остынет, если вы будете уверены, что сумеете не выйти из пределов чисто духовной переписки, обмена отвлеченными мыслями, то есть того общения, каким могли бы довольствоваться бестелесные души или хотя бы бесстрастные друзья, то напишите мне, и я отвечу.

— Полгода!

— Да, чтобы нынешний ваш пыл успел остыть, чтобы испытать истинность и постоянство любви вашей души к моей. Ну, а теперь мы сказали достаточно, так почему же нам не попрощаться сейчас же! — воскликнула она почти безумно после недолгой паузы и поднялась с кресла, решительно сжав руки.

Я подумал, что мой долг — уйти немедля, и подошел к ней, протягивая руку, чтобы проститься. Она молча ее пожала, но мысль, что мы расстаемся навеки, была столь невыносима, что мое сердце оледенело, а ноги точно приросли к полу.

— Неужели мы больше не свидимся? — пробормотал я в отчаянии.

— В раю. Будем думать об этом, — ответила она со спокойствием невыразимой муки. Однако в ее глазах был безумный блеск, и лицо смертельно побледнело.

— Но уже не такими, как мы сейчас, — не выдержал я. — Мне нет утешения в мысли, что снова я увижу вас, как бестелесную душу, как совсем иное создание, чистейшее, сияющее, но не похожее на вас теперь! И чьему сердцу, быть может, я буду чужд!

— Нет, Гилберт, в раю царит совершенная любовь.

— Настолько совершенная, я полагаю, что я для вас буду не более тысячи тысяч ангелов и мириадов счастливых душ вокруг нас!

— Чем бы я ни стала, тем же станете и вы, а значит, не будете ни о чем сожалеть. Какая бы перемена нас ни ожидала, мы знаем, что она может быть только к лучшему!

— Но если я настолько изменюсь, что перестану обожать вас всем сердцем и душой, перестану любить вас превыше всего сущего, то перестану и быть самим собой. Пусть я знаю, что, если мне суждено сподобиться рая, я должен стать бесконечно лучше и счастливее, чем теперь, моя земная природа не может ликовать в предвкушении блаженства, из которого будет исключена и она сама, и высшая ее радость!

— Так ваша любовь чисто земная?

— Нет. Но я исхожу из предположения, что там мы будем близки друг другу не более, чем всем остальным.

— Если так, то потому лишь, что возлюбим их сильнее, а не потому, что наша любовь станет слабее. Чем любовь сильнее, тем больше счастья она приносит, если она так взаимна и так чиста, как должно.

— Но вы, Хелен, способны ли вы с восторгом думать о том, что потеряете меня в море небесного блаженства?

— Признаюсь, что нет. Но ведь нам не дано знать, как это будет, а вот сожалея об утрате земных наслаждений ради райского блаженства, мы уподобляемся ползучей гусенице, которая начала бы сетовать, что ей в дальнейшем суждено больше не грызть листочки, а взмыть в воздух и по собственной воле перепархивать с цветка на цветок, пить сладкий нектар из их чашечек или нежиться на солнце среди их душистых лепестков! Знай эти крохотные создания, какая великая перемена их ожидает, без сомнения, они ее не страшились бы. Но ведь для такой печали истинных оснований нет, не правда ли? А если это уподобление вас не убеждает, то вот вам другое. Мы сейчас дети, мы чувствуем, как дети, и понимаем все, как дети, и, когда нам говорят, что взрослые не играют в игрушки, что в один прекрасный день нашим товарищам прискучат нехитрые забавы, столь пока дорогие для них и для нас, нам, конечно, становится грустно при мысли о такой перемене. Ведь мы не способны представить себе, что с возрастом наше сознание тоже обогатится и возвысится, что мы сами тогда сочтем ничтожными те цели и занятия, которые теперь представляются нам столь интересными, что наши товарищи, перестав участвовать с нами в детских играх, присоединятся к нам, когда мы обретем иные источники наслаждения, и сольют свои души с нашими во имя более высоких целей и более благородных занятий, которые пока не доступны нашему пониманию, но из-за этого ни на йоту не становятся менее благими и прекрасными. Причем и наши товарищи, и мы сами не перестанем в своей сущности быть тем, чем были. Но, Гилберт, ужели вы и правда не способны обрести утешения в мысли, что мы можем вновь встретиться там, где нет ни печали, ни воздыханий, ни искушений, ни грехов, ни борьбы духа с плотью? Где мы оба постигнем одну сияющую истину, будем пить несказуемое высшее блаженство из одного источника света и добра — того Высшего Существа, которому оба будем поклоняться со святой пылкостью? Где оба, равно чистые и блаженные, мы познаем ту же божественную любовь? Если не способны, то не пишите мне.

— Нет, Хелен, я верую в это! Лишь бы эта вера никогда мне не изменила!

— Тогда, — воскликнула она, — пока эта надежда сильна в нас...

— Мы расстанемся! — договорил я. — Вам не надо больше мучиться, стараясь отослать меня. Я ухожу сейчас же. Но...

Я не облек свою просьбу в слова. Она поняла ее инстинктивно и на этот раз уступила... но только в просьбах и уступках есть преднамеренность, мы же подчинились внезапному необоримому порыву. Миг назад я стоял и смотрел на нее, миг спустя прижимал ее к сердцу, и мы слились в таком крепком объятии, что никакие умственные или физические силы не могли бы нас разлучить. Она шептала: «Бог да благословит нас!» и «Уходите же, уходите!», но не разжимала рук, и я мог бы освободиться лишь силой, если бы решил ей повиноваться. В конце концов ценой сверхчеловеческого напряжения мы оторвались друг от друга, и я выбежал из комнаты.

Смутно помню, как маленький Артур поспешил мне навстречу из сада, и я перемахнул через ограду, чтобы избежать его, а потом кинулся вниз по склону по полям, перепрыгивая каменные стенки, продираясь сквозь живые изгороди, пока Уайлдфелл-Холл не скрылся из виду. А потом — на дно уединенной долины, где час за часом я предавался горьким слезам, сетованиям и тоскливым размышлениям, а в моих ушах звучала вечная музыка западного ветра, шелестящего в древесных ветвях, и ручья, журчащего по камешкам своего гранитного ложа. Мой взгляд был почти все время рассеянно устремлен на четкое переплетение теней, беспокойно плясавшее на залитом солнцем дерне у моих ног, на сухие листья, которые время от времени, кружась, падали вниз, чтобы принять участие в общем танце. Но сердце и мысли мои были далеки отсюда — в темной комнате, где она рыдала в отчаянии совсем одна. Та, кого я не мог утешить, не мог даже увидеть вновь, пока годы страданий не возьмут свое и наши души не покинут бренные оболочки земного праха.

Как ты догадываешься, в этот день все дела были заброшены. Ферма предоставлена на усмотрение работников, а работники предоставлены сами себе. Но исполнение одного долга я отложить не мог. Я не забыл, как набросился на Фредерика Лоренса, и чувствовал, что должен увидеться с ним и принести извинения за свою несчастную несдержанность. Мне хотелось отложить на завтра, но что, если он успеет прежде разоблачить меня в глазах сестры? Нет, нет, необходимо сегодня же испросить у него прощения и умолять быть снисходительным ко мне, если уж он должен открыть ей все. И все же я медлил до вечера, когда мой дух несколько успокоился и — о, удивительное упрямство человеческой натуры! — в моей душе зашевелилась неясная тень каких-то неопределенных надежд. Нет, я не собирался лелеять их после всего, что было мне сказано утром, но и не стал изгонять из своего сознания, а предоставил им таиться в его глухом уголке до того дня, когда научусь обходиться без них.

Приехав в Вудфорд, я обнаружил, что добиться свидания с молодым хозяином поместья не так-то просто. Открывший дверь лакей объявил мне, что господин очень болен и вряд ли сможет меня принять. Но я не отступил и хладнокровно остался ждать в передней пока обо мне доложат, хотя твердо решил никакого отказа не принимать. Лакей вернулся с вежливым ответом, которого я и ожидал: мистер Лоренс никого видеть не может — у него жар, и его нельзя беспокоить.

— Я не стану долго его беспокоить, — объявил я. — Но мне необходимо увидеть его на минуту по очень важному и неотложному делу.

— Я доложу, сэр, — ответил лакей и направился во внутренние комнаты, но на этот раз я не стал дожидаться в передней, а последовал за ним почти до дверей комнаты, где находился его хозяин, который, как я обнаружил, уже покидал спальню. Мне было отвечено, что мистер Лоренс сейчас не в силах заниматься делами, так не буду ли я столь любезен сообщить ему все необходимое через слугу или в записке?

— Какая разница, вам или мне ответить ему? — сказал я, прошел мимо изумленного лакея, смело постучал в дверь, вошел и затворил ее за собой. Я увидел обширную, прекрасно обставленную комнату — и очень уютную для холостяка. За начищенной до блеска решеткой пылал яркий огонь, дряхлый грейхаунд, доживающий свой век в приятном безделье, вольготно разлегся перед ним на толстом пушистом ковре, на уголке которого возле дивана примостился юный спрингер-спаниель и умильно заглядывал в лицо хозяина, то ли надеясь получить разрешение взобраться к нему на ложе, то ли просто выпрашивая ласку или доброе слово. Сам больной полулежал на диване и в элегантном халате выглядел очень интересно, чему способствовал шелковый платок, которым была обвязана его голова. Обычно бледное лицо горело лихорадочным румянцем, глаза были прищурены, но едва он узнал меня, как они широко раскрылись. Рука, вяло лежавшая на спинке дивана, сжимала небольшой томик — видимо, он без особого успеха пытался скоротать томительные часы с помощью чтения. Но вздрогнув от негодующего удивления, он уронил книгу, и, когда я прошел через комнату и остановился на ковре рядом с ним, приподнялся на подушках и уставился на меня взглядом, полным в равных долях нервного страха, гнева и изумления.

— Этого, мистер Маркхем, я все-таки не ожидал! — сказал он, и щеки его побелели.

— Знаю, — ответил я, — но помолчите немного, и я объясню вам, зачем пришел.

Машинально я сделал шаг вперед, и он вздрогнул с выражением отвращения и инстинктивного физического страха, что отнюдь не привело меня в восторг. Однако я попятился.

— Так говорите, но покороче, — произнес он, протягивая руку к серебряному колокольчику на столике возле него. — Не то я вынужден буду позвать на помощь. Я сейчас не в том состоянии, чтобы терпеть ваши грубые выходки, да и просто ваше присутствие. — И действительно, на лбу у него, точно бисеринки, заблестели капельки пота.

Такой прием отнюдь не располагал к выполнению моей незавидной задачи, но деваться было некуда, и я кое-как начал свою покаянную речь.

— Признаю, Лоренс, последнее время я вел себя по отношению к вам не слишком достойно, особенно при последней нашей встрече. И я пришел с намерением... Короче говоря, я хочу выразить свои сожаления о случившемся и попросить у вас прощения. Если вы не пожелаете его дать, — продолжал я поспешно, потому что мне не понравилось выражение его лица, — то не важно... во всяком случае, свой долг я исполнил... Вот и все.

— Как это просто, — ответил он с тенью улыбки, а вернее, злой усмешки. — Как это просто: осыпать своего друга ругательствами, оглушить его ударом по голове без малейшего к тому повода, а затем объяснить ему, что поступок этот был не вполне достойным, однако не важно, прощает он его или нет.

— Я забыл упомянуть, что причиной было заблуждение, — буркнул я. — Мне, конечно, следовало извиниться без всяких оговорок, но меня сбила ваша проклятая... Но, впрочем, полагаю, вина моя. Я ведь не знал, что вы брат миссис Грэхем, а то, что мне доводилось видеть и слышать, не могло не вызвать некоторых тяжких подозрений, которые, разрешите вам сказать, самая чуточка откровенности и доверия с вашей стороны тотчас рассеяла бы. Ну а напоследок я случайно подслушал часть вашего разговора с ней и, как мне казалось, получил право возненавидеть вас.

— Но откуда вы узнали, что я ее брат? — спросил он с некоторой тревогой.

— От нее самой. Она мне рассказала все. Вот *она* знает, что мне можно доверять. И не расстраивайтесь, мистер Лоренс: больше я ее не увижу.

— Что? Она уехала?

— Нет. Но попрощалась со мной навсегда. Я обещал избегать ее, пока она не уедет.

При этих словах на меня нахлынула такая горечь, что я чуть было не застонал вслух. Но сдержался и только топнул ногой по ковру, стиснув зубы. Мой собеседник, однако, испытал видимое облегчение.

— Вы поступили правильно, — сказал он тоном горячего одобрения, а его лицо посветлело и стало почти веселым. — А что до недоразумения, то я из-за нас обоих очень сожалею, что оно произошло. Надеюсь, вы сможете извинить мою скрытность, но вспомните, хотя до конца это меня и не оправдывает, как мало в последнее время ваше поведение со мной располагало к дружеской откровенности.

— Да, да, я все помню. И никто не способен винить меня сильнее, чем я сам себя виню... Во всяком случае, невозможно сильнее сожалеть о последствиях моей «грубой выходки», как вы выразились, чем сожалею я.

— Довольно! — сказал он с легкой улыбкой. — Лучше предадим забвению все недостойные слова и поступки, в которых повинны оба, и больше не станем вспоминать то, о чем можем только пожалеть. Готовы вы пожать мне руку? Или предпочтете... — Рука его дрожала от слабости и опустилась прежде, чем я успел схватить ее и крепко пожать. Ответить на мое рукопожатие у него недостало сил.

— Какая у вас сухая и горячая кожа, Лоренс! — сказал я. — Вам стало хуже, оттого что я вас расстроил и утомил этим разговором.

— Пустяки. Всего лишь простуда оттого, что я промок под дождем.

— По моей вине!

— Оставим это. Лучше скажите, вы рассказали сестре о том, что произошло?

— Признаюсь, мне недостало мужества. Но когда вы ей объясните, то упомяните, прошу вас, как глубоко я сожалею и...

— Не бойтесь! Я не скажу о вас ни единого дурного слова, если только вы не нарушите своего благого намерения больше с ней не видеться. Но следовательно, насколько вам известно, она не знает, что я болен?

— Мне кажется, нет.

— Я очень рад. Все это время меня терзал страх, что кто-нибудь сообщит ей, будто я при смерти или в очень опасном состоянии, и она придет в отчаяние, так как лишена возможности не только ухаживать за мной, но даже справиться обо мне. И вдруг решится на какой-нибудь безумный поступок... Приедет ко мне... Нет, — продолжал он задумчиво, — мне необходимо как-то предупредить ее. Иначе так и произойдет. Желающих сообщить ей такую новость найдется немало — просто, чтобы посмотреть, как она к ней отнесется. А тогда она даст пищу для новых сплетен.

— Как я жалею, что не рассказал ей сам! — сказал я. — Если бы не мое обещание, я бы тотчас к ней поехал.

— Ни в коем случае! Мне даже в голову не приходило... Но вот что, Маркхем. Если я напишу ей сейчас два слова, не упоминая о вас, а просто объясню, почему в ближайшее время я к ней приехать не смогу, предупрежу, чтобы никаким преувеличенным слухам о моем легком недомогании она не верила, и адрес поставлю измененным почерком, не будете ли вы так любезны на обратном пути оставить это письмо на почте, не привлекая к себе внимания? Доверить это кому-нибудь из слуг я опасаюсь.

Разумеется, я согласился с величайшей охотой и тут же подал ему его бювар. Бедняга мог бы и не заботиться о том, чтобы изменить почерк, — его рука так дрожала, что перо выводило одни каракули. Когда он кончил письмо, я решил, что мне лучше уйти, и попрощался, прежде спросив, не могу ли я сделать что-нибудь, будь то пустяк или любая трудная услуга, чтобы облегчить его страдания и как-то исправить зло, которое ему причинил.

— Нет, — ответил он. — Вы и так уже очень мне помогли. Больше самого искусного врача, потому что избавили меня от двух источников душевных мучений — тревоги за сестру и сожалений из-за вас. Я убежден, что в моей лихорадке больше всего повинны именно эти терзания, а теперь меня, несомненно, ждет скорое выздоровление. Однако одну услугу вы мне оказать можете — навещайте меня иногда. Я ведь тут совсем один. И обещаю, дверь теперь всегда будет вам открыта.

Я охотно согласился, и мы расстались с сердечным рукопожатием. Я завез письмо на почту, мужественно устояв перед соблазном написать несколько слов от себя.

Глава XLVI

ДРУЖЕСКИЕ СОВЕТЫ

Порой я испытывал сильнейшее искушение рассказать матушке и Розе об истинном положении и судьбе очерненной обитательницы Уайлдфелл-Холла. И вначале горько сожалел, что не заручился ее разрешением на это. Однако по зрелом размышлении сообразил, что в таком случае ее тайна вскоре стала бы достоянием и Миллуордов, и Уилсонов, а мое мнение о характере Элизы Миллуорд было теперь таким, что я опасался, как бы, узнав все обстоятельства, она вскоре не отыскала способа сообщить мистеру Хантингдону, где скрывается его жена. Нет, я терпеливо дождусь конца этого тягостного полугодия, и вот тогда, когда беглянка найдет новый приют, а я получу разрешение писать ей, вот тогда я вымолю позволение очистить ее имя от гнусной клеветы. Пока же мне пришлось довольствоваться заверениями, что я знаю, насколько лживы эти утверждения, что и докажу со временем, к вящему стыду тех, кто ее поносит. Не думаю, что кто-нибудь мне поверил, однако вскоре все начали избегать не только осуждать ее, но и вообще упоминать о ней в моем присутствии. Я же превратился в угрюмого мизантропа из-за неотвязной мысли, что все, с кем бы я ни говорил, питают гнусные подозрения относительно миссис Грэхем, как они ее называют, и только не смеют высказывать их вслух. Бедная матушка очень страдала из-за меня, но что я мог поделать? То есть так я полагал, хотя порой меня начинала мучить совесть за свое поведение с ней, и я пытался загладить его — не без успеха, тем более что с ней я держался куда более по-человечески, чем со всеми остальными, за исключением мистера Лоренса. Роза и Фергес старались избегать меня — и к лучшему! Мое общество при таких обстоятельствах было бы для них столь же тягостным, как их — для меня.

Миссис Хантингдон уехала из Уайлдфелл-Холла только через два месяца после нашего прощального свидания. Все это время она ни разу не была в церкви, а я избегал даже дороги, ведущей к ее дому, и знал, что она еще там, только по кратким ответам ее брата на мои бесчисленные вопросы о ней. Все время, пока он болел, а затем поправлялся, я постоянно навещал его — и не только потому, что меня заботило его выздоровление и мне хотелось подбодрить и хоть как-то искупить мою «грубую выходку», но потому, что все сильнее к нему привязывался и находил все больше удовольствия в беседах с ним. Причина отчасти заключалась в его гораздо более сердечном отношении ко мне, но главное — в его близости и по крови, и по взаимной привязанности к моей обожаемой Хелен. Я любил его за это сильнее, чем мог выразить, и с тайным восторгом пожимал тонкие белые пальцы, на удивление совсем такие же, как у нее (если вспомнить, что он не женщина!), наблюдал смену выражений на бледном красивом лице, слушал его голос — отыскивая сходство и поражаясь, что прежде его не замечал. Иногда меня сердило его явное нежелание разговаривать со мной о сестре, хотя я и не сомневался в дружественности его побуждений, — он не хотел бередить воспоминания о ней для моего же блага.

Выздоровление его шло медленнее, чем он надеялся. Вновь сесть в седло он смог только через две недели после нашего примирения и, едва дождавшись вечера, поехал в Уайлдфелл-Холл навестить сестру. Это было опасно и для него и для нее, но он считал необходимым обсудить с ней ее отъезд и постарался рассеять ее тревогу за него. После этой поездки ему стало хуже, в остальном же все сошло благополучно — о том, что он побывал в старом доме, знали только его обитатели, да еще я. И мне кажется, он не собирался говорить мне об этом, — когда я увидел его на следующий день и заметил, что он чувствует себя плохо, он ответил только, что простыл накануне, возвращаясь домой в поздний час.

— Но вы так никогда не сможете навестить сестру! — воскликнул я, досадуя на него, вместо того чтобы пожалеть. Но я думал о ней.

— Я ее уже видел, — ответил он негромко.

— Видели! — вскричал я в изумлении.

— Да. — И он рассказал мне, какие соображения заставили его решиться на эту поездку и какие предосторожности он принял.

— И как она? — нетерпеливо осведомился я.

— Как всегда, — сказал он коротко и грустно.

— Как всегда... то есть печальна и чувствует себя не очень здоровой.

— Нет, она не больна, — возразил он. — И, полагаю, со временем к ней вернется душевное спокойствие, но столько испытаний совсем подорвали ее силы. Какой угрожающий вид у этих туч! — перебил он себя, отворачиваясь к окну. — Наверное, еще до вечера разразится гроза, и мои работники не успеют убрать хлеб. А вы все снопы уже свезли с поля?

— Нет. Но, Лоренс, она... ваша сестра что-нибудь спрашивала обо мне?

— Спросила, давно ли я вас видел.

— А что еще она говорила?

— Я не могу повторить все, что она говорила, — ответил он с легкой улыбкой. — Мы ведь говорили о многом, хотя пробыл я у нее недолго. Но главным образом о ее намерении уехать. Я умолял ее подождать, пока я не поправлюсь и не смогу помочь ей в поисках другого приюта.

— Но обо мне она больше ничего не говорила?

— О вас она не говорила почти ничего. Я бы не стал поддерживать такой разговор, но, к счастью, она его и не начала, а только задала о вас два-три вопроса, и, казалось, моих кратких ответов ей было достаточно. В этом она была мудрее своего друга. И могу сказать вам еще одно: по-моему, ее больше тревожит мысль, что вы слишком много о ней думаете, а не то, что вы ее забыли.

— Она права.

— Но боюсь, вас тревожит как раз обратное.

— Вовсе нет. Я желаю ей счастья. Но мне не хотелось бы, чтобы она меня совершенно забыла. Она ведь знает, что мне забыть ее невозможно, и права, желая, чтобы ее образ потускнел в моей памяти. И я бы не хотел, чтобы она чересчур сильно жалела обо мне. Впрочем, думаю, она вряд ли будет особенно страдать из-за меня, — я ведь совершенно этого не достоин, если только не считать того, что сумел оценить ее совершенства.

— Ни она, ни вы не стоите мук разбитого сердца — всех тех вздохов, слез и печальных мыслей, которые, боюсь, вы уже расточали и будете совершенно напрасно расточать друг из-за друга. Сейчас оба вы придерживаетесь — вы о ней, а она о вас — такого высокого мнения, что оно, я сильно опасаюсь, совершенно незаслуженно. Чувства моей сестры, естественно, не уступают в силе вашим и, мне кажется, более прочны. Однако у нее достает здравого смысла и твердости бороться с ними хотя бы в этом, и, надеюсь, она не остановится, пока не заставит себя больше не думать... — Он замялся.

— ...обо мне, — докончил я.

— И мне хотелось бы, чтобы вы поступили так же, — продолжал он.

— Она прямо вам сказала, что таково ее намерение?

— Нет. Мы об этом не говорили. Зачем? Я ведь не сомневаюсь в ее решении.

— Забыть меня?

— Да, Маркхем! И почему нет?

— Ну что же... — Больше ничего вслух я не сказал, но про себя ответил: «Нет, Лоренс, ошибаетесь! Она вовсе не намерена забыть меня. Было бы дурно забыть того, кто так глубоко, так беззаветно ей предан, кто способен во всей полноте оценить ее несравненные достоинства и с такой искренностью разделяет ее мысли, как дано мне. И было бы дурно, если бы я забыл столь совершенное и Божественное создание Творца, какова она, раз уж мне было даровано узнать и полюбить ее!» Но ему я ничего подобного не сказал, а быстро переменил разговор и вскоре простился с ним с заметно менее дружеским чувством, чем обычно. Возможно, я был неправ, досадуя на него, но тем не менее досадовал.

Примерно через неделю я встретился с ним, когда он возвращался от Уилсонов, решил, в свою очередь, оказать ему добрую услугу, не пощадив его чувства и, быть может, рискуя навлечь на себя раздражение, которое столь часто оказывается наградой тем, кто сообщает неприятные новости или предлагает непрошеные советы. Но, поверь, руководствовался я не желанием поквитаться за страдания, которые он последнее время нет-нет да и причинял мне, и даже не враждой или злобой против мисс Уилсон, а просто мне была невыносима мысль, что подобная женщина станет сестрой миссис Хантингдон. Да и ради него мне было несносно думать, что он в заблуждении введет в свой дом жену, столь недостойную его и совершенно неподходящую для того, чтобы разделять с ним его тихую жизнь и быть ему заботливой подругой. Мне казалось, что он сам питал неприятные сомнения на этот счет, но неопытность, чары мисс Уилсон и ее умение опутать ими его юное воображение рассеяли их, и, по моему убеждению, он еще пребывал в нерешительности и не делал предложения только потому, что его смущала мысль о ее родственниках, и особенно о матери, которую он терпеть не мог. Живи они в отдалении, он, пожалуй бы, не посчитался с этим, но расстояние всего в две-три мили между их фермой и Вудфордом делали такое препятствие достаточно серьезным.

— А вы едете от Уилсонов, Лоренс? — сказал я, шагая рядом с серым коньком.

— Да, — ответил он, чуть отвернув лицо. — По-моему, вежливость требовала, чтобы я безотлагательно поблагодарил их за участие. Ведь все время, пока я болел, они постоянно осведомлялись о моем здоровье.

— По настоянию мисс Уилсон.

— А если и так, — возразил он, заметно краснея, — разве это причина не ответить учтивостью на учтивость?

— Но причина для того, чтобы ответ ваш не был тем, которого она ждет.

— Оставим эту тему, будьте столь добры, — сказал он с видимым неудовольствием.

— Нет, Лоренс, с вашего разрешения, продолжим еще немного, и раз уж речь зашла об этом, я сообщу вам кое-что. Конечно, если угодно, вы можете мне не поверить, но только, прошу вас, помните, что у меня нет обыкновения лгать и что в этом случае уклоняться от истины мне не для чего...

— Хорошо, Маркхем. Так о чем вы?

— *Мисс Уилсон ненавидит вашу сестру.* Да, конечно, не зная о вашем родстве, она, вполне естественно, могла бы испытывать к ней неприязнь, однако ни одна хорошая, добросердечная женщина не способна питать к воображаемой сопернице такую ожесточенную, хладнокровную, коварную злобу, какую я замечал в ней.

— Маркхем!

— Да-да. И я убежден, что она и Элиза Миллуорд, если не сами распустили клеветнические слухи, то, бесспорно, всячески их поддерживали и распространяли, как могли. Разумеется, ей не хотелось приплетать к сплетням ваше имя, но она с величайшим наслаждением чернила — и продолжает чернить! — вашу сестру, насколько возможно остерегаясь, однако, сделать свою злобность очень уж явной.

— Никогда этому не поверю! — воскликнул мой собеседник, чьи щеки пылали от негодования.

— Прямых доказательств у меня нет, и я могу сказать лишь, что, по моему глубочайшему убеждению, это так. Однако вы вряд ли захотели бы сделать мисс Уилсон своей женой, будь это так, а потому лучше повремените, пока твердо не убедитесь, что это не так.

— Маркхем, я ведь никогда не говорил вам, что намерен жениться на мисс Уилсон, — произнес он высокомерно.

— Да, но она-то намерена выйти за вас!

— Она вам об этом говорила?

— Нет, но...

— В таком случае у вас нет ни малейшего права бросать ей подобные обвинения! — Он чуть-чуть пришпорил конька, но я, твердо решив не обрывать на этом наш разговор, положил руку на холку Серого.

— Погодите, Лоренс, дайте мне объяснить мои слова. Много времени это не займет. И не будьте таким... как бы это выразиться?.. таким недоступным. Я знаю, какой вам кажется Джейн Уилсон, и я знаю, как глубоко вы заблуждаетесь. Вы думаете, что она на редкость обворожительная, элегантная, умная и утонченная девица, и даже не подозреваете, что на самом деле она себялюбивая, бессердечная, честолюбивая, хитрая, пошлая...

— Довольно, Маркхем, довольно!

— Нет. Разрешите уж мне кончить. Вы не представляете себе, каким холодным и безрадостным будет ваш семейные очаг, если вы на ней женитесь. И ваше сердце разобьется, когда слишком поздно вы убедитесь, что связали себя нерушимыми узами с женщиной, совершенно неспособной разделять ваши вкусы, чувства, мысли... полностью лишенной деликатности, доброты, душевного благородства!

— Вы кончили? — негромко спросил он.

— Да. Я знаю, вы сейчас ненавидите меня за бесцеремонность, но пусть, — лишь бы это удержало вас от столь роковой ошибки.

— Ну что же! — произнес он с довольно-таки ледяной улыбкой. — Я рад, если вы настолько превозмогли или забыли собственные горести, что столь глубоко заинтересовались делами других и без малейшей на то необходимости озаботились воображаемыми или возможными их будущими бедами.

Мы попрощались — вновь довольно холодно. Однако остались друзьями, и мое доброжелательное предупреждение (хотя, вероятно, сделать это можно было бы более тактично, а принять с большей благодарностью) возымело свое действие. Больше он Уилсонам визитов не наносил, и, хотя с тех пор ее имя в наших разговорах не упоминалось, у меня есть основания полагать, что он раздумывал над моими словами усердно, хотя и скрытно, собирал сведения о своей красавице из других источников, втайне сравнивал характеристику, которую дал ей я, с тем, что наблюдал сам и слышал от других, и в конце концов пришел к выводу, что ей гораздо лучше остаться мисс Уилсон с фермы Райкоут, чем преобразиться в миссис Лоренс из Вудфорд-Холла. Я убежден также, что довольно скоро он уже с тайным изумлением вспоминал свое недавнее увлечение и поздравлял себя со счастливым избавлением, но мне он в этом не признался и ни словом не намекнул на ту роль, которую я сыграл в столь благополучном для него исходе. Впрочем, того, кто знал его так хорошо, как я, подобная сдержанность удивить не могла. Что до Джейн Уилсон, она, разумеется, была разочарована и озлоблена внезапным пренебрежительным охлаждением своего недавнего поклонника, завершившимся полным разрывом. Поступил ли я дурно, разбив ее надежды? Мне кажется, что нет. Во всяком случае, моя совесть по сей день никогда не укоряла меня в том, что поступил я так из недостойных побуждений.

Глава XLVII

НЕЖДАННЫЕ НОВОСТИ

Как-то утром в начале ноября, когда после завтрака я сидел за деловыми письмами, мою сестрицу навестила Элиза Миллуорд. У Розы не хватало ни проницательности, ни злости, чтобы разделить мои чувства к этой бесовке, и они поддерживали прежнюю дружбу. В гостиной были только мы с Фергесом — матушка и Роза «по дому хлопотали», но я не собирался занимать ее, а только удостоил небрежным поклоном и после двух-трех банальных фраз вернулся к письмам, а ее предоставил заботам Фергеса, пожелай он показать себя более благовоспитанным, чем я. Однако она принялась допекать меня.

— Какое нежданное удовольствие застать вас дома, мистер Маркхем! — произнесла она со злокозненной и менее всего бесхитростной улыбкой. — Я так редко вижу вас теперь: вы ведь вовсе перестали бывать у нас. Должна сказать вам, папа очень обижен, — игриво добавила она, заглядывая мне в лицо с развязным смешком и усаживаясь на углу стола, чуть сбоку от моего бювара.

— Последнее время я был очень занят, — ответил я, продолжая писать.

— О, неужели? Кто это говорил, что последние месяцы вы почему-то совсем забросили свои дела?

— Кто бы это ни сказал, он ошибся: последние *два* месяца я был на редкость усерден и прилежен.

— А-а! Но кажется, от горя нет лучше средства, чем работа? И, прошу извинить меня, мистер Маркхем, выглядите вы далеко не прекрасно и, по общему мнению, стали теперь таким угрюмым и рассеянным, что мне начало казаться, будто вас гнетет какая-то тайная забота. *Прежде,* — добавила она робким голоском, — у меня хватило бы духу спросить у вас, в чем дело и как я могла бы утешать вас. Но теперь я не осмеливаюсь.

— Вы очень добры, мисс Элиза. Когда я решу, что нуждаюсь в ваших утешениях, то осмелюсь сам вам об этом сказать.

— Ах, прошу вас! А самой попробовать догадаться, что вас расстраивает, мне, конечно, не следует?

— Да, потому что я сам вам скажу совершенно прямо. Сию минуту меня крайне расстраивает юная барышня, которая села возле самого моего локтя и мешает мне докончить письмо, а затем отправиться в поле.

Прежде чем она нашлась, как ответить на столь нелюбезную речь, в гостиную вошла Роза. Мисс Элиза встала ей навстречу, и они расположились у камина, где уже стоял бездельник Фергес, прислонясь к углу каминной полки, переплетя ноги и засунув руки в карманы.

— Роза, послушай, что я тебе расскажу! Надеюсь, ты этого еще не слышала? Ведь и хорошие, и дурные, и самые пустые новости все равно приятно рассказать первой. Эта злополучная миссис Грэхем...

— Ш-ш-ш! Что вы! — зловеще прошептал Фергес. — Мы тут о ней никогда не упоминаем. Имя ее нами не произносится! — Покосившись на него, я обнаружил, что он поглядывает в мою сторону и постукивает пальцем по лбу. Затем, подмигнув своей собеседнице и скорбно покачав головой, он шепнул: — Мания... но ни слова!.. Во всем остальном он в здравом рассудке.

— Разумеется, я и не помыслю задеть чьи-то чувства, — ответила она, понижая голос. — Так в другой раз...

— Да говорите же вслух, мисс Элиза! — сказал я, не снисходя до того, чтобы заметить шутовство моего братца. — И не стесняйтесь моего присутствия, говорите что хотите, лишь бы правду.

— Ну-у, — ответила она, — возможно, вам уже известно, что миссис Грэхем никакая не вдова, что ее муж жив и она сбежала от него? — Я вздрогнул, лицо у меня вспыхнуло, но я только нагнул голову и продолжал складывать и запечатывать письмо, пока она продолжала: — Но может быть, вам неизвестно, что она вернулась к нему и они помирились? Только подумать, — добавила она, поворачиваясь к ошеломленной Розе, — как он, должно быть, глуп!

— И кто сообщил вам эту новость, мисс Элиза? — спросил я, перебивая аханья моей сестрицы.

— Я узнала ее из совершенно надежного источника.

— От кого бы это?

— От одного из вудфордских лакеев.

— О-о! А я и не знал, что вы так близко знакомы с прислугой мистера Лоренса.

— Слышала я это вовсе не от него! Он рассказал нашей горничной Саре, а она — мне.

— Под секретом, я полагаю. А вы рассказали нам тоже под секретом. Но я могу заверить вас, что концы с концами тут не сходятся, и хорошо еще, если бы хоть половина — правда.

Тем временем я кончил запечатывать и надписывать адреса рукой, которая немного дрожала вопреки всем моим усилиям и вопреки твердому убеждению, что концы с концами тут действительно не сходятся, — та, кого они все еще называли миссис Грэхем, уж конечно, не могла вернуться к мужу *добровольно* или хотя бы помыслить о примирении. Вероятнее всего, она уехала, и сплетник-лакей, не зная, куда, только *предположил* все это, а наша прекрасная гостья передала его выдумку, как святую истину, радуясь столь удобному случаю помучить меня. Но вдруг кто-то ее предал, и она была увезена силой? Решив узнать худшее, я сунул в карман два оконченных письма, буркнул, что боюсь пропустить почту, и выбежал во двор, громко приказывая оседлать мне лошадь. В конюшне никого не оказалось, и я сам затянул подпругу, надел уздечку, вскочил в седло и галопом понесся в Вудфорд. Еще издали я увидел, что его хозяин задумчиво прогуливается по саду.

— Ваша сестра уехала? — пожимая ему руку, начал я вместо того, чтобы спросить его о здоровье.

— Да, уехала, — ответил он с таким спокойствием, что мои страхи мгновенно рассеялись.

— Вероятно, узнать, где она, мне нельзя? — продолжал я, спешиваясь и отдавая поводья садовнику — единственному слуге поблизости, который по распоряжению хозяина перестал сгребать опавшие листья с лужайки, положил грабли и повел мою лошадь на конюшню.

Мой друг взял меня под руку, увел в глубь сада и ответил на мой вопрос с какой-то суровостью:

— Она в Грасдейле в ...шире.

— Где? — переспросил я, судорожно вздрогнув.

— В Грасдейл-Мэноре.

— Как же так? — вскричал я. — Кто ее предал?

— Она уехала туда по собственной воле.

— Не может быть, Лоренс! Она не способна на такую опрометчивость! — вскричал я, яростно хватая его за плечо, словно намереваясь силой заставить взять назад ужасные слова.

— Это так, — произнес он с такой же суровой сдержанностью. — И у нее была достаточно веская причина, — продолжал он, мягко освобождаясь от моей руки. — Мистер Хантингдон болен.

— И она уехала ухаживать за ним?

— Да.

— Сумасшедшая! — невольно воскликнул я, и Лоренс посмотрел на меня с упреком. — Он что — умирает?

— Насколько я знаю, нет, Маркхем.

— И сколько еще у него сиделок? Сколько еще дам ухаживает за ним?

— Ни одной. Его все оставили. Иначе она туда не поехала бы.

— О дьявол! Это невыносимо!

— Что именно? Что его все оставили?

Я не стал отвечать, так как именно это обстоятельство подлило масло в огонь моего отчаяния. Я шел вперед, изнемогая от муки, прижимая ладонь ко лбу. Потом встал как вкопанный, обернулся к моему собеседнику и нетерпеливо спросил:

— Но почему она решилась на такой безумный шаг? Какой демон ее убедил?

— Только собственное понятие о долге.

— Вздор!

— Я и сам, Маркхем, был вначале склонен воскликнуть то же самое. Поверьте, поехала она туда не по моему совету. Я ведь питаю к этому человеку такое же отвращение, как и вы, пожалуй, лишь с той только разницей, что его исправление меня обрадовало бы больше, чем смерть. Нет, я только сообщил ей о его болезни (он упал с лошади во время лисьей травли) и о том, что эта особа, мисс Майерс, оставила его уже довольно давно.

— Как скверно! Теперь, убедившись, что ее присутствие ему полезно, он будет всячески лгать, сыпать сладкими обещаниями, она поверит, и ее положение окажется в десять раз хуже и в десять раз безнадежнее, чем прежде.

— Пока для подобных опасений никаких оснований нет, — сказал он, извлекая из кармана письмо. — Судя по известиям, которые я получил нынче утром, можно заключить...

Ее почерк! Подчинившись безотчетному порыву, я протянул руку, и у меня вырвалось невольное восклицание:

— Дайте мне прочесть!

Он, видимо, не слишком хотел исполнить мою просьбу, и, воспользовавшись его замешательством, я выхватил у него письмо. Но тут же опомнился.

— Возьмите, — сказал я, возвращая ему письмо. — Если вы не хотите, чтобы я его читал...

— Нет, — сказал он. — Прочтите, если вам угодно.

И я прочел — как можешь прочесть и ты.

«Грасдейл. 4 ноября.

Милый Фредерик!

Я знаю, тебе не терпится узнать, что со мной. Расскажу все, что смогу. Мистер Хантингдон очень болен, но не при смерти, и особой опасности пока нет. Дом я нашла в печальном запустении. Мисс Гривс, Бенсон и все хорошие слуги давно ушли, а на их место поступили ленивые бездельники, если не сказать хуже. Если я останусь, надо будет немедленно заменить их другими. Ухаживать за несчастным больным наняли угрюмую старую сиделку. Он очень страдает, и у него не хватает стойкости терпеть боль. Само падение обошлось довольно благополучно, и ушибы, как говорит доктор, не причинили бы человеку со здоровыми привычками особого вреда. Однако к нему это не относится. Вечером, когда я приехала и в первый раз вошла к нему, он лежал в бреду. Меня заметил, только когда я с ним заговорила, но принял за другую.

— Это ты, Элис? Ты вернулась? — пробормотал он. — Зачем ты меня бросила?

— Артур, это я... Хелен, твоя жена, — ответила я.

— Моя жена! — повторил он, вздрогнув. — Ради всего святого, не говори о ней... Нет у меня жены.

Чтобы она провалилась к дьяволу! — крикнул он затем. — И ты вместе с ней! Чего ты сбежала?

Я промолчала, но, заметив, что он все время поглядывает в ноги кровати, села там и повернула лампу так, чтобы свет падал прямо на меня. Мне казалось, что он умирает, и я хотела, чтобы он меня узнал. Долгое время он лежал молча и смотрел на меня — вначале пустым взглядом, а затем со странным, все нарастающим напряжением. Внезапно он приподнялся на локте, напугав меня, и с ужасом прошептал, не отводя от меня глаз:

— Кто это?

— Хелен Хантингдон, — ответила я, тихонько встала и отошла в более темное место.

— Я с ума схожу! — воскликнул он. — Или брежу... или еще что-нибудь. Только уйди, кто бы ты ни была... Видеть не могу это белое лицо и глаза... Уйди же, Бога ради, и пришли другую... не похожую.

Я тотчас ушла и послала к нему сиделку. Однако утром вновь попробовала войти в спальню. Заняв место сиделки, я несколько часов следила за ним, ухаживала, стараясь не показываться ему лишний раз, и говорила, только когда это было необходимо, и всегда вполголоса. Сначала он называл меня сиделкой, но, когда я по его требованию пошла отдернуть занавески, он сказал:

— Да нет, это не она, это Элис! Останься со мной, не то старая ведьма совсем меня уморит.

— Я останусь, — сказала я, и он продолжал называть меня «Элис» или другими именами, почти столь же мне противными. Я вынудила себя терпеть, боясь, что возражения излишне возбудят его, но когда он попросил пить, и я поднесла стакан к его губам, а он прошептал «спасибо, любимая!», я не удержалась и воскликнула:

— Вы бы этого не сказали, если бы узнали меня!

И снова назвалась бы, но он пробормотал что-то невнятное, и я сдержалась. Однако некоторое время спустя, когда я обтирала ему лоб и виски уксусом с водой, чтобы понизить жар и облегчить головную боль, он долго и пристально смотрел на меня, а потом произнес:

— Мне все время что-то чудится. Я никак не могу отогнать кошмары, а они меня мучают. И самые странные и неотвязные — твое лицо и голос. Совсем такие, как у нее. Я готов поклясться, что она здесь.

— Да, она здесь, — сказала я.

— Как приятно! — продолжал он, не слушая. — Пока ты это делаешь, остальные кошмары рассеиваются, но этот словно превращается в явь. И не кончай, пока он тоже не исчезнет. Такого безумия я не выдержу, оно меня убьет.

— Он не исчезнет, — сказала я внятно. — Потому что это явь.

— Явь! — вскричал он, вздрагивая точно от укуса аспида. — Так что же, ты и правда она?

— Да. Но не содрогайтесь, словно я ваш заклятый враг. Я приехала ухаживать за вами, делать все то, чего ни одна из *них* не пожелала.

— Бога ради, не пытай меня! — вскрикнул он в болезненном возбуждении и начал бормотать злобные проклятия мне и злой судьбе, которая привела меня сюда, а я тем временем унесла губку с тазиком и вновь села подле него.

— Где они? — спросил он. — Они что, все меня бросили? И слуги тоже?

— Слуги тут, и вы можете позвать их, если вам угодно. Но лучше лягте поудобнее и попробуйте успокоиться. Никто из них не может, да и не станет, ухаживать за вами с такой заботливостью, как я.

— Я ничего не понимаю, — пробормотал он с тоскливым недоумением. — Это мне во сне привиделось или... — И он закрыл глаза ладонью, словно тщась разгадать какую-то тайну.

— Нет, Артур, вам не привиделось, что ваше поведение вынудило меня оставить вас. Но я узнала, что вы больны, и вернулась ухаживать за вами. Не страшитесь довериться мне. Только скажите, чего вам хотелось бы, и я постараюсь сделать все возможное. Больше о вас заботиться некому, а моих упреков вы можете не опасаться.

— А-а! Понимаю! — произнес он с горькой усмешкой. — Поступаешь, как милосердная христианка, чтобы заслужить в раю местечко повыше, а для меня вырыть яму в аду поглубже.

— Нет. Я приехала предложить вам ту помощь и утешение, каких требует ваша болезнь. А если от этого будет польза не только вашему телу, но и душе, если в вас пробудится раскаяние и...

— Да-да! Сейчас самое время допекать меня угрызениями совести и стыдом. А что ты сделала с моим сыном?

— Он здоров, и вы сможете его увидеть, если сумеете держать себя в руках. Но не сейчас.

— Где он?

— В безопасном месте.

— Он здесь?

— Где бы он ни был, вы увидите его не раньше, чем обещаете оставить его на полном моем попечении с правом увезти его, когда и куда я сочту нужным, если, по моему мнению, в этом вновь возникнет необходимость. Но поговорим обо всем завтра. Сейчас вам нужен покой.

— Нет, дай мне повидать его сейчас же. Если уж иначе нельзя, я обещаю.

— Нет...

— Клянусь Богом! Ну так приведи же его.

— Вашим обещаниям и клятвам я доверять не могу. Мне нужно письменное соглашение, и подписать его вы должны в присутствии свидетеля... но не сегодня. Отложим на завтра.

— Нет, сегодня... сейчас же! — потребовал он с таким лихорадочным возбуждением, с таким упрямым намерением добиться своего немедленно, что я сочла за благо уступить — ведь иначе он не успокоился бы. Однако жертвовать интересами моего сына я не собиралась, и, четким почерком написав на листке бумаги необходимое обязательство, я внятно прочла его ему и дала подписать в присутствии Рейчел. Он умолял, чтобы я на этом не настаивала: к чему перед прислугой показывать, что я не доверяю его слову? Я ответила, что очень сожалею, но он сам лишил себя моего доверия и должен принимать последствия. Тогда оказалось, что у него нет сил держать перо.

— В таком случае подождем, пока вы эти силы не обретете, — ответила я.

Он попытался и тут же обнаружил, что в такой темноте писать никак не в состоянии. Я прижала палец к тому месту, где ему следовало поставить подпись, и сказала, что свою фамилию он, конечно, сумеет вывести и в полном мраке. Да, конечно, только он не в силах написать хотя бы букву!

— Если вам так плохо, то тем более все надо отложить на завтра.

Убедившись, что я не уступлю, он в конце концов сумел подписать наш договор, и я послала Рейчел за маленьким Артуром.

Возможно, тебе покажется, что я была слишком жестока, но, по-моему, мне не следует терять свое преимущество и никак нельзя ставить под угрозу моего сына, неоправданно щадя чувства этого человека. Мальчик не забыл отца, но за тринадцать месяцев разлуки, во время которых он ничего о нем не слышал и даже шепотом его не называл, совсем от него отвык. И когда он робко вошел в полутемную комнату, увидел больного, совсем не похожего на себя прежнего, увидел воспаленное лицо, дико горящие глаза, то инстинктивно прижался ко мне, глядя на отца со страхом, а вовсе не с радостью.

— Подойди сюда, Артур, — сказал тот, протягивая руку к мальчику, который послушно подошел и робко коснулся горячей ладони, а потом испуганно вздрогнул: отец ухватил его повыше локтя и притянул к себе.

— Ты меня узнаешь? — спросил мистер Хантингдон, впиваясь взглядом в детское лицо.

— Да.

— Кто я такой?

— Папа.

— Ты рад меня видеть?

— Да.

— Нет, не рад! — возразил отец, в полном разочаровании разжимая пальцы и бросая на меня злобный взгляд.

Артур, получив свободу, тихонько отступил ко мне и ухватился за мою руку. Мистер Хантингдон с ругательством заявил, что я научила ребенка ненавидеть его, и осыпал меня проклятиями. Едва он начал, как я выслала мальчика из спальни, а когда поток брани на мгновение прервался, потому что у больного не хватило дыхания, спокойно заверила его, что он заблуждается: я не делала никаких попыток восстановить мальчика против него.

— Да, я хотела, чтобы он *забыл* вас, — продолжала я. — Забыл те уроки, которые вы ему преподали. Ради этого и чтобы уменьшить опасность, что вы нападете на наш след, признаюсь, я отучала его говорить о вас, но, полагаю, за это меня никто не осудит.

Больной ответил только громким стоном и заметался на подушках в пароксизме раздражения.

— Я уже горю в аду! — вскричал он. — Эта проклятая жажда спалила мне сердце дотла. Так никто и...

Он еще не докончил, как я налила стакан подкисленного прохладительного питья из кувшина на столе и подала ему. Он жадно выпил, но буркнул, когда я взяла у него стакан:

— Уж конечно, ты воображаешь, что сыплешь мне на голову раскаленные угли!

Пропустив эти слова мимо ушей, я спросила, не могу ли еще чем-нибудь ему помочь.

— Можешь. Дам тебе еще один случай показать свое христианское великодушие, — произнес он злобно. — Взбей подушку и расправь проклятые простыни. (Я расправила.) А теперь дай мне еще стакан этого пойла! (Я налила новый стакан.) Восхитительно, верно? — пробормотал он, когда я поднесла стакан к его губам. — Ты ведь и не мечтала о такой великолепной возможности?

— Мне остаться с вами? — спросила я, ставя стакан на стол. — Или вам будет легче, если я уйду и пришлю вместо себя сиделку?

— О, конечно, ты на редкость кротка и услужлива! Но только я из-за твоих штучек вот-вот с ума сойду, — ответил он, раздраженно ворочаясь с боку на бок.

— Ну, так я уйду, — ответила я, и больше в этот день не досаждала ему своим присутствием, и только раза два заглянула к нему в комнату узнать, как он и не нужно ли ему чего-либо.

На следующее утро доктор распорядился пустить ему кровь, и он несколько успокоился и притих. Я провела у его постели полдня с перерывами. Мое присутствие как будто перестало волновать и раздражать его, и он принимал мои заботы без злобных замечаний. И вообще почти не говорил — только чтобы объяснить, чего он хочет, да и то не всегда. Однако на следующий день, то есть сегодня, по мере того как он оправлялся от полного упадка сил и апатии, к нему возвращалась и злобность.

— Ах, что за сладкая месть! — воскликнул он, когда я постаралась устроить его поудобнее, исправляя небрежность сиделки. — И ведь ты можешь наслаждаться ею с чистой совестью, потому что свято исполняешь свой долг!

— Да, я рада, что исполняю свой долг, — ответила я, не сумев сдержать горечи. — В этом единственная моя поддержка, и, видимо, наградой мне будет только чистая совесть!

— А какой же еще награды ты ждала? — осведомился он.

— Вы сочтете меня лгуньей, если я вам отвечу, но я от души надеялась помочь вам. Не только облегчить ваши физические страдания, а и поднять ваш дух. Но совершенно очевидно, надежды мои были напрасны: ваши дурные склонности кладут им конец. Если говорить только о вас, то свои чувства и те немногие земные утешения, которые мне остались, я принесла в жертву совершенно напрасно. Любую самую мелкую мою услугу вы приписываете самодовольному ханжеству и утонченной мести!

— Все это очень мило, — сказал он, глядя на меня с тупым изумлением, — и, уж конечно, мне полагается пролить слезы раскаяния и восхищения при виде такого благородства и сверхчеловеческой добродетели, но что-то мне не удается выжать их из себя. Однако, пожалуй, делай для меня все, что можешь, если ты и правда находишь в этом удовольствие. Как видишь, я почти в таком скверном состоянии, какого только ты могла мне пожелать. Не спорю, после твоего приезда уход за мной стал гораздо лучше, ведь бесстыжие подлецы слуги палец о палец не желали ударить, а все мои старые друзья как будто бросили меня на произвол судьбы. Я ужасно мучился, можешь мне поверить. Иной раз мне казалось, что я вот-вот умру. Как по-твоему, может это случиться?

— Смерть грозит ежечасно всем, — ответила я. — Вот почему лучше всегда об этом помнить.

— Да-да, но по-твоему, эта моя болезнь может оказаться смертельной?

— Не знаю. Ну, а если? Как вы намерены ее встретить?

— Доктор же велел, чтобы я об этом не думал, потому что непременно выздоровлю, если буду выполнять все его предписания и соблюдать диету.

— Надеюсь, что так, Артур, но ни доктор, ни я не можем утверждать это безоговорочно. Ведь какие-то внутренние повреждения несомненно есть, и неизвестно, насколько они тяжелы.

— Ну вот. Хочешь перепугать меня насмерть?

— Вовсе нет. Но не хочу и убаюкивать вас безосновательными уверениями. Если сознание зыбкости жизни может пробудить в вашей душе серьезные и благие раздумия, я не хотела бы этому воспрепятствовать, ждет ли вас выздоровление или нет. Мысль о смерти пугает вас так уж сильно?

— Это единственное, о чем я думать не могу. И если ты способна...

— Но ведь она неизбежна, — перебила я. — И пусть смерть настигнет вас не теперь, а много лет спустя, она будет столь же ужасной, если только вы не...

— Да замолчи же! Не мучай меня своими проповедями, если не хочешь убить тут же на месте! Говорю же тебе, я не вынесу! Мне и без того скверно. Если, по-твоему, я в опасности, так спаси меня, и тогда из благодарности я выслушаю все, что тебе захочется сказать.

Я послушно оставила неприятную тему. А теперь, Фредерик, мне пора с тобой проститься. По этим подробностям ты сумеешь представить себе состояние больного, а также мое нынешнее положение и то, что ждет меня в будущем. Напиши поскорее, а я буду держать тебя в известности о том, что происходит здесь. Но теперь, когда мое присутствие не просто терпится, но и требуется, мне будет трудно выбрать свободное время: кроме мужа, у меня на руках еще и сын. Быть все время с одной Рейчел он не может, но о том, чтобы поручить его заботам других слуг, и помыслить нельзя. Оставлять его одного тоже нельзя: я не хочу, чтобы он оказался в их обществе! И если его отцу станет хуже, мне придется попросить Эстер Харгрейв взять его к себе хотя бы на то время, пока я не наведу порядка в доме. Однако я предпочту, чтобы он был под моим надзором.

Я оказалась в странном положении. Все свои силы я отдаю тому, чтобы добиться выздоровления и исправления моего мужа. Если же это удастся, что тогда? Разумеется, я должна буду исполнять свой долг. Но как? Впрочем, не важно. Пока у меня есть дело, которое я должна довести до благополучного конца, а Господь даст мне силы исполнить то, что повелит мне сделать потом.

Прощай, мой милый Фредерик.

Хелен Хантингдон».

— Что вы об этом думаете? — спросил Лоренс.

— Мне кажется, она мечет бисер перед свиньями, — ответил я. — Хорошо еще, если им будет довольно втоптать ее в грязь и они не накинутся на нее, чтобы разорвать в клочья! Но порицать ее я больше не стану. Она повиновалась самым высоким и благородным побуждениям, а если поступок ее опрометчив, то пусть Небеса сжалятся над ней и уберегут от возможных последствий. Вы не разрешите мне, Лоренс, взять это письмо? Она же ни разу меня в нем не упомянула, даже косвенно, а потому в этом не может быть ничего дурного или опасного.

— Но в таком случае зачем оно вам?

— Так ведь эти строки начертаны ее рукой, эти слова родились в ее уме, а многие произносились ее устами!

— Ну что же, — ответил он.

И оно осталось у меня. Иначе, Холфорд, ты бы не прочел его здесь от слова до слова.

— А когда вы будете писать, — продолжал я, — окажите мне любезность, осведомитесь, не разрешит ли она мне открыть моей матери и сестре ее истинную историю и положение — в той мере, какой будет достаточно, чтобы все наши соседи узнали, как постыдно несправедливы были они к ней? Не передавайте от меня даже привета, а только спросите об этом и добавьте, что это величайшая милость, какую она только может мне оказать. И еще скажите... Нет, это все. Я ведь знаю адрес и мог бы написать сам, но у меня достанет силы воли не нарушить запрета.

— Хорошо, Маркхем, я это сделаю.

— И сообщите мне, как только получите ответ?

— Если все будет хорошо, я тотчас приеду к вам сам.

Глава XLVIII
ДАЛЬНЕЙШИЕ НОВОСТИ

Дней через пять-шесть мистер Лоренс сделал нам честь, посетив нас. Едва мы оказались одни (что я устроил незамедлительно, пригласив его осмотреть мою ригу), он показал мне еще одно письмо своей сестры и охотно предоставил бесценные листки моему жаждущему взгляду, вероятно, полагая, что знакомство с их содержанием окажется мне полезно. На мою просьбу она ответила только: «Мистер Маркхем свободен сообщить обо мне то, что сочтет нужным. Он знает, что я предпочту, чтобы говорилось об этом как можно меньше. Надеюсь, он здоров. Но передай ему, что он не должен думать обо мне».

Перепишу для тебя еще несколько отрывков из этого письма. Мне было разрешено оставить себе и его — наверное, как противоядие против несбыточных надежд и фантазий.

«Ему решительно лучше, но он очень слаб и угнетен вследствие тяжелой болезни и строжайшей диеты, которую вынужден соблюдать наперекор всем своим прежним привычкам. Грустно видеть, как излишества расстроили прежде столь крепкое здоровье и подорвали великолепную конституцию. Но доктор говорит, что ему уже не грозит никакая опасность, если он и дальше будет соблюдать все предписания. Небольшая толика укрепляющих напитков ему необходима, но изредка и непременно сильно разведенных. Только мне очень трудно удержать его от злоупотреблений. Вначале страх смерти облегчал эту задачу. Но чем меньше он страдает, чем больше убеждается, что опасность миновала, тем труднее его уговорить. Вернулся к нему и аппетит, и опять-таки былое чревоугодие оборачивается против него. Я слежу за ним, останавливаю и все чаще выслушиваю сердитые попреки за свою несговорчивость. Иногда ему удается обмануть мою бдительность, а иногда он открыто поступает наперекор мне. Однако теперь он совсем примирился с тем, что я за ним ухаживаю, и просто не отпускает меня от себя. Иногда мне приходится твердо настаивать на своем, иначе он превратит меня в рабыню, а я знаю, что отказаться ради него от всех других интересов было бы непростительной слабостью. Я должна следить за слугами, находить время для маленького Артура и немного думать о собственном здоровье. Обо всем этом, выполняй я все его ненасытные требования, мне пришлось бы забыть. Обычно по ночам я не ухаживаю за ним, предоставляя это сиделке, которая для того и нанята и лучше меня справляется с этой обязанностью. Однако мне редко удается спокойно проспать ночь, и ничего другого я не жду: мой больной, не стесняясь, зовет меня в любой час, когда я вдруг ему понадоблюсь или он просто это вообразит. Тем не менее он побаивается рассердить меня и не только испытывает мое терпение капризными жалобами и упреками, но и наводит на меня тоску униженной покорностью и самоуничижением, стоит ему испугаться, что он зашел слишком далеко. Впрочем, все это я легко извиняю, понимая, что виной телесная слабость и расстроенные нервы. Более всего мне досаждают изъявления нежности, которой я не верю и на которую ответить не могу. Не то чтобы я испытывала к нему ненависть — его страдания, мои заботы о нем дали ему право на мое внимание, даже на привязанность, если бы он только вел себя спокойно, искренне и оставлял бы все как есть. Но чем больше он старается подладиться ко мне, тем больше я пугаюсь его и будущего.

— Хелен, как ты намерена поступить, когда я совсем выздоровлю? — спросил он нынче утром. — Опять убежишь?

— Это зависит только от твоего поведения.

— Я буду очень хорошим.

— Но если я сочту необходимым оставить тебя, Артур, то не «убегу». Ведь у меня есть твое согласие на то, чтобы я уехала и взяла с собой сына.

— Ну, для этого причин у тебя не будет!

Затем последовали всяческие заверения, которые я довольно холодно оборвала.

— Так ты меня никогда не простишь?

— Вовсе нет. Я уже тебя простила. Но я знаю, ты не можешь любить меня, как когда-то. И мне было бы очень жаль, если бы я оказалась неправа, потому что ответить тебе тем же не в моих силах. Лучше оставим эту тему и не будем к ней никогда возвращаться. А что я готова для тебя сделать, ты можешь заключить по тому, что я уже сделала. Только бы это не вступило в противоречие с более высоким долгом — долгом перед моим сыном (более высоким потому, что он от меня не отрекался, и еще потому, что я надеюсь сделать для него гораздо больше, чем могу для тебя). Если же ты хочешь, чтобы я относилась к тебе лучше, то заслужить мою привязанность и уважение можно только *делами,* а не *словами.*

В ответ он только состроил легкую гримасу и чуть заметно пожал плечами. Несчастный человек! Насколько для него слова дешевле, чем дела. Словно я сказала ему: «Вещь, которую ты хочешь купить, стоит не пенсы, а фунты!» Затем он испустил недовольный вздох, полный жалости к себе, словно скорбя, что он, предмет столь горячего обожания, чьей любви искало столько поклонниц, брошен теперь на произвол суровой, бессердечной мегеры и вынужден радоваться, если она иногда бывает добра к нему.

— Очень жаль, не правда ли? — сказала я.

Не знаю, верно ли я отгадала его мысли, но во всяком случае мои слова им не противоречили, потому что он ответил:

— Что поделаешь! — и кисло улыбнулся моей проницательности».

«Я виделась с Эстер Харгрейв два раза. Она очаровательна, но ее радостный дух почти сломлен, а милый характер уже не выдерживает непрекращающихся преследований матери, все еще не оставившей мысли выдать ее за отвергнутого жениха. Она не устраивает ей бурных сцен, но точит беспощадно и утомительно, словно вечно падающие капли. Неестественная мать как будто решила превратить жизнь дочери в мучение, если она не уступит ее желанию.

— Мама делает все, что в ее силах, чтобы я чувствовала себя тяжкой обузой для семьи, самой неблагодарной, самой эгоистичной и непокорной дочерью, каких только видел свет. И Уолтер тоже так суров, холоден и раздражителен со мной, словно ненавидит меня. Знай я с самого начала, во что мне обойдется этот отказ, то, наверное, дала бы согласие, но теперь просто из упрямства я выдержу!

— Плохая причина для верного решения, — ответила я. — Однако мне известно, что на самом деле для вашего упорства есть куда более благородные мотивы, и я советую вам черпать силы в них.

— Можете не сомневаться. Иногда я угрожаю маме, что убегу и опозорю семью, сама зарабатывая себе на хлеб, если она не перестанет меня терзать, и это ее немножко сдерживает. Но если они не поостерегутся, я так и сделаю!

— Успокойтесь, потерпите немножко, — ответила я, — и все переменится к лучшему.

Бедная девочка! Как бы я хотела, чтобы явился кто-нибудь ее достойный и увез отсюда. Ты со мной согласен, Фредерик?»

Хотя после этого письма о будущей жизни моей и Хелен я мог думать лишь с отчаянием, оно принесло мне одно утешение: теперь мне было дано право очистить ее имя от всех гнусных наветов. Миллуорды и Уилсоны собственными глазами увидят, как ясное солнце вырвется из темных туч, и его лучи опалят и ослепят их! Узрят его и мои близкие, чьи подозрения были полынью и желчью для моей души. К тому же мне достаточно лишь бросить семя в почву, чтобы из нее тотчас, как по волшебству, поднялось величавое дерево! Два-три слова матушке с Розой — и новость облетит приход без какого-либо дальнейшего содействия с моей стороны.

Роза пришла в восхищение, и не успел я рассказать ей все, что счел уместным (якобы все, что знал), как она тут же надела шляпку, накинула шаль и поспешила сообщить радостную весть Миллуордам и Уилсонам. Впрочем, я сильно подозреваю, что радовались только она сама и Мэри Миллуорд — эта благоразумная добрая девушка, чьи высокие душевные достоинства «миссис Грэхем» столь быстро заметила и оценила некрасивой внешности вопреки. Мисс Миллуорд, в свою очередь, умела постичь истинную натуру и благородство новой знакомой и твердо поверить в них — в отличие от самых блистательных умов прихода.

Пожалуй, больше у меня не будет поводов упоминать о ней, а потому я лучше сейчас же расскажу тебе, что в то время она была тайно помолвлена с Ричардом Уилсоном — о чем, я убежден, кроме них, никто ничего не знал. Этот достойный молодой человек тогда учился в Кембридже, где вел себя образцово и усердно занимался, получив в надлежащий срок честно заслуженный диплом с отличием, а свою репутацию сохранив незапятнанной. Со временем он стал первым и единственным помощником мистера Миллуорда, ибо годы, наконец, понудили почтенного джентльмена признать, что обязанности пастыря столь обширного прихода слишком обременительны даже для той хваленой энергии, какой он имел обыкновение кичиться перед более молодыми, но не столь деятельными духовными особами. Именно этого и жаждали в молчании терпеливые влюбленные, которые составили свои планы уже давным-давно, а теперь могли соединиться узами брака, к вящему изумлению их маленького мирка, успевшего увериться, что жребий обоих — благословенное безбрачие. Неужто этот бледный замкнутый книжный червь наберется смелости искать жену, а если и наберется, то не получит отказ? И столь же невозможно, чтобы некрасивая, резкая, непривлекательная, суровая мисс Миллуорд нашла себе мужа!

Новобрачные остались жить в доме при церкви, где миссис Уилсон делила свое время между отцом, мужем, бедными прихожанами, а затем и детьми, число которых все возрастало. Когда же преподобный Майкл Миллуорд, обремененный годами и почестями, отправился к праотцам, его место в приходе Линденхоуп занял преподобный Ричард Уилсон, к немалому удовольствию прихожан, которые давно уже убедились на деле в редкостных качествах как самого нового священника, так и его превосходной и любимой супруги.

Если тебя интересует судьба сестры этой последней, могу сообщить тебе лишь то, что ты, возможно, знаешь из другого источника: лет двенадцать-тринадцать тому назад она избавила счастливую пару от своего присутствия, выйдя замуж за богатого торговца в Л., — и я ничуть не завидую его счастью. Боюсь, она отравляет ему жизнь как может, но, к счастью, он слишком туп, чтобы в полную меру почувствовать, насколько горек его жребий. Сам я мало о ней осведомлен. Мы не виделись много лет, но я твердо знаю, что она все еще не забыла и не простила как своего былого поклонника, так и ту, чьи высокие достоинства открыли ему глаза на всю глупость его мальчишеской влюбленности.

Ну а сестра Ричарда Уилсона, не сумев ни вновь обворожить мистера Лоренса, ни отыскать жениха, богатство и полированность которого сделали бы его достойным руки Джейн Уилсон, все еще пребывает в благословенном девичестве. Вскоре после кончины своей матушки она лишила ферму Райкоут света своего присутствия (ибо была не в силах долее терпеть грубые манеры и незатейливые привычки своего брата Роберта и его хлопотуньи жены и не желала, чтобы свет ставил ее на одну доску с этими простолюдинами) и сняла комнату в ..., главном городе графства, где вела — да и сейчас, думаю, ведет — скаредную, безрадостную жизнь, старательно поддерживая претензии на «благородство» — коротает дни за вышиванием и сплетнями, часто упоминает своего «брата-священника» и «супругу его преподобия», но хранит глубокое молчание о своем брате-фермере и его жене. Ходит в гости и принимает гостей, когда это не сопряжено со значительными тратами, но никого не любит и никем не любима — черствая, чванная, злобная старая дева.

Глава XLIX

«И ПОШЕЛ ДОЖДЬ, И РАЗЛИЛИСЬ РЕКИ, И ПОДУЛИ ВЕТРЫ, И НАЛЕГЛИ НА ДОМ ТОТ; И ОН УПАЛ, И БЫЛО ПАДЕНИЕ ЕГО ВЕЛИКО»

Мистер Лоренс был теперь совсем здоров, но мои визиты в Вудфорд не прекратились, хотя и стали более краткими. Мы редко беседовали о миссис Хантингдон, и все же каждый раз обязательно ее упоминали: ведь я искал его общества для того лишь, чтобы узнать о ней хоть что-нибудь, а он моего общества не искал вовсе, так как и без того виделся со мной достаточно часто. Я неизменно начинал разговор о посторонних предметах, выжидая, заговорит ли он сам о том, что одно только и интересовало меня. Если мои надежды не сбывались, я спрашивал небрежно: «Вы последнее время не получали известий от сестры?» Если он отвечал «нет», мы переходили на другую тему. Услышав же «да», я брал на себя смелость спросить: «Как ее здоровье?» Но никогда не спрашивал: «Как здоровье ее мужа?», хотя и сгорал от желания узнать это. Я не был настолько лицемером, чтобы делать вид, будто желаю ему выздоровления, но выразить прямо противоположное желание у меня не хватало духу. А было оно у меня? Боюсь, что должен признать себя виновным. Но, выслушав мое признание, выслушай и мои оправдания — во всяком случае, те доводы, которыми я старался успокоить свою возмущенную совесть.

Во-первых, его жизнь, видишь ли, причиняла несчастия другим и, несомненно, не приносила ничего хорошего ему самому. Однако, желая ее конца, я никоим образом не постарался бы его ускорить, даже если бы некий дух шепнул мне, что для этого достаточно только лишь мысленного усилия воли. Разве что мне была бы дана власть таким способом избавить от могилы другую ее добычу — человека, чья жизнь была бы полезна людям, чью кончину оплакивало бы множество друзей. Но какой вред причинял я, пожелав про себя, чтобы среди многих тысяч тех, кому суждено до конца года расстаться с душой, оказался бы и этот смертный? Мне казалось — никакого. И потому я всем сердцем надеялся, что Богу будет угодно взять его в лучший мир или, во всяком случае, — взять из этого. Ведь если после грозного предостережения тяжкой болезни, когда возле него был такой ангел, он все же оказался бы недостоин предстать перед Творцом, то почти наверное таким же остался бы и навсегда. Вернувшееся здоровье воскресило бы похоть и низость. Чем больше он убеждался бы, что вся опасность позади, чем больше свыкался бы с ее душевным благородством, тем сильнее черствели бы его чувства, а сердце вновь превращалось бы в кремень и становилось все более глухо к ее доводам. Однако все в руце Божьей! Тем не менее я не мог не гадать со страхом, какой же будет Его воля. Ведь я знал, что (полностью отбрасывая мысль о себе самом), как бы Хелен ни пеклась о благополучии своего мужа, как бы ни оплакивала его жребий, но пока он жив, ей суждено оставаться несчастной.

Миновали две недели, и всякий раз на свой неизменный вопрос я получал отрицательный ответ. Но наконец желанное «да» позволило задать следующий. Лоренс понимал, какие тревожные мысли меня обуревают, и ценил мою сдержанность. Вначале я опасался, что он намерен терзать меня уклончивыми ответами и либо оставит в полном неведении, либо вынудит прямыми вопросами вырывать у него обрывки сведений. «И поделом тебе!» — скажешь ты. Но он был более милосердным и вскоре вложил мне в руку письмо сестры. Я молча прочел его и вернул, ничего не сказав. Это настолько отвечало его желаниям, что с этих пор, когда я справлялся о ней, он протягивал мне ее письмо — если было, что протянуть. Поступать так было куда проще, чем пересказывать его содержание. Я же пользовался этой любезностью столь осторожно и тактично, что он не находил причин мне в ней отказать.

Бесценные эти письма я пожирал с жадностью и возвращал, лишь запечатлев в памяти малейшие подробности, а вернувшись домой, тотчас записывал главное в дневнике среди наиболее примечательных событий дня.

Первое принесло известие о серьезном ухудшении в состоянии мистера Хантингдона, вызванном только безрассудством, с каким он предался своему пристрастию к горячительным напиткам, ссылаясь на то, что врач прописал ему укрепляющие средства. Тщетно она уговаривала его, тщетно разводила вино водой — ее доводы и мольбы докучали ему, а в ее вмешательстве он усматривал нестерпимое оскорбление и как-то, обнаружив, что она подлила воду в поданный ему светлый портвейн, швырнул бутылку в окно, клянясь, что не позволит обходиться с собой, как с несмышленым младенцем, и тут же приказал дворецкому под страхом немедленного увольнения принести из погреба бутылку самого крепкого вина. Он бы давно стал на ноги, если бы ему не перечили, но она не желает, чтобы он набрался сил, — ей хочется держать его под каблуком, но уж больше он терпеть не намерен, ч-т его побери! С этими словами он схватил в одну руку бутылку, в другую — стакан и остановился, только когда выпил ее всю. После подобного «легкомыслия», как она мягко назвала случившееся, сразу же вернулись все угрожающие симптомы, и с тех пор они не только не ослабевают, но возрастают. Потому-то она столько времени ему и не писала. Недуг повторяется с утроенной силой: подживавшая небольшая рана вновь открылась, и вспыхнуло внутреннее воспаление, которое может привести к роковому исходу, если его не удастся скоро побороть. Разумеется, состояние духа злополучного страдальца такое несчастье не улучшило. Я, честно говоря, не сомневался, что он стал совершенно невыносим, хотя его преданная сиделка ни словом на него не пожаловалась. Однако ей пришлось все-таки отправить сына к Эстер Харгрейв, потому что она почти все время проводила в комнате больного и не могла сама заниматься мальчиком, как тот ни умолял не отсылать его, а позволить ему остаться с ней и помогать ухаживать за папой. Она была уверена, что он вел бы себя очень хорошо и послушно, но не могла помыслить о том, чтобы подвергнуть его нежное детское сердечко таким испытаниям, допустив, чтобы он наблюдал подобные страдания, видел, как несдержанно ведет себя его отец, и слышал кощунственную ругань, на которую тот не скупился во время припадков боли или раздражения.

Последний (продолжала она) «очень сожалеет о поступке, вызвавшем ухудшение, но, как обычно, сваливает вину на меня. Если бы я убеждала его, как взрослого, разумного человека, твердит он, этого никогда не произошло бы. Но когда с тобой обходятся, как с младенцем или идиотом, это хоть святого выведет из терпения и толкнет доказать свою независимость даже в ущерб себе. Он забывает, как часто я пыталась *убеждать* его и «выводила из терпения». Видимо, он понимает, насколько опасна его болезнь, и все же не желает верно взглянуть на свое положение. Вчера ночью, когда я, ухаживая за ним, подала ему питье, чтобы хоть на миг утолить его мучительную жажду, он вдруг сказал с прежней своей жгучей насмешкой:

— Да, теперь ты очень и очень внимательна! Уж наверное, ты сейчас готова сделать для меня все?

— Ты же знаешь, — ответила я, несколько удивленная его тоном, — что я готова сделать все, от меня зависящее, чтобы облегчить твои страдания.

— Да, *сейчас,* мой безупречный ангел. Но едва ты добьешься своей награды и благополучно водворишься на Небеса, а я буду выть в адском пламени, ты палец о палец не ударишь, чтобы облегчить их тогда! Нет, ты будешь с удовольствием взирать на мои мучения и кончика мизинца не обмакнешь в воду, чтобы освежить мой язык.

— Возможно, но только потому, что пропасть, разделяющая нас, окажется непреодолимой. Если же я буду способна испытывать удовольствие, то лишь от сознания, что пламя очищает тебя от скверны греха и тебе будет дано разделить то же блаженство, какое испытываю я. Но, Артур, ты твердо решил, что я не встречу тебя на Небесах?

— Хм! А что бы я там делал, хотелось бы мне знать?

— Право, не знаю. И боюсь, твои вкусы и чувства должны будут сильно измениться, прежде чем пребывание там станет для тебя радостным. Но неужели ты предпочитаешь без малейшего сопротивления обречь себя на муки, о которых только что говорил?

— А, детские сказочки! — ответил он пренебрежительно.

— Ты уверен, Артур? Совершенно уверен? Ведь если существует хоть малейшее сомнение и если ты все-таки убедишься, что ошибался, когда уже поздно будет обратиться...

— Да, бесспорно, положение окажется не из веселых, — перебил он. — Но не надоедай мне с этим теперь, я же пока еще умирать не собираюсь! Не могу умереть и не умру! — вскричал он, словно вдруг с ужасом представил себе этот страшный исход. — Хелен, ты должна, должна меня спасти!

Он крепко сжал мою руку и заглянул мне в лицо с такой мольбой, что у меня чуть сердце не разорвалось от жалости к нему, и я не смогла вымолвить ни слова от душивших меня слез».

Следующее письмо принесло сообщение, что состояние больного ухудшается и его ужас перед смертью куда более удручающ, чем неумение терпеть телесные страдания. Оказалось, что не все старые друзья его забыли: мистер Хэттерсли, едва узнав о его тяжелом состоянии, поспешил приехать к нему из своего далекого поместья на севере страны. С ним приехала и его жена, чье желание свидеться с подругой, которую она не видела столько времени, было, пожалуй, даже сильнее желания навестить мать и сестру.

Миссис Хантингдон очень обрадовалась свиданию с Милисент, особенно когда убедилась, что она совершенно здорова и безоблачно счастлива. «Сейчас она в Груве (продолжалось письмо), но часто приезжает ко мне. Мистер Хэттерсли подолгу сидит с Артуром. Такой глубины и искренности чувств я в нем даже не подозревала. Он очень жалеет своего друга и всячески старается его утешить, хотя получается это у него и не слишком удачно. То он тщетно пытается развеселить его шутками и смехом, то пускается в воспоминания о былых проказах, надеясь его подбодрить. Иной раз это отвлекает страдальца от тягостных мыслей, но чаще ввергает в совсем уже черную меланхолию. Тогда Хэттерсли теряется, не находит, что сказать, и робко спрашивает, не стоит ли послать за священником. Однако на это Артур решительно не соглашается. Он ведь помнит, с какой легкомысленной насмешливостью встречал благожелательные увещевания служителя церкви прежде, и даже помыслить не может о том, чтобы искать у него утешения теперь.

Иногда мистер Хэттерсли вызывается поухаживать за ним вместо меня, но Артур не хочет расставаться со мной ни на миг. Чем больше он слабеет, тем больше укрепляется этот странный каприз, эта прихоть, чтобы я всегда была подле него. И я действительно почти все время с ним, — лишь изредка, когда он засыпает, мне удается уйти в свою комнату подремать час-другой. Но дверь остается открытой, чтобы он мог позвать меня в любую минуту. Я пишу это возле его кровати, и, боюсь, он сердится, хотя я часто откладываю перо, чтобы предупредить какое-нибудь его желание, и хотя мистер Хэттерсли сейчас здесь. Войдя, этот джентльмен объявил, что приехал выпросить мне часок отдыха, — утро прекрасное, морозное, в самый раз, чтобы погулять по парку с Милисент, Эстер и маленьким Артуром, которых он привез повидать меня. Наш злополучный больной, видимо, счел этот план верхом бессердечия, которое стократ усугубилось бы, дай я на него согласие. Поэтому я сказала, что выйду на несколько минут поговорить с ними и тотчас вернусь. И правда, мы обменялись лишь двумя-тремя фразами у крыльца, — едва вдохнув вкусный, бодрящий воздух, я, вопреки настойчивым уговорам всех троих не уходить так скоро, но пройтись с ними по саду, заставила себя расстаться с ними и вернулась к больному. Отсутствовала я не более пяти минут, однако он сердито упрекнул меня за черствость и пренебрежение. Его друг пришел мне на помощь.

— Послушай, Хантингдон, — сказал он, — ты ведь совсем ее замучил. Ей же надо и есть, и спать, и свежим воздухом иногда подышать, не то она с ног свалится, помяни мое слово. Только погляди на нее: одна тень осталась!

— Что ее страдания в сравнении с моими? — ответил бедный больной. — Тебе же нетрудно посидеть со мной, а, Хелен?

— Конечно, нет, Артур, если тебе от этого действительно легче. Я бы отдала жизнь, чтобы спасти тебя, если бы могла.

— Неужели? Ну нет!

— С величайшей радостью.

— А! Так ты ведь считаешь, что более готова к смерти.

Наступило тягостное молчание. Он, видимо, погрузился в мрачные размышления, но пока я искала слова, чтобы успокоить его, не встревожив еще больше, Хэттерсли, думавший, вероятно, о том же, вдруг сказал:

— Послушай, Хантингдон, на твоем месте я бы послал за каким-нибудь попом. Если тебе здешний священник не нравится, так можно позвать его помощника или еще кого-нибудь.

— Нет. Если она мне помочь не может, так они и подавно! — Из глаз его хлынули слезы, и он вскричал: — Ах, Хелен, Хелен, если бы я слушался тебя, то до этого не дошло бы. А если бы я тогда, давно, согласился бы с тобой... О Господи! Насколько по-другому все было бы!

— Так послушайся меня теперь, Артур, — ответила я, ласково пожимая ему руку.

— Теперь уже поздно, — в отчаянии пробормотал он.

Начался новый пароксизм боли, сопровождавшийся бредом, и мы уже опасались, что смерть близка. Однако опий утишил его страдания, мало-помалу он успокоился и погрузился в сонное забытье. Когда он очнулся, ему как будто стало легче, и Хэттерсли попрощался с ним, выразив надежду, что завтра найдет его совсем молодцом.

— Может быть, я еще поправлюсь, — ответил он. — Кто знает? Что, если это был кризис? Как думаешь ты, Хелен?

Не желая расстраивать его, я ответила как могла бодрее и все же посоветовала ему быть готовым и к иному исходу, который в глубине души считала почти неизбежным. Однако он твердо решил надеяться. Вскоре его вновь охватила дремота, но теперь он опять стонет.

Что-то изменилось. Внезапно он окликнул меня с таким странным лихорадочным волнением, что мне почудилось, будто у него бред. Но я ошиблась.

— Да, это был кризис, Хелен! — сказал он с радостью. — Вот тут я ощущал адскую боль, но она совсем прошла. С тех пор как проклятая лошадь меня сбросила, я еще ни разу не чувствовал себя так легко и хорошо! Все прошло, клянусь всеми святыми! — Он схватил мою руку и поцеловал от избытка чувств, но, заметив, что я не разделяю его восторга, отбросил ее и горько упрекнул меня в холодности и бессердечии. Что мне было ответить? Опустившись рядом с ним на колени, я взяла его руку, нежно прижала ее к губам — впервые после нашего отчуждения — и сказала ему сквозь слезы, что я промолчала не поэтому, но из страха, не окажется ли столь внезапное прекращение боли вовсе не таким хорошим симптомом, как он думает. И тут же послала за доктором. Сейчас мы в тревоге ждем его. Я напишу здесь, что он скажет. Артур все так же не чувствует боли — только немоту там, где она была острее всего.

Мои худшие опасения подтвердились — началось омертвление. Доктор сказал ему, что спасения нет, и описать его отчаяние невозможно. Кончаю писать».

Следующее письмо было еще более скорбным. Конец приближался, больной уже был на самом краю той ужасной пропасти, перед которой трепетал, и никакие самые горячие молитвы, самые жгучие слезы спасти его не могли. И он ни в чем не находил опоры. Грубоватые утешения Хэттерсли пропадали втуне. Окружающий мир утратил для него смысл. Жизнь со всеми ее интересами, мелкими заботами и преходящими удовольствиями казалась ему теперь жестокой насмешкой. Упоминание о прошлом оборачивалось агонией тщетных сожалений, упоминание о будущем усугубляло его муки, но молчать значило оставлять его в жертву душевным терзаниям и страху. Часто он, содрогаясь, перебирал все подробности того, что ожидало его бренную оболочку, — постепенное разложение, уже начавшееся в его теле, саван, гроб, темная одинокая могила и все ужасы истлевания.

«Если же я пытаюсь, — писала его горюющая жена, — отвлечь его от таких мыслей, обратить их на более высокие предметы, это не помогает.

— Тем хуже, тем хуже, — стонет он. — Если и правда есть жизнь за могилой и загробный суд, то я ведь к ним не готов!

Я не в силах ему помочь. Что бы я ни говорила, он не хочет узреть света истины, не находит в моих словах ни поддержки, ни утешения и все же с отчаянным упорством цепляется за меня, — с каким-то детским упрямством, словно в моей власти избавить его от судьбы, которая так безмерно его страшит. Он не отпускает меня от себя ни днем ни ночью. Сейчас, когда я пишу, он сжимает мою левую руку. Он держится за нее так уже много часов, то тихо, повернув ко мне бледное лицо, то вдруг хватает меня за локоть, а на лбу у него выступают крупные капли пота от страха перед тем, что ему уготовано, — или кажется, что уготовано. Если я отнимаю руку хотя бы на миг, он пугается.

— Не уходи, Хелен, — говорит он. — Позволь мне держаться за тебя. Мне чудится, что пока ты здесь, со мной не может случиться ничего плохого. Но ведь смерть все-таки придет — и скоро, скоро!.. И тогда... ах, если бы я мог поверить, что за ней нет ничего!

— И не верь этому, Артур. За ней — вечный свет и блаженство, если только ты попытался бы их обрести.

— Что? *Для меня?* — произнес он, словно усмехнувшись. — Или нас не судят по земным нашим делам? Какой смысл в испытательном сроке земного существования, если человек будет проводить его как ему заблагорассудится, нарушая все Божьи заветы, а затем вознесется в рай вместе с праведниками? Если гнуснейший грешник получит ту же награду, что и самый святой среди святых, просто сказав: я раскаиваюсь?

— Но если ты раскаешься *искренне*...

— Испытывать раскаяние я не способен. Только страх.

— И о прошлом сожалеешь только из-за последствий для тебя?

— Вот именно. Если не считать, что сожалею еще и о том, как поступал с тобой, Хелен. Потому что ты милосердна ко мне.

— Так вспомни о милосердии Бога, и ты пожалеешь, что оскорблял его.

— Что такое Бог? Я не могу ни увидеть его, ни услышать. Бог всего лишь отвлеченное понятие!

— Бог это — Извечная Мудрость, Сила и Милосердие... и Любовь. Но если такое понятие слишком непостижимо для твоего человеческого сознания, если твой ум теряется перед бесконечной его безмерностью, то обрати мысли к Тому, Кто снизошел разделить с нами нашу природу и даже вознесся на Небеса в своей преображенной, но человеческой плоти. К Тому, в Ком сияет вся полнота Божественного Начала.

Но он только покачал головой и вздохнул. Затем в новом припадке жуткого ужаса стиснул мои пальцы и локоть, стонал, стенал, льнул ко мне с тем диким, безумным отчаянием, которое особенно ранит мою душу, потому что ведь помочь ему не в моих силах. Я попыталась, как могла, успокоить его и утешить.

— Смерть так ужасна! — рыдал он. — Я не вынесу... Ты не понимаешь, Хелен, ты не способна понять, что это, потому что тебе-то она не угрожает. И когда меня похоронят, ты вернешься к прежней жизни, будешь счастлива, и весь мир будет по-прежнему заниматься своими делами и веселиться, словно я и не жил никогда! Я же... — От слез он не мог продолжать.

— Пусть хоть это тебя не расстраивает, — сказала я. — Все мы очень скоро последуем за тобой.

— Почему только я не могу взять тебя с собой теперь же! — вскричал он. — Ты бы заступилась за меня.

— Ни одному смертному не дано избавить ближнего своего от уготованной ему участи или заключить с Богом уговор, — ответила я. — Искупление души требует большего. Чтобы искупить нас, освободить от тенет Отца Зла, потребовалась кровь Богочеловека, совершенного и безгрешного. Проси Его быть твоим заступником.

Но мои слова напрасны. Теперь он не высмеивает эти священные истины, как прежде, но не способен ни довериться им, ни постигнуть их. Страдать ему осталось уже недолго. А страдает он нестерпимо, как и те, кто ухаживает за ним, но не стану удручать тебя дальнейшими подробностями. Мне кажется, сказанного достаточно, чтобы убедить тебя, что я поступила верно, поехав к нему».

Бедняжка Хелен! Какие ужасы приходилось ей переносить! А я не мог ничем их облегчить... Мне даже чудилось, что их на нее навлек я своими тайными мечтами. Страдания ее мужа и ее страдания были как бы карой мне за то, что я лелеял такое желание.

На второй день пришло еще одно письмо. Оно так же было молча вложено мне в руку, и вот его содержание:

«5 декабря.

Он наконец отошел. Я сидела с ним всю ночь, вглядываясь в его изменяющееся лицо, прислушиваясь к его затихающему дыханию, чувствуя, как его пальцы сжимают мою руку. Он долгое время хранил молчание, и я уже думала, что наступил конец, как вдруг он произнес тихо, но очень внятно:

— Молись обо мне, Хелен.

— Я молюсь о тебе каждый час, Артур, каждую минуту. Но ты сам должен молиться!

Его губы зашевелились, но ничего не произнесли. Затем глаза у него помутились, с уст порой срывались бессвязные недоговоренные слова, и, решив, что он без сознания, я осторожно высвободила руку, чтобы тихонько выйти глотнуть свежего воздуха, потому что мной все больше овладевала дурнота. Но судорожное движение пальцев и почти беззвучный шепот: «Не оставляй меня» — тотчас заставили меня снова взять его руку и не выпускать до тех пор, пока его не стало... А тогда я упала в обморок. Не от горя, а от переутомления, с которым у меня больше не было причины бороться. Ах, Фредерик, никто не может вообразить телесные и душевные муки этой кончины! Как могла бы я снести мысль, что эта бедная, трепещущая душа была тотчас ввергнута в вечный огонь? Она свела бы меня с ума. Но, слава Богу, у меня есть надежда — и не только робкое упование, что в последний миг раскаяние все-таки обрело ему прощение, но и благословенная уверенность, что через какое бы очищающее пламя ни был бы обречен пройти заблудший дух, какая бы судьба его ни ожидала, на вечную погибель он осужден быть не может, — Господь, в котором нет ненависти ни к единому из его творений, рано или поздно дарует ему прощение!

Той темной могиле, которой он так страшился, его тело будет предано в четверг, но гроб необходимо забить как можно быстрее. Если ты намерен приехать на похороны, то торопись, мне нужна помощь.

Хелен Хантингдон».

Глава L
СОМНЕНИЯ И РАЗОЧАРОВАНИЯ

Прочитав это, я не имел причин скрывать от Фредерика Лоренса свою радость и надежды, так как в них не было ничего предосудительного, — радовался я лишь избавлению его сестры от тягостных, изнурительных забот и надеялся только, что время исцелит ее от их последствий и до конца своих дней она обретет хотя бы душевный мир и покой. Я испытывал болезненную жалость к ее злополучному мужу (хотя прекрасно понимал, что все свои страдания он навлек на себя сам и вполне их заслуживал) и величайшее сочувствие к ее несчастьям, а также глубокую тревогу при мысли о возможных последствиях этих изнурительных забот, этих страшных бдений, этого непрерывного и вредоносного пребывания рядом с живым трупом — у меня ведь не было сомнений, что о большей части того, что ей выпало перенести, она умолчала.

— Вы поедете к ней, Лоренс? — спросил я, возвращая ему письмо.

— Да. Немедленно.

— Прекрасно. Так я прощусь с вами, чтобы не мешать вашим сборам.

— Они были закончены, пока вы читали письмо, а начаты еще до вашего прихода. Экипаж уже подан.

Горячо одобрив такую поспешность, я пожелал ему доброго утра и ушел. Пока мы пожимали друг другу руки, он внимательно посмотрел мне в лицо, но чего бы ни ждал там различить, увидел лишь отвечающую случаю серьезность и, может быть, легкую досаду на мысли, которые, как я заподозрил, промелькнули у него в голове.

Но забыл ли я свои мечтания, пылкую любовь, упрямые надежды? Казалось кощунством думать о них в такое время, и все-таки я их помнил. Однако когда я сел на лошадь и медленно направился к себе домой, то размышлял лишь о несбыточности этих мечтаний, обманчивости надежд и тщете моей мысли. Миссис Хантингдон теперь свободна, думать о ней более не преступно, но думает ли она обо мне? О, разумеется, не сейчас, об этом и речи быть не может! Но вспомнит ли она обо мне, когда потрясение пройдет? Во всех письмах к брату — «нашему взаимному другу», как она сама его назвала, я был упомянут лишь раз, причем в ответ на прямой вопрос. Уж одно это давало достаточный повод подозревать, что я позабыт. Но мало того. Молчать она могла по требованию долга, только *пытаясь* меня забыть, однако во мне крепло угрюмое убеждение, что ужасы, которые она видела и перечувствовала, примирение с тем, кого она когда-то любила, его страшные смертные муки должны были неминуемо изгладить из ее души все следы мимолетной любви ко мне. Она могла оправиться от пережитого, к ней могли вернуться прежнее здоровье, душевное спокойствие, даже бодрость, — но только не чувства, которые, несомненно, уже представляются обманчивым сном, тем более что некому напоминать ей обо мне, нет средства заверить ее в моей преданности, моем постоянстве теперь, когда нас разделяет такое расстояние и простая деликатность запрещает искать с ней встречи или хотя бы написать — во всяком случае, пока не минуют долгие месяцы. А как мне заручиться помощью ее брата? Как разбить ледяную броню застенчивой сдержанности? Быть может, он и теперь будет смотреть на мою любовь с тем же неодобрением, что и раньше? Быть может, я кажусь ему слишком бедным, слишком простолюдином, чтобы вступить в брак с его сестрой. Да, нас разделил новый барьер. Между положением миссис Хантингдон, госпожи Грасдейл-Мэнора, и миссис Грэхем, художницы, отшельницы, укрывавшейся в Уайлдфелл-Холле, бесспорно, существует значительная разница. И если я посмею предложить руку первой, меня могут счесть дерзким — и свет, и ее друзья, если не она сама. О, их осуждением я равнодушно пренебрег бы, будь я уверен в том, что она меня любит. Но не иначе! К тому же ее покойный муж с обычным эгоизмом мог поставить в своем завещании условия, препятствующие ее новому замужеству. Как видишь, у меня хватало причин предаться отчаянию, будь я так расположен.

И все же я с немалым нетерпением ожидал возвращения мистера Лоренса из Грасдейла, — с нетерпением, возраставшим прямо пропорционально тому, насколько растягивалось его отсутствие. Задержался он там более чем на десять дней. Бесспорно, чем дольше сестра находила у него утешение и помощь, тем было лучше, но все-таки он мог бы написать мне, как она себя чувствует или хотя бы когда его ждать обратно. Ведь должен же он понимать, какие муки я испытываю, тревожась за нее и не зная, чего мне ждать от будущего. Однако когда он наконец возвратился, то сказал лишь, что она совсем измучена неусыпным уходом за тем, кто был губителем ее жизни и чуть было не увлек с собой в могилу, и все еще не оправилась от потрясения и от скорби, вызванной его печальным концом и сопутствующими обстоятельствами. Но ни слова обо мне, ни намека, что мое имя хотя бы раз сорвалось с ее губ или было произнесено в ее присутствии. Разумеется, об этом я его не спрашивал — на такой вопрос у меня не хватило духу, так как я уже твердо уверовал, что Лоренс против моего брака с его сестрой.

Я видел, что он ожидает дальнейших расспросов о своей поездке, но с обостренной чуткостью пробудившейся ревности... или уязвленного самолюбия... или уж и не знаю, как это назвать, я, кроме того, увидел, что он их опасается, и был не просто удивлен, но *приятно* удивлен, когда их не последовало. Разумеется, я пылал яростью, но гордость вынудила меня скрыть мои чувства и сохранять внешнее спокойствие — или, во всяком случае, стоическую невозмутимость — до конца нашего разговора. Теперь я этому рад. Рассуждая с большей беспристрастностью, я не могу не признать, что поссориться с ним тогда было бы и в высшей степени неприлично и глупо. Должен также признаться, что был к нему несправедлив в сердце своем. На самом деле он питал ко мне самые дружеские чувства, но это не мешало ему сознавать, что брак между мной и миссис Хантингдон свет назовет «мезальянсом», а для человека с его натурой мнение света значило много и уж тем более, когда презрительный смех и пренебрежение грозили не ему самому, но его сестре. Верь он, что брак этот составит счастье нас обоих, знай он, как бесконечно я ее люблю, то поступал бы иначе. Но наблюдая, как я спокоен, как невозмутим, он с полной искренностью не счел себя вправе смущать мою философскую сдержанность. Ни в чем прямо не препятствуя нашему союзу, он ничего не делал для того, чтобы ему содействовать, и уступал советам благоразумной осторожности, помогая нам преодолеть взаимную склонность, а не советам сердца поддержать ее. «И был прав!» — скажешь ты. Возможно, возможно. В любом случае у меня не было истинных причин испытывать против него столь горькое негодование. Но тогда я не сумел взглянуть на все столь беспристрастно и, поговорив еще несколько минут на посторонние темы, ушел, испытывая муки уязвленной гордости и разочарование в дружбе вдобавок к агонии страха, что я и правда забыт, и терзания при мысли, что моя возлюбленная сейчас одна, в горе, измождена телесно и душевно, а мне запрещено попытаться утешить ее, помочь ей — запрещено даже выразить свое сочувствие, так как о том, чтобы воспользоваться посредничеством мистера Лоренса, теперь не могло быть и речи.

Но что же мне делать? Ждать, не вспомнит ли она обо мне сама? Но этого, разумеется, не будет. А если она и попросит брата передать мне несколько приветливых слов, он, конечно, такой просьбы не исполнит, а тогда... какая страшная мысль... Тогда, не получив ответа, она сочтет, что мои чувства остыли и переменились. А может быть, он уже дал ей понять, что я о ней больше не думаю! И все-таки я дождусь, чтобы наконец миновали условленные шесть месяцев нашей разлуки (будет это на исходе февраля), а тогда пошлю ей письмо, — почтительно напомню о ее разрешении писать ей после истечения этого срока и изъявлю надежду, что могу воспользоваться им, дабы выразить мои искреннейшие соболезнования по поводу недавних ее горестей, мое восхищение ее благородством и мои упования, что здоровье ее уже поправилось и что ей теперь будет дано наслаждаться той мирной, безмятежной жизнью, которой судьба столь долго ее лишала, хотя поистине мало кто более заслуживает подобного блага, чем она... И добавлю несколько слов привета моему дружку Артуру с вопросом, помнит ли он меня... а может быть, и еще несколько о прошедших днях, о восхитительных часах, проведенных мной в ее обществе, вечно для меня живых, соли и утешении моего существования... А заключу выражением надежды, что ее недавние печали не совсем изгладили меня из ее памяти. Если она не ответит, то больше я, разумеется, писать не буду, если же ответит (а ответить, пусть лишь из вежливости, она все-таки должна), дальше я буду поступать, исходя из этого ее письма.

Ждать десять недель в такой мучительной неуверенности? Но мужайся! Иного выхода нет. А пока буду по-прежнему навещать Лоренса, хотя и реже, чем прежде, и по-прежнему справляться о его сестре — давно ли она ему писала и как ее здоровье, но не более того.

Так я и поступал, но ответы неизменно ограничивались точно пределами вопроса, и ни на йоту больше, к величайшему моему раздражению. Ничего нового: она не жалуется, но, судя по тону письма, еще очень угнетена душевно; она упомянула, что ей лучше; и, наконец, — она пишет, что совсем здорова, но очень занята сыном, управлением поместьем покойного мужа и приведением в порядок его дел. Негодяй не подумал объяснить мне, какова была судьба имущества мистера Хантингдона: оставил ли он завещание или нет. Но я скорее умер бы, чем спросил бы у него об этом, — а что, если он неверно истолкует такое мое любопытство? Писем сестры он больше в руки мне не давал, а я даже не намекал, как жажду прочесть их. Впрочем, до февраля оставалось уже недолго. Декабрь миновал, январь приближался к желанному концу... Еще недели две, и тогда отчаяние и обновленные надежды положат конец этому нестерпимому ожиданию.

Увы! Как раз тогда ее подстерег новый удар — кончина дяди, наверное, довольно-таки никчемного старика, но с ней всегда доброго и ласкового, как ни с одной живой душой в мире, так что она привыкла видеть в нем почти отца. Она помогала тетке ухаживать за ним во время его последней болезни и присутствовала при его кончине. Ее брат отправился в Стейнингли на похороны, а возвратившись, сказал мне, что она осталась там, не желая покинуть тетушку одну, и, вероятно, уедет оттуда не скоро. Меня это известие удручило: пока она гостит в Стейнингли, я не сумею ей написать, так как не знаю адреса, а о том, чтобы узнать его у Лоренса, речи быть не может. Но неделя проходила за неделей, и всякий раз в ответ на мой вопрос я слышал от него, что она все еще в Стейнингли.

— А где это? — не выдержал я наконец.

— В ...шире, — коротко ответил он таким холодным, сухим тоном, что у меня пропала всякая охота справиться у него об адресе. — Когда она намерена вернуться в Грасдейл? — спросил я затем.

— Не знаю.

— А, дьявол! — буркнул я.

— О чем вы, Маркхем? — осведомился он с видом простодушного удивления. Но я не удостоил его ответа, если не считать взгляда, полного мрачного презрения. Он опустил глаза на ковер, с легкой улыбкой, полузадумчивой, полунасмешливой. Но тут же поднял их и заговорил на другие темы, стараясь втянуть меня в веселый дружеский разговор, но я был слишком зол и вскоре простился с ним.

Видишь ли, мы с Лоренсом как-то не умели подлаживаться друг к другу. Мне кажется, причина в том, что оба мы были несколько мнительны. Поверь, Холфорд, это очень тягостное свойство — подозревать оскорбления в совершенно безобидных словах и поступках. Сам я давно перестал быть мучеником этого недуга, что тебе известно лучше, чем кому-либо. Я научился смотреть на вещи бодро и разумно, относиться взыскательнее к себе и снисходительнее к моим ближним и теперь только посмеиваюсь над Лоренсом и тобой.

Отчасти по воле случая, а отчасти и преднамеренно (потому что во мне зародилась неприязнь к нему) я свиделся с моим другом снова только через несколько недель. И только потому, что он *искал* нашей встречи. Как-то в солнечное утро в начале июня он появился на лугу, где я наблюдал за началом сенокоса.

— Я давно не видел вас, Маркхем, — сказал он, когда мы поздоровались. — Вы решили больше не бывать в Вудфорде?

— Я как-то заезжал, но не застал вас.

— К большому моему сожалению. Только ведь это было давно, и я надеялся, что вы снова меня посетите. Но не дождался. А сегодня уже я вас не застал. Вы ведь редко сидите дома, не то я имел бы удовольствие навещать вас чаще. Но сегодня я решил во что бы то ни стало увидеть вас. Привязал Серого у дороги и не устрашился ни изгороди, ни канавы, лишь бы вас найти. Я ведь уезжаю и, возможно, буду лишен удовольствия видеть вас целый месяц, если не два.

— Куда вы едете?

— Сначала в Грасдейл, — ответил он с невольной улыбкой, которую не сумел подавить, как ни старался.

— В Грасдейл! Значит, она там?

— Да, но дня через два отправится с миссис Максуэлл в Ф. подышать морским воздухом, и я поеду с ними. (Ф., нынешний модный курорт, в то время был тихим и приятным приморским городком.)

Лоренс как будто ждал, что я воспользуюсь случаем и пошлю с ним письмо его сестре или поручу передать ей что-нибудь устно, и, полагаю, согласился бы без особых возражений, если бы у меня хватило здравого смысла попросить его об этом. Хотя, разумеется, сам мне свои услуги предлагать не собирался, раз уж я предпочел промолчать. Но заставить себя обратиться к нему с такой просьбой я не сумел, и, только когда он уехал, мне вдруг стало ясно, какой возможностью я пренебрег. Я горько рассердился на себя за непроходимую глупость и дурацкую гордость, но было уже поздно.

Вернулся он только на исходе августа. Из Ф. я получил от него два-три письма, однако вызвали они у меня лишь досаду, так как были полны общих мест либо пустяков, совершенно меня не интересовавших, либо всяких фантазий и отвлеченных рассуждений, столь же в то время для меня безразличных, — и почти ни слова о сестре, да и о себе самом немногим больше. Утешала меня только мысль, что мне достаточно дождаться его возвращения и уж, наверное, я сумею вытянуть из него побольше. Но писать ей, пока с ней рядом брат и тетка, не стоит — ведь эта последняя, конечно, отнесется к моим дерзким надеждам даже с еще большим неодобрением, чем он. Вот когда она вернется в тишину и одиночество собственного дома, вот тогда ждать уже будет не надо.

Однако когда Лоренс вернулся, он продолжал хранить ту же сдержанность относительно всего, что меня мучительно интересовало, и сказать только, что его сестре воздух Ф. принес большую пользу, сын ее здоров, но — увы! — они опять поселились в Стейнингли у миссис Максуэлл... И прожили там больше трех месяцев... Но не стану докучать тебе описанием моего горя, размышлений, разочарований, переходов от ледяного уныния к чуть теплящейся надежде, моих окончательных намерений то забыть все, то не отступать, то сделать смелый шаг, то махнуть рукой и терпеливо ждать. Лучше я расскажу о судьбе двух действующих лиц моего повествования, которых мне вряд ли придется упомянуть потом.

За некоторое время до смерти мистера Хантингдона леди Лоуборо бежала на континент с другим кавалером, где некоторое время они жили в вихре удовольствий и порока, а затем поссорились и расстались. Она продолжала некоторое время блистать, но годы шли, а деньги иссякали. В конце концов она запуталась в долгах и, испив полную чашу позора и бед, умерла, как я слышал, в нищете, без помощи и утешения, всеми оставленная. Но возможно, это только слухи, и она еще жива, хотя ни я, ни ее родственники, ни бывшие знакомые ничего о ней не знаем. Они потеряли ее из виду много лет назад и, если бы могли, предпочли бы вовсе о ней забыть. Ее муж после второй ее измены немедленно принял меры, чтобы получить развод, а получив, довольно скоро вновь женился. Поступок очень разумный: ведь лорд Лоуборо, хотя и казался угрюмым мизантропом, не был создан для холостой жизни. Никакие отвлеченные интересы, честолюбивые помыслы или деятельность — и даже узы дружбы (будь у него друзья) — не могли заменить ему домашние радости и уют. Правда, у него был сын и признанная им дочь, но они слишком уж горько напоминали ему о своей матери, а злополучная малютка Аннабелла, кроме того, служила для него источником непреходящей душевной муки. Он заставил себя быть с ней по-отцовски заботливым, он принудил себя не питать к ней ненависти, а возможно даже, мало-помалу сердце его потеплело в ответ на ее доверчивую любовь к нему. Однако ожесточение, с каким он осуждал себя за чувства, которые пробуждала в нем крошка, его постоянная борьба с дурными устремлениями собственной натуры (от природы вовсе не великодушной) — все то, о чем знавшие его могли лишь отчасти догадываться, во всей своей полноте известны лишь Богу и ему самому. Как и тяжкие усилия не поддаться искушению и не вернуться к пороку молодости, чтобы обрести забвение прошлых несчастий и в тупом беспамятстве перенести тоску разбитого сердца, безрадостное одинокое существование, не согретое даже дружбой, и унылый упадок духа, вновь уступив коварному врагу здоровья, ясного ума и добродетельности, который один раз уже столь бесславно поработил его.

Вторая его избранница ни в чем не походила на первую. Некоторые удивлялись его вкусу, другие даже высмеивали его, что, впрочем, выставляло в глупом свете их самих. Она была его ровесницей — то есть ближе к сорока годам, чем к тридцати, не славилась ни красотой, ни богатством, ни светскими талантами и вообще, насколько я слышал, ничем особенным не отличалась, а просто была благоразумна, прямодушна, глубоко благочестива, доброжелательна и обладала неистощимой бодростью. Но, как ты без труда представишь себе, благодаря этим качествам она сумела стать истинной матерью детям и именно такой женой, в какой нуждался его милость. Он же с обычным своим самоуничижением (не паче ли гордости?) утверждал, что она слишком хороша для него и, дивясь доброте Провидения, одарившего его столь бесценным кладом, а заодно и тому, что она предпочла его всем остальным мужчинам в мире, старался, как мог, отплачивать ей тем же, весьма в этом преуспев, — она была, да, по-моему, и остается, одной из самых счастливых и любящих жен во всей Англии. Те же, кто осуждал ее или его за такой выбор, пусть радуются, если собственный их брак оказался хотя бы в половину столь удачным и их любят хотя бы в половину столь горячо и преданно.

Если тебя сколько-нибудь интересует судьба столь презренного негодяя, как Гримсби, могу только сказать, что от скверного он переходил к еще более худшему, все глубже увязал в пороке и подлости, делил общество лишь с самыми сомнительными членами своего клуба да с подонками и осадками человечества (к счастью для остального мира) и нашел свой конец в пьяной ссоре от руки, как говорили, такого же негодяя, поймавшего его на шулерстве.

Что до мистера Хэттерсли, он не оставил своего решения «выйти из среды их» и вести себя, как подобает христианину и отцу семейства, а болезнь и смерть его приятеля и былого веселого собутыльника Хантингдона настолько наглядно показали ему всю губительность их прежних привычек, что второго такого урока не понадобилось. Избегая столичных соблазнов, он прочно обосновался у себя в имении и посвящал свое время обычным занятиям деятельного, полного сил помещика, к которым добавил разведение породистых лошадей и скота. Иногда он развлекался охотой и лисьей травлей в обществе друзей — более почтенных, чем прежние, и черпал немало радостей в обществе своей счастливой женушки (такой веселой и уверенной в себе и в нем, как только можно пожелать), а также многочисленных крепких сыновей и цветущих дочек. Его отец, банкир, скончался несколько лет назад, оставив ему все свое состояние, после чего он обрел возможность дать полную волю своим вкусам, и вряд ли мне надо упоминать, что конный завод Ральфа Хэттерсли, эсквайра, славится своими лошадьми по всей стране.

Глава LI
НЕОЖИДАННЫЙ ОБОРОТ

Теперь перенесемся в сумрачный, безветренный, холодный день в начале декабря, когда первый снег легкой пылью лег на оголенные поля и замерзшие дороги, скапливаясь по глубоким колеям и отпечаткам сапог и копыт в замерзшей грязи, оставленной бесконечными ноябрьскими дождями. Этот день запомнился мне с такими подробностями потому, что я возвращался домой от священника в приятном обществе мисс Элизы Миллуорд — не более и не менее. Я навестил ее отца, принеся эту жертву законам вежливости, только чтобы доставить удовольствие матушке, но отнюдь не себе — мне этот дом стал противен. И не только из-за антипатии к некогда столь обворожительной Элизе, но и потому, что я далеко еще не простил старику его дурное мнение о миссис Хантингдон. Ведь он хотя и вынужден был признать свою прежнюю ошибку, однако продолжал провозглашать, что она поступила непозволительно дурно, оставив мужа, чем нарушила священный долг жены и искушала Провидение, ибо могла подвергнуться всяческим соблазнам. Нет, только рукоприкладство (причем приведшее к серьезным телесным повреждениям) в какой-то мере извинило бы подобный шаг... То есть все равно не извинило бы, так как ей надлежало обратиться за защитой к закону. Но я отвлекся. Речь ведь идет о его дочери Элизе. В ту минуту, когда я откланивался, она вошла в комнату, одетая для прогулки.

— Я как раз собралась к вашей сестрице, мистер Маркхем, — сказала она. — И если вы не против, провожу вас до дому. Я люблю общество, когда гуляю. А вы?

— Да. Когда оно приятно.

— Ну, это, разумеется, само собой, — ответствовала барышня с кокетливой улыбкой, и мы спустились с крыльца.

— А я застану Розу дома, как вы думаете? — спросила она, когда мы затворили за собой калитку и направились в сторону Линден-Кара.

— Полагаю, что застанете.

— Надеюсь, я сообщу ей интересную новость... Если только вы меня не опередили.

— Я?

— А кто же? Вы ведь знаете, почему уехал мистер Лоренс?

— А разве он уехал? — спросил я с удивлением, и она просияла.

— О! Так он ничего не сказал вам о своей сестре?

— Но что? — воскликнул я в ужасе, что с ней случилось какое-то несчастье.

— А-а, мистер Маркхем! Вы краснеете! — воскликнула она с ехидным смешком. — Ха-ха-ха! Так вы ее еще не забыли? Однако поторопитесь с этим, от души вам советую, потому что... увы-увы!.. в следующий четверг ее свадьба!

— Нет, мисс Элиза, это ложь!

— Сэр! Вы назвали меня лгуньей?

— Вас ввели в заблуждение.

— Неужели? Так вы осведомлены лучше меня?

— Полагаю, что да.

— Так отчего же вы совсем побелели? — спросила она злорадно. — От гнева на меня, бедняжку, за глупенькую выдумку? Но ведь я лишь «рассказываю то, что рассказали мне», и поручиться за истинность не могу, хотя и не вижу, с какой стати Саре меня обманывать или ради чего солгали бы ей. Но именно это, по ее словам, сообщил ей лакей мистера Лоренса, — что тот уехал на свадьбу миссис Хантингдон, которая назначена на четверг. И назвала фамилию жениха, только я запамятовала. Может быть, вы поможете мне вспомнить? Не то сосед, не то кто-то, часто гостящий по соседству, давний ее поклонник? Мистер... ах, да ну же!.. мистер...

— Харгрейв? — подсказал я с горькой улыбкой.

— Да-да! — воскликнула она. — Это его фамилия.

— Не может быть, мисс Элиза, — сказал я тоном, от которого она вздрогнула.

— Ну, так говорят они, — ответила она затем, невозмутимо глядя мне в глаза, и разразилась визгливым смехом, который привел меня в полную ярость.

— Ах, право же, вы должны меня извинить, — захлебывалась она. — Я знаю, что очень грубо, но... ха-ха-ха... неужели вы сами хотели на ней жениться? О, какая жалость! Ха-ха-ха!.. Мистер Маркхем, что с вами? Вам дурно? Как вам помочь? Может быть, позвать вон того работника? Джейкоб! Джейкоб!

Но голос ее оборвался — я так крепко стиснул ей локоть, что она отшатнулась, охнув не то от боли, не то от страха. Однако усмирить ее было не так-то просто. Тотчас оправившись, она продолжала с хорошо разыгранным сочувствием:

— Так как же помочь вам? Может быть, воды? Коньяка? Наверное, в трактире дальше по дороге что-нибудь найдется. Хотите, я сбегаю?

— Перестаньте болтать вздор! — сурово прикрикнул я, и она на мгновение растерялась или даже испугалась. — Вы же знаете, я терпеть не могу подобных шуток.

— *Шуток?!* Я вовсе не шучу.

— Во всяком случае, вы смеялись, а я не люблю, когда надо мной смеются, — возразил я, изо всех сил стараясь говорить спокойно, с достоинством и не сказать ничего лишнего. — А раз, мисс Элиза, вы в таком смешливом настроении, то вам будет более чем достаточно собственного общества, и я не стану мешать вам продолжать ваш путь в одиночестве. Я вспомнил, что мне еще надо заглянуть кое-куда по спешному делу. А потому разрешите проститься с вами.

На этом я расстался с ней (положив конец ее ядовитым смешкам), взбежал по откосу и сквозь ближайший пролом в изгороди выбрался на луг. Решив немедля проверить правдивость, а вернее, лживость ее новости, я поспешил в Вудфорд со всей быстротой, на какую были способны мои ноги. Сначала я, правда, направился в другую сторону, но едва скрылся с глаз моей очаровательной мучительницы, как бросился напрямик через луга и пашни, по стерне и проселкам, продираясь сквозь изгороди, перепрыгивая через перелазы, пока не добрался до ворот молодого помещика. Только теперь я понял всю силу моей любви, весь пыл надежд, не угасавших совсем даже в часы тягчайшего уныния, не перестававших поддерживать мысль, что когда-нибудь она все-таки может стать моею... или хотя бы память обо мне, воспоминания о нашей дружбе, нашей любви всегда будут жить в ее сердце.

Я твердым шагом направился к дверям. Решение мое было принято: если я застану хозяина дома, то без обиняков расспрошу его о сестре. Довольно медлить и колебаться! Я отброшу ложную деликатность, глупую гордость и теперь же узнаю свою судьбу.

— Мистер Лоренс дома? — поспешно спросил я, едва лакей отворил дверь.

— Нет, сэр. Хозяин вчера уехал, — ответил он с многозначительным видом.

— Куда уехал?

— В Грасдейл, сэр... А разве вы не знали, сэр? Ну, да он молчун, хозяин-то, — добавил лакей с глупой ухмылкой. — Сдается мне, сэр...

Но я повернулся и ушел, не подождав узнать, что именно ему сдается. У меня не было ни малейшего желания, чтобы мои душевные муки послужили пищей для наглого любопытства и непристойного хохота болвана в ливрее.

Но что же делать? Неужели она променяла меня на *этого* лицемера? Невероятно! Да, конечно, забыть меня она могла бы, но не отдать свою руку ему. Хорошо! Я узнаю правду! Как мне вернуться к дневным заботам, пока во мне бушует буря сомнений, ревности и гнева? С утренним дилижансом (на вечерний уже не успеть) я поспешу из Л. в Грасдейл. Я должен, должен добраться туда до совершения брачного обряда. Но для чего? А вдруг, пришла мне в голову мысль, вдруг я сумею помешать? Ведь если нет, так и она, и я, быть может, будем горько сожалеть о моем промедлении до конца наших дней. А вдруг кто-то оклеветал меня? Вдруг ее брат... да-да, конечно, ее брат! Вдруг он внушил ей, что я ее предал, забыл? И, воспользовавшись естественным ее негодованием или унылым безразличием к тому, что ее ждет дальше, сумел хитро и жестоко толкнуть на этот брак, лишь бы разлучить меня с ней? Если так, а она убедится в своей ошибке, когда будет уже поздно что-нибудь исправить, какое тягостное существование, полное бесплодных сожалений, ждет не только меня, но и ее? И на какую вечную агонию обречет меня мысль, что во всем повинны мои глупые опасения показаться навязчивым? Нет, мне необходимо увидеть ее! Пусть узнает всю правду, даже если мне придется говорить с ней у церковного порога! Меня могут счесть сумасшедшим или наглым глупцом, даже ее может оскорбить такое нарушение церемонии или же она скажет, что уже поздно, но... но что, если мне все-таки будет дано спасти ее... если она все-таки станет моей женой! Подобная ослепительная надежда перевешивала все остальное.

Окрыленный ею, пришпориваемый всяческими страхами, я поспешил домой, чтобы приготовиться к отъезду наутро. Матушке я объяснил, что неотложное дело, рассказать про которое хоть что-нибудь пока не имею права, призывает меня в ... (последний большой город, через который мне предстояло проехать). От материнского взора не укрылась снедавшая меня тревога, и я лишь с трудом убедил ее, что не утаиваю от нее никакой неслыханной беды.

Ночью выпал глубокий снег, и дилижансы на следующий день двигались столь медленно, что я просто с ума сходил. Разумеется, я продолжал свой путь и ночью — ведь была уже среда, а обряд, несомненно, назначен на утро! Однако долгая ночь была очень темной, колеса увязали в снегу, как и лошади, мерзкие клячи еле тащились, трусы кучера не желали их подгонять — дескать, дорога очень скользкая, а проклятые пассажиры в сонной одури относились к нашей черепашьей скорости с дьявольским равнодушием. Вместо того чтобы присоединиться ко мне и все-таки заставить упрямых кучеров погнать своих одров хотя бы рысью, они только тупо смотрели на меня и усмехались на мое нетерпение. Один господин даже посмел пройтись по моему адресу, но я смерил его таким взглядом, что он прикусил язык до конца путешествия, но, когда перед последним перегоном я хотел сам сесть на козлы, они все дружно этому воспротивились.

Когда мы въехали в М. и остановились перед «Розой и короной», утро было уже в полном разгаре. Я выпрыгнул из дилижанса и крикнул, чтобы мне подали коляску, намереваясь мчаться дальше в Грасдейл. Коляски не оказалось — одна-единственная на весь городок находилась в починке. Ну, так бричку, двуколку, телегу... что угодно, только сейчас же! Двуколка имелась, но все лошади были в разгоне. Я распорядился, чтобы за лошадью послали в город, но они так медлили, что я не выдержал и решил положиться на собственные ноги — так будет надежнее. Приказав, чтобы проклятущую двуколку выслали следом за мной, если лошадь приведут не позже чем через час, я отправился дальше пешком со всей быстротой, на какую был способен. Пройти мне предстояло лишь немногим больше шести миль, но я был вынужден довольно часто останавливаться и справляться о дороге — окликал возчиков и батраков в полях, а нередко и вторгался в лачужки — в это зимнее утро мало кто выходил на улицу без особого дела. Кое-кого я даже поднимал с постели — так мало было у них работы (а может быть, припасов и дров), что они предпочитали поспать подольше. Однако мне было не до них. Измученный, совсем отчаявшийся, я заставлял себя ускорять шаги. Двуколка меня так и не догнала — хорошо хоть, что я не стал ее дожидаться! Досадно только, что я потратил столько времени во дворе гостиницы!

Но вот я приблизился к цели, увидел небольшую сельскую церковь... и такое множество карет возле нее, что и без белых бантов на ливреях и сбруе, без веселой болтовни толпившихся вокруг зевак можно было сразу догадаться, что внутри идет венчание. Я подбежал к толпе, нетерпеливо спрашивая, давно ли началась церемония. Ответом мне были только недоуменные и тупые взгляды. В отчаянии я протиснулся к церковной калитке, но тут висевшие на окнах маленькие оборвыши, как по команде, спрыгнули на землю и кинулись ко входу, вопя на малопонятном местном диалекте слова, которые, видимо, означали: «Кончилось! Они сейчас выйдут!»

Если бы Элиза Миллуорд увидела меня в тот миг, ей было бы отчего прийти в восторг. Я уцепился за столб ограды, чтобы не упасть, и устремил взгляд на церковные двери, чтобы в последний раз увидеть радость моей души и в первый — презреннейшего из смертных, который отнял ее у меня для того лишь, чтобы обречь (в этом я не сомневался) на жизнь, полную печали и томительных, бесполезных сожалений. Какое, ну, какое счастье могло ожидать ее с ним? Теперь я уже не желал расстраивать ее своим появлением, но у меня не было сил сделать хотя бы шаг. И вот в дверях показались новобрачные. Его я даже не увидел, мои глаза были устремлены только на нее. Длинная фата окутывала ее стройную фигуру, но позволяла разглядеть, что голову она держала прямо, глаза у нее потуплены, лицо и шея совсем пунцовые от смущения. Однако все ее черты дышали счастьем, и сквозь туманную белизну фаты просвечивало золото кудрей... О Небо! Это же не моя Хелен! Я вздрогнул. Мои глаза помутились от отчаяния и усталости, — могу ли я им доверять! Но нет, это не она! Тоже красавица, но моложе, пониже ростом, бело-розовая! Обворожительная, но без ее благородного достоинства и глубины чувств, без того невыразимого изящества, чарующей духовности, неотразимой власти пленять и покорять сердца — во всяком случае, мое сердце! Я взглянул на новобрачного... Фредерик Лоренс! Утерев со лба ледяные капли пота, при их приближении я отступил в сторону, но он случайно поглядел на меня и узнал, хотя, наверное, я был совсем на себя не похож.

— Вы ли это, Маркхем? — ошеломленно спросил он, растерявшись от моего появления здесь, а может быть, и из-за моего дикого вида.

— Да, Лоренс. Но вы ли это? — вовремя нашелся я.

Он улыбнулся, порозовев от гордости и от смущения, словно имел право гордиться прелестным созданием, опиравшимся на его руку, и не меньшую причину стыдиться, что столь долго скрывал от всех нас свой счастливый жребий.

— Разрешите представить вас моей жене, — сказал он, скрывая смущение под напускной веселостью. — Эстер, это мистер Маркхем, мой друг. Маркхем, миссис Лоренс, урожденная мисс Харгрейв.

Я поклонился новобрачной и яростно потряс руку новобрачного.

— Почему вы мне об этом не сказали? — спросил я с упреком, изображая обиду, которой вовсе не испытывал. (Ведь, правду сказать, меня переполняла радость из-за того, что я так счастливо ошибся, и охватила несказанная нежность к нему и за мою ошибку, и за недостойные мысли о нем — может быть, у меня и были основания его подозревать, но не в такой же низости! А так как последние сорок часов я ненавидел его, будто исчадие ада, то от чистого облегчения мог в ту минуту простить ему все обиды и любить его вопреки им.)

— Но я же оповестил вас, — ответил он виновато. — Вы получили мое письмо?

— Какое письмо?

— То, в котором я сообщил вам о моем намерении жениться?

— Никакого письма даже с самым отдаленным намеком на такое намерение я не получал.

— Значит, вы разминулись с ним по дороге сюда. Оно должно было прийти вчера утром... Признаю, что послал его с запозданием. А что же привело вас сюда, если вы ничего не знали?

Теперь настал мой черед смутиться. Но новобрачная, которая пока мы разговаривали вполголоса, нетерпеливо притоптывала ножкой по снегу, очень вовремя пришла мне на помощь, ущипнув супруга за локоть и шепотом спросив, нельзя ли пригласить его друга сесть с ними в карету: медлить под взглядами посторонних зрителей удовольствие небольшое, не говоря уж о том, что они заставляют ждать всех приглашенных.

— И в такой холод! — вскричал он, испуганно оглядел легкий подвенечный наряд и тотчас подсадил ее в карету, сказав мне: — Маркхем, вы поедете? Мы отправляемся в Париж, но будем рады подвезти вас до любого места отсюда до Дувра.

— Нет, благодарю вас. Прощайте. Желать вам счастливого пути нет нужды, однако не забудьте, я рассчитываю на глубочайшие извинения, а до тех пор и до нашей новой встречи — на десятки писем!

Он пожал мне руку и поспешил занять свое место рядом с молодой женой. Для объяснений и расспросов было не время и не место. Мы и так уже возбудили удивление деревенских зевак, а может быть, и неудовольствие свадебных гостей, хотя, разумеется, все это заняло гораздо меньше времени, чем мой рассказ, — и даже меньше, чем потребуется тебе, чтобы его прочесть. Я стоял возле кареты, стекло дверцы было опущено, и я увидел, как мой счастливый друг нежно обвил рукой стан своей соседки, а она прижалась горящей щекой к его плечу — само воплощение любви, доверчивости и безоблачной радости.

В промежутке между тем, как лакей закрыл дверцу и встал на запятки, она подняла на своего спутника сияющие карие глаза и шутливо пожаловалась:

— Боюсь, вы сочтете меня совсем бесчувственной, Фредерик. Я знаю, что невестам положено плакать на свадьбе, но я не сумела бы выжать из себя ни единой слезинки, даже ради спасения жизни!

Ответом ей был поцелуй. Он обнял ее еще крепче и вдруг сказал:

— Но что это? Эстер, да вы же плачете!

— Ничего, пустяки... но столько счастья... Если бы и наша милая Хелен была бы так же счастлива, как я, — ответила она, всхлипнув.

«Да благословит вас Бог за такое пожелание! — мысленно сказал я, когда карета тронулась. — И да ниспошлет он, чтобы оно не осталось тщетным!»

Мне почудилось, что при этих словах лицо ее мужа погрустнело. Что подумал он? Мог ли он в такую минуту не пожалеть, что его любимая сестра и его друг не одарены таким же счастьем? Разумеется, нет, и контраст ее жребия с тем, что судьба ниспослала ему, должен был на миг омрачить его счастье. Быть может, он подумал и обо мне, быть может, пожалел о той роли, которую сыграл в нашей разлуке, если не прямо воспрепятствовав нашему браку, то ничем ему не поспособствовав. От первого обвинения я его теперь совершенно очистил и глубоко сожалел о недавних недостойных своих подозрениях. Тем не менее вред он нам причинил — во всяком случае, я полагал, я всей душой надеялся, что это так. Он не пробовал прервать течение нашей любви, преградив плотинами оба потока, зато равнодушно наблюдал, как они петляют по пустыне жизни, палец о палец не ударил, чтобы убрать разделяющие их преграды, и в глубине души желал, чтобы оба иссякли в песках, вместо того чтобы слиться воедино. А сам тем временем тишком занимался устройством собственной судьбы. Впрочем, быть может, его сердце и мысли были так заняты собственной красавицей, что у него не оставалось ни единого мгновения подумать о других. Без сомнения, познакомился он с ней — во всяком случае, близко познакомился — в те три месяца, которые прожил в Ф., — я вспомнил теперь, что в одном из первых его писем оттуда упоминалось, что к его сестре приехала погостить молодая подруга, чем, несомненно, наполовину объяснялось нежелание говорить о том, как он проводил там свое время. Теперь мне стала ясна причина многих мелочей, вызывавших у меня недоумение. Например, его внезапные отлучки из Вудфорда, все более и более продолжительные, о которых он не предупреждал, а возвратившись, избегал расспросов. Лакей с полным правом назвал своего господина «молчуном». Но почему такая странная сдержанность со мной? Отчасти причина, полагаю, заключалась в том своеобразном взгляде на вещи, о котором я упоминал, а отчасти, пожалуй, он старался щадить мои чувства, опасался смутить мою философию, коснувшись колдовской темы любви.

Глава LII

КОЛЕБАНИЯ

Тут наконец подъехала запоздавшая двуколка. Я вскочил в нее и распорядился, чтобы возница отвез меня в Грасдейл-Мэнор. Самому мне брать вожжи в руки не хотелось, слишком одолевали меня всякие мысли. Я увижусь с миссис Хантингдон — теперь, когда после смерти ее мужа миновал год, это не будет нарушением приличий, — и по ее равнодушию или радости при моем неожиданном появлении скоро пойму, принадлежит ли ее сердце мне или нет. Но возница, болтливый, развязный малый, недолго позволял мне предаваться размышлениям.

— Вон поехали! — объявил он, кивая на вереницу карет впереди. — Уж нынче там будет веселье до самого завтрашнего дня. А вы, что же, сэр, из ихних знакомых или посторонний тут человек?

— Я слышал о них от общих друзей.

— Хм! Ну, лучшей-то скоро и след простынет. Старая хозяйка, видать, как гостей проводит, так и сама соберется жить-поживать где-нибудь еще на свою вдовью часть. А в Грув, надо быть, молодая приедет, то бишь новая, молодая-то она не очень чтоб.

— Так мистер Харгрейв женился?

— А как же, сэр. Эдак с полгода. Он и раньше к одной вдове сватался, только они из-за денег не поладили. У той-то мошна битком набита, а мистер Харгрейв стал на себя тянуть, а она ни в какую, ну, дело и врозь. Эта победнее будет, да и собой не очень чтоб, и прежде-то замужем не бывала. Люди говорят, образина образиной, а годочков сорок сравнялось, как ни больше. Так уж, коли бы она этот случай упустила, другого и не дождалась бы. Видать, подумала, что за красивого молодого муженька все отдать мало — бери, милый, пользуйся. Только об заклад бьюсь, пожалеет она об этом, да и скорехонько. Люди говорят, она уже сейчас замечать стала, что вовсе не такой он приятный, да обходительный, да щедрый, да учтивый кавалер, каким до свадьбы прикидывался. Он и внимания ей меньше оказывает и командовать начал. Ждет она, не ждет, а дальше он только хуже будет.

— Видимо, вы его хорошо знаете, — заметил я.

— Да уж, сэр. Я его еще молоденьким знал, гордец был и чтобы все по его. Я там не один год прослужил, да только невмочь стало от скаредности ихней, — старая хозяйка хоть кого хочешь допекла бы: и ворчит, и каждый кусок у нее на счету, и тут прижмет, и там своего не упустит, вот я и решил, подыщу-ка себе другое место, а тут как раз случай...

И он пустился в рассуждения о нынешнем своем положении конюха в «Розе и короне»: с прежним местом ни в какое сравнение не идет, что свободы, что выгоды всякие, хотя оно, конечно, слуге из хорошего дома уважения больше. Да только... Он принялся с красочными подробностями описывать домашнюю экономку Грува, а заодно и характеры миссис Харгрейв и ее сына, но я перестал слушать, занятый собственными трепетными мыслями и переменами в окружающем пейзаже: хотя землю занесло снегом, а деревья стояли оголенные, нетрудно было заметить, что мы подъезжаем к богатому поместью.

— До господского дома уже близко? — перебил я возницу.

— Близехонько, сэр. Вон и парк виден.

У меня упало сердце. Красивый большой дом; парк не менее прекрасный в зимнем наряде, чем во всей своей летней прелести; величавые холмы, особенно великолепные под чистым покровом слепящей белизны, нигде не тронутой, не нарушенной, если не считать петляющей цепочки следов, оставленных оленьим стадом; великаны-деревья, чьи опушенные снегом ветви кажутся особенно белыми на фоне тускло-свинцового неба; а дальше — густой лес, широкое озеро, спящее под ледяным панцирем... Чудесная картина, способная заворожить всякий взор, но устрашающая мой... Впрочем, одно утешение мне оставалось: имение майорат и, следовательно, здесь все, строго говоря, принадлежит теперь маленькому Артуру, а вовсе не его матери. Но каково ее собственное положение? Сделав над собой огромное усилие, — мне было неприятно справляться о ней у моего словоохотливого возницы, — я спросил, не знает ли он, оставил ли ее покойный муж завещание и как он распорядился имением. О да! Ему было об этом известно все, и я незамедлительно узнал, что до совершеннолетия сына управление имением и распоряжение его доходами возложено на нее одну, что ей отошло собственное ее состояние (но я знал, что отец оставил ей довольно мало), как и небольшая сумма, закрепленная за ней замужеством.

Он еще не договорил, когда мы остановились у ворот парка. Вот он — решительный миг! Если, конечно, я найду ее здесь. Но, увы, она могла еще не вернуться из Стейнингли — ее брат ведь ничего мне не объяснил. Я осведомился у привратника, дома ли миссис Хантингдон. Нет, она гостит у своей тетки в ...шире, но ее ждут к Рождеству. Она почти все время живет в Стейнингли, а в Грасдейл приезжает, только когда дела имения или интересы арендаторов требуют ее присутствия здесь.

— В окрестностях какого города расположено Стейнингли? — осведомился я и вскоре получил все необходимые сведения. — Ну, а теперь, любезный, дайте-ка мне вожжи, — сказал я вознице, — и мы вернемся в М. Я перекушу в «Розе и короне» и отправлюсь с первым же дилижансом в Стейнингли...

— До вечера вам туда не добраться, сэр.

— Не важно. Мне вовсе не обязательно быть там сегодня. Переночую в какой-нибудь придорожной гостинице, а завтра буду там.

— В гостинице, сэр? Так чего же вам у нас не остановиться? А завтра поехали бы себе, и к вечеру уже там.

— И потерял бы двенадцать часов? Ну нет!

— А вы, сэр, может, в родстве с миссис Хантингдон? — спросил он, желая удовлетворить хотя бы свое любопытство, раз уж его алчность была обманута.

— Нет, этой чести я не имею.

— А-а! Ну что же, — пробормотал он с сомнением, искоса поглядывая на мои забрызганные серые панталоны и куртку грубого сукна. — Ну, — добавил он ободряюще, — у многих таких вот знатных дам, скажу я вам, сэр, небось сыщутся родичи и победнее.

— Наверное. И многие знатные джентльмены почли бы для себя большой честью оказаться в родстве с дамой, про которую вы говорите.

Он с хитрой усмешкой заглянул мне в лицо.

— Может, сэр, вы подумываете...

Догадываясь, что последует дальше, я оборвал его предположения строгим:

— Может, вы будете так добры помолчать немного! Я занят.

— Заняты, сэр?

— Да. Своими мыслями, и не хочу, чтобы мне мешали.

— Так-так, сэр.

Как видишь, моя неудача не слишком меня расстроила, не то бы я не сумел столь спокойно сносить наглость этого малого. Я пришел к выводу, что, принимая во внимание все обстоятельства, вовсе не так уж плохо... нет, даже много лучше, если в этот день я с ней не увижусь. У меня будет время собраться с мыслями для этой встречи, подготовиться к тяжкому разочарованию, которое покажется еще тяжелее после опьяняющего восторга, сменившего на миг мои недавние страхи. Да и после поездки в дилижансе, длившейся сутки, а затем шестимильной стремительной прогулки по свежевыпавшему снегу выглядеть я должен был не слишком презентабельно.

В М. до дилижанса я успел подкрепить силы плотным завтраком, освежиться обычным моим утренним умыванием, поправить, насколько было можно, некоторый беспорядок в моей одежде, а также отправить записку матушке (такой я был заботливый сын!) с известием, что я еще жив, и предупредить, что дела меня задерживают. В те дни медлительных путешествий путь от М. до Стейнингли был долгим. Но я не отказал себе в том, чтобы пообедать по дороге, и остался переночевать в придорожной гостинице, рассудив, что лучше стерпеть небольшую задержку, чем явиться усталым, растрепанным и замерзшим перед моей владычицей и ее тетушкой, которая и без того будет сильно удивлена, увидев меня.

Поэтому на следующее утро я не только позавтракал настолько обильно, насколько допускало мое волнение, но тщательнее обычного занялся своим туалетом. В свежем белье из моего маленького саквояжа, в отчищенной одежде и сверкающих сапогах и изящных новых перчатках я взобрался на империал «Молнии» и отправился дальше. Впереди оставалось еще почти два перегона, но дилижанс, как мне объяснили, проезжал мимо Стейнингли, и, когда я предупредил, чтобы меня высадили как можно ближе к господскому дому, мне оставалось только сидеть сложа руки и думать о приближающемся решительном часе.

Утро было ясное, морозное. Одного того, что я восседал высоко над окружающим снежным пейзажем, любовался прекрасным солнечным небом, вдыхал чистый бодрящий воздух и слушал хруст снега под колесами, было бы достаточно, чтобы привести меня в радостное возбуждение, но добавь еще ежесекундные напоминания о том, куда я спешу, кого должен видеть, — и, быть может, ты сумеешь представить себе малую долю (но только самую малую!) того восторга, который переполнял мое сердце. Мой дух воспарял ввысь в каком-то сладостном безумии, как ни пытался я удержать его на благоразумном пределе, напоминая себе о бесспорном сословном различии между Хелен и мной, о том, что ей довелось пережить после нашей разлуки, о ее долгом ни разу не нарушенном молчании, а главное, о ее проницательной осторожной тетке, чьими советами она, конечно, постережется пренебречь на этот раз. Эти мысли заставляли мое сердце сжиматься от тревоги, а грудь — вздыматься от нетерпеливого ожидания решающей минуты, но они не могли затуманить ее образ в моей душе, стереть яркие воспоминания о том, что было сказано и перечувствовано нами, или угасить жаркое предвкушение того, что ждало меня впереди. Да, эти мысли вдруг перестали меня ужасать. Однако под самый конец пути двое моих спутников любезно пришли мне на помощь и сбросили-таки меня с небес на землю.

— Отличные угодья, — сказал один, указывая зонтиком на широкие луга справа, ласкавшие взгляд аккуратными живыми изгородями, на редкость прямыми канавами и превосходными деревьями как по их краям, так иногда и в самой середине. — Отличные! Видели бы вы их весной или летом!

— Совершенно справедливо! — отозвался второй, суровый пожилой мужчина в сером застегнутом до подбородка пальто и зонтиком между коленями. — Старика Максуэлла, я полагаю?

— Его-то, его, сэр, но он, как вам известно, скончался и все отказал племяннице.

— Всю землю?

— И всю землю до последнего акра, и дом, ну, словом, все свое земное достояние, кроме небольшой суммы, так, в память о себе, племяннику, который живет в ...шире, и пожизненной ренты жене.

— Странно, сэр!

— Ваша правда, сэр. А к тому же она вовсе ему и не родная племянница. Только близкой родни у него никого не осталось, кроме племянника, но с ним он рассорился, а к ней всегда привязан был. Ну, и, говорят, ему жена посоветовала так распорядиться. Поместье-то он за ней получил, вот она и пожелала, чтобы оно вдовушке перешло.

— Хм! Счастливчик тот будет, кому она достанется.

— Что так, то так. Хоть она и вдова, но совсем еще молоденькая и красавица, с собственным состоянием, и всего одним маленьким сыном — она его опекунша и управляет за него отличным имением в ... Да, невеста завидная! Боюсь, только не про вас она! (Эти слова сопровождались шутливым толчком локтем в бок не только его собеседника, но и в мой.) Ха-ха-ха! Извините меня, сэр! (В мою сторону.) Кхе-хе-хе! Думается, она себе жениха выберет с титулом, не иначе. Вон поглядите, сэр! — продолжал он, поворачиваясь к своему собеседнику и тыча зонтиком мимо моего носа. — Вон господский дом. Видите, какой парк чудесный... И лес. Есть и что вырубать, и дичи много... Э-эй! Это что еще?

Последнее восклицание было вызвано тем, что дилижанс внезапно остановился у ворот парка.

— Джентльмен в Стейнингли-Холл! — провозгласил кучер.

Я встал, бросил свой саквояж на землю и приготовился спрыгнуть следом за ним.

— Укачало вас, сэр? — осведомился мой словоохотливый сосед, уставившись на мое лицо. (Полагаю, бледное как полотно.)

— Нет. Кучер...

— Спасибо, сэр! Но-о!

Кучер сунул чаевые в карман, дилижанс покатил дальше, но я не вошел в ворота, а принялся расхаживать перед ними, скрестив руки на груди, уставившись в землю, — в моем сознании теснились образы, мысли, воспоминания, но в этом вихре лишь одно казалось ясным и непреложным: любовь моя напрасна, мои надежды навеки погибли, я должен немедленно бежать отсюда и вырвать или задушить все мысли о ней, точно память о безумном несбыточном сне. О, я с радостью остался бы здесь на долгие часы, лишь бы издали увидеть ее в последний раз, но не мог позволить себе даже этого. Нельзя, чтобы она меня увидела. Зачем бы я мог оказаться здесь, если не в надежде воскресить ее чувство ко мне, а затем получить ее руку? Смогу ли я вынести, если она заподозрит меня в таком намерении? В намерении злоупотребить случайным знакомством... ну, пусть, пусть нежным чувством!.. почти навязанным ей, когда она была никому не ведомой беглянкой, зарабатывавшей себе на жизнь, словно бы без состояния, без родных и близких, и, явившись к ней теперь, когда она вернулась в предназначенные ей сферы, потребовать свою долю тех земных благ, из-за которых она, не лишись их на время, навсегда осталась бы неизвестной мне? Да к тому же после того, как мы расстались с ней год и четыре месяца назад, после того, когда она прямо запретила мне надеяться на наш союз в этом мире? И до этого самого дня не прислала мне ни одной строчки? Нет! Немыслимо!

И даже если в ней еще теплится привязанность ко мне, имею ли я право смущать ее покой, воскрешая эти чувства? Обрекая ее на борьбу между долгом и сердечной склонностью? Независимо от того, околдует ли ее вторая, или властно заставит опомниться первый — сочтет ли она себя обязанной презреть насмешки и осуждение света, печаль и неудовольствие тех, кого любит, во имя романтического идеала и верности мне, или же пожертвует своими чувствами желаниям близких и собственным понятиям о благоразумии и требованиям установленного порядка? Нет! И я не стану медлить! Я тотчас уйду, и она никогда не узнает, что я был совсем рядом с ее жилищем! Пусть бы я навсегда отрекся в сердце своем от надежды на ее руку и даже не стал бы испрашивать позволения остаться ее другом, нельзя допустить, чтобы мое появление нарушило ее душевный мир или ее сердце было бы удручено доказательством моей преданности.

— Прощай же, Хелен, любимая! Прощай навеки!

Так я сказал, и все-таки никак не мог уйти. Сделав

 несколько шагов, я остановился и оглянулся, чтобы в

последний раз взглянуть на великолепный ее дом, чтобы хранить в памяти хотя бы внешние его очертания столь же неизгладимо, как и ее собственный образ, который, увы, мне больше никогда не будет дано узреть воочию. Я прошел несколько шагов, но, грустно задумавшись, машинально прислонился к толстому стволу старого дерева, осенявшего ветвями дорогу.

Глава LIII
ЗАКЛЮЧЕНИЕ

Пока я стоял так, погруженный в мрачные мысли, из-за поворота дороги выехала щегольская карета. Я даже не посмотрел на нее и, если бы она просто проехала мимо, наверное, тут же забыл о ней. Но меня заставил очнуться донесшийся изнутри звонкий голосок:

— Мама, мама! Вот мистер Маркхем!

Ответа я не расслышал, но тот же голосок возразил:

— Да нет же, мамочка! Посмотри сама.

Я не поднял глаз, но, полагаю, мамочка посмотрела, так как чистый, мелодичный голос, от звука которого затрепетало все мое существо, воскликнул:

— Ах, тетя! Это мистер Маркхем... друг Артура. Остановитесь, Ричард!

Эти несколько слов были произнесены с таким радостным, еле сдерживаемым волнением — особенно почти восторженное «ах, тетя!», что я чуть было не утратил власть над собой. Карета тотчас остановилась, я повернул голову и встретил взгляд бледной суровой дамы в годах, которая глядела на меня в открытое окошко. Она слегка кивнула, я поклонился в ответ, затем она откинулась на сиденье, а Артур нетерпеливо потребовал, чтобы лакей сейчас же открыл дверцу. Но прежде чем этот служитель успел спуститься с козел, из окошка мне безмолвно была протянута тонкая рука. Я сразу узнал ее, хотя черная перчатка скрывала нежную белизну и скрадывала изящность очертаний, — узнал, пылко сжал в своей, задержал на мгновение, но опомнился и отпустил. Ее тотчас отдернули, и тихий голос спросил:

— Вы пришли повидать нас или просто проходили мимо?

Я чувствовал, что владелица голоса внимательно всматривается в меня сквозь густую черную вуаль, которая в сумраке кареты совершенно скрывала ее лицо.

— Я... я пришел взглянуть на дом, — пробормотал я, запинаясь.

— На *дом!* — повторила она тоном не столько удивленным, сколько разочарованным или недовольным. — А зайти в него вы не намерены?

— Если вы этого хотите.

— И вы сомневаетесь?

— Да, конечно, он зайдет! — закричал Артур, который, выпрыгнув в другую дверцу, обежал карету, обеими руками ухватил мою руку и изо всех сил потряс ее.

— А вы меня узнаете, сэр? — спросил он.

— Ну еще бы, милый, хотя ты и сильно изменился, — ответил я, оглядывая относительно высокого стройного юного джентльмена, чье красивое умное личико удивительно походило на материнское, несмотря на голубизну сияющих радостью глаз и светло-каштановые кудри, выбившиеся из-под шапочки.

— Я ведь вырос! — заявил он, вытягиваясь в полный рост.

— Очень! На три дюйма, не меньше, честное слово.

— Мне же в прошлый день рождения исполнилось целых *семь лет!* — произнес он с невыразимой гордостью. — А еще через семь я вырасту выше вас... почти.

— Артур, — перебила мать, — пригласи его к нам. Поезжайте, Ричард!

В ее голосе мне послышалась не только холодность, но и грусть, но я не знал, чем она вызвана. Карета въехала в ворота перед нами. Мой маленький спутник повел меня через парк, без умолку болтая всю дорогу. На крыльце я остановился и поглядел по сторонам, стараясь вернуть себе спокойствие и снова вспомнить недавние решения и воскресить в душе принципы, заставившие их принять. Артуру пришлось несколько раз легонько дернуть меня за рукав, повторяя приглашение войти, прежде чем я, наконец, последовал за ним в комнату, где нас ждали дамы.

Хелен, когда я вошел, взглянула на меня с какой-то серьезной внимательностью и вежливо осведомилась о здоровье моей матушки и Розы. Я ответил с надлежащей почтительностью. Миссис Максуэлл пригласила меня сесть, заметила, что день довольно холодный, и предположила, что я вряд ли совершил утром довольно длинный путь.

— Менее двадцати миль, — ответил я.

— Пешком?

— Нет, сударыня, на империале дилижанса.

— А вот и Рейчел, сэр! — воскликнул Артур, единственный среди нас, кто был беззаботно счастлив, привлекая мое внимание к этой превосходной особе, которая вошла, чтобы взять вещи своей госпожи. Она удостоила меня почти дружеской улыбки — милость, потребовавшая самого вежливого приветствия с моей стороны, на которое мне было отвечено тем же, — Рейчел наконец убедилась, что прежде судила обо мне неверно.

Когда Хелен сняла траурную шляпку с вуалью, тяжелую зимнюю перелину и прочее, она стала совсем прежней, и я не знал, как сумею это выдержать. Особенно меня обрадовало, что пышность ее прекрасных черных волос все так же открыта взгляду.

— Мама сняла вдовий чепец в честь свадьбы дяди, — объяснил Артур, с детским простодушием и наблюдательностью истолковав мой взгляд. Мама сдвинула брови, миссис Максуэлл укоризненно покачала головой. — А тетя Максуэлл своего никогда не снимет, — продолжал шалун. Но заметив, что его развязность неприятна старой даме и огорчает ее, он подбежал к ней, молча обнял за шею, поцеловал в щеку и отошел в широкую оконную нишу, где принялся играть со своим псом, пока миссис Максуэлл невозмутимо обсуждала со мной такие интересные темы, как погода, зимнее время, состояние дорог. Ее присутствие, разумеется, было мне весьма полезно, так как заставляло сдерживаться, служило противоядием против бурного волнения, которое иначе грозило бы возобладать над рассудком и волей. Однако эта узда становилась все более невыносимой, и я с большим трудом заставлял себя слушать ее и отвечать с необходимой учтивостью. Ведь я все время думал только о том, что совсем рядом возле камина стоит Хелен. Обернуться к ней я не решался, но ощущал на себе ее взгляд, а исподтишка покосившись в ее стороону, успел заметить, что щеки у нее порозовели, а пальцы перебирают часовую цепочку отрывистыми, нервическими движениями, свидетельствующими о душевной буре.

— Расскажите, — тихо и быстро произнесла она, воспользовавшись первой же паузой в светской беседе ее тетушки со мной, но не отводя глаз от золотой цепочки. (Тут я осмелился снова на нее посмотреть.) — Расскажите, какие новости в Линдене? Что произошло с тех пор, как я уехала?

— Да ничего сколько-нибудь заслуживающего внимания.

— Никто не умер? Никто не женился и не вышел замуж?

— Нет.

— И... и не собирается? Ни одни старые узы не расторгнуты и новые не завязаны? И старые друзья не забыты, не променялись на других?

Последние слова она выговорила почти шепотом, так что расслышал их только я, и с легкой грустной улыбкой подняла на меня взор, исполненный робкого, но такого нетерпеливого вопроса, что мне обожгла щеки прихлынувшая к ним кровь.

— Мне кажется, нет, — сказал я. — А если бы я мог ручаться за всех, как ручаюсь за себя, то ответил бы просто «нет».

Щеки у нее тоже запылали.

— И вы правда не намеревались зайти?

— Я боялся показаться навязчивым.

— Навязчивым? — вскричала она с нетерпеливым жестом. — Как... — Но, видимо, вспомнив о присутствии тетушки, перебила себя и, обернувшись к почтенной даме, продолжала: — Вы только послушайте, тетя! Этот человек — друг моего брата, мой собственный близкий знакомый (хотя бы и в течение нескольких месяцев), уверявший, что он очень привязался к моему сыну... И вот, оказавшись возле моего дома, вдали от собственного, он не хочет нанести нам визита, боясь показаться навязчивым!

— Мистер Маркхем слишком уж скромен, — заметила миссис Максуэлл.

— Скорее уж слишком церемонен, — возразила ее племянница, отвернулась от меня, опустилась в кресло возле столика и принялась листать лежавшую на нем книгу с большой энергией и рассеянностью.

— Будь мне известно, — сказал я, — что вы окажете мне честь, вспомнив меня, как близкого своего знакомого, я, конечно же, не отказал бы себе в удовольствии побывать у вас, но я полагал, что вы давно меня забыли.

— Значит, вы судили о других по себе, — пробормотала она, не отрывая глаз от книги, но покраснела и перелистнула сразу с десяток страниц.

Наступило молчание, и Артур счел себя вправе воспользоваться этой паузой, чтобы подвести ко мне своего молодого красавца сеттера, показать, до чего же он вырос и похорошел, а также справиться, как поживает его отец Санчо.

Миссис Максуэлл удалилась переодеться, Хелен тотчас отодвинула книгу, несколько мгновений молча смотрела на своего сына, его друга и его собаку, а затем отослала первого из комнаты под предлогом, что мне, конечно же, будет интересно посмотреть красивую книгу, которую ему подарили, — так пусть он ее принесет. Мальчик охотно повиновался, а я продолжал поглаживать сеттера. Молчание затянулось бы до возвращения его хозяина, если бы это зависело только от меня, но через минуту-другую хозяйка дома нетерпеливо вскочила и, заняв прежнюю позицию между мной и углом каминной полки, воскликнула:

— Гилберт, что с вами? Почему вы так переменились? Я знаю, таких вопросов не задают, — добавила она поспешно. — Возможно, это очень грубо, и вы не отвечайте, если считаете так... Но я терпеть не могу всякие тайны и скрытность!

— Я не переменился, Хелен. К несчастью, я все такой же... все мои чувства... Переменился не я, а обстоятельства.

— Какие обстоятельства? Да говорите же! — Ее лицо побелело от тревоги... Неужели от страха, что я опрометчиво дал слово другой?

— Я отвечу вам всю правду, — сказал я. — Признаюсь, меня привело сюда намерение увидеть вас... Конечно, не без некоторых опасений, что я покажусь навязчивым, даже не без страха, что прием мне будет оказан самый холодный... Но тогда мне было еще неизвестно, что вы теперь владелица этого поместья. Узнал я о вашем наследстве, уже подъезжая сюда, из разговора моих соседей, и вот тогда понял все безумие моих заветных надежд, всю необходимость тотчас от них отказаться. И хотя я сошел с дилижанса у ваших ворот, но с твердым намерением не входить в них. Однако задержался на несколько минут, чтобы посмотреть на дом и парк, а затем уехать назад в М., не повидав их хозяйку.

— И если бы мы с тетей не вернулись в эти минуты с утренней прогулки, я бы никогда вас больше не увидела и вы мне даже не написали бы?

— Я думал, для нас обоих будет лучше более не видеться, — ответил я как мог спокойнее, но тем не менее почти шепотом, чтобы скрыть дрожь в голосе. И я не осмелился посмотреть ей в лицо, боясь, что от моей твердости не останется совсем уж ничего. — Я думал, такая встреча только нарушит ваш душевный покой, а меня доведет до безумия. Но я теперь рад, что случай позволил мне увидеть вас еще раз, узнать, что вы не забыли меня, а также сказать, что я буду помнить вас вечно.

Наступила пауза. Миссис Хантингдон отошла к окну. Сочла ли она, что лишь скромность помешала мне просить ее руки, и размышляла, как отказать мне, не слишком ранив мои чувства? Но прежде чем я заговорил, чтобы вывести ее из затруднения, она внезапно обернулась ко мне и сказала:

— Но что же вам мешало сделать это раньше? То есть заверить меня в том, что вы любезно меня помните, и убедиться, что и я вас не забыла? Почему вы просто не написали мне?

— Я бы написал, но не знал адреса, а справляться о нем у вашего брата не мог, так как думал, что он будет против... Но это меня не остановило бы, если бы я смел поверить, что вы ждете от меня письма или хотя бы изредка вспоминаете своего несчастного друга. Но ваше молчание убедило меня, что я забыт.

— Так вы ждали, чтобы я вам написала?

— Нет, Хелен... миссис Хантингдон, — ответил я, краснея от скрытого в ее словах упрека. — Разумеется, нет. Но если бы вы мне передали весточку через своего брата или хотя бы иногда справлялись у него обо мне...

— Я часто о вас справлялась. Но решила этим и ограничиться, пока сами вы будете лишь изредка вежливо спрашивать его о моем здоровье.

— Но ваш брат ни разу не сказал мне, что вы упоминали про меня.

— А вы его спрашивали?

— Нет. Так как видел, что он не хочет, чтобы его о вас расспрашивали, и нисколько не расположен ни поощрять мое слишком упрямое чувство к вам, ни хоть чем-то помочь мне. — Хелен промолчала, а я добавил: — Он, разумеется, был совершенно прав. — Она продолжала молча смотреть на заснеженную лужайку. «Хорошо, я избавлю ее от моего присутствия!» — подумал я, тотчас встал и подошел попрощаться, исполненный самой героической решимости. Впрочем, ее питала гордость, не то бы у меня недостало на это сил.

— Вы уже уходите? — спросила она и взяла руку, которую я ей протянул, но не отпустила сразу.

— Для чего мне оставаться?

— Подождите хотя бы, пока не вернется Артур.

Я с радостью повиновался и прислонился к стене по другую сторону окна.

— Вы сказали, что не переменились, — заметила моя собеседница. — Но это не так. Вы переменились. И очень.

— Нет, миссис Хантингдон. Хотя обстоятельства этого и требуют.

— Значит ли это, что вы относитесь ко мне точно так же, как в последнюю нашу встречу?

— Да. Но говорить об этом теперь нельзя.

— Нельзя было говорить об этом *тогда,* Гилберт, а не теперь. Если, конечно, вы не отступите от правды.

Волнение помешало мне вымолвить хоть слово. Но она, не дожидаясь ответа, отвернулась к окну с заблестевшими глазами и пунцовыми щеками, открыла его и выглянула наружу. То ли чтобы успокоить взволнованные чувства, то ли чтобы скрыть смущение, то ли просто чтобы сорвать с маленького кустика у самой стены прелестный полураспустившийся бутон зимней розы, чуть выглядывавший из-под снега, который, видимо, укрывал его от мороза, пока не подтаял на солнце. Во всяком случае, цветок она сорвала, осторожно смахнула сверкающие кристаллики льда с листьев, поднесла его к губам и сказала:

— Этот цветок не так душист, как любимцы лета, но он выдержал невзгоды, которые их погубили бы, — его вспоили холодные осенние дожди, согревало слабое солнце, но пронзительные ветры не иссушили его, не сломали его стебель, а мороз не заставил почернеть его лепестки. Взгляните, Гилберт, он свеж и ярок, как подобает цветам, хотя с его листьев еще не стаял снег. Хотите взять его?

Я протянул руку. Заговорить я не решался, боясь не совладать с собой. Она положила цветок мне на ладонь, но я даже не сомкнул пальцы, стараясь проникнуть в тайный смысл ее слов, сообразить, как ответить ей, как поступить — то ли дать волю чувствам, то ли продолжать их сдерживать. Приняв эти колебания за равнодушие... а может быть, и пренебрежение к ее подарку, Хелен вдруг схватила его, выбросила на снег, закрыла со стуком окно и отошла к камину.

— Хелен! Что это значит? — вскричал я.

— Вы не поняли моего подарка, — ответила она. — Или даже хуже: презрели его. Я жалею, что отдала его вам. Но раз уж я ошиблась, поправить это было можно, лишь взяв его назад!

— Как жестоко вы ко мне несправедливы! — ответил я, мгновенно открыл окно, выпрыгнул наружу, подобрал цветок, вернулся в комнату и протянул его ей, умоляя, чтобы она вновь дала его мне, — а я буду хранить его вечно в память о ней, и он мне будет дороже любых сокровищ.

— И вам будет этого довольно? — спросила она.

— Да! — ответил я.

— Ну так возьмите его.

Я страстно прижал цветок к губам и спрятал у себя на груди под довольно саркастическим взглядом миссис Хантингдон.

— Ну, так вы уходите? — спросила она.

— Да, если... если должен.

— Как вы все-таки переменились! — заметила она. — Не то стали очень горды, не то равнодушны.

— Ни то и ни другое, Хелен... миссис Хантингдон. Если бы вы могли заглянуть мне в сердце.

— Нет, либо горды, либо равнодушны, а может быть, и то и другое вместе. И почему «миссис Хантингдон»? Почему не «Хелен», как прежде?

— Конечно, Хелен, милая Хелен! — бормотал я вне себя от любви, надежды, восторга, неуверенности и растерянности.

— Цветок, который я вам дала, — эмблема моего сердца, — сказала она. — И вы его увезете, а меня оставите здесь одну?

— Дадите ли вы мне и свою руку, если я попрошу ее у вас?

— Мне кажется, я уже сказала достаточно, — ответила она с обворожительнейшей улыбкой. Я схватил ее руку, хотел прильнуть к ней горячим поцелуем, спохватился и спросил:

— Но вы взвесили все последствия?

— Пожалуй, нет. Не то я никогда бы не предложила себя тому, кто слишком горд, чтобы согласиться, или же настолько равнодушен, что его любовь не перевешивает моего суетного богатства.

Какой же я был болван! Я жаждал заключить ее в объятия, но не осмеливался поверить такому счастью и заставил себя сказать:

— Но что, если вы потом раскаетесь?

— Только по вашей вине! — ответила она. — Раскаяться я могу, только если горько в вас разочаруюсь. Если вы настолько не доверяете моему чувству, что не способны этому поверить, то оставьте меня.

— Мой светлый ангел! Моя, моя Хелен! — вскричал я, осыпая страстными поцелуями руку, которую так и не выпустил из своих, и обнимая ее за талию. — Вы никогда не раскаетесь, если причиной могу стать только я! Но вы подумали о своей тетушке? — С трепетом ожидая ответа, я крепче прижал ее к сердцу, инстинктивно испугавшись, что потеряю мое новообретенное сокровище.

— Тете пока про это знать не следует, — ответила Хелен. — Она сочтет это опрометчивым, необдуманным шагом, ведь она не представляет себе, как хорошо я вас знаю. Надо, чтобы она сама вас узнала и полюбила. После завтрака вы уедете, а весной приедете погостить, будете внимательны к ней — я знаю, вы друг другу понравитесь.

— И вы станете моей! — сказал я, запечатлевая поцелуй на ее губах, и еще один, и еще, потому что стал таким же смелым и пылким, каким был неловким и сдержанным минуту назад.

— Нет... через год, — ответила она, мягко высвобождаясь из моих объятий, но все еще нежно держа мою руку.

— Еще год! Ах, Хелен, так долго ждать я не смогу!

— А где же ваша верность?

— Но я не вынесу столь долгой разлуки!

— Так ведь это не будет разлукой. Мы станем писать друг другу каждый день, душой я буду все время с вами, а иногда мы будем видеться. Не стану лицемерить и притворяться, будто мне самой нравится столь долгое ожидание. Но раз я выхожу замуж, как хочется мне, то должна хотя бы посоветоваться с друзьями о времени свадьбы.

— Ваши друзья не одобрят вашего выбора.

— Вовсе нет, милый Гилберт, — ответила она, ласково целуя мою руку. — Они переменят мнение, когда узнают вас ближе, если же нет — значит, они не истинные мои друзья, и мне будет не жаль их потерять. Ну, теперь вы довольны? — Она поглядела на меня с улыбкой, полной неизъяснимой нежности.

— Если мне принадлежит ваша любовь, Хелен, чего еще мог бы я желать? Ведь вы меня правда любите, Хелен? — спросил я, нисколько в этом не сомневаясь, но желая услышать подтверждение из ее уст.

— Если бы вы любили так, как люблю я, — ответила она с глубокой серьезностью, — то не были бы столь близки к тому, чтобы меня потерять. Не позволили бы ложной щепетильности и гордости встать между нами. Вы бы понимали, что все эти суетные различия в знатности, положении в свете, богатстве — лишь прах в сравнении с общностью мыслей и чувств, с союзом искренне любящих родственных душ и сердец.

— Но такое счастье непомерно велико, Хелен! — сказал я, вновь ее обнимая. — Я ничем его не заслужил. И едва смею мечтать о подобном блаженстве. И чем дольше должен я буду ждать, тем больше будет мой страх при мысли, что какой-нибудь каприз судьбы отнимет вас у меня. Только подумайте, сколько всего может случиться за долгий год! В какой лихорадке вечного ужаса и нетерпения буду я ждать его конца. К тому же зима — такое унылое время года.

— Я тоже об этом подумала, — ответила она, погрустнев. — Я не хочу зимней свадьбы, и, уж во всяком случае, не в декабре. — Она вздрогнула: ведь в этом месяце узы злополучного брака связали ее с покойным мужем, и в этом же месяце страшная смерть разорвала их. — Потому-то я и сказала через год. То есть весной.

— Этой весной?

— Нет, нет! Ну, может быть, осенью.

— Так не лучше ли летом?

— Разве что в самом его конце. Удовлетворитесь этим.

Она еще не договорила, когда в комнату вошел Артур. Какой молодец, что не поторопился!

— Мамочка, книга была совсем не там, где ты велела мне ее поискать... (Виноватая мамочкина улыбка словно сказала: «Да, милый, я знала, что там ее не отыщешь!») Мне ее Рейчел нашла совсем в другом месте. Вот поглядите, мистер Маркхем, это книга по натуральной истории. На картинках все-все звери и птицы, и читать ее тоже очень интересно.

В прекраснейшем настроении я сел посмотреть картинки и притянул малыша к себе. Войди он минутой раньше, то очень бы меня рассердил, но теперь я нежно поглаживал его кудри и даже поцеловал в белый лобик. Он ведь был сыном моей Хелен, а значит, и моим. С тех пор я на него так и смотрел. Прелестный мальчик стал теперь превосходным молодым человеком. Он оправдал все лучшие надежды своей матери, и в настоящее время живет в Грасдейл-Мэноре со своей молодой женой, в былые дни — смешливой крошкой Хелен Хэттерсли.

Я не успел посмотреть и половины картинок, когда вошла миссис Максуэлл и пригласила меня в столовую позавтракать. Холодная сдержанность почтенной дамы вначале сильно меня пугала, но я приложил все усилия, чтобы смягчить ее, — и, мне кажется, достиг некоторого успеха даже в этот первый короткий визит. Во всяком случае, я поддерживал с ней оживленный разговор, и она мало-помалу смягчилась, стала любезнее, а когда я откланивался, простилась со мной ласково и выразила надежду, что будет иметь удовольствие снова увидеть меня не в столь отдаленном времени.

— Нет, вы не должны уезжать, не посмотрев оранжерею, тетушкин зимний сад, — сказала Хелен, когда я повернулся к ней, чтобы проститься со всей философичностью и сдержанностью, какие только мог призвать себе на помощь.

Я с восторгом воспользовался такой отсрочкой и последовал за ней в большую прекрасную оранжерею с особым для зимы обилием цветов. Разумеется, я на них почти не смотрел. Однако моя прекрасная спутница увлекла меня туда вовсе не для нежной беседы.

— Тетя очень любит цветы, — сказала она. — И очень любит Стейнингли. Я увела вас, чтобы ходатайствовать за нее: пусть Стейнингли останется ее домом и после нашей свадьбы, и... если сами мы решим жить не тут, я хотела бы посещать ее как можно чаще. Я боюсь, ей будет тяжело расстаться со мной, и хотя она предпочитает уединенную созерцательную жизнь, в одиночестве легко поддаться унынию.

— Но конечно же, Хелен, любимая! Распоряжайтесь тем, что ваше, как пожелаете. У меня и в помышлении не было, чтобы ваша тетушка уехала отсюда, каковы бы ни были обстоятельства. А поселимся мы здесь или где-нибудь еще, решите вы с ней, и видеться вы будете, сколько вам захочется. Я понимаю, как для нее должно быть тяжело расставаться с вами, и готов возместить ей это, насколько в моих силах. Я уже люблю ее ради вас, и ее счастье мне дорого не меньше, чем счастье моей матери.

— Спасибо, милый! За это получайте поцелуй. До свидания. Ах, ну же... Гилберт... Пустите же меня... Это Артур! Не смущайте его детский ум своими безумствами.

Пора привести мое повествование к концу. Все, кроме тебя, сказали бы, что я и так его безбожно затянул. Но ради тебя я все-таки прибавлю несколько слов, ведь я знаю, почтенная дама не могла не заинтересовать тебя, и ты захочешь узнать ее дальнейшую судьбу. Разумеется, я приехал к ним снова весной и, следуя советам Хелен, всячески старался заслужить ее расположение. Впрочем, она приняла меня очень ласково, без сомнения, уже подготовленная незаслуженными похвалами мне, которые слышала от племянницы. Естественно, я постарался выставить себя в наилучшем свете, и между нами скоро возникла взаимная симпатия. Когда она узнала о моих дерзких надеждах, то приняла это гораздо лучше, чем я смел надеяться. Мне она сказала только:

— Итак, мистер Маркхем, насколько я поняла, вы намерены отнять у меня мою племянницу. Что же, надеюсь, Бог благословит ваш союз и наконец подарит счастье моей девочке. Признаюсь, мне было бы приятнее, если бы она предпочла не вступать во второй брак. Но раз уж она не хочет оставаться одинокой, то не знаю никого из подходящих ей по возрасту, кому я с большей охотой уступила бы ее, чем вам, и кто более способен оценить ее в полной мере и сделать истинно счастливой, насколько мне дано судить.

Разумеется, такой комплимент привел меня в восторг, и я мог только ответить, что надеюсь не обмануть ее ожиданий.

— Однако у меня есть к вам одна просьба, — продолжала она. — Видимо, я могу по-прежнему считать Стейнингли моим домом, так мне хотелось бы, чтобы он стал и вашим, потому что Хелен привязана к нему и ко мне... Как и я к ней. Грасдейл полон для нее горьких воспоминаний, от которых ей было трудно избавиться, а я не буду докучать вам своим обществом и тем более во что-нибудь вмешиваться. Привычки у меня очень спокойные, как и занятия, я буду оставаться в своих комнатах, и вам не придется видеть меня так уж часто.

Разумеется, я с готовностью на все согласился, и мы жили в величайшей гармонии с нашей тетушкой до дня ее кончины. Печальное это событие произошло несколько лет спустя. Печальное не для нее (ибо смерть пришла к ней тихо, и она была рада достигнуть конца земного пути), но только для оплакивавших ее любящих друзей и тех, кому она благодетельствовала.

Однако вернемся к моим делам. Мы поженились в чудесное августовское утро. Понадобились все эти восемь месяцев, и вся доброта, все терпение Хелен вдобавок, чтобы моя матушка отказалась от своего предубеждения против моей невесты и примирилась с мыслью, что я покину Линден-Грейндж и буду жить в таком отдалении от нее. Однако выпавшее на долю ее сына счастье было ей приятно, и она с гордостью приписывала все только его собственным необычайным достоинствам и талантам. Ферму я передал Фергесу, причем с более легким сердцем, чем сделал бы это на год раньше. Теперь я мог более не тревожиться за его судьбу — он уже несколько месяцев был влюблен в старшую дочь приходского священника в Л., и высокие душевные качества барышни пробудили все спавшие в нем крепким сном добродетели и подвигли его на самые похвальные старания заслужить ее любовь и уважение, а также составить состояние, позволившее бы ему просить ее руки, и сделать себя достойным чести не только в ее глазах или глазах ее родителей, но и в своих собственных. Как тебе известно, он в этом преуспел. Что до меня, то вряд ли надо рассказывать тебе, как счастливо и в какой любви мы жили и живем с моей Хелен, сколько радости находим в обществе друг друга и в подрастающем вокруг нас молодом поколении. А сейчас мы с большим нетерпением ожидаем твоего с Розой ежегодного визита — ведь уже близко время, когда вам придется покинуть свой пыльный, дымный, шумный город, полный суеты и забот, чтобы отдохнуть и набраться сил в нашем мирном сельском приюте.

А пока — прощай!

Гилберт Маркхем.

Стейнингли, 10 июня 1847 года.

Литературно-художественное издание

Бронте Энн
Незнакомка из Уайлдфелл-Холла

Компьютерная верстка: В.Е. Кудымов
Технический редактор О.В. Панкрашина

Подписано в печать 28.04.10.
Формат 84x108/32. Усл. печ. л. 23,52.
С.: КнВВ-2. Тираж 3 000 экз. Заказ № СК 1004.
С.: Зарубежная классика. Тираж 5 000 экз. Заказ № СК 1005.

Общероссийский классификатор продукции
ОК-005-93, том 2; 953000 — книги, брошюры

Санитарно-эпидемиологическое заключение
№ 77.99.60.953.Д.012280.10.09 от 20.10.09 г.

ООО «Издательство АСТ»
141100, Россия, Московская обл., г. Щелково, ул. Заречная, д. 96
Наши электронные адреса: WWW.AST.RU E-mail: astpub@aha.ru

Широкий ассортимент электронных и аудиокниг
ИГ АСТ Вы можете найти на сайте www.elkniga.ru

ООО «Издательство «Астрель»
129085, г. Москва, пр-д Ольминского, д. 3а

Типография ООО «Полиграфиздат»
144003. г. Электросталь, Московская область, ул. Тевосяна, д. 25

Галя Рыко

Санкт-Петербург

наб. реки Фонтанки

дом.

ул. Серпуховская

д 22 кв. 24.